Inquis

Numr...

Sieben

An den Ufern des Chorena

Inquisitor Nummer Sieben

An den Ufern des Chorena

Armin Moser

Herstellung und Verlag: BoD – Books on Demand, Norderstedt
ISBN: 9783752662313
Bibliographische Information der Deutschen Nationalbibliothek: Die
Deutsche Nationalbibliothek verzeichnet diese Publikation in der Deutschen
Nationalbibliografie; detaillierte bibliographische Daten sind im Internet über
dnb.dnb.de abrufbar

Polizeiprotokoll zum Verhör Nr. 21-338 im Zusammenhang mit den zusammenfassend als „Ligakrise" bezeichneten Geschehnissen in Morkada

Verdächtiger:
Ruben XXXXX

Anklage:
— Mithilfe bei der Organisation einer terroristischen
   Vereinigung
— Verschwörung
— Landesverrat
— Verrat am Magischen Orden von Quirilien

Anmerkung:
Aufgrund des letzten Anklagepunktes und der Mitgliedschaft des Verdächtigen im Magischen Orden von Quirilien wird beim Verhör, wie in § 22a des Gesetzbuches zur Zusammenarbeit zwischen dem Magischen Orden von Quirilien und der Exekutive, Legislative und Judikative des Landes festgelegt, ein Vertreter des Hohen Rates, *Konrad Gessler,* beim Verhör anwesend sein und assistieren. Des Weiteren wird der Nachname des Verdächtigen geschwärzt, genauere Informationen darüber sind in den Archiven des Ordens einzufordern, falls notwendig.

Der Verdächtige ist mit magischen Handschellen gesichert und bereit zur Befragung, als der Wachbeamte und Oberster Inquisitor Gessler das Verhörzimmer betreten. Der Beamte informiert den Verdächtigen vorschriftsgemäß über seine Rechte und Möglichkeiten und beginnt dann mit der Befragung.
Beamter: Ihr Name ist Ruben XXXXX und Sie waren über Jahre als Schüler Angehöriger des Magischen Ordens von Quirilien?

Der Verdächtige nickt schweigend.

Beamter: Sind Sie sich aller gegen Sie erhobenen Anklagepunkte bewusst?

Der Verdächtige nickt schweigend.

Beamter: Haben Sie irgendetwas zu Ihrer Verteidigung vorzubringen?

Der Verdächtige schweigt und sieht zu Boden, dann schüttelt er den Kopf.

Beamter: Waren Sie jemals Mitglied jener antimagischen, terroristischen Vereinigung, welche gemeinhin als ‚die Liga‘ bezeichnet wird?

Der Verdächtige nickt schweigend.

Beamter: Ich brauche mündliche Antworten! Waren Sie Mitglied der Liga, ja oder nein?

Der Verdächtige schweigt einige Sekunden, dann räuspert er sich und sieht auf.

Verdächtiger: Ja. Ich war über viele Jahre ein aktives Mitglied der Liga. Ich bekenne mich in allen Anklagepunkten für schuldig und habe dem nichts mehr hinzuzufügen.

Beamter: Wir brauchen mehr Informationen. Waren Sie an jenem Tag, an dem der sogenannte ‚Prinz‘ Daniel an der Spitze hunderter seiner

Anhänger bei der Liga auf das Parlament von Quirilien zumarschiert ist, dabei?

Der Verdächtige schweigt. Der Beamte wiederholt seine Frage, doch der Verdächtige reagiert nicht.

Gessler: Ruben. Sehen Sie mich an. Waren Sie an dem Tag in Morkada auf dem Vorplatz des Parlaments?

Verdächtiger: Ja. Ich war dort.

Beamter: Waren Sie in den Reihen seiner Anhänger?

Der Verdächtige schweigt.

Beamter: War es Ihr Ziel, Prinz Daniel bei der Gefangennahme der Parlamentarier und Präsident Tenmars behilflich zu sein?

Der Verdächtige schweigt.

Beamter: Können Sie uns die Namen anderer an diesem Tag anwesender Ligisten nennen? Ihre Kooperation würde sich positiv auf die Beurteilung Ihres Falles auswirken.

Der Verdächtige schweigt.

Beamter: Also schön, versuchen wir etwas anderes. Was wissen Sie über Viktoria Maranos' Beteiligung an den Aktionen der Liga?

Der Verdächtige sieht ruckartig auf.

Verdächtiger: Viktoria Maranos ist unschuldig. Sie war eine Zeit lang Mitglied der Liga, hat sich jedoch nie an irgendwelchen illegalen Aktivitäten oder Gewalttaten beteiligt. Darauf würde ich einen Eid ablegen.

Beamter: Der wäre wohl nur wenig wert. Wir konnten in den letzten Tagen viele Ihrer Ligistenfreunde knacken. Viele waren außergewöhnlich schnell dazu bereit, ihre ehemaligen Kameraden zu verraten, nachdem ihr Anführer tot war. Viele belasteten Viktoria Maranos als ein Gründungsmitglied der Liga.

Verdächtiger (sichtlich entrüstet): Das stimmt auch! Aber die Liga war in ihren Anfängen keine brutale Organisation wie gegen Schluss hin! Unser Ziel war es, den Orden zu reformieren und einige Ungerechtigkeiten zu berichtigen! Nachdem ... nachdem Prinz Daniel jedoch die Macht übernommen hatte, ist Viktoria aus der Liga ausgestiegen.

Beamter: Dann behaupten Sie also, Viktoria Maranos wäre unschuldig?

Der Verdächtige ignoriert die Frage des Beamten und wendet sich an Gessler.

Verdächtiger: Wo ist Viktoria? Geht es ihr gut?

Gessler: Sie befindet sich zurzeit in polizeilichem Gewahrsam. Allerdings soll sie demnächst auf freien Fuß gesetzt werden. Bitte beantworten Sie die Fragen des Polizeibeamten, Ruben.

Der Verdächtige wendet sich an den Beamten, der seine vorherige Frage wiederholt.

Verdächtiger: Ja, meine Frau ist unschuldig.

Beamter: Ihre Ex-Frau. Während Sie hier festgehalten wurden, hat sie die Scheidung eingereicht. Aufgrund der gravierenden Umstände wurde sie sofort bewilligt. Das wird Sie doch wohl kaum überraschen, oder? Nicht nur, dass ihr Mann einer der gefürchtetsten Terroristen des Landes ist, Ihren gemeinsamen Sohn haben Sie ja schließlich auch den Zwecken der Liga geopfert, nicht wahr?

Der Verdächtige wirkt angespannt und gewaltbereit. Gessler wendet sich an den Beamten.

Gessler: Bitte beschränken Sie Ihre Fragen an Ruben auf für den Fall relevante Details.

Beamter: Ich leite diese Befragung. Ich entscheide, was relevant ist.

Gessler: Das ist korrekt, aber auch Sie müssen sich an die Richtlinien halten. Wenn Sie ohne ersichtlichen Grund einen Verdächtigen provozieren, ist dies nicht gesetzmäßig, weder in den Statuten des Ordens noch im quirilischen Gesetzbuch.

Gessler und der Beamte verlassen den Raum, nach einer kurzen Diskussion mit dem Revierinspektor führt Gessler die Befragung alleine fort.

Verdächtiger: Stimmt das? Hat sich Viktoria … von mir getrennt?

Gessler: Es stimmt. Aber bitte beantworten Sie mir nun ein paar Fragen. Es steht viel für Sie auf dem Spiel. Großmeister Zeus hat die Todesstrafe für Sie gefordert, sollten Sie nicht kooperieren.

Der Verdächtige schweigt und sieht zu Boden.

Gessler: Wollen Sie sterben, Ruben?

Der Verdächtige schweigt.

Gessler: Wenn man Sie wegen aller Anklagepunkte, wegen denen Sie gestanden haben, schuldig spricht, wird man Sie töten.

Der Verdächtige schweigt.

Gessler: Angesichts Ihrer Vergehen erscheint mir das angebracht.

Der Verdächtige schweigt.

Gessler: Aber eine Bestrafung genügt mir nicht. Was ich will, ist die Wahrheit. Und ich weiß, dass Sie mir etwas verschweigen. Und ich will wissen, was.

Der Verdächtige schweigt.

Gessler: Ruben. Sprich mit mir.

Der Verdächtige sieht auf.

Verhörprotokoll Nr. 21-338 endet hier. Der weitere Inhalt des Gesprächs wurde von Ratsmitglied Gessler als „streng geheim" klassifiziert. Es gibt nur eine einzige Kopie des Gesprächs im Hochsicherheitsarchiv des Ordens. Jede Nachprüfung des Inhalts gilt ohne eine audrückliche Bewilligung des Hohen Rates und Konrad Gesslers als ausgeschlossen.

Sechs Monate später …

1.

Das Wasser unter ihnen war rot wie Blut. Dasselbe galt für das Metallgeländer der Brücke. Und seine Hände, die es umklammerten. Natürlich war das nur eine Täuschung, ausgelöst von den roten Glassteinen, die die Sehschlitze der Maske, die er trug, bedeckten. In Wirklichkeit war das Wasser des Chorena wahrscheinlich trüb und grünlichbraun, wie es im späten Herbst so oft der Fall war.

Inquisitor Nummer Sieben stand auf der Brücke, direkt neben Gessler, und starrte hinab. Es war kalt, der Himmel grau und er fröstelte. An dieser Stelle floss der Fluss recht schnell, doch an den Seiten gab es Buchten mit langen Sandbänken, die noch nicht verbaut worden waren. Dort wuchsen allerlei krumme Bäume an den Böschungen und büschelweise Schilf spross aus dem seichten Wasser. Eine Entenmutter, die den beiden Männern auf der Brücke über ihr einen misstrauischen Blick zuwarf, zog sich mit ihren Jungen gerade in das Dickicht zurück. Irgendwo quakte ein Frosch. In einiger Entfernung stakste ein Reiher geduldig auf der Suche nach etwas Fressbarem durch das Wasser. Es schien hier so ruhig und friedlich zu sein, dass Nummer Sieben der Landschaft, ohne zu zögern, das Prädikat „malerisch" verliehen hätte.

Ein schöner Ort zum Sterben, dachte er.

Gessler hob den Arm und deutete auf eine besonders tiefe Bucht ein Stück vor ihnen zu ihrer Rechten. „Dort unten werden die Leichen laut den Aussagen der Bewohner von Krithon immer angespült."

Sieben fuhr sich mit den Fingern über das Gesicht, oder zumindest versuchte er es – *diese verdammte Schnabelmaske!* Egal was er tat, sie schien ihm immer im Weg zu sein.

Gessler sah ihn an. „Es ist nur am Anfang schwierig. Sie werden sich daran gewöhnen."

Es war nicht das erste Mal, dass Nummer Sieben das hörte. Zumindest an dem Rotton seiner Sicht war er zum Teil selbst schuld. Ein Inquisitor durfte niemals, unter keinen Umständen, seine Maske abnehmen. Wer dieses Gesetz brach, riskierte ernsthafte Strafen und ein Verfahren vor dem Hohen Rat des Magischen Ordens von Quirilien. Doch gerade am Anfang war es so gut wie unmöglich, mit der Maske auf dem Gesicht zu schlafen. Nicht nur, dass sie ungemütlich war, ihre lange Schnabelnase verhinderte auch, dass er damit irgendwie anders als auf dem Rücken liegen konnte. Deswegen hatte Nummer Sieben sie in der Nacht, wenn er sich sicher sein konnte, dass niemand ihn beobachtete, abgelegt, was jedoch zur Folge hatte, dass sich seine Augen in den ersten Stunden des Tages neu an den rötlichen Ton in seinem Blickfeld gewöhnen mussten.

Er ging nicht näher auf die Bemerkung Gesslers ein, sondern sah weiter flussaufwärts. „Und sie sind allesamt …?"

Gessler nickte langsam. „Selbstmörder, ja. Zumindest konnte in den Obduktionen nie eine physische Fremdeinwirkung vor dem Tod festgestellt werden. Die meisten haben aufgeschnittene Pulsadern. Ein paar fügen sich auch selber Wunden im Halsbereich zu, offenbar im Versuch, sich die Kehle durchzuschneiden. Einige wenige erschießen sich oder nehmen Schlafmittel. Oft hinterlassen sie irgendwelche Notizen, manchmal auch Gedichte, doch in keinem einzigen Fall geht man bisher davon aus, dass Fremdverschulden vorliegt."

Sieben zuckte mit den Achseln. „Wegen ein paar Selbstmördern würde der Orden den Fall wohl kaum untersuchen lassen. Schon gar nicht zu diesem Zeitpunkt."

Gessler nickte erneut. „Richtig. Aber vor Kurzem ist hier in der Nähe ein Inquisitor verschwunden. Er war aus eigenem Antrieb hier, seine Nichte hat sich in der Gegend das Leben genommen. Er war der Meinung, dass sie so etwas niemals tun würde, und zog los, ohne dem Orden vorher Bescheid zu geben, um die Gegend zu untersuchen. Der Rat erfuhr von seinem Alleingang erst, als er bereits vor Ort war."

13

Wieder hob Gessler den Arm und deutete über die Baumkronen auf einen Ort hinter der Bucht. „Ein Stück flussaufwärts befindet sich der Eingang zu einem Tal. Dort gibt es eine große Dammanlage zum Hochwasserschutz und den kleinen Fluss, der die Leichen hier in den Chorena bei Krithon spült. Weiter hinten im Tal liegt eine kleine Ortschaft namens Oslubo und der Fluss teilt sich in den Darineus und den Iphikles. Und der Iphikles ist es, der uns Probleme bereitet." Gessler hielt kurz inne, wandte sich von Sieben ab und fuhr mit der Hand über sein Gesicht. Sieben vermutete, dass er den Verband an seinem Kopf zurechtrücken wollte.

Konrad Gessler war ein ernster, steinharter, aber auch stolzer Mann. Als Mitglied des Hohen Rates des Ordens von Quirilien und Leiter der Inquisition war er noch nicht sehr lange im Amt, immerhin war sein Vorgänger erst wenige Monate zuvor ermordet worden. Doch für viele galt er schon jetzt als Held. Während der sogenannten „Ligakrise", in der eine terroristische Organisation versucht hatte, die Regierung von Quirilien zu stürzen und den Magischen Orden in die Knie zu zwingen, waren viele Magier aus derm Hauptstadt Morkada geflohen, darunter auch der Großmeister des Ordens. Denn die Liga unter der Führung eines mächtigen Magiers namens Daniel, den viele seiner Anhänger als „den Prinzen" bezeichneten, war auf das Parlament zumarschiert, um die Kontrolle über das Land zu übernehmen.

Gessler war der Einzige gewesen, der sich dem Prinzen wirklich in den Weg gestellt hatte. Den Preis für seinen Mut würde er nun jedoch sein Leben lang in Form einer hässlichen Narbe in seinem Gesicht mit sich herumtragen. Und auch wenn Gessler nicht derjenige war, der den Prinzen letztlich niedergestreckt hatte, so waren ihm durch sein entschlossenes und furchtloses Auftreten viele Bewunderer sicher.

Sieben beobachtete, wie er ein wenig an den Bandagen herumzupfte und sich schließlich wieder ihm zuwandte. „Jedenfalls hat uns Inquisitor Nummer Sechsundzwanzig zu Beginn noch regelmäßige Berichte über seine Ergebnisse zugesandt. Es gab nichts wirklich Verdächtiges und ich bin mir sicher, dass er sehr gründlich gesucht hat. Eines Tages hörten seine Meldungen dann einfach auf. Keine Anrufe, keine sonstigen Mitteilungen mehr, nichts. Leider hatten wir zu diesem Zeitpunkt alle Hände voll zu tun mit der Liga, doch nun möchte ich, dass dieser Fall untersucht wird", erklärte er entschlossen.

Sieben nickte abwesend. Er sah hinunter auf die kleine Bucht. *Da unten zu liegen, mit dem Kopf nach unten im Wasser treibend ... Friedlich. Von allen Problemen befreit. Nur vermutlich kein schöner Anblick für den, der dich findet.* Er seufzte, was unter seiner Maske wie ein seltsam dumpfes Schnauben klang.

In gewisser Weise war Sieben gespannt. Die Masken der Inquisitoren waren von einer stumpfen, silbernen Farbe und besaßen eine lange, vorstehende Schnabelnase. Dieses seltsame Aussehen gepaart mit den roten, durchsichtigen Steinen in den Sehschlitzen machten im Alltag Kommunikation oder überhaupt halbwegs normale zwischenmenschliche Interaktion nahezu unmöglich. Doch bisher war Sieben noch nicht dazu gekommen, die Wirkung der Maske an fremden Nicht-Zauberern zu beobachten. Hier, bei seinem ersten Auftrag, würde er nun sehen, wie das war. Irgendetwas sagte ihm jedoch schon jetzt, dass er diesbezüglich wohl keine positiven Überraschungen zu erwarten hatte. Gewöhnliche Menschen hassten Inquisitoren.

Gessler sah von der Bucht zurück hinter Sieben zu der kleinen Stadt, deren wenige Hochhäuser sich von dem grauen Gebäudemeer abhoben. „Krithon ist ein Tourismusort", sagte er, „also können Sie sich sicher vorstellen, dass diese Masse an Selbstmorden so nahe an der Stadt nicht eben gut fürs Geschäft ist. Ihr Auftrag, Nummer Sieben, ist es, herauszufinden, was es mit diesen ungewöhnlichen Vorfällen auf sich hat, und wenn möglich das Verbleiben von Inquisitor Nummer Sechsundzwanzig zu klären. Großmeister Zeus hat mich darauf hingewiesen, ausdrücklich zu erwähnen, dass regelmäßige Rücksprache mit ihm persönlich erwünscht ist."

Sieben verzog unter der Maske das Gesicht – *Zeus, dieses Arschloch.* Den Großmeister des Ordens, der dem Hohen Rat vorsaß, kannte Sieben persönlich, und das nur zu gut. Für gewöhnlich war es so, dass Schüler auch nach Abschluss ihrer Ausbildung im Orden ein gutes Verhältnis zu ihrem ehemaligen Meister pflegten. Doch weiter von einem guten Verhältnis entfernt als Sieben und Richard Zeus konnte man gar nicht sein. Während er seinen Blick nachdenklich über den Fluss schweifen ließ, brauchte er nicht lange, um aus dieser Tatsache die logische Schlussfolgerung zu ziehen.

So harmlos, wie dieser Auftrag klingt, kann er nicht sein, dachte er. *Es sollte mich sehr wundern, wenn Zeus zulassen würde, dass meine erste Untersuchung eine ist, bei der nicht zumindest eine kalkulierbare Chance besteht, dass ich dabei draufgehe.*

Gessler nickte ihm jetzt zu, ging vor zum anderen Ende der Brücke und Sieben folgte ihm. Sie fanden eine grobe und von vom Herbstwind herangewehten, feuchten Blättern übersäte Betontreppe hinunter ans Ufer und stiegen hinab. Sieben sah sich erwartungsvoll um, konnte jedoch nicht finden, wonach er suchte. *Wo steckt er denn? Er sollte schon lange zurück sein,* wunderte er sich.

Gessler legte ein strammes Tempo vor. Trittsicher stieg er über Steine, angespülte Äste und Wasserpfützen hinweg und verlor dabei nicht einmal die fast schon militärisch zackige Haltung, die den Leiter der Inquisition ausmachte. Sieben folgte ihm auf dem Fuß. Stumm marschierten sie so, bis sie nach fünf Minuten bei der zuvor angesprochenen Bucht angekommen waren. Sie war von der Brücke aus nicht gänzlich einsehbar und tatsächlich fand Nummer Sieben, dass der Platz für ein Picknick ganz nett wäre. Allerdings wäre wohl die Stimmung im Eimer, wenn man dabei mitten im Schilf auf einmal eine halb verrottete, aufgedunsene Wasserleiche fand.

„Hier", sagte Gessler noch einmal und deutete zu einem großen Stein, der einige Meter entfernt aus dem in der Bucht träge dahinfließenden Wasser hervorragte. „Die letzte Leiche wurde genau an dieser Stelle entdeckt. Weiblich, fünfundzwanzig Jahre alt, Tod durch aufgeschnittene Pulsadern."

„Konnte man sie schon identifizieren?", fragte Sieben und sah zu der besagten Stelle hinüber.

Gessler nickte. „Ihr Name war Sophie Falk. Eine Einheimische."

Etwas an der Art, wie er die letzte Bemerkung formulierte, machte Sieben stutzig. „Ist etwas daran ungewöhnlich?"

„Allerdings. Wie bereits erwähnt, handelt es sich hier eher um eine Art Selbstmordtourismus. Sophie Falk ist die erste Einheimische seit vielen Jahren, die Suizid begangen hat. Erste Befragungen ergaben, dass sie offenbar vor Kurzem ein unglückliches Beziehungsende hinter sich hatte, viele sehen darin den Grund für ihren Suizid. Sie stammt aus Oslubo, einem Ort tiefer im Tal. Dort werden Sie sich auch für den Großteil Ihrer Ermittlungen aufhalten, um die umliegenden Seitentäler zu untersuchen und die Quelle dieser unglücklichen Ereignisse hoffentlich auszumachen." Gessler machte eine kurze Pause, ließ den Blick schweifen und sah dann Nummer Sieben an. „Aber noch einmal zurück zu den Toten: Den einen oder anderen Selbstmörder war man in Oslubo immer schon gewohnt. Ich nehme an, Sie wissen warum?"

Sieben nickte. „Blaukrähe." Im Verlauf seiner Ausbildung hatte er auch viel über magische Geschichte gelernt. Waldemar Blaukrähe war in den chaotischen Zeiten des Mittelalters ein Hexenmeister und lokaler Herrscher in der Umgebung von Krithon gewesen. Sein Sitz hatte in einer Burg im Tal des Iphikles gelegen. Trotz seines etwas seltsam anmutenden Namens war er ein äußerst mächtiger Magier gewesen, der für zwei Dinge in die Geschichte einging: seine außergewöhnliche Grausamkeit – was nach damaligen Maßstäben schon etwas heißen mochte – und eine Reihe von überlieferten

17

Gedichten, die allesamt einen recht düsteren und nihilistischen Anstrich hatten. Sieben hatte gehört, dass für solche Dinge empfängliche Menschen in eine geradezu stolze Depression verfielen, wenn sie sich in seine Gedichte versenkten. Viele von ihnen zog es dann in die Umgebung von Krithon, wo er noch andere, besser erreichbare Anwesen besessen hatte. Seine treuesten Anhänger kamen sogar manchmal ins Tal, um Blaukrähes Burg zu besuchen. Dass so manch einer dieser schrägen Vögel dann gleich so weit ging und sich aus lauter Hingabe zur Poesie das Leben nahm, war ihm allerdings unverständlich. Zumindest überwiegend.

Gessler nickte zur Bucht hinüber. „So gut wie alle Selbstmörder wurden früher oder später hier angespült. Offensichtlich hat gerade der Iphikles eine besondere Anziehungskraft auf diese Leute. Was jedoch unter anderem Inquisitor Nummer Sechsundzwanzig stutzig gemacht hat, waren die Berichte der örtlichen Polizei zu den Fällen. Irgendetwas war daran faul. Die Beamten haben gute Arbeit bei der Dokumentation geleistet, daran liegt es nicht, aber die Zahl der gefundenen Selbstmörder stieg über die Jahre hinweg langsam an. Zuerst waren es nur drei oder vier pro Jahr, doch schließlich wurden hier an diesem Ufer jeden Monat ein oder zwei Menschen angespült. Dann, vor etwa zwei Jahren, hörten die Funde mit einem Mal auf. Aber nicht die Selbstmorde. Tatsächlich verschwanden die Leute nun einfach spurlos." Nach dieser Erläuterung setzte sich Gessler wieder in Bewegung und marschierte weiter.

Sieben folgte ihm und sie stiegen über einen Haufen Geröll am Rand der Bucht, um auf die andere Seite eines kleinen Vorsprungs zu kommen. Hinter den Bäumen sah er irgendetwas Großes, Massives, doch noch konnte er nicht sagen, worum es sich handelte. Ein Gefühl innerer Unruhe erfasste ihn. Wieder sah er sich um – *wo steckt er nur? Ob er inzwischen bei der Brücke ist und mich jetzt sucht?* Seine Stimmung sank weiter.

Gessler schritt weiter voran und fuhr unbeirrt fort: „Und es wurden mehr. Genaue Zahlen gibt es ab diesem Zeitpunkt nicht mehr, aber auf mich macht es den Eindruck, als wären im vorletzten Jahr um die fünfzig Personen verschwunden und in der ersten Hälfte des letzten Jahres noch einmal so viele."

Sieben, der im Gehen immer wieder abwechselnd auf den Rücken seines Vorgesetzten und auf den steinigen Untergrund starrte, um nicht zu stolpern, runzelte die Stirn.

„Und dann?"

„Dann kam Sechsundzwanzig, weil seine Nichte eine der letzten verschwundenen Personen war und er nicht an einen Selbstmord glaubte. Seit seiner Ankunft im Tal ist niemand mehr verschwunden. Obwohl ein paar Leute gekommen sind, von denen vermutet wurde, dass sie hier ihr Ende suchen, aber keiner tat es wirklich. Alle sind nach einer Weile wieder unverrichteter Dinge abgereist."

Und warum soll das ein Problem sein, hätte Sieben fast schon missmutig gefragt, doch er riss sich am Riemen. Gessler konnte schließlich nichts für seine Lage. Außerdem erkannte er den Zusammenhang. „Das Problem scheint gelöst, aber von Sechsundzwanzig fehlt jede Spur", sagte er stattdessen. „Entweder ist, was auch immer hier die Leute zum Selbstmord treibt, noch aktiv und hält sich nur zurück und versteckt, oder etwas völlig anderes ist für sein Verschwinden verantwortlich."

Gessler nickte und sah kurz über die Schulter zurück, während er weiterging. „Ganz genau. Und natürlich ist da noch die Tatsache, dass es wieder einen Selbstmord vor Kurzem gab. Das kann natürlich Zufall sein, immerhin ist sie die erste Einheimische unter den Toten, aber sicher ist sicher. Und …" Er hielt einen Moment inne, als wolle er sich zu Sieben umdrehen, ließ es dann aber doch bleiben und fuhr fort: „Die Liga ist in dieser Gegend auch sehr aktiv."

Selbst wenn keine Maske jede Gemütsregung in seinem Gesicht verdeckt hätte, wäre es Sieben nicht im Traum eingefallen, auch nur mit der Wimper zu zucken. Außerdem war ihm diese Information keineswegs neu. „Herzog", murrte er hörbar.

Gessler blieb nun doch stehen, drehte sich um und runzelte ernst die Stirn. „Sie kennen ihn?"

Nummer Sieben wäre fast in ihn hineingelaufen, konnte es aber gerade noch verhindern. Langsam nickte er. *Und ob ich das tue. Ein eingebildeter, kleiner Trottel, der Prinz Daniel am Rockzipfel hing und sich nun nach seinem Tod für seinen Nachfolger hält. Dass sein dummer Nachname da ganz gut ins Bild passt, ist so ziemlich der dämlichste Zufall überhaupt,* dachte er und seine Laune sank weiter.

Als die Liga noch eine junge Bewegung war, hatte sie zu einem nicht geringen Teil aus Magiern bestanden, die sich für tiefgreifende, vielleicht etwas extreme Reformen im Orden eingesetzt hatten. Nicht so David Herzog. Er war ein Magierhasser der ersten Stunde, die einzige Ausnahme hatte er für den Prinzen selbst gemacht. Um sich hatte er ein kleines Grüppchen von Gewöhnlichen geschart, die seine Ansichten teilten und deren Ziel es von Anfang an gewesen war, die Zauberer und alles, was mit ihnen zusammenhing, zu vernichten. Siebens Ansicht nach war er weder besonders intelligent noch von imposanter Gestalt, ein gewisses Charisma war ihm jedoch nicht abzusprechen und er verstand es, die Menge anzuheizen. Nachdem die Liga in alle Winde zerstreut worden war, hatte es viele gegeben, die in ihm den nächsten großen Führer der Organisation sahen. Nummer Sieben sah das anders – *was für ein lächerlicher Vergleich. Neben Daniel ist dieser Wicht nur ...* Er unterbrach seinen Gedanken. *Keine Vergangenheit, kein Gesicht, kein Name, nur das Licht,* fuhr er stattdessen fort. Es war das Mantra der Inquisition. Ein Inquisitor war niemand. Ein Inquisitor hatte keine besonderen Bindungen zu Menschen aus seiner Vergangenheit, weil diese nicht existierte. Einem Inquisitor wurden alle Fehler der Vergangenheit verziehen, aber es war wichtig, dass er sie auch vollständig ablegte. *Für Inquisitor Nummer Sieben ist Daniel niemand Besonderes,* dachte er trotzig.

Gessler bemerkte von alldem jedoch nichts. „Er ist gefährlich. Natürlich hält er sich jetzt, da man die Liga systematisch jagt, eher bedeckt. Doch wir vermuten, dass er irgendetwas plant. Sechsundzwanzig könnte ihm dabei in die Quere gekommen sein. Also wäre es von Vorteil zu wissen, ob da ein Zusammenhang besteht." Er sah Sieben durchdringend an. „Aber was auch immer in diesem Tal des Iphikles vorgeht, hat Vorrang. Am besten wäre es deshalb, niemanden von der Liga hier in der Gegend zu provozieren, solange Sie nicht wissen, dass sie mit der Sache zu tun haben. Der Orden ist immer noch dabei, seine Ressourcen zu reorganisieren, und wir können es uns nicht leisten, einen großangelegten Konflikt zu riskieren. Für Sie ist die Organisation nur von Belang, sollte ein Zusammenhang zu Nummer Sechsundzwanzigs Verschwinden bestehen, oder falls Sie von ihnen zuerst angegriffen werden. Aber was auch immer in diesem Tal passiert, wenn es wirklich für so viele Menschen eine Gefahr darstellt, muss es gründlich untersucht werden und hat absolute Priorität."

Sie überwanden die letzten paar Felsen und kamen in eine neue, kleinere Bucht. Nun sah der Inquisitor auch endlich, worauf er vorhin durch die dicht beieinanderstehenden Bäume nur einen kurzen Blick hatte erhaschen können.

Vor ihnen ragte sperrig und sicher zwanzig Meter hoch ein Damm gen Himmel. Dicker Beton und feste Eisenstreben verliehen der Anlage ein sehr solides Aussehen und aus drei mehrere Meter breiten Öffnungen flossen die verschiedenen Arme eines kleinen Flusses über mehrere Wasserbecken hinab in den Chorena. Im Verhältnis zu der riesigen Anlage wirkten die drei Wasseradern schon fast komödiantisch klein.

„Die Dammanlage, nehme ich an?"

„Korrekt. Sie schützt Krithon vor Hochwassern und den Chorena vor einer Blockade durch mögliche Murenabgänge. Die kommen hier in der Gegend häufiger vor."

Er klopfte mit der flachen Hand auf den Beton.

„Dahinter befindet sich ein Delta, das unter Naturschutz steht. Nicht, dass irgendjemand vorhätte hier zu bauen, aber es ist auch das Rückzugsgebiet einiger seltenerer Vögel. Aber das spielt keine Rolle, Ihr Einsatzgebiet liegt weiter flussaufwärts. Die Siedlung in der Nähe der Stelle, wo der Iphikles und der Darineus ineinanderfließen, Oslubo, hat weniger als zweihundert Einwohner und gehört technisch gesehen zu Krithon, aber die Leute dort sollen ein wenig eigenbrötlerisch sein und Einmischungen von außen nicht sonderlich gerne sehen. Behalten Sie das in Erinnerung."

Das heißt dann also so viel wie: Mach keinen Ärger. Alles klar.
Gessler kramte in seiner Tasche, zog eine Karte heraus und legte sie vor sich auf einen Stein. Sieben warf einen Blick darauf. Es handelte sich um eine recht gewöhnliche Landkarte von Quirilien, nur dass darauf einige Zeichen waren, die man nicht in einer herkömmlichen Legende fand. Der Inquisitor hatte sie schon einmal gesehen.

Da waren zuerst einmal die hellorangen, Ypsilon-förmigen Zeichen, die besagten, dass an dieser Stelle Energiewesen gesichtet worden waren, die eine potentielle Gefahr für Gewöhnliche darstellen konnten. Dabei ging es meistens um Fälle, um welche sich die Inquisition noch nicht hatte kümmern können. Als Sieben diese Karte das letzte Mal vor ein paar Monaten irgendwo gesehen hatte, waren diese Zeichen noch kaum vorhanden gewesen. Doch nun wirkten viele der handschriftlich vorgenommenen Einträge relativ frisch. Dezenter waren die blauen Zeichen, welche gelöste Probleme der letzten paar Jahre darstellten. Sie waren sehr zahlreich, aber machten allesamt einen älteren Eindruck.

Die Ligakrise hat die Ressourcen des Ordens ganz schön beansprucht. Wahrscheinlich ist die Inquisition seit fast einem halben Jahr nicht mehr dazu gekommen, sich um irgendwelche Fälle zu kümmern.

Rot war naturgemäß weniger gut, aber auch sehr selten vertreten. Hierbei ging es um Fälle, bei denen schon Todesfälle bekannt waren. Genau über der mit dem Namen „Krithon" versehenen Ortschaft war eines dieser Zeichen zusätzlich noch mit einem strichlierten Kreis versehen. Das hieß vermutlich, dass es sich bei dem Opfer um ein Mitglied des Ordens handelte. Und an vier Stellen auf dieser Karte Quiriliens war eine schwarze Markierung. Dies waren höchst gefährliche, magische Aktivitäten, die zwar für die breite Öffentlichkeit kein unmittelbares Problem darstellten, sich jedoch nicht vom Orden hatten lösen lassen. Meistens verfuhr man in diesen Fällen so, dass die betroffene Gegend einfach zum Sperrgebiet erklärt wurde. Sollte die Untersuchungsgruppe, der Sieben angehörte, bei ihrem Auftrag versagen, würde anstelle der roten Markierung so eine schwarze auf der Karte sein. Allerdings wäre das für ihn dann vermutlich nicht mehr relevant, weil er tot sein würde. Aber das war egal. Alles war egal. Gessler runzelte ungehalten die Stirn.

„Es gibt so viel Arbeit für die Inquisition. Und dann will Großmeister Zeus, dass wir uns auch noch der Liga widmen. Ich hoffe wirklich, dass, wenn der größte Rummel diesbezüglich vorbei ist, wir uns endlich wieder auf unsere eigentliche Arbeit konzentrieren können."
Sieben fiel ein, dass er Gessler eine Frage von zentraler Wichtigkeit noch gar nicht gestellt hatte.

„Wer sind eigentlich meine Partner bei diesem Auftrag?"
Der Oberste Inquisitor antwortete nicht sofort. Erst faltete er die Karte sorgsam zusammen und ließ sie fast schon bedächtig langsam in seine Manteltasche gleiten.

„Die Einsatzleitung wird Kassandra Gessler übernehmen, begleitet wird sie von ihrem Schüler Otto Valerius."
Beim Licht! Na ganz toll.
Nicht, dass er gegen Gesslers Tochter von einem rein praktischen Standpunkt her etwas hätte. Niemand, nicht einmal Konrad Gesslers schlimmster Feind, hätte ihm unterstellt, dass seine Tochter es nur

durch ihre Beziehung zu ihm so schnell so weit gebracht hatte. Sie galt als eines der größten Talente im Orden, sowohl im Umgang mit Zauberei als auch mit dem Degen. Da bei Magiern durch ihren ständigen Kontakt mit der jenseitigen Welt, aus der sie ihre magischen Kräfte bezogen, oftmals ihre Lebensspanne außerordentlich verlängert wurde, war es in normalen Zeiten so gut wie undenkbar, dass jemand, der gerade einmal sechsundzwanzig Jahre alt war einen Schüler zugeteilt bekam. Vom Meistertitel und dem Kommando über eine Inquisitionsuntersuchung ganz zu schweigen.

Aber abgesehen von ihrem unbestreitbaren Talent waren es auch keine normalen Zeiten. Die Ligakrise hatte den Magierorden ausgedünnt und zu einem Schatten seiner selbst gemacht. An potentiellen Schülern mangelte es dem Orden nie, jedoch waren viele Meister Prinz Daniel und seinen Schergen zum Opfer gefallen. Nein, das Problem, das Sieben mit Kassandra Gessler hatte, bestand eher darin, dass dieser Auftrag seines Wissens nach genauso ihr erster sein würde wie seiner. Und dass sie aller Wahrscheinlichkeit nach aufgrund seiner Vergangenheit eine persönliche Abneigung gegen ihn haben könnte. *Zumindest in dem Punkt könntest du Glück haben,* versuchte er sich einzureden, *immerhin ist sie genauso streng und diszipliniert wie ihr Vater. Wenn sie die Grundsätze der Inquisition genauso ernst nimmt wie er, darf sie ihre persönliche Abneigung gegen mich nicht zeigen.* Glaubte er. Hoffte er. Vielleicht.

Von ihrem Schüler Otto hatte er noch nie zuvor gehört, allerdings war der Nachname Valerius ein Indiz dafür, dass er der alten Magierfamilie der Valerianen entstammte, die ihre Geschichte im Dienst des Ordens über hunderte von Jahren hinweg bezeugen konnten. Viele Mitglieder dieser Adelsfamilien blickten mit Arroganz und Verachtung auf Zauberer ohne magische Vorfahren hinab. Und Inquisitoren mochten sie in der Regel erst recht nicht. Bei beiden seiner angedachten Partner in dieser Untersuchung bestand also die nicht geringe Wahrscheinlichkeit, dass sie ihn nicht leiden konnten.

Das würde die Sache nicht gerade einfacher machen. Einige Minuten lang legte sich wieder eine völlige Stille über die friedliche Bucht. Das Gefühl innerer Unruhe im Inquisitor wurde stärker. Ihm war, als würde etwas seine Gedanken kitzeln, es war störend und ablenkend. Irritiert wollte er sich an der Stirn kratzen, doch seine Fingernägel kratzten nur über die Oberfläche seiner Maske.

Blödes Ding!

Gessler verschränkte die Arme und sah über den Chorena hinweg ans andere Ufer. Wie er so dastand, wirkte er auf Sieben wie ein altes Steindenkmal, das mit grimmigem Blick über ein Grab wachte. Ein sanfter Wind setzte ein und ließ die Blätter in den Bäumen über ihnen rascheln und reihenweise in einem bunten, herbstlichen Wirbel zu Boden fallen. Sieben zog seinen schwarzen Inquisitorenmantel enger um sich. Gessler wandte sich ihm zu.

„Sobald sich Kassandra bei mir meldet, reise ich nach Kiruna ab. Sollte es irgendwelche Zwischenfälle bei Ihrem Auftrag geben, wenden Sie sich bitte an den Hohen Rat. Im Notfall kann ich schnell vor Ort sein, ich muss mich jedoch auch um meine eigenen Untersuchungen kümmern. Sollten Sie auf einen Dämon der Stufe Sieben oder höher treffen, rufen Sie auf jeden Fall Hilfe, gehen Sie keine unnötigen Risiken ein. Sobald Sie die anderen getroffen haben, können Sie sich auf den Weg in das Tal machen."

Er hielt kurz inne und sah auf.

„Aber Sie haben ja noch einen Assistenten bei Ihrem Auftrag, nicht wahr? Wo ist er?"

Der Inquisitor zuckte mit den Schultern.

„Ich habe ihn vorgeschickt, um sich die Gegend einmal anzusehen. Eigentlich hätte er schon längst wieder zu uns stoßen sollen."

Die unpassend schrille Melodie eines Mobiltelefons durchbrach die Stille. Gessler kramte in seiner Manteltasche und zog ein graues, schmuckloses Klapphandy heraus.

„Das wird Kassandra sein", murmelte Gessler, bevor er abhob, „machen Sie sich besser einmal auf den Weg und suchen nach Ihrem kleinen Freund. Ich warte hier auf Sie."

Der Inquisitor nickte. Er überlegte, wo sein „Freund" wohl geblieben sein konnte. Normalerweise war er sehr verlässlich, allerdings auch leicht abzulenken und manchmal ein bisschen zu neugierig für sein eigenes Wohlergehen.

Hoffentlich hat er sich nicht wieder in Schwierigkeiten gebracht.

Er sah sich in der Bucht vor dem Damm um. Falls er nicht schon tatsächlich bei der Brücke auf sie wartete, war es wohl am wahrscheinlichsten, dass er weiter flussaufwärts auf irgendetwas Interessantes gestoßen war. Zum Glück schien das Ufer dort leichter passierbar zu sein, keine Geröllhaufen oder Seitenarme des Flusses versperrten ihm den Weg.

Na dann wollen wir doch einmal sehen, was du jetzt wieder angestellt hast.

2.

Zwei Buchten weiter wuchs die Sorge des Inquisitors.

Ihm wird doch nichts passiert sein?

Er hatte zwar keine Ahnung, ob es hier in der Gegend überhaupt irgendetwas gab, das seinem Partner hätte gefährlich werden können, trotzdem war seine lange Abwesenheit besorgniserregend. Zu seiner Rechten war das Ufer steiler geworden. Ein Mensch wäre diese Böschung nur unter Schwierigkeiten hochgekommen.

Vielleicht hat er sich vom Fluss entfernt?

Gerade als er mit dem Gedanken spielte, den Abhang hinaufzuklettern, hörte er von irgendwoher eine Stimme. Der Inquisitor hielt inne und lauschte. Gessler war mittlerweile viel zu weit weg, als dass er ihn hätte hören können. Wer immer da sprach, war auf jeden Fall gereizt. Sieben schloss die Augen. Viele Zauberer, die jahrelang mit magischer Energie hantierten, entwickelten neben ihrer Langlebigkeit auch gewisse … Eigenheiten. Schnellere Reflexe, höhere Ausdauer … das waren nur die häufigsten. Ein ausgesprochen gutes Gehör war ebenfalls weit verbreitet, doch er selber hatte diesen speziellen Vorteil nicht, oder zumindest nicht in einem sonderlich großen Umfang. Die Vielzahl an möglichen Nebenwirkungen der Magie war gewaltig, doch während Sieben ironischerweise eine besonders starke Ausprägung in den meisten Fällen fehlte, war der am seltensten betroffene Sinn ausgerechnet bei ihm geradezu absurd ausgeprägt: sein Geruchssinn. Allerdings brachte ihm das aufgrund der vielen ihn umgebenden Pflanzen und des intensiven Geruchs nach nassem Sand und verschiedenen Stoffen im Wasser nur wenig.

Die Stimmen schienen näher zu kommen. Der Inquisitor sah sich um. Hier zwischen Abhang und Fluss war es schwer, irgendwohin auszuweichen.

Allerdings gibt es streng genommen auch keinen Grund, sich versteckt zu halten.

Die Stimme verstummte und eine zweite, ruhigere, die zu einer Frau gehörte, antwortete.

„Er wird schon auftauchen, mach dir keine Sorgen. Die Chefin hat schon einmal mit ihm zusammengearbeitet und hält ihn für halbwegs vertrauenswürdig. Und er ist mit Abstand der Beste seines Faches. Wenn er uns hilft, sollte es ein Leichtes sein, zu finden, wonach wir suchen."

Der Mann schnaubte.

„Na hoffentlich ist er auch pünktlich. Die Gegend hier soll verflucht sein. Warum müssen wir uns ausgerechnet hier mit ihm treffen?"

Die Frau antwortete irgendetwas, das Sieben nicht verstand. Er überlegte kurz. Eigentlich gab es keinen Anlass für ihn, hier die Gespräche irgendwelcher Leute zu belauschen. Andererseits war es gut möglich, dass die beiden seinen Kollegen gesehen hatten. Bevor er sich allerdings zu erkennen gab, wollte er sicherstellen, dass er nicht an irgendwelche zwielichtigen Gestalten geriet.

Er schlich vorsichtig um einen großen, moosbewachsenen Felsen herum und kniete sich hinter einen knorrigen Baum, dessen tiefhängende Äste fast die Wasseroberfläche berührten. Sieben lugte über den Rand des Stammes und sah mehrere Meter entfernt zwei Personen, die an einem aus dem Hang ragenden Betonabflussrohr standen und auf irgendetwas zu warten schienen. Der Mann war kräftig gebaut und wirkte ziemlich missmutig, während er mit dem Schuh einen Kiesel in den Fluss stieß. Die Frau, die geduldig auf einem größeren Stein saß, war sicher nicht älter als dreißig Jahre alt und sah für Siebens Geschmack ziemlich gut aus. Trotzdem fand er, dass in ihrem Gesicht ein etwas tückischer Ausdruck lag.

Dann sah er noch etwas. Der Mann trug einen Lederhandschuh. Es wäre schon ziemlich seltsam gewesen, einen einzelnen Handschuh zu tragen, doch hierbei handelte es sich um ein ganz besonderes Exemplar. Das braune Leder wurde an jedem Finger von kleinen, eisernen Ringen überdeckt, welche über eine dünne Eisenkette miteinander verbunden waren. Sieben hatte derlei Handschuhe schon öfters gesehen. Es handelte sich dabei um ein recht simples Stück Zauberei, mit dessen Hilfe man magische Energie absorbieren oder einfach unter Kontrolle halten konnte. Manche Zauberer verwendeten es bei komplizierteren Arbeiten und Beschwörungen als persönlichen Schutz. Allerdings konnte sich der Inquisitor nicht wirklich vorstellen, dass die beiden Gestalten zum Orden gehörten, und er kannte nur eine andere Personengruppe, die mit so einem Gerät etwas hätte anfangen können.

Die beiden müssen zur Liga gehören. Aber was machen sie hier? Offensichtlich warten sie auf jemanden, aber warum gerade hier? Hat es mit unserem Auftrag zu tun?

Er schüttelte den Kopf. Vermutlich nicht. Wie Gessler vorhin gesagt hatte, die Gegend hier war voll von Ligisten, und die meisten von ihnen würden vermutlich nicht so verrückt sein, am helllichten Tag einen Zauberer anzugreifen, auch wenn sie hier draußen alleine waren. Trotzdem konnte es nicht schaden, sie weiterhin noch ein wenig zu belauschen, bevor er sich zeigte. Der Mann sah sich gereizt um und murrte.

„Mir gefällt die Sache trotzdem nicht, Melanie. Die Gegend ist verrückt."

Die Ligistin verdrehte die Augen. „Jetzt erzähl mir nicht, dass du so abergläubisch bist und an all die verrückten Gruselgeschichten glaubst, die diese Dorftrottel in Oslubo verbreiten."

„Das sind keine Gruselgeschichten! Was weiß ich, was in diesem verrückten Tal vor sich geht, aber wenn hier draußen ständig die Leichen von irgendwelchen Leuten angespült werden, reicht mir das, danke! Vor sechs Monaten ist einer unserer Späher dort auf Nimmerwiedersehen verschwunden, wer weiß, was mit dem passiert ist. Wenn jetzt auch noch Dämonen hier herumkriechen, wird die Sache für mich eine Spur zu viel."

Melanie lachte.

„Ach, hat dich das kleine Biest aus dem Wasser so erschreckt? Hätte nicht gedacht, dass du so leicht aus der Ruhe zu bringen bist."

Sie zog etwas aus ihrer Tasche, das entfernt an eine Thermoskanne erinnerte.

„Na ja, jetzt wird der Kleine jedenfalls so schnell keine Probleme mehr machen. Ein Glück, dass ich dieses magisch verstärkte Gefäß dabeihatte. Die Chefin kann mit diesem Ungeziefer vielleicht was anfangen."

Sie schüttelte die Kanne und einen Moment lang meinte Sieben, ein entferntes Wimmern zu vernehmen. Er hatte genug gehört. Seine Laune hob sich.

Zeit, etwas Dampf abzulassen. Vielleicht wird dieser Tag ja doch nicht so schlecht.

Mit einem lockeren Satz sprang er über den knorrigen Baumstamm und winkte den beiden Ligisten, die ob seines plötzlichen Auftauchens ziemlich erschrocken wirkten, gut gelaunt zu.

„Schönen Vormittag!", rief er. „Ich bin auf der Suche nach einem Freund von mir. Habt ihr ihn vielleicht gesehen?"

Einen Moment lang starrten ihn die beiden nur ein wenig dumpf an, dann kniff der Mann die Augen zusammen und spuckte vor sich auf den Boden.

„Schnabelnase", knurrte er.

Sieben ignorierte ihn und sah zu der Frau. Sie wiegte einen Moment lang den Kopf hin und her und musterte ihn eindringlich von oben bis unten.

„Du bist ein Inquisitor", stellte sie fest.

Sieben nickte.

„Gut erkannt. Aber keine Sorge, Ligaabschaum steht heute nicht auf meiner Liste, darum reicht es mir, wenn ihr zwei Schwachköpfe mir einfach das Gefäß dort gebt und euch verkrümelt."

Der Mann lief rot an und ließ bedrohlich die Knöchel knacksen.

„Dann solltest du vielleicht etwas höflicher fragen, Schnabelnase. Wir lassen uns nämlich nicht von Magierabschaum herumschubsen.

Magierabschaum? Interessant. Also auch keine Freunde von Zauberei.

„Ich frage, wie es mir passt. Und streng genommen habt ihr mit den Beleidigungen angefangen. ‚Schnabelnase‘ ist nämlich nicht gerade ein nettes Wort. Auch wenn es natürlich recht treffend ist.“

Er tippte sich mit dem Zeigefinger schelmisch auf die Spitze seiner übermäßig langen Nase. Der Mann sah aus, als wäre er kurz davor, auf ihn loszustürmen, doch seine Partnerin war offensichtlich ein wenig vorsichtiger. Sanft glitt sie von dem Stein, auf dem sie saß, auf den Boden und hielt das magische Gefäß in ihrer Hand hoch.

„Ich nehme an, der Dämon gehört zu Ihnen?“

Sieben nickte.

„Ganz genau. Und ‚Dämon‘ ist auch kein sehr höflicher Begriff, dazu für meinen Freund noch nicht einmal korrekt. ‚Energiewesen‘ oder ‚Wassergeist‘ wäre in diesem Fall treffender. Wenn du nun also so höflich wärst, ihn aus der Flasche zu lassen und dich bei ihm für die ungerechte Behandlung zu entschuldigen, gehe ich meines Weges und mache mir nicht die Hände an euch beiden schmutzig.“

Der Mann klopfte sich mit der Faust an die Brust und nahm Haltung an.

„Wir sind die Liga! Wir sind Gerechtigkeit! Und wir weichen nicht vor dir zurück, Hexenmeister! Unsere Chefin wird sich bestimmt darüber freuen, wenn wir ihr zusätzlich zu dem Dämon auch noch den Kopf einer Schnabelnase bringen!“

Sieben lachte höhnisch. Die Maske ließ es geradezu scheppernd klingen und verlieh ihm ein fast schon unheimliches Echo.

Sehr schön. Das gefällt mir.

„Ah, natürlich! Die Liga ist Gerechtigkeit. Immer schön das Motto aufsagen, nicht wahr? Jetzt sei ein guter kleiner Handlanger und hol dir von deiner ‚Chefin‘ einen Keks. Aber vorher will ich das Gefäß. Wird’s bald?“

Der Ligist stürmte mit einem wütenden Schrei auf ihn los, den behandschuhten Arm vor sich ausgestreckt, um magische Angriffe abzufangen. Er war größer und sah auch kräftiger aus als der Inquisitor, zudem war er noch recht schnell. In aller Seelenruhe griff Sieben am Boden nach einem etwa faustgroßen Stein und wog ihn in seiner Hand. Für seine Zwecke sollte er ausreichen. Der Schläger war nur noch wenige Meter vom Inquisitor entfernt, als dieser die Hand hob. Im nächsten Moment kam ein dicker Wasserstrahl aus dem Fluss geschossen, der den Ligisten traf und vollständig einhüllte. Dann, mit einem kurzen Nicken, ließ Sieben den Angriff zu einem massiven Eisblock gefrieren, aus dem nur der Kopf und der behandschuhte Arm, der nur noch Zentimeter von seinem Gesicht entfernt gewesen war, herauslugten. Während dieser ganzen Aktion hatte die andere Ligistin keinen Finger gerührt, doch sie wirkte angespannt und bereit wegzulaufen.

Sieben beugte sich vor und sah sich in aller Ruhe den Handschuh aus der Nähe an, während der Mann zuerst verdutzt versuchte an sich hinabzusehen und dann wütend aufbrüllte.

„Ja, der ist ein anständiges Stück Magie", bemerkte der Inquisitor und tätschelte kollegial die Hand des Ligisten, „damit kann man einem Zauberer viel Ärger bereiten, zumindest in den Händen von jemandem, der kein Hornochse ist. Schade eigentlich, dass er nur vor reinen Magieangriffen schützt. Trotzdem fürchte ich, dass ich den konfiszieren muss."

Er zupfte an der Spitze des Mittelfingers und streifte dem Ligisten sanft den Handschuh von der Hand. Einen Moment lang überlegte Sieben, ob er ihn Gessler bringen sollte, doch eigentlich handelte es sich hierbei um ein recht schlampig konstruiertes Exemplar. Fast schon beiläufig warf er ihn in den Fluss, wo er von der Strömung sofort erfasst und davongetragen wurde. Er wandte sich wieder der Frau zu.

„Und jetzt gib mir brav das Gefäß."

Sie zögerte einen Augenblick. Der Inquisitor hob den Arm. Mit einer schnellen Bewegung ließ er den Stein auf die vom Eis festgefrorene Hand ihres Kollegen niederfahren. Ein ekelerregendes Knacken ertönte, als der Arm unter dem heftigen Schlag brach wie ein Schilfrohr. Blut spritzte. Der Ligist brüllte entsetzt auf. Sieben ließ den Stein fallen und sah sich die Wunde an.

„Ein sauberer, offener Bruch", stellte er fest, als würde er über das Wetter reden. „Aber er sollte schnell versorgt werden, sonst verliert er womöglich den Arm. Falls er nicht vorher an Unterkühlung stirbt. Oder am Blutverlust. Wobei, dadurch, dass sein Körper so rapide abkühlt, sollte der Blutverlust eigentlich schnell genug gestoppt werden, um das zu verhindern. Wollen wir herausfinden, ob das passiert?"

Der Ligist brüllte vor Schmerz, er fluchte und zappelte hilflos im eisigen Griff von Siebens Angriff, Zornestränen im Gesicht. Schließlich warf ihm die Ligistin ohne Umschweife die silbrige Kanne zu.

„Jetzt lassen Sie ihn gehen!"

Sieben nickte. Der Eisblock verflüssigte sich wieder und der Ligist fiel zu Boden, den gebrochenen Arm schlaff in einem unnatürlichen Winkel herabhängend. Er starrte entsetzt wimmernd auf die blutige Wunde, aus der die Spitze eines abgebrochenen Knochens herausragte, und konnte sich erst aufrappeln, als seine Partnerin zu ihm ging und ihm aufhalf. Wortlos drängten sie sich am Inquisitor vorbei. Er unterdrückte den Drang, dem Verletzten noch ein Bein zu stellen, und sie verschwanden in Richtung der Brücke. Sieben lächelte unter seiner Maske und wog die Kanne in seinen Händen, bevor er sie aufschraubte und den Inhalt in den Chorena leerte. Plätschernd ergoss sich eine kleine Menge Wasser in den Fluss. Einen Augenblick lang geschah gar nichts. Dann wurde das Wasser unmittelbar vor ihm trübe, ein kleiner Wirbel bildete sich und im nächsten Moment sah ihn ein einzelnes Auge neugierig an.

„Alles in Ordnung?", fragte der Inquisitor das Auge.

Es blinzelte müde, dann verschwand es. Der Wirbel richtete sich auf der Wasseroberfläche auf und nahm eine etwas kompliziertere Form an. Ein länglicher, S-förmiger Körper, der unten in ein eingerolltes Schwänzchen und oben in einem fragilen Kopf mit zwei kleinen Knopfaugen und einem länglichen Trompetenmund endete, hüpfte einen Moment lang vor ihm hin und her, bevor er leise wieherte, offensichtlich froh darüber, nicht mehr in einer Flasche eingezwängt zu sein.

„Wie kommt es eigentlich, dass du immer in Schwierigkeiten gerätst, wenn ich dich nur zehn Sekunden lang aus den Augen lasse?", fragte er das Seepferdchen.

Das Tier reckte empört die Brust, blitzte kurz blau auf und streckte ihm die Zunge heraus.

„Aha, und das soll ich dir glauben? Was hast du getan, sie mit Wasser bespritzt? Irgendwie müssen sie dich ja bemerkt haben."

Der Wassergeist wieherte erneut, doch in diesem Moment hörte der Inquisitor, wie hinter ihm jemand über den knorrigen Baum stieg. Es war Gessler.

„Mir sind am Weg zwei Menschen begegnet", meinte er, „einer davon war offensichtlich ziemlich übel an der Hand verletzt."

Sieben drehte sich zu ihm um und zuckte mit den Schultern.

„Er ist wahrscheinlich unglücklich gefallen. Hier ist es ganz schön steinig."

Gessler zuckte mit keiner Wimper. Humor hatte der Oberste Inquisitor noch nie besessen.

„Was war der Anlass für diese Auseinandersetzung?"

„Es waren Ligisten."

„Das habe ich schon begriffen. Was war der Anlass?"

Sieben runzelte die Stirn, dann fiel ihm ein, dass Gessler das ja unter seiner Maske nicht sehen konnte.

„Ist das nicht Grund genug?"

Gesslers steinerne Züge wurden noch eine Spur strenger.

„Ist es fünf oder schon zehn Minuten her, dass ich Sie darauf aufmerksam gemacht habe, die örtliche Liga nicht zu provozieren?"

Sieben zuckte mit den Schultern.

„Die beiden waren nicht wichtig, sonst hätte ich sie gekannt. Außerdem hatten Sie H2O gefangen genommen."

Gessler schwieg einen Moment und musterte das über dem Fluss schwebende Seepferdchen, das sich unter seinem prüfenden Blick nicht ganz wohl zu fühlen schien.

„Ein interessanter Partner ist das", sagte er schließlich gedehnt. „Sie nennen ihn H2O? Ein ... passender Name."

„Ausgesucht hat er ihn sich selber. Er hat Humor."

„Vertrauen Sie ihm denn?"

Sieben zögerte nicht eine Sekunde.

„Mit meinem Leben."

H2O hüpfte in der Luft zu ihm hinüber und schmiegte sich wie eine Katze schnurrend an ihn. Einen Augenblick lang meinte Sieben den Ansatz eines Lächelns auf Gesslers Zügen zu erkennen.

„Die meisten Zauberer haben einen recht undifferenzierten Blick auf Energiewesen. Sie halten sie alle für Monster. Sie scheinen mir da etwas vernünftiger zu sein, Sieben."

„Danke."

„Das heißt aber nicht, dass ich es für angebracht halte, Menschen Schaden zuzufügen und Ihre Mission zu riskieren, nur weil jemand einmal gemein zu Ihrem kleinen Freund war", fuhr er nun wieder ernst fort. „Der Orden von Quirilien hat großes Interesse daran, eine gute Beziehung zur Regierung und seinen rechtsstaatlichen Institutionen aufzubauen, nachdem diese während der unruhigen Zeiten so erschüttert wurden. Wenn wir damit anfangen, jedem kleinen Gauner in der Liga gleich Gliedmaßen zu brechen, ist das effektiv, aber sicher nicht der richtige Weg, um die zukünftigen Verhältnisse friedlicher zu gestalten."

Sieben war nicht wirklich überrascht, dass Gessler die Sache so eng sah, trotzdem fühlte er sich ein wenig ungerecht behandelt.

„Sie besaßen eine magische Waffe."

„Und wo befindet sich die?"

„Jetzt gerade? Inzwischen vermutlich zwei Kilometer flussabwärts."

Gessler sah ihn einige Sekunden lang ausdruckslos an, dann blickte er nachdenklich auf den Chorena hinaus.

„Nummer Sieben. Was ist das Motto der Inquisition?"

Sieben seufzte. „Keine Vergangenheit, kein Gesicht, kein Name, nur das Licht."

„Richtig. Jeder Inquisitor schlägt mit der Annahme der Maske eine neue Seite auf. Ein unbeschriebenes Blatt. Was Sie damit anstellen, ist Ihnen überlassen."

„Aber?"

Sieben wusste, dass er in diesem Moment vermutlich wie ein trotziger Teenager klang, aber ihm war wirklich nicht danach, wegen eines lädierten Ligisten belehrt zu werden. Gessler war jedoch geduldig.

„Aber … am Ende des letzten Blattes steht bei Ihnen der Verlust von allem, was für Sie bis zu diesem Punkt hin wichtig war", meinte er trocken und sah ihn ernst an. „Vielleicht sollten Sie also versuchen dieses Mal etwas anderes auf das Blatt zu schreiben."

Siebens Magen verkrampfte sich. Wut stieg in ihm hoch und langsam ballte er seine Hand zur Faust. Aber dann beruhigte er sich und begegnete Gesslers Blick.

„Ich … werde daran denken."

Gessler nickte. Und damit schien die Sache erledigt zu sein.

H2O, der während des angespannten Austausches an ihn geschmiegt geblieben war, löste sich von Sieben und ließ sich zurück in den Fluss plumpsen, wo er wenige Momente später in der Form eines fröhlich keckernden Fischotters wieder auftauchte und sich ein Stück von der Strömung tragen ließ, bevor er sich wieder mit einer geschmeidigen Bewegung in die entgegengesetzte Richtung bewegte.

Gessler wiegte nachdenklich den Kopf. „Sie werden in Zukunft noch öfter mit anderen Leuten zusammenarbeiten müssen, wenn Sie unterwegs sind. Viele Ihrer Kollegen bei der Inquisition werden Ihnen möglicherweise sagen, dass man solchen Wesen nicht trauen kann. Nehmen Sie es ihnen nicht zu übel, ihr Beruf bringt sie fast immer in Kontakt mit gewalttätigen Exemplaren. Aber es wäre gleichermaßen töricht, wenn Sie sich Ihre Zuneigung zu diesem Geist das Leben kosten lassen, indem Sie anderen Energiewesen gegenüber naiv sind. Ein leichtgläubiger Inquisitor lebt nicht lange."

Er sah mit nachdenklichem und ernstem Blick hinaus auf den Fluss. „Dieser erste Auftrag könnte sich für Sie als wesentlich schwieriger entpuppen, als es für neue Inquisitoren üblich ist, Sieben. Seien Sie auf der Hut und arbeiten Sie mit Ihren Kollegen zusammen."

Er zog erneut sein Klapphandy aus seiner Tasche.

„Kassandra hat mich gerade darüber informiert, dass sie mit Otto Valerius in Krithon eingetroffen ist. Sie sollten sich auf den Weg dorthin machen und sie im Wirtshaus am Ortsrand treffen. Das wäre wahrscheinlich auch ein guter Ort, um sich einmal umzuhören. Ich erwarte mir eine tägliche Benachrichtigung über den Stand der Ermittlungen an den Großmeister … und keine weiteren unprovozierten Zusammenstöße mit niederen Ligisten oder Zivilisten. Habe ich mich klar ausgedrückt?"

Sieben nickte, doch offenbar erwartete Gessler sich eine formellere Antwort. Sieben nahm Haltung an.

„Jawohl, Meister Gessler."

„Gut. Sie sind entlassen, Sieben."

3.

Den Rückweg zur Brücke legte er alleine zurück. H_2O, der sich inzwischen in seiner Seepferdchenform zu Eis hatte gefrieren lassen und sich wie eine silbrig glänzende, filigrane Brosche an seine Brust geheftet hatte, blitzte einige Male in verschiedenen Farben auf und wieherte fragend. Sieben ließ sich einen Moment lang Zeit, bevor er antwortete.

„Ich weiß auch nicht. Ligisten … sie widern mich an. Sie erinnern mich an …" Dann schwieg er.

Keine Vergangenheit.

In Fällen wie dem seinen war das zumindest theoretisch ein Segen. Aber Gedanken ließen sich nicht so einfach ausschalten. Der Chorena neben ihm floss gleichgültig dahin, die Strömungen spielten mit Laub und Ästen, die in dem Fluss schwammen. Als er wieder an der großen Dammanlage vorbeigekommen war, surrten immer mehr Käfer und Libellen in der Luft herum und in den ruhigen Buchten neben ihm trieben sich Fische, Vögel und die eine oder andere Schlange herum. Ihnen allen war es völlig gleichgültig, dass er ein Inquisitor des Ordens von Quirilien war. Von Bedeutung wäre er für sie höchstens, wenn er wie so viele andere hier leblos angeschwemmt würde, als potentielle Nahrungsquelle. Dann würde er mit der Natur wieder eins werden. Eigentlich ein schöner Gedanke. Doch er erlaubte sich nicht länger daran zu denken, vielmehr wanderten seine Gedanken zurück zu den beiden Ligisten.

Der eine hat mich „Magierabschaum" genannt … ob er einer von denen ist, die generell alle Magier hassen? Wenn er zu der Truppe von David Herzog gehört, wahrscheinlich schon. Aber sie haben auch von einer „Chefin" geredet … wer das wohl sein kann?

Er dachte daran, was diese Leute gegen die Magier aufbrachte.

Wir sind die Liga. Wir sind Gerechtigkeit … Und Ungerechtigkeit zu beseitigen war zu Beginn auch ihr höchstes Ziel.

Magier waren privilegierte Individuen. Der Orden hatte im Verlauf der Jahrhunderte großen Reichtum an sich gebracht. Trotz vieler Reformen und Ausgleiche durch demokratisch gewählte Regierungen in den letzten Jahrzehnten war es noch immer so, dass riesige Landflächen im Besitz des Ordens waren, genauso wie zahlreiche uralte Kunstschätze und Reichtümer.

Während die ersten Ligisten, die noch den Reihen des Ordens selbst entstammten, nichts weiter gewollt hatten als eine Reform ihrer Strukturen und eine Beseitigung dieser Ungerechtigkeiten, so waren Menschen wie David Herzog schon von Anfang an der Meinung gewesen, dieses Problem radikaler lösen zu müssen. Zu Zeiten von Prinz Daniel war diese Fraktion in der Minderheit gewesen, doch seit seinem Tod schien sich diese Mentalität unter den verbliebenen Mitgliedern mehr und mehr zu verbreiten.

Wenn das tatsächlich so weitergeht, ist es nur eine Frage der Zeit, bis die Organisation sich spaltet. Das würde ihren Verfall beschleunigen. Trotzdem … eine in den Untergrund getriebene Liga, welche Magiern generell feindselig gegenüberstand, barg ein gewisses Risikopotential. Vor allem würde sie in der Bevölkerung nicht wenige Unterstützer finden. Sieben dachte an Großmeister Zeus und konnte mit einem Mal die Ligisten ganz gut verstehen. Schon mehr als einmal hatte er sich vorgestellt, wie es wohl wäre, dem alten Knacker ordentlich seine Meinung zu sagen. Der Weg zurück zur Brücke war nicht sonderlich weit. Irgendwie war ihm mit jedem Schritt, als würde ihm ein kleines Stück einer schweren Last abgenommen werden.

Die Gegend um die Bucht ist irgendwie ... bedrückend.

Als er bei der Brücke angekommen war, überquerte er erneut den Fluss und kam bald in Krithon an.

Der Tourismus hatte die Stadt stark geprägt. Sowohl im Sommer als auch im Winter besuchten tausende den Ort, um im nahegelegenen Gebirge zu wandern oder Wintersport zu betreiben, und sorgten so für das Überleben dutzender Hotels, Bars, Restaurants, Casinos und allerlei anderen Einrichtungen. Das Wirtshaus, in dem Sieben sich mit den übrigen Mitgliedern der Untersuchungseinheit treffen sollte, wirkte auf ihn eher wie ein Ort, an dem sich Einheimische trafen. Es handelte sich dabei um ein bestimmt hundert Jahre altes Gebäude mit einem steilen Giebeldach, blassbunten Fensterscheiben und sogar einem fast schon antik anmutenden Holzschild, das an einem Mast über dem Eingang angebracht war und dessen vergilbte Lettern den Namen des Betriebes nicht einmal mehr erahnen ließen. Trotzdem machte es einen recht einladenden Eindruck auf Sieben.

Als er eintrat, befanden sich nur wenige Personen in dem weiten, offenen Schankraum. In einer Ecke bei einem Billardtisch saß ein Grüppchen älterer Männer, die allesamt beeindruckend große Bierhumpen vor sich stehen hatten und ihm, nachdem sie seine Maske erblickt hatten, sofort Blicke zuwarfen, welche von Misstrauen abwärts bis hin zu offener Abneigung reichten. Ihr ganzes Erscheinungsbild ließ sie für Sieben wirken, als würden sie selber zur Einrichtung dieses Wirtshauses gehören. Sein Geruchssinn gab dem Inquisitor ebenfalls einige Informationen über den Raum, von denen jedoch keine wirklich überraschend war. Zigarettenrauch, Bier, Schweiß und andere Körperausdünstungen waren keine Gerüche, die an so einem Ort wirklich ungewöhnlich waren.

Abgesehen von der Männerrunde waren die beiden einzigen anderen Personen hier der geradezu beeindruckend beleibte und rotgesichtige Wirt hinter dem Tresen, der ihm mehr neugierig als überrascht entgegensah, und der mit dem Rücken zu ihm direkt am Tresen sitzende junge Bursche, der gerade interessiert in einer Zeitung blätterte. Dass er ein Zauberer war, hätte offensichtlicher nicht sein können, denn sowohl seine Kleidung als auch der an seiner Seite baumelnde Degen und Zauberstab wiesen ihn als solchen aus. Sieben musterte ihn genauer.

Das Erste, das ihm auffiel, war sein Alter. Der Junge konnte kaum älter als zwanzig sein. Das war an und für sich schon ungewöhnlich.

Das alte Märchen, dass Magier ihre Schüler den Eltern aus der Wiege stahlen, war in vielerlei Hinsicht falsch, nicht zuletzt aber deswegen, weil ein Eintritt in den Orden in den allermeisten Fällen erst mit sechzehn erfolgte. Der wichtigste Grund hierfür war, dass die verschiedenen Nebenwirkungen, die der ständige Umgang mit Magie zur Folge hatte, ziemlich üble Ergebnisse erbringen konnten, wenn diese stattfanden, solange der Körper noch nicht ausgewachsen war. Das hieß natürlich nicht, dass Kinder, deren magische Begabung schon früh erkannt wurde, nicht eine besondere Behandlung erfuhren. Sie erhielten verschiedene finanzielle Förderungen, um an die besten Schulen des Landes geschickt werden zu können, außerdem wurde von ihnen gefordert, dass sie körperlich in Form blieben.

Der Degen, die bevorzugte Nahkampfwaffe eines jeden Zauberers, setzte magisches Talent nicht voraus, insofern war es auch nicht selten, dass kaum zehnjährige Kinder bereits immer wieder in speziell für sie durchgeführten Kursen eine grobe Unterweisung in den Grundlagen des Degenkampfes bekamen. Aber wenn dieser Bursche hier wirklich um die zwanzig war, lagen zwischen ihm und seiner Meisterin nur wenige Jahre, gleichzeitig bedeutete das jedoch, dass seine Ausbildung schon an die vier Jahre andauerte. Und bei allem Talent: Dass Kassandra bereits mit zweiundzwanzig Jahren einen Schüler bekommen hatte, war doch sehr unwahrscheinlich.

Das muss dann wohl heißen, dass er seine Ausbildung unter einem anderen Meister begonnen hat. Vermutlich ist er in der Ligakrise umgekommen und man hat beschlossen, dass Kassandra ihn weiter unterweisen soll.

Die Ausbildung vom Schüler bis zum fertigen Magier dauerte meistens um die fünf Jahre, allerdings war das nur eine Faustregel. Sieben selber war nach sechseinhalb Jahren noch immer nicht fertig gewesen. Seinem Meister zufolge, weil er „faul, dumm und untalentiert" war. Zumindest im dritten Punkt hatte er auch Recht gehabt. Selbst nach all den Jahren hatte er oft Probleme mit Zaubern, die manch ein talentierter Schüler schon nach einem Jahr schaffte. Er hatte einige wenige Stärken, so konnte er ausgezeichnet mit Wasser umgehen, täuschend echte Trugbilder erschaffen und auch in Sachen Energieumleitung war er ein Ass. Aber wenn es darum ging, Magie zu erschaffen, sie aus der Energiewelt zu holen und anzuwenden, dann war er in jeder Hinsicht eine Enttäuschung gewesen. Und ohne diese Fähigkeit war kein Magier wirklich ein Meister.

Eine Bewegung, die er aus dem Augenwinkel heraus wahrnahm, riss Sieben aus den Gedanken. Einer der alten Männer an dem Tisch hatte sich erhoben, murmelte seinen Tischgenossen etwas zu und machte Anstalten, das Wirtshaus zu verlassen. Sieben, der noch immer an der Tür stand, trat einen Schritt zur Seite, doch anstatt sich zu bedanken, warf ihm der Mann einen giftigen Blick zu und ging wortlos nach draußen. Sieben seufzte.

Also keine positive Überraschung in Hinsicht auf meine Beliebtheit. Dass unter jeder Inquisitorenmaske ein Verbrecher lauerte, war eine Tatsache, die niemandem entging. Selbst wenn es anders gewesen wäre, Gewöhnliche hatten einen besonderen Grund, sie zu meiden. Heutzutage mochten Inquisitoren dafür zuständig sein, sich um wilde Magie und Energiewesen zu kümmern, ursprünglich hatten sie jedoch eine andere Aufgabe gehabt. In den finsteren Zeiten, in denen Hexenmeister und magische Warlords mit ihren Kräften Angst und Schrecken verbreitet hatten, waren Inquisitoren dafür verwendet worden, Rebellen und Verräter unter den unterdrückten Nicht-Magiern ausfindig zu machen. Und auch wenn heute fast alle Magier dem Orden angehörten, welcher wiederum eine fast ganz normale, dem Parlament größtenteils untergeordnete Institution war: Der Ruf der Inquisition verschwand nicht so leicht. Doch dass ein paar Wirtshaussaufkumpane ihn nicht mochten, kümmerte ihn wenig. Er war wegen etwas Anderem hier.

Na dann. Ich kann hier nicht ewig rumstehen. Mal sehen, ob der kleine Adelige so ein arroganter Arsch ist wie die meisten anderen.

Er trat von hinten an den jungen Magier heran und räusperte sich. Seine Maske verlieh dem Geräusch einen metallischen Klang. Der Bursche drehte sich zu ihm um – und wäre vor Schreck fast vom Stuhl gefallen. „Beim …! A-ach so, Sie sind es … ähm? Herr Inquisitor? Oder Nummer Fü- … nein … ähm …"

„Sieben. Einfach nur Nummer Sieben. Du bist Otto Valerius, nehme ich an? Kassandras Schüler?"

Der junge Magier nickte, offenbar immer noch ein wenig erschrocken und von den emotionslosen, roten Augen seiner Maske sichtlich eingeschüchtert. Sein Gesicht war bartlos und recht unauffällig, doch seine hellblauen Augen in Kombination mit seinem dunkelbraunen Haar und einem recht hellen Teint ergaben eine recht attraktive Gesamterscheinung. Er trug eine dunkle Hose, dazu ein nachtblaues, neu wirkendes Hemd.

„Und wo ist deine Meisterin?"

„Sie … sieht sich in der Stadt um. Befragt Leute. Sie hat mir gesagt, ich solle hier auf Sie warten, Herr Inqui…, ähm, ich meine, Nummer Sieben, und hier nach Auskünften fragen, aber die Herren dort hinten an dem Tisch waren, na ja, sie waren nicht sehr … hilfsbereit."

Anfänger.

Er ließ sich auf dem Barhocker neben Otto nieder und verschränkte nachdenklich die Finger

„Hast du mit dem Wirt geredet?", erkundigte er sich und versuchte dabei einigermaßen freundlich zu klingen.

„Mit dem Wirt?"

„Klar. Wer sonst weiß denn mehr darüber, was gerade in der Gegend los ist, als ein Kerl, der seinen ganzen Tag damit verbringt, Leuten Bier zu bringen?" Der Bursche sah ihn mit großen Augen an.

Ob er schwer von Begriff ist? Oder einfach nur schüchtern? Aber auf jeden Fall ist er draußen im Einsatz nicht gerade in seinem Element. Das war natürlich auch nicht gerade ideal bei so einem potentiell schwierigen Fall. H_2O, der immer noch in Form einer fragilen

Seepferdchenbrosche an seiner Brust hing, wurde warm. Sieben kannte den kleinen Wassergeist mittlerweile gut genug, um zu wissen, was das hieß.

Ist ja schon gut. Ich bin schon nicht zu streng zu dem Kleinen.

Er atmete innerlich durch und versuchte ein höfliches Lächeln aufzusetzen, bis ihm auffiel, dass das unter seiner Maske ja überflüssig war.

„Also … Otto. Du bist also aus der Valerian-Linie? Kennst du zufällig Ingolf Valerian?"

Otto nickte.

„Ja, er war mein Onkel."

„War?"

„Er ist im Kampf gegen die Liga gestorben. Genauso wie mein Vater und meine ältere Schwester."

Autsch. „Das tut mir leid für dich. Ich nehme an, dein Meister ebenfalls?"

Otto zögerte kurz.

„Nicht direkt … Er ist im Kampf FÜR die Liga gefallen. Vielleicht kannten Sie ih-… ähm … ich meine … ja, er ist auch … er ist auch gestorben …"

Fast hätte er den Fehler begangen, Siebens Vergangenheit anzusprechen, aber offenbar war ihm im letzten Moment sein Fehltritt aufgefallen. Allerdings war das Gespräch jetzt an einem Punkt angelangt, der für beide Seiten peinlich war.

Offenbar weiß er auch, wer unter dieser Maske steckt. So viel dazu, „eine neue Seite aufzuschlagen".

Allerdings tat ihm Otto leid. Dafür, dass er offenbar so viel in der Ligakrise verloren hatte, wirkte er eigentlich ganz anständig, und er schien Sieben deswegen zumindest nicht grundsätzlich negativ gegenüberzustehen. Sieben beschloss sich weiter Mühe zu geben, ihn gut zu behandeln.

Vielleicht sollte ich ihm einfach ein paar Kniffe zeigen.

„Na gut, Otto. Dann wollen wir uns mal die Zeit vertreiben, bis deine Meisterin wieder zurückkommt."

Er winkte den Wirt heran, der zu seiner Überraschung keineswegs von seiner Maske abgestoßen zu sein schien.

„Bitte, die Herren, was darf's denn sein? Ein Schnaps oder ein Bier? Wir haben gerade ein helles Lagerbier im Angebot, das braut ein Cousin von mir in seiner eigenen Kleinbrauerei. Der macht jeden Monat ein anderes, und meistens ist's ehrlich gesagt ein ziemlich mittelmäßiges Gesöff, aber dieses Mal hat er's wirklich …"

Und was folgte, war ein zweiminütiger Monolog über die Vor- und Nachteile bestimmter Biere und Brauereien. Unter seiner Maske musste Sieben breit grinsen.

Na bitte. Wirte sind immer eine gute Gesprächsquelle. Wenn man nur weiß, wie man den ganzen Schwachsinn vom Wichtigen trennen kann.

Otto bestellte schließlich das vom Wirt angebotene Bier, während Sieben sich mit einer heißen Schokolade begnügte.

„Trinken Sie nicht?", fragte der Wirt. „Dürfen Sie das nicht vom Orden aus?"

Sieben schüttelte den Kopf.

„Nein, diesbezüglich gibt es keine Vorschrift. Es ist eine persönliche Entscheidung. Aber wenn ich Ihnen eine Frage stellen dürfte: Die meisten der Herren dort hinten am Tisch scheinen mich nicht sonderlich zu mögen …"

Der Wirt winkte glucksend ab.

„Da machen Sie sich mal besser keine Gedanken darüber, und nehmen Sie es ihnen bitte auch nicht übel. Jaah, es sind eigentlich alles ganz anständige Leute, die hier wohnen, aber ein bisschen misstrauisch gegenüber Magie."

Sieben nickte.

„Das dachte ich mir. Aber Sie scheinen mir nicht so negativ gegenüberzustehen."

Der Wirt nickte. „Jaah, es ist halt so, als ich klein war, ist meine Schwester mal so einem Energiedämondingens über den Weg gelaufen. Die war eine ganz Aufgeweckte, hat sich aber ständig Ärger eingehandelt. Und ich sag Ihnen, wenn da nicht dieser Inquisitor damals gewesen wäre, dann wäre sie heute nicht verheiratet und hätte fünf Kinder, die gute Seele. Und all das Gerede über euch, verzeihen Sie's mir, euch ‚Schnabelnasen‘, wie man oft sagt, ist doch alles Blödsinn, glaube ich. Natürlich taucht ihr immer irgendwo auf, wenn's mal Ärger gibt, aber die Folge ist doch meistens, dass es danach eben keinen Ärger mehr gibt, oder?“

Sieben nickte langsam.

„So ist es.“

Der Wirt stellte Otto sein Bier so schwungvoll hin, dass der Schaum überschwappte und auf Ottos, wie Sieben bereits aufgefallen war, ziemlich teuer wirkendes Hemd spritzte. Der Wirt entschuldigte sich vielmals und versuchte schnell mit einem Lappen die entstandenen Flecken zu beseitigen, da der jedoch selber so schmutzig war, dass dessen ursprüngliche Farbe kaum noch auszumachen war, verbesserte er dadurch die Situation nicht wirklich.

„Ist schon gut, ist schon gut“, bemühte sich Otto überstürzt zu versichern. „Ist ja nur ein Fleck. Aber … ähm … wären Sie so gut, uns ein paar Fragen zu beantworten?“

Ziemlich direkt und ungeschickt, aber zumindest fragt er mal.

Der Wirt nickte.

„Sicher doch, sicher doch! Hab mir schon gedacht, dass Sie nicht einfach so hier hereingeschneit sind. Wie kann ich denn helfen?“

Sieben rührte gemütlich in seiner Kakaoschale herum, dann öffnete er das kleine Zuckerpäckchen, das daneben auf der Untertasse lag, und leerte es sich scheinbar achtlos über den Mantel. Bevor der Zucker allerdings auch nur den Stoff berühren konnte, gab es ein leises, saugendes Geräusch und das kleine Tütchen glitt Sieben durch die Finger. H_2O hatte das Zuckerpäckchen so überstürzt an sich gesaugt, dass es nun über seinen kleinen Seepferdchenkopf gestülpt an ihm klebte. Leicht gedämpft vernahm Sieben ein zufriedenes Wiehern. *Du hast wirklich Glück, dass Energiewesen nicht zuckerkrank werden können. Bei den Mengen, die du normalerweise so verschlingst, wärst du sicher schon ein akuter Fall,* dachte er und zog das Päckchen von H2Os Kopf.

Weder Otto noch der Wirt hatten von dem Vorfall etwas bemerkt. „Ich nehme an, Sie sind hier wegen des Mädchens aus Oslubo? Sophie hieß sie, glaube ich? Unschöne Sache das Ganze, wirklich. Ich habe schon vorher davon gehört, dass irgendetwas an diesem Tal nicht ganz koscher sein soll. Auch wenn's meinem Cousin da drinnen gut zu gefallen scheint."

Der Wirt, der es offenbar genoss, dass er nun zu einer längeren Erzählung ansetzen konnte, lehnte sich gemütlich zu ihnen, während Otto aus einer seiner Manteltaschen einen Notizblock und einen Bleistift hervorholte.

„Jaah, dann, also, das Erste ist wohl, dass die ganze Sache für den Fremdenverkehr hier ziemlich übel ist. Wissen Sie, in Krithon hat es immer schon viele Besucher gegeben, aus ganz verschiedenen Gründen. Aber die Ligakrise, die hat natürlich, hm, jaah, die hat natürlich die Menschen ganz schön nervös gemacht. Ich meine, wer fährt denn hier auf Urlaub, wenn überall im Land irgendwelche Hooligans Zauberer verprügeln, Leute bedrohen und auf den Straßen richtige kleine Schlachten veranstalten? Und hier in der Gegend, da haben, das müssen Sie sich erst einmal vorstellen, da haben viele auch noch bei der ganzen Sache mitgemacht! Ein paar junge Hitzköpfe fingen an Abzeichen der Liga zu tragen und richtige kleine Paraden abzuhalten. Und viel Unterstützung haben sie bekommen! Die Leute in der Gegend sind zum Großteil ein bisschen misstrauisch gegenüber Magiern, das liegt, und verzeihen Sie mir, wenn ich das so offen sage, Herr Inquisitor, das liegt wohl daran, dass man hier einfach nur schlechte Erfahrungen mit ihnen gemacht hat. Da in dem Tal, in

Oslubo, da teilt sich der Fluss. Zwei Bäche fließen von den Bergen herunter, der eine wäre der Darineus. Der hat einen guten Ruf, da gibt es stromaufwärts ein paar angenehme Quellen mit gesundem Wasser, da sind auch immer wieder ältere Leute auf Kur hingefahren, die nicht in irgendein luxuriöses Kurhotel wollten. Außerdem sind auch immer wieder ein paar so Archäologen oder so ähnlich vorbeigekommen, weil es da eine Grotte geben soll, wo es vor langer Zeit einmal eine Schlacht gegeben haben soll."

Richtig. Davon habe ich schon gehört. Im Großen Krieg war dort ein kleiner Außenposten, von dem aus man die Berge überwacht hat, für den Fall, dass der Feind versucht dort durchzukommen.

Vor vielen Jahren hatte er ein Buch gelesen, in dem das Thema angeschnitten worden war. Allerdings wusste er nicht viel mehr, als dass eines Tages dort ein Überraschungsangriff stattgefunden hatte und es zu einem ziemlich verlustreichen Kampf gekommen war, bei dem einige Soldaten sich tiefer in die Grotte zurückgezogen hatten und sich dort über Tage hinweg Gefechte mit dem Feind geliefert hatten. Allerdings bezweifelte Sieben, dass der Wirt eine besonders verlässliche Quelle für historische Fakten war.

„Das ist aber nicht das Tal, in dem die ganzen Selbstmörder sind, oder?", hakte Otto nach, während er von seinen Notizen aufsah.

Der Wirt schüttelte den Kopf.

„Nein, der Darineus ist in Ordnung. Der Fluss hat sogar einen eigenen Schutzheiligen, der irgendwie mit der Grotte in Verbindung steht, ich weiß da aber nichts Genaueres. Da hört man darüber die verrücktesten Geschichten, wissen Sie? Jaah, die ganzen armen Leute, die sich ein Ende setzen, sind in dem anderen Tal, wo der Iphikles fließt."

Er beugte sich verschwörerisch nach vorne, als würde er ihnen ein wichtiges Geheimnis erzählen.

„Der Iphikles, der ist verflucht. Das sagt jeder. Ich war noch nie dort, nein, sicher nicht, aber mein Cousin, der hat eine kreative Ader und malt sehr gerne, und der ist dort hin in den Wald und hat gemeint, es wäre eine wirklich schöne Gegend, nur ein bisschen … deprimierend. Und an einer Flussbiegung, auf einem kleinen Bergvorsprung, da steht die alte Festung von der Blaukrähe. Und die, die ist jedem unheimlich."

Otto, der bis dahin nur seine Fragen gestellt und sonst stumm Notizen gekritzelt hatte, sah nun offenbar seine Gelegenheit gekommen, auch etwas Informatives zu der Unterhaltung beizutragen und fuhr dazwischen. „Blaukrähe kenne ich! Das war doch ein Warlord aus der Dunklen Zeit. Ich glaube, er hieß Waldemar von Carignan-Vosya, aber wegen seines Wappens nannte man ihn für gewöhnlich Waldemar Blaukrähe. Er galt als ausgesprochen grausam."

Der Wirt nickte.

„Jaah, da haben Sie ganz Recht, junger Herr. Die Burg wird immer wieder mal besucht von irgendwelchen Professoren oder Zauberern, aber von den Einheimischen traut sich da bestimmt keiner in die Nähe. Die Blaukrähe soll in seinem Keller Folterkammern und Labore für magische Experimente gehabt haben, und ich hab mal gehört, dass noch heute ein paar Räume nicht zugänglich sind, weil irgendwelche magischen Siegel über den Mauern, Fenstern und Türen liegen. Aber es versuchen immer wieder Leute, da reinzukommen, weil sie glauben, dass es eine geheime Schatzkammer oder sowas geben muss." *Natürlich, so schaurig kann keine Geschichte sein, als dass nicht irgendwer früher oder später die Schlussfolgerung zieht, dass es etwas zu holen gibt.*

Otto nickte.

„Und hat diese Burg Ihrer Meinung nach etwas mit den ganzen Selbstmorden zu tun?"

Der Wirt nickte.

„Ganz sicher sogar! Das soll ja ein ganz schön unheimlicher Ort sein, und wer weiß, wie viel dunkle Magie noch in den Mauern steckt! Sie treibt die Leute wahrscheinlich in den Wahnsinn und deshalb töten sie sich."

Das war natürlich ausgemachter Unsinn. Magie war für Gewöhnliche unverständlich und geheimnisvoll, aber wenn man erst einmal die Regeln dahinter verstand, lösten sich viele schauderhafte Gerüchte in Luft auf. So war es zum Beispiel unmöglich, einen Menschen nur mit einem simplen Zauberwort zu töten oder ihre Gedanken zu beeinflussen. Die Quelle jedes Zauberers lag einerseits in der Verbindung zu der großen Kraft, deren Ursprung in der sogenannten „Energiewelt" vermutet wurde, andererseits in der jedem Menschen eigenen Energie. Letztere war es auch, die verhinderte, dass man irgendetwas im Körper eines Menschen selber manipulierte. So konnte sich der mächtigste Magier der Welt noch so anstrengen, einem wehrlosen Gewöhnlichen das Gehirn zu zermatschen oder sein Herz dazu zu bringen, nicht mehr zu schlagen, er würde damit nie Erfolg haben. Wenn er sein Ziel also erreichen wollte, musste er kreativer sein. Und Gedanken direkt zu manipulieren, war folglich noch unmöglicher. Trotzdem, es gab Mittel und Wege, durch die geschickte Manipulation bestimmter Stoffe in der Luft und deren Ansammlung Kopfschmerzen, Panik oder sogar zeitweise eine Art Depression herbeizuführen. Sieben hatte schon von solchen Dingen gehört, und auf jeden Fall war es wahrscheinlich klug, eine solche Möglichkeit in Betracht zu ziehen. Zumindest, wenn an den Worten des geschwätzigen Wirtes irgendetwas dran war. Dieser griff in der Zwischenzeit unter den Tresen und holte ein Glas hervor, aus dem er sich einen schnellen Schluck genehmigte.

„Jaah ... so ist das eben. Deswegen sind die Leute hier Magiern gegenüber misstrauisch. Sind alle mit schaurigen Geschichten groß geworden über Zauberer, die Tote beschwören, Leute entführen und irgendwelche zwielichtigen Rituale durchführen. Das kriegt man nur schwer aus ihren Köpfen, auch wenn die Sache schon ein paar hundert Jahre her ist."

Sieben nickte, dann versuchte er einen Schluck aus seiner Kakaotasse zu nehmen, ohne die Maske zu weit anheben zu müssen. Es war geradezu haarsträubend umständlich. Schließlich bat er den Wirt um einen Strohhalm. Unterdessen fragte Otto weiter.

„Was ist mit Nummer Sechsundzwanzig passiert?"

Der Wirt blinzelte. „Mit wem?"

„Dem anderen Inquisitor. Er trug meiner Information nach die Nummer Sechsundzwanzig. Ist er auch in Krithon durchgekommen?"

Die Miene des Wirtes hellte sich auf.

„Ach so, den meinen Sie. Der war hier, hatte auch ordentlich Durst und hat auch jede Menge Fragen gestellt. Ist aber bald nach Oslubo weitergereist, und das war das Letzte, was ich von ihm gesehen habe."

„Haben Sie danach noch was von ihm gehört?"

„Eine ganze Menge! Die ganzen Probleme mit den Selbstmördern und verschwundenen Leuten haben nach ein paar Tagen schon ein Ende gehabt. Seitdem habe ich keine schlechten Nachrichten mehr aus Oslubo bekommen."

„Aber zurückgekommen ist er auch nicht?"

„Nicht, dass ich wüsste. Hier in Krithon hat ihn jedenfalls niemand mehr gesehen. Und dann hat die Bürgermeisterin beschlossen, den Orden über sein Verschwinden zu informieren. Hat eigentlich nicht wenige überrascht."

Otto sah von seinen Notizen auf.

„Wieso?"

„Weil die Bürgermeisterin, als der Inquisitor hier zuerst angekommen ist, überhaupt nichts mit ihm zu tun haben wollte. Hat ein Riesentamtam gemacht, als er in Krithon angekommen ist, und gemeint, hier gäbe es für ihn keine Arbeit. Aber nachdem er sie darüber informiert hatte, dass er nur wegen einer Verwandten in Oslubo Nachforschungen anstellen will, hat sie ihm die Weiterreise ohne Umstände möglich gemacht. Hat ihn sogar mit Karten der Gegend versorgt und ihm die Untersuchung einiger der gefundenen Selbstmörder hier gestattet. War ziemlich seltsam."

Otto runzelte die Stirn.

„Wie heißt denn hier die Bürgermeisterin? Und warum, glauben Sie, hat sie den Inquisitor anfangs so unwillig empfangen?"

Wieder lächelte Sieben unter seiner Maske.

Langsam scheint sich der Kleine in seiner Rolle ganz wohl zu fühlen. Und die Sache mit der Bürgermeisterin könnte tatsächlich wichtig sein.

Der Wirt zuckte mit den Achseln.

„Anais Santander. Und das mit dem Inquisitor, jaah, das dürfen Sie ihr nicht übel nehmen. Verstehen Sie, sie ist ja auch nur ein Mensch. Sie ist aus der Gegend und steht Magiern auch skeptisch gegenüber. Außerdem, die Leute hier versuchen nach der ganzen Ligakrise zur Normalität zurückzukehren, da schreckt sie die Ankunft eines Ermittlers vom Orden doch ein wenig hoch. Ich bin während der übelsten Zeit selber abgereist, dieser dreiste Bengel Herzog und seine Schlägerbande waren mir dann doch zu unangenehm. Er schleicht zwar immer noch mit ein paar alten Ligisten herum und jagt den Leuten immer wieder einen Schrecken ein, aber eigentlich machen sich die Menschen hier mehr über ihn lustig, als dass sie ihn ernst nehmen. Ich, ich bin jedenfalls inzwischen zu meinem Neffen nach Pelingard, der hat da eine kleine Autowerkstatt und der kümmert sich um die Restaurierung älterer Modelle, der hat da ein paar Wägen, ich sag Ihnen, die sind …"

„Kommen wir noch einmal zurück zu Inquisitor Nummer Sechsundzwanzig", unterbrach Sieben den Redeschwall des Wirts, um sich und Otto eine weitere Nebengeschichte zu ersparen. „Gibt es irgendjemanden hier in Krithon, zu dem er mehr Kontakt gehabt hat und der eine Ahnung davon haben könnte, warum und wohin er verschwunden sein könnte?"

Der Wirt schüttelte den Kopf. „Er hat hier nicht wirklich mit vielen Leuten geredet, war ein wenig … in sich gekehrt, jaah. Aber die meisten, und ehrlich gesagt finde ich das schon naheliegend, die meisten, also die glauben, dass er einfach abgehauen ist, nachdem das

Problem gelöst war. Ich meine, ich will ja dem Herrn Inquisitor hier nicht zu nahe treten, aber die ganze Zeit so eine Maske zu tragen und sich um allerlei Dämonen und Ekelgetier zu kümmern, das ist doch auf Dauer kein Zustand. Wahrscheinlich ist er einfach durchgebrannt und hat irgendwo ein neues Leben angefangen."

Sieben war irgendwie froh darüber, dass Gessler schon weg war, denn der wäre an dieser Stelle mit Sicherheit tief in seinem Ehrgefühl bezüglich der Inquisition gekränkt gewesen und hätte einen langen Vortrag darüber gehalten, auf was für eine lange und stolze Tradition die Inquisition zurückblicken konnte und dass ihre Mitglieder so gut wie nie ihre Posten verließen. Selbstverständlich hatte Sieben schon von einigen Inquisitoren gehört, die auf Nimmerwiedersehen verschwunden waren. Auch er hatte schon am ersten Tag seines Dienstes mit dem Gedanken gespielt, einfach abzuhauen. Das Hauptproblem dabei war, dass es keinen Ort für ihn gab, an den es sich zu flüchten lohnte. Am naheliegendsten wäre noch die feuchte, unendliche Friedlichkeit der Bucht vorhin gewesen, wo sich schon so viele Leute vor ihm all ihrer Probleme für immer entledigt hatten. H2O, der seine Gedanken spürte, wurde ein wenig wärmer und vibrierte angenehm an seiner Brust, wie um ihn zu trösten. Otto blickte auf seinen Block und alle Notizen, die er dort niedergeschrieben hatte. „Ich denke, wir sind dann fertig", meinte er und fügte mit einem verstohlenen Blick zu Sieben hinzu: „Außer, äh, Sie haben noch etwas?"

Sieben nickte.

„Eine Sache noch. Kennen Sie Leute in Oslubo, die mit der Gegend dort vertraut sind und bereit wären uns zu helfen? Einschließlich des Tals des Iphikles?"

Der Wirt lächelte breit.

„Aber sicher doch! Mein Cousin Yaron, der wohnt da. Ist ein bisschen ein stiller Kerl, wie die anderen auch, aber wenn man ihn kennt, ganz nett. Die Leute in dem Dorf sind generell ein komisches Völkchen, jaah, aber eigentlich nicht unsympathisch. Die meisten Touristen, die dorthin kommen, bleiben hier in Krithon, aber in Oslubo gibt es auch eine Herberge, die von einem jungen Mann namens Noah geführt wird. Ich kenne ihn persönlich, ist ein strammer Bursche, und fleißig obendrein. Treibt sich selber viel in den beiden Tälern herum, und wenn mal wieder jemand vermisst wird, macht er sich oft selber auf den Weg, um die Leute zu suchen."

Der Wirt erschauderte.

„Also für mich wäre das ja nichts, ich meine, die ganzen Toten müssen einem doch irgendwann aufs Gemüt schlagen, und in die Nähe der Krähenburg würde ich mich auch nie wagen. Aber Noah scheint in der Hinsicht ganz schön abgebrüht zu sein, auch wenn man es ihm nicht ansieht."

Klingt nach einem guten Anhaltspunkt. Jemanden, der mehr über die mysteriösen Todesfälle weiß, werden wir wohl kaum finden können.

„Und wie können wir diesen Noah treffen? Können Sie uns beschreiben, wo seine Herberge ist?"

Der Wirt lachte gutmütig.

„Jaah, könnte ich, aber ich glaube, am besten wär's, Sie blieben einfach hier ruhig sitzen. Er holt nämlich zwei Mal in der Woche mit seinem Pick-up Vorräte aus Krithon, und ein guter Teil seiner Lieferung kommt von mir." Der Wirt sah auf eine alte Uhr an der Wand, die so schmutzig war, dass man die Zeiger kaum noch ausmachen konnte. „Er ist eigentlich überfällig, der Gute. Er ist ein pünktlicher und verlässlicher Kerl, sag ich Ihnen, der hilft sicher gerne." Kurz hielt der Wirt inne, bevor er ein wenig nachdenklich hinzufügte. „Na ja, hoffentlich. In letzter Zeit … also, es ist ja nicht wichtig, aber in letzter Zeit macht der Arme auf mich einen etwas geknickten Eindruck. Und es liegt nicht an den ganzen Leichen, weil, die haben ja eigentlich aufgehört."

Die Bemerkung machte Sieben stutzig.

„Hatte dieser Noah etwas mit der Verstorbenen zu tun?"

Der Wirt schüttelte den Kopf.

„Nicht direkt. Es ist jetzt nicht so, wie Sie glauben, Herr Inquisitor. Diese Sophie war nicht mit ihm zusammen, das war ein ganz anderer. Aber ich glaube, Noah hat eine Schwester, die sich gut mit dem Freund von Sophie verstand. Ich glaube, die waren vorher zeitweise sogar ein Paar. Aber mehr weiß ich nicht."

Otto nickte.

„Danke jedenfalls. Sie waren eine große Hilfe."

Der Wirt entschuldigte sich kurz und ging zu dem Tisch mit den einheimischen Männern.

„Der war ja eine ganz ergiebige Quelle", meinte Otto.

Noch immer schien der junge Magier nicht in der Lage zu sein, Sieben in die Augen zu sehen.

Daran werde ich mich wohl auch gewöhnen müssen.

„In der Tat. Gut, dass wir mit diesem Noah und Yaron weitere Anhaltspunkte haben. Mit ein wenig Glück ist er auch so gesprächig."

„Hoffentlich … und hoffentlich kommt uns auch die Liga bei den Ermittlungen nicht in die Quere. Schon gar nicht dieser Herzog. Ist er denn … ist er denn gefährlich?"

Die Frage war schon wieder gefährlich nahe daran, Siebens Vergangenheit anzusprechen, doch er beschloss, Otto dieses Mal einfach eine Antwort zu geben.

„Gefährlich dämlich vielleicht. Nein, im Ernst, er selber ist ein ziemlicher Waschlappen. Ich würde mir höchstens Sorgen machen, wenn er wirklich so einen großen Rückhalt bei den Leuten hier hat, wie Gessler behauptet. Wobei der Wirt das ja nicht zu glauben scheint."

„Trotzdem wäre es doch sicher gut, wenn wir den Kerl dingfest machen könnten, oder?"

Sieben hätte ihm jetzt wirklich gerne zugestimmt. Ihn selber juckte es in den Fingern, diesen erbärmlichen Wurm in die Finger zu kriegen und ihm eine Lektion zu erteilen. Doch er erinnerte sich an das, was Gessler ihm geraten hatte.

Es wäre wohl das Beste, Otto in der Hinsicht nicht zu ermutigen.

„Die Liga hat in diesem Fall keine Priorität für uns", antwortete er schließlich einigermaßen diplomatisch.

Otto wirkte überrascht.

„Meisterin Gessler hat aber gemeint, wenn wir bei unserem Auftrag ein paar von den Ligisten erwischen ..."

Er verstummte sofort, als Sieben sich ihm direkt zuwandte.

„Das mag sein. Aber MEISTER Gessler hat mich daran erinnert, dass wir das Ziel unserer Mission nicht aus den Augen verlieren sollten."

Es dauerte einen Moment lang, dann nickte Otto langsam. Sieben konnte jedoch spüren, dass der junge Magier keineswegs überzeugt war.

Eigentlich verständlich. Die Liga hat seine halbe Familie umgebracht. Da würde jeder Rache wollen.

Eigentlich hätte er selber gerne noch ein paar Ligisten erwischt, so wie die beiden vorhin am Ufer. Das erinnerte ihn daran, dass sie etwas von einem Treffen gesagt hatten. *Mit wem sie da wohl etwas vereinbart hatten? Und wer war die „Chefin", von der sie geredet haben?*

Aber es hatte keinen Sinn, sich darüber Gedanken zu machen. Einen Moment lang dachte er über Otto nach.

Sollte ich ihn für die Befragung vom Wirt loben? Eigentlich war es ja keine besonders gute Leistung, aber zumindest scheint er eifrig bei der Sache zu sein. Gut möglich, dass er dann weniger schüchtern ist.

Gerade machte der junge Zauberer sich weitere Notizen. Sieben räusperte sich.

„Gute Arbeit vorhin."

Die Maske verzerrte seine Stimme ein wenig und ließ seinen etwas unsicheren Tonfall fast schon sarkastisch klingen. Otto sah überrascht auf.

„Wobei?"

In dem Moment öffnete sich die Tür zum Schankraum.

„Noah?", rief der Wirt, der von seiner Position am Tisch der Männer den Neuankömmling nicht sofort im Blick hatte.

Doch es war eine Frau. Schon auf den ersten Blick war Sieben klar, dass es sich bei ihr um Kassandra Gessler handeln musste, selbst wenn sie nicht einen Degen und einen Zauberstab getragen hätte. Ihre straffe Haltung, ihre schlichte, schmucklose Kleidung, ihr kühler, ernster Gesichtsausdruck … das alles erinnerte Sieben so sehr an ihren Vater, dass er es fast schon komisch fand. Ihre braunen Haare hätten vermutlich in etwa schulterlang sein können, wenn sie nicht zu einem strengen Dutt zurechtgebunden gewesen wären, und in dem Blick, den sie durch die Gläser ihrer Brille durch den Schankraum schweifen ließ, lag eine berechnende, intelligente Art, jedoch auch ein ganz kleiner Funke von Unsicherheit. Sie trug einen grauen Anorak gegen das herbstlich kühle Wetter und eine schwarze, unauffällige Hose, dazu ein Paar klobiger schwarzer Sicherheitsstiefel. In ihrer rechten Hand hielt sie ein seltsames, längliches Bündel, ihre Linke war jedoch tief in ihrer Manteltasche vergraben.

Nachdem sie Sieben neben ihrem Schüler erblickt hatte, schritt sie, ohne auf die missbilligenden Blicke der anderen Gäste zu achten, direkt zu ihnen an den Tresen. Sie nickte Otto knapp zu und wandte sich dann an ihn.

„Nummer Sieben."

Der Inquisitor machte eine angedeutete Verbeugung, wie sie im Orden Vorgesetzten gegenüber üblich war.

„Meisterin Gessler."

„Ich nehme an, mein Vater hat Sie über die Details unserer Mission bereits in Kenntnis gesetzt?"

„Das hat er."

„Und Sie haben sich auch schon mit Otto ausgetauscht?"

„Richtig."

„Gut. Dann haben wir die Formalitäten schon hinter uns gebracht und ich kann Ihnen gleich das hier geben."

Sie reichte ihm das seltsame, schmucklose Bündel hin, das sie in ihrer rechten Hand getragen hatte.

„Ihr Degen. Und Ihr Zauberstab."

Sieben wusste im ersten Moment nicht, was das heißen sollte.

„Entschuldigung?"

„Wie ich hörte, sind Sie kein fertig ausgebildeter Magier mit Degen und Stab, Ihre Fähigkeiten erschienen mir jedoch ausreichend, um Ihnen zumindest für die Dauer eines Auftrages eine Sondergenehmigung zum Tragen dieser Gegenstände zu besorgen. Laut Inquisitionsgesetz § 27b – „Zeitweilige Zurverfügungstellung magischer Unterstützungsmittel" – dürfen Sie nun Stab und Degen unter meiner Aufsicht für die gesamte Dauer unseres Einsatzes tragen."

Der Inquisitor streckte die Hand aus und nahm das Päckchen an sich, wickelte es jedoch noch immer nicht aus.

„Soweit ich weiß, muss der Hohe Rat bei Inquisitoren, die weniger als sechs Monate im Dienst sind, einer solchen Maßnahme zustimmen…"

„Das hat er", erwiderte Kassandra knapp.

Das überraschte Sieben allerdings noch mehr.

Großmeister Zeus hasst mich. Und von meinen Fähigkeiten hat er noch nie viel gehalten. Warum sollte er so eine Großzügigkeit gestatten? Hat Konrad ihn dazu überredet? Oder ist der Auftrag so gefährlich?

Nachdem er das Paket vor sich auf den Tresen gelegt und ausgewickelt hatte, fiel ihm eine dritte Möglichkeit ein.

Wow. Zeus macht ja wirklich keinen Hehl daraus, dass ich mir von ihm aus bei meiner ersten Mission gleich den Hals brechen kann.

Der Degen war so schartig, dass selbst die Trainingsexemplare, mit denen Sieben im Orden immer hantiert hatte, dagegen wie eine Luxusausgabe gewirkt hätten. Der Überzug am Griff war zum Teil heruntergelöst, sodass er praktisch bloßen Stahl in der Hand hatte, das Eisen des runden Parierstückes, das Glocke genannt wurde, war trüb und zerkratzt. Eine kurze Überprüfung mit seinen magischen Sinnen verriet ihm jedoch zumindest, dass die verschiedenen Schutz- und Angriffszauber, die zur Abwehr und Durchdringung feindlicher Magie über jedem Degen eines Ordensmitgliedes lagen, intakt waren. Wovon beim Zauberstab nun wirklich nicht die Rede sein konnte. Neben ihm wirkte sogar der Degen noch annehmbar. Äußerlich sah er zwar etwas abgegriffen aus, aber größtenteils zumindest annehmbar. Aber die Bann- und Schutzzauber …

Ein Zauberstab war für einen Magier in der Regel nur ein Werkzeug. Wie eine Lupe das Sonnenlicht bündeln konnte, war es vielen Zauberern mit einem Stab auch möglich, wesentlich mächtigere Magie gezielter lenken zu können. Allerdings gingen damit auch Gefahren einher. Die verschiedenen magischen Orden des Kontinents gingen unterschiedlich mit Zauberstäben um.

Im Orden von Quirilien war es so, dass erst Magier, die ihre Lehrzeit beendet hatten oder so wie Otto kurz davor standen, Zugang zu einem eigenen Zauberstab bekamen. Grund dafür war, dass es Anfängern mit einem Stab zwar wesentlich leichter fiel, den Umgang mit Magie zu erlernen. Aber erstens bestand eine hohe Gefahr, dabei schnell seine eigenen Fähigkeiten zu überschätzen, was bei sechzehnjährigen Schülern wirklich SEHR oft vorkam. Zweitens war, wenn dann tatsächlich einmal ein Unfall passierte, die Gefahr einer ernsthaften Verletzung um ein Vielfaches höher als mit händischer Magie. Denn damit ein Zauberstab Energie bündeln konnte, mussten erst verschiedene Bannzauber auf ihn gelegt werden, in denen eine nicht unerhebliche Menge Magie steckte. Wenn diese Zauber nicht anständig durchgeführt wurden, mit der Zeit ihre Wirkung verloren oder durch häufigen Gebrauch in Mitleidenschaft gezogen wurden, konnte es dazu kommen, dass Zauberstäbe die ganze ihnen innewohnende Magie auf einen Schlag freisetzten. Und das wiederum hatte zur Folge, dass es nach einer magischen Fehlzündung vor Ort oftmals aussah wie nach einer Gasexplosion. Und selbst ohne seine magischen Sinne hätte Sieben sagen können, dass dieser Zauberstab, der ihm da anvertraut wurde, wahrscheinlich ein mehr als nur geringes Sicherheitsrisiko in sich barg. Es war, als hielte man einen tollwütigen Löwen an einer Hundeleine.

„Ähm …", begann er.

Kassandra sah ihn streng an.

„Der Zauberstab sieht schlimmer aus, als er ist. Großmeister Zeus hat ihn selber genehmigt."

Das glaube ich sofort! Und ich wette, er hat ihn bei seiner Überprüfung nicht länger als unbedingt nötig in der Hand gehalten. Aber er hatte keine Lust, sich mit seiner neuen Vorgesetzten gleich darüber zu streiten. Er war es ohnehin gewohnt, händisch zu zaubern, da würde er ihn bei ihrer Mission ohnehin nicht brauchen. Kassandra schien noch etwas sagen zu wollen und zog die linke Hand aus ihrer Tasche, als wollte sie eine bekräftigende Geste machen, dann jedoch hielt sie mitten in der Handlung inne und verbarg die Hand mit einer scheinbar beiläufigen Bewegung wieder unter ihrem Mantel. Sieben jedoch hatte einen kurzen Blick auf ihre Finger erhascht. Oder zumindest, was davon noch übrig zu sein schien. Tatsächlich schien der Daumen das einzige unbeschadete Glied an ihrer linken Hand zu sein. Mittel-, Ring- und der kleine Finger fehlten gänzlich und von ihrem Zeigefinger war nur ein nutzloser Stummel noch vorhanden. Mit Sicherheit konnte er es in dem kurzen Moment nicht sagen, aber die Narben an den Stellen, wo sich früher Kassandras Finger befunden haben mussten, wirkten zwar schon eindeutig verheilt, aber noch nicht sehr alt. *Nicht älter als ein Jahr. Ob sie die im Kampf gegen die Liga eingebüßt hat? Jedenfalls scheint sie keine Aufmerksamkeit darauf ziehen zu wollen.*

Als wollte die Magierin sehen, ob der Inquisitor den Vorfall bemerkt hatte, blickte Kassandra leicht erschrocken zu ihm, doch aufgrund seiner Maske konnte sie es wohl nicht mit Sicherheit sagen. Sie räusperte sich und ihr Gesicht nahm wieder einen ernsten Ausdruck an, um den Vorfall zu überspielen. Otto, der von dem peinlichen Moment nichts bemerkt zu haben schien, meldete sich zu Wort.

„Meisterin, der Inquisitor und ich haben mit dem Wirt geredet. Offensichtlich gibt es in Oslubo eine Herberge, deren Betreiber hier jeden Moment vorbeikommen soll und der uns mehr zu den Vorgängen erzählen kann."

Kassandra nickte.

„Gut. Von den Leuten auf der Straße war wenig zu erfahren. Die scheinen hier auch keine Magier zu mögen. Hier gibt es vermutlich eine beunruhigende Anzahl an Ligasympathisanten."

Der Inquisitor bildete sich ein, dass ihr Blick dabei für einen Sekundenbruchteil zu ihm hinüberhuschte.

„Darüber würde ich mir keine Gedanken machen", antwortete er ein wenig missmutig, „unser Untersuchungsbereich liegt im Tal des Iphikles. Wenn die Leute hier so abergläubisch sind wie der Wirt, traut sich da von den Einheimischen keiner rein."

Kassandras Gesichtsausdruck wurde eine Spur kritischer.

Ob sie glaubt, dass ich das nur sage, weil ich nicht mit der Liga in Konflikt geraten will? Aber soll sie doch denken, was sie will.

„Schon möglich", erwiderte sie, „jedenfalls wäre es gut, wenn wir schnell Ergebnisse präsentieren. Großmeister Zeus hat mich angewiesen, in diesem Fall jeden Tag Bericht zu erstatten."

Nun war es an Sieben, einen kühleren Tonfall anzuschlagen.

„Ach? Ist das nicht eher ungewöhnlich für so einen Auftrag? Oder gibt es noch einen anderen Grund, warum die Sache eine solche Priorität hat?" In den Augen der Magierin blitzte es gefährlich.

„Ich bin nicht über die Motive des Großmeisters für diese Entscheidung informiert, Nummer Sieben. Vielleicht hat es mit der Liga zu tun. Allerdings ist es nicht notwendig, dass Sie sich darüber den Kopf zerbrechen, da ich als Einsatzleiterin diese Aufgabe übernehmen werde." Und damit schien das Gespräch beendet zu sein. *Steinhart, wie ihr Vater. Aber ich glaube nicht, dass sie mich sonderlich mag.*

Sie warteten etwa zehn Minuten, bevor schließlich ein Mann um die dreißig das Wirtshaus betrat. Er war ziemlich groß und kräftig gebaut, hatte kurz geschnittenes, dunkelblondes Haar, das jedoch zu einem Großteil von einem ziemlich altmodischen Filzhut verdeckt wurde, und einen säuberlich gestutzten Kinnbart. Auf seinem Gesicht war noch keine Spur von Sorgenfalten, doch sein leicht gebückter Gang und melancholisch anmutender Gesichtsausdruck bestätigten die Behauptung des Wirtes, dass er wie ein Mann wirkte, der zurzeit einiges durchzumachen schien.

Sobald der Wirt ihn jedoch erblickt hatte und ihn überschwänglich begrüßte, schien sich seine Laune zumindest ein bisschen zu heben, und nach einer kurzen Vorstellung erklärte er sich gerne dazu bereit, Sieben, Kassandra und Otto mit in das Tal zu nehmen.

„Da haben Sie ganz schön Glück, dass Sie gerade heute hier auftauchen", meinte er, während er ihnen allen der Reihe nach die Hand schüttelte, „zu Fuß wäre es ein weiter Weg bis nach Oslubo, und ein Taxi nimmt Sie bei den Straßenverhältnissen eher nicht mit."

„Gibt es denn keinen Bus oder etwas Ähnliches?", fragte Otto überrascht.

Noah schüttelte den Kopf.

„Nein. Dafür ist die Straße zu eng. Früher gab es einen Fahrservice für Touristen, aber während der Ligakrise ist der Fremdenverkehr gänzlich zum Erliegen gekommen und die Betreiber sind weggezogen. Fürs Erste muss man, wenn man nach Oslubo will, also entweder mit einem Einheimischen reinfahren oder sich zu Fuß auf den Weg machen. Es ist zwar eine ganz hübsche Wanderung, dauert aber trotzdem ein paar Stunden."

Er wandte sich an den Wirt.

„Steht alles von meiner Liste hinten draußen?"

„Jaah, so wie üblich! Ich hoffe wirklich, dass bald wieder mehr Leute hierherkommen. Und zu euch."

Noah zuckte unmotiviert mit den Schultern.

„Na ja, schauen wir mal", meinte er leicht säuerlich.

Dann wandte er sich wieder an sie.

„Wir können sofort losfahren, ich muss nur noch die Waren aufladen. Ich nehme an, Sie haben noch keine Unterkunft in Oslubo?"

Kassandra schüttelte den Kopf.

„Wir haben gehört, Sie führen eine Herberge? Haben Sie noch Platz für uns?"

Noah lachte freudlos.

„Mehr Platz als zurzeit habe ich nie gehabt. Der ganze Krawall, den die Mistkerle von der Liga veranstaltet haben, hat sogar die Selbstmörder abgeschreckt."

Bei der letzten Bemerkung fiel Sieben auf, dass einige der Männer im Wirtshaus Noah böse Blicke zuwarfen, doch er beachtete sie gar nicht.

„Aber ich nehme an, wegen der ganzen Zwischenfälle sind Sie ja da. Ich fürchte allerdings, da kommen Sie zu spät, Ihr Vorgänger hat ganze Arbeit geleistet. Das Mädchen, das sich vor Kurzem umgebracht hat, war mehr ein Fall von enttäuschter Liebe."

Kassandra antwortete nicht darauf, offensichtlich hatte sie nicht die Absicht, die Details ihrer Mission in Hörweite der anderen Gäste oder des geschwätzigen Wirtes zu diskutieren. Noah hakte nicht weiter nach.

„Sei's drum. Warten Sie einfach vor dem Wirtshaus, ich fahre mit meinem Pick-up in fünf Minuten vor."

Und damit war er auch schon wieder verschwunden.

„Interessant", murmelte Kassandra so leise, dass nur Otto und der Inquisitor sie hören konnten, „noch einer, der glaubt, dass es für uns nichts zu untersuchen gibt. Und der kennt sich vermutlich besser aus als der Wirt."

Sieben wollte ihr nicht schon so früh widersprechen, erwiderte jedoch: „Trotzdem müssen wir Nummer Sechsundzwanzig erst mal finden. Solange sein Verbleib nicht geklärt ist, können wir zu dem Fall nicht viel mit Sicherheit sagen."

Kassandra nickte widerwillig. „Jaja, schon klar. Aber wir sollten uns auf jeden Fall darauf gefasst machen, dass sich die Prioritäten unseres Auftrages schnell ändern können. Wenn das Problem im Tal, so es je wirklich bestanden hat, tatsächlich gelöst ist, dann ist es wohl naheliegend, dass die örtliche Liga etwas mit dem Verschwinden von Nummer Sechsundzwanzig zu tun haben muss."

Offensichtlich war sie in Bezug auf ihren Auftrag anderer Meinung als ihr Vater. Otto schien jedoch ebenfalls neugierig zu sein.

„Die ganzen Menschen, die sich umgebracht haben, müssen doch bestimmt noch einen Grund gehabt haben. Ich meine, bei so einer Anzahl muss doch mehr dahinter stecken, oder? Es wäre bestimmt interessant herauszufinden, was die Ursache dafür war. Vielleicht ein wilder Zauber? Aus der Krähenburg? Oder ein Energiewesen? Vielleicht ein Vampir? Oder ein Nachzehrer, der …"

„Ich weiß, dass du viel zu solchen Wesen gelesen hast, aber jetzt beruhig dich mal", mahnte Kassandra ihren Schüler, „und red nicht so laut. Die Leute hier finden uns auch ohne dein Gerede von hunderten Toten, für die Magier verantwortlich sein könnten, unsympathisch genug."

Otto verstummte jäh. Sie traten vor die Tür. Zu ihrer nicht geringen Überraschung wurden sie dort bereits erwartet.

Allerdings nicht von Noahs Pick-up.

Mit dem Rücken zu ihnen stand eine ziemlich große Ansammlung an Menschen, Sieben schätzte in etwa zwei- bis dreihundert Leute. Sie alle sahen auf zu einem glatzköpfigen Mann mittleren Alters, der auf dem Dach eines Wagens stand und mit lauter Stimme eine Ansprache

hielt, wobei die Ader an der Seite seines Kopfes bei jedem Wort zu
pulsieren schien.

„… glauben, nur weil sie den Prinzen gemeuchelt haben, dass sie uns
‚Gewöhnliche‘, wie sie uns abwertend nennen, jetzt wieder
herumschubsen können wie zuvor? Natürlich werden sie das tun!
Außer wir stellen uns ihnen in den Weg! Wenn sich ehrliche
Menschen zusammentun wie in der Liga, dann können auch die
Zauberer nichts gegen sie ausrichten, das haben wir in den
vergangenen Monaten immer wieder gesehen!“

Bis jetzt hatten weder die Leute noch der Redner sie bemerkt, da sie
im Schatten des Hauseingangs nicht gut zu erkennen waren.

„Wer ist denn der Kerl?“, fragte Otto.

In seiner Stimme schwang ein wenig Nervosität mit.

„Herzog“, erwiderte Sieben düster, „und offenbar findet er hier
ziemlichen Anklang.“

Es war wahr. Nicht alle in der Menge schienen ihm wohlgesonnen zu
sein, aber auf jeden Fall hatte er ihre Aufmerksamkeit und viele der
Leute nickten immer wieder, wenn er einen Satz mit einer besonders
reißerischen Geste beendete. Sieben sah durch die Menge, dass neben
dem Wagen, der Herzog als Bühne diente, zwei Ligisten standen, an
deren Brust das offizielle, schwarz-weiße Abzeichen der Liga hing.

*Die sind ja ganz schön mutig, wenn sie sich nach Daniels Tod noch
mit so etwas auf der Straße blicken lassen. Aber offenbar können sie
das in dieser Gegend hier noch immer ungehindert tun.*

Zumindest fürs Erste.

„Was machen wir jetzt?“, flüsterte Otto.

Dem Scheißkerl eine reinhauen, wäre Sieben als Erstes in den Sinn
gekommen, doch er riss sich zusammen und schwieg. *Gessler will
nicht, dass ich Ärger vom Zaun breche. Wenn seine Tochter mit dem
Ärger anfängt, ist das nicht mein Problem.*

Kassandra, die offenbar überlegt hatte, wie sie vorgehen sollten, wollte gerade antworten, als Herzog sie über die Menge hinweg erblickte. Anklagend zeigte er mit dem Finger auf das Grüppchen. „Schaut sie euch gut an, eure Herren und Meister! Kommen zu euch in eure Häuser und benehmen sich, als würde ihnen euer Leben gehören! Und wenn ihr nichts dagegen unternehmt, wird sich das auch nicht ändern!"

Alle Gesichter wandten sich zu ihnen um. Ein paar der Leute erschraken sichtlich darüber, dass nun tatsächlich echte Magier vor Ort waren, und am Rand der Menge versuchten einige wenige sich unauffällig in eine Seitenstraße zu verkrümeln, doch die meisten schienen nicht vorzuhaben, einfach zu verschwinden. Sieben hatte nicht den Eindruck, als würde der Großteil von ihnen ernsthaft in Erwägung ziehen, sie anzugreifen, sie schienen vielmehr einfach gespannt darauf zu warten, ob die Zauberer dem Redner etwas entgegnen würden.

Wieder stellte Sieben sich vor, wie befriedigend es wäre, dem Kerl sein selbstgefälliges Grinsen einfach aus dem Gesicht zu prügeln, doch wieder riss er sich zusammen. Er wollte Kassandra gerade still vorschlagen, dass sie Herzog einfach ignorieren und zurück ins Wirtshaus gehen sollten, als sie schon einen Schritt vortrat.

„Wir sind hier im Auftrag des Magischen Ordens von Quirilien, um uns um ein Problem zu kümmern. Wir suchen keinen Streit und sehen uns als niemandes Herren. Aber Sie, Herzog, sind ein von der Polizei und dem Orden gesuchter Verbrecher und sollten schleunigst zusehen, dass Sie Ihrer langen Liste an Untaten nicht auch noch den Tatbestand der ‚Aufwiegelung' hinzufügen!"

„Aufwiegelung?", höhnte Herzog von oben herab. „Ihr Magier findet doch immer einen Anlass, um euer Treiben zu rechtfertigen und auf uns herumzutrampeln! Einer der Unseren wurde vor nicht einmal einer Stunde von diesem Inquisitor dort neben Ihnen ohne Provokation angegriffen!"

Die Menge wurde unruhig. Sieben konnte eindeutig sehen, wie einer der beiden Ligisten beim Wagen nach etwas griff, das für ihn schwer nach einem antimagischen Lichtdetonator aussah, oder kurz Amlid, eine von Nicht-Magiern im Kampf gegen Zauberer häufig eingesetzte Waffe, die wie eine Granate wirkte, jedoch auch magische Schilde leicht durchschlagen konnte, indem sie deren Energie zuerst aufsog und dann unkontrolliert freisetzte.

Wenn er tatsächlich so dumm ist und sie hier wirft, kann das dutzende Tote geben.

Er wusste, was passieren würde. Kassandra würde so früh wahrscheinlich keinen echten Konflikt riskieren wollen, aber sie würde sicher nicht einen Schritt vor der Liga zurückweichen. Aber genauso wenig würde Herzog nachgeben. Was bedeutete, dass es zum Kampf kommen musste. Und wenn das tatsächlich der Fall war, war es besser, den Ligisten nicht mehr Zeit zur Vorbereitung zu geben, sonst würde es nur noch mehr Opfer geben. Sieben hoffte nur, dass Konrad Gessler seinen Standpunkt verstehen würde. Kassandra sah Herzog streng an.

„Wir können ganz einfach die örtlichen Behörden einschalten und sehen, was sie von dieser ganzen Sache halt-"

„Jetzt hör mir mal gut zu, du Möchtegern-Prinz!", rief Sieben und ließ seine Stimme durch den Hall seiner Maske besonders bedrohlich klingen. „Ich gebe dir genau drei Sekunden, um dein dummes Maul zu halten, von dem Auto herunterzusteigen und mit dem Rest deiner Idiotenbande abzuhauen, sonst komm ich zu dir und sorge dafür, dass dein ‚unprovoziert' angegriffener Kollege im Krankenhaus gute Gesellschaft bekommt."

Sieben wusste, wie man Menschen mit Worten wehtat, und es bedurfte keiner besonderen Menschenkenntnis, um zu wissen, dass bei Leuten wie Herzog der Stolz ein besonders wunder Punkt war. Die beiden Ligisten sahen unsicher zu ihrem Anführer auf, während sein Kopf hochrot anlief. Er sah einen Augenblick lang unentschlossen zu seinen Kumpanen und sah, dass sie offenbar wiederum auf seine Reaktion warteten. Sieben konnte sehen, wie einen Augenblick lang alles in der Schwebe hing, bevor Herzog sich zusammenriss und die Faust trotzig gen Himmel streckte.

„Wir sind die Liga! Wir sind Gerechtigkeit! Und euch Magierabschaum werden wir schon noch Manieren …"

„Was ist hier los?", fragte eine befehlsgewohnte, weibliche Stimme. Flankiert von vier Polizisten betrat eine Frau um die fünfzig mit strengem Blick den Platz. Sieben hatte sich ihr kaum zugewandt, da sprang Herzog vom Wagendach und verschwand mit seinen Kumpanen in der sich schnell auflösenden Menge. Die Menschen schienen es auf einmal sehr eilig zu haben weiterzukommen, und in weniger als einer Minute war von der Versammlung auf dem Platz vor dem Wirtshaus nichts mehr übrig.

Die Frau, die sich ihnen als Anais Santander, die Bürgermeisterin von Krithon, vorstellte, schüttelte ihnen allen der Reihe nach die Hand.

„Ich bedaure diesen unglücklichen Zwischenfall", meinte sie.

„Herzog glaubt immer noch, er könne mit seinen dummen Reden die Leute auf seine Seite ziehen. Aber seit ihr Prinz in Morkada gefallen ist, stellen sie keine wirkliche Gefahr mehr da."

Kassandra schien das anders zu sehen. „Für mich hat es schon so ausgesehen, als wären ein paar von denen auf seiner Seite. Außerdem ist dem Orden durchaus bekannt, dass es in der Region viele Ligasympathisanten gibt."

Santander winkte ab.

„Ach was, die Berichte sind alle maßlos übertrieben. Der örtliche Polizeichef macht eine wunderbare Arbeit und hat die Lage völlig im Griff. Ich bin ehrlich gesagt überrascht, dass der Orden es für notwendig erachtet, uns gleich drei Magier zur Bekämpfung von ein paar Hooligans zu schicken. Ich dachte, es würde im Orden gerade ein personeller Engpass herrschen?"

Kassandra nickte.

„Das ist auch so. Aber wir sind nicht wegen der Liga hier in Krithon. Tatsächlich warten wir nur darauf, nach Oslubo weiterreisen zu können."

Santander wirkte mit einem Mal irgendwie erleichtert.

„Ach so ist das! In diesem Fall bin ich mehr als froh, denn die ganzen Selbstmorde dort verhindern, dass sich der Fremdenverkehr in der Region wieder normalisiert. Die Leute munkeln und flüstern hinter vorgehaltener Hand den größten Schwachsinn."

„Inquisitor Nummer Sechsundzwanzig hat auch schon versucht sich der Sache anzunehmen und ist hier durchgekommen, korrekt?"

„Das ist richtig."

„Wir hatten auch Berichte darüber, dass Ihre Kooperation mit ihm ein wenig … steinig verlief."

Santander zuckte mit den Achseln.

„Wenn ich offen sein darf: Er war mir persönlich ziemlich unsympathisch. Ich habe nichts gegen Magier und bin immer froh, ein Ordensmitglied hier begrüßen zu dürfen, aber dieser Herr war … störend. Ständig hat er die Leute mit Fragen zu den Toten nervös gemacht, hat immer nachgebohrt und nachgehakt und niemandem eine Ruhe gelassen."

„Nun, ein paar unbequeme Fragen sind nun einmal vonnöten, wenn man die Sache untersuchen will", warf Kassandra kühl ein.

Der Bürgermeisterin fiel der Wandel in der Stimme der Magierin auf und sie runzelte missbilligend die Stirn.

„Das mag sein, aber die Fälle betreffen Krithon ja nicht einmal direkt. Hier vor der Stadt werden nur die Leichen angeschwemmt. Als er meinte, er würde weiterreisen wollen, war ich sehr froh, denn dass er der Lösung zu dem Fall keinen Schritt näherkommen würde, solange er nur hier Leuten auf der Straße Fragen stellt, hätte ich ihm von Anfang an sagen können."

Und du bist bestimmt auch froh, wenn wir weg sind, nicht wahr?

Trotzdem schien Santander ihnen gegenüber nun, da sie von dem

Zweck ihres Besuches wusste, sich Mühe zu geben, etwas offener zu sein. Sie zog eine Visitenkarte aus ihrer Handtasche und reichte sie Kassandra.

„Sollten Sie irgendwelche Fragen haben, egal zu was, ich bin immer gerne bereit Ihnen zu helfen. Auch die örtliche Polizei kann in Kürze in Oslubo sein, sollten Sie das wünschen. Zögern Sie nur nicht, um Hilfe zu fragen."

Kassandra dankte ihr. Irgendwo hupte jemand und um die Ecke des Wirtshauses kam ein schlammgrüner Pick-up gefahren, auf dessen Tragfläche einige Kartons und Kanister standen. Hinter dem Steuer winkte ihnen Noah zu.

„Das ist dann wohl unsere Mitfahrgelegenheit", meinte Kassandra. Santander nickte und streckte ihr zur Verabschiedung erneut die Hand entgegen.

„Dann will ich Sie nicht länger aufhalten. Haben Sie eine angenehme Weiterreise. Und viel Glück bei der Suche nach … was auch immer." Sie nickte Otto freundlich zu und schenkte sogar dem Inquisitor ein mildes Lächeln, bevor sie sich umwandte und mitsamt den Polizisten davonmarschierte.

„Die war ja komisch", bemerkte Otto auf dem Weg zum Wagen, „und sie hat ganz schön schnell ihre Meinung darüber geändert, was sie von uns hält."

„Sie ist eben eine Politikerin", erwiderte Kassandra.

„Trotzdem", murmelte Otto, „das ist doch komisch. Ist sie vielleicht selber eine Ligasympathisantin?"

Dieses Mal antwortete der Inquisitor selber.

„Gegen Anais Santander bestand nie ein direkter Verdacht während der gesamten Ligakrise. Ihre Nervosität kann leicht andere Gründe haben. Die Tatsache, dass in diesem Teil des Landes in drei Monaten Bürgermeisterwahlen stattfinden und sie keine unnötigen Schlagzeilen brauchen kann zum Beispiel."

Otto sah ihn zuerst verwirrt an, dann musste er leicht grinsen.

„Ach so ist das. Das erklärt natürlich einiges."

Was Sieben gesagt hatte, war die Wahrheit gewesen. Trotzdem war auch ihm an der Bürgermeisterin etwas aufgefallen. Fürs Erste beschloss er jedoch, seine Beobachtung für sich zu behalten. Er sah noch einmal über die Schulter, doch Santander war schon aus seinem Sichtfeld verschwunden. Schon meinte er, auf dem Platz überhaupt keine Person mehr zu sehen, als ihm hinter einer Hausecke ein Stück weit entfernt ein Schatten auffiel. Als er genauer hinsah, konnte er erkennen, dass es sich um einen ziemlich großen, ziemlich muskulösen Mann handeln musste, der ganz offensichtlich zu ihnen hinübersah, bevor er sich auch schon umwandte und verschwand. Sieben konnte sich täuschen, aber irgendwie war es ihm so vorgekommen, als hätte der Unbekannte gerade ihn schon länger beobachtet. Und er war ihm mit Sicherheit nicht freundlich gesonnen.

4.

Nachdem Kassandra einen Koffer, den sie zuvor offenbar mit sich herumgetragen hatte, auf die Ladefläche des Pick-ups gewuchtet hatte, stiegen sie in den Geländewagen ein. Der Platz dort hätte für sie zwar mehr als ausreichend sein müssen, doch anscheinend war Noah einer jener Menschen, der sein Auto als mehr als nur ein praktisches Transportmittel sah und es daher mehr oder weniger eingerichtet hatte wie einen Raum, in dem man viel Zeit verbrachte.

Auf der Trennscheibe zur Ladefläche klebten verschiedene Sticker mit Alltagsweisheiten, Werbeslogans und Bildern von verschiedenen Sportlern, auf der Rückbank lag ein ganzes Sammelsurium verschiedener staubiger Mäntel, dreckiger Arbeitshosen und sogar einiger Werkzeuge, vom Rückspiegel hingen nicht nur gleich drei verschiedene Duftbäume, die Siebens empfindlicher Nase besonders unangenehm waren, sondern auch noch Schlüsselanhänger in der Form eines kleinen blauen Häschens und eine auffällige Kette mit falschen Perlen in vielen verschiedenen Farben.

Das Handschuhfach war vollgestopft mit Papieren, einer kleinen Mappe, einer halb leeren Wasserflasche, einem Schlüsselbund, der in einen löchrigen Schal eingewickelt war, und mehreren leeren Süßigkeitenverpackungen. Auch der Boden war voll, dort sah Sieben einen ausziehbaren Regenschirm, ein Taschenmesser und eine Taschenlampe, eine Schachtel Zündhölzer, eine Thermoskanne, noch mehr Abziehbilder von Sportlern … Es war nicht wirklich schlampig, sondern machte auf Sieben eher den Eindruck eines Chaos mit einem für den, der es angerichtet hatte, durchaus verständlichem System und abgesehen von ein paar braunen Tannennadeln war es auch nicht wirklich schmutzig. Trotzdem war es für Otto, Kassandra und Sieben nicht gerade leicht, unbehelligt einen Platz zu finden.

„Wenn euch was im Weg ist, schmeißt es einfach auf den Boden. Ich nehme normalerweise außer Nadine selten jemanden mit. Die meisten Leute hier haben selber Geländewagen."

Kassandra nahm auf dem Beifahrersitz Platz und versuchte sich ein wenig umständlich mit nur einer Hand anzuschnallen, während sie die Linke beharrlich in ihrer Manteltasche vergraben hielt, während Otto und Sieben sich die ziemlich enge Rückbank teilen mussten. Der geliehene Degen, der nun an der Seite des Inquisitors hing und beim Gehen ungewohnt hin und her baumelte, störte ihn nun, da er versuchte ihn so ins Auto zu bugsieren, dass er Otto nicht aus Versehen ins Bein stach. Der Schnabel seiner Maske machte es zudem schwierig, seinen Kopf in eine einigermaßen bequeme Position zu bringen, und als Otto ungeschickt versuchte sich anzuschnallen, knallte er mit dem Ellenbogen dabei gegen Siebens Brust, wobei er den Seepferdchenanstecker traf. Dies empörte H_2O, sodass er sich von Sieben löste und beleidigt wiehernd auf seiner Schulter Platz nahm. Der plötzlich auftauchende Dämon erschreckte wiederum Otto und auch Noah und es dauerte eine gute Minute, bis Sieben ihnen beiden klargemacht hatte, dass H_2O absolut harmlos war. Als sich der Schrecken gelegt hatte, entschuldigte sich Otto fast eine Minute lang bei H_2O, der ihm natürlich sofort verzieh, und sogar Noah, der vermutlich eher selten in seinem Leben mit einem Energiewesen zu tun hatte, musste schief lächeln.

„Süßes Kerlchen", meinte er. „Wie sind Sie denn an den gekommen?"
„H_2O ist mein Freund und Partner. Er begleitet mich überallhin. Wie ich ihm begegnet bin, ist eine ziemlich lange Geschichte, und eigentlich auch keine besonders spannende."

Noah hakte nicht weiter nach, sondern sah prüfend in die Seitenspiegel und fuhr los. Er lenkte den Wagen sicher und in gemächlichem Tempo durch Krithon, bis sie über die Brücke fuhren, an der Sieben zuvor mit Gessler gestanden hatte. Während sie langsam die Landstraße in Richtung Taleingang entlangfuhren, fiel dem Inquisitor ein Geruch auf, der nicht von dem abscheulichen Gemisch der Duftbäume stammte. Er schien über dem ganzen Innenraum des Wagens zu hängen wie Zigarettengeruch im Haus eines Kettenrauchers. Er war weniger stark, dafür war die Duftnote ziemlich penetrant. Es dauerte einen Augenblick, bevor Sieben erkannte, worum es sich handelte.

„Sie transportieren hier wohl öfter Formaldehyd?", erkundigte er sich. Noah nickte.

„Ja, allerdings. Ich habe gerade auch einige kleine Fläschchen auf der Ladefläche. Deswegen auch die Duftbäume. Ich rieche es inzwischen schon gar nicht mehr, aber viele meinen, es wäre hier drinnen länger nicht auszuhalten."

Otto sah ihn fragend an.

„Was ist Formalhedryt?"

„Formaldehyd", korrigierte Sieben den jungen Magier, „und es ist ein Aldehyd, also ein Alkohol, dem Wasser entzogen wurde."

Otto wirkte verwirrt.

„Und … wozu braucht man das?"

„Oh, mit Formaldehyd kann man eine ganze Menge anstellen, aber da ich vermute, dass Noah es nicht als Nagelhärter oder Textilveredelung braucht, gehe ich davon aus, dass er es verwendet, wenn im Winter Oslubo mal eingeschneit wird und es wieder einmal einen Unglücksraben gibt, der seinem Leben ein Ende setzt. Dann kann er damit einen Körper über einen langen Zeitraum hinweg haltbar machen. Stimmt's?"

Noah nickte.

„Sie scheinen sich ja gut auszukennen, Herr Inquisitor."

„Bitte einfach nur Nummer Sieben. Und ja, im Verlauf unserer Ausbildung steht es uns frei, verschiedene außermagische Fortbildungen und Studien abzuschließen. Ich habe …"

In diesem Moment bemerkte er den strengen Blick, den Kassandra ihm im Rückspiegel zuwarf.

Richtig. Keine Vergangenheit. Auf die Art Unterhaltungen zu führen ist schwieriger, als ich dachte.

Trotzdem erwartete Noah wohl noch eine Antwort. „Ein Chemiestudium war Teil meiner Ausbildung", beendete er seine Erklärung schlicht.

Er drehte sich um. Durch das kleine Rückfenster konnte er die Ladefläche des Wagens sehen. Dort befanden sich mehrere Getränkekisten, einige unbeschriftete Kartons und ein etwa schuhschachtelgroßes Behältnis aus Aluminium.

Da drinnen wird es wohl sein. Aber wenn es jetzt schon so lange keine Selbstmorde mehr gegeben hat, wozu braucht er dann so große Mengen?

Dann fiel ihm ein, dass es vermutlich hier am Rande des Gebirges bald anfangen könnte zu schneien. *Wahrscheinlich ist er für den Fall der Fälle lieber vorbereitet, anstatt wochen- und monatelang eine Leiche ohne Konservierungsmöglichkeiten aufzubewahren. Irgendwie verständlich.*

Sie bogen ab und fuhren auf einen nicht asphaltierten Weg auf, der allerdings von ein paar notdürftig mit Kies gefüllten Schlaglöchern abgesehen in recht gutem Zustand war. Sieben, der während seiner Ausbildung im Orden neben Chemie sich auch noch intensiv mit vielen anderen Dingen wie Biologie und Geologie beschäftigt hatte, sah sich interessiert die Landschaft an. Da das Tal über weite Strecken hinweg von West nach Ost ausgerichtet war, wuchsen zu beiden Seiten des Flusses ziemlich verschiedenartige Pflanzen. Während überall eine beträchtliche Anzahl an Fichten die Wälder dominierte, erkannte er auf der Nordseite auch einige Rotbuchen, deren Blätter nun im Spätherbst dem Wald einen bunten Anstrich verliehen. An der Südseite war die Vegetation generell etwas vielseitiger, er erkannte Ahornbäume, Winterlinden und mehrere verschiedene Arten von Eichen, zudem meinte er noch über Kassandras Schulter hinweg irgendwo die Baumkrone einer Ulme erblickt zu haben.

Sie fuhren etwa fünf Minuten eine leichte Steigung hinauf, während Noah, der offenbar aufgrund der Tatsache, dass er Gesellschaft hatte,

75

etwas besserer Laune zu sein schien, ausgiebig über Oslubo und die verschiedenen Leute dort redete.

„Sie sind alle ein bisschen in sich gekehrt", meinte er, „aber eine nette Truppe. Der Ort ist nicht sonderlich groß, er hat nicht einmal zweihundert Einwohner, außerdem ziehen viele Junge weg. Wer zum Arzt oder in die Schule will, muss nach Krithon fahren, aber es gibt neben meiner Herberge noch einen kleinen Laden, ein Sägewerk, eine zeitweilig besetzte Wetterstation und eine kleine Apotheke, die auf alternative Heilung spezialisiert ist. Im Tal des Darineus gibt es ja ein paar angebliche Heilquellen, da kommen immer wieder mal ein paar kranke oder ältere Leute durch. Nun hoffen wir natürlich, dass jetzt, da sich die Lage beruhigt hat, bald wieder auch Touristen kommen … außerdem gab es hier früher noch eine kleine Ziegelei, aber die ist schon seit über zwanzig Jahren geschlossen."

Er schwadronierte noch eine ganze Weile so vor sich hin, bevor Kassandra ihn unterbrach.

„Sie hatten vorhin im Wirtshaus erwähnt, dass Inquisitor Nummer Sechsundzwanzig das Problem um die Selbstmorde bereits gelöst hatte?"

Noah nickte.

„Dem Licht sei Dank. Seitdem gab es keine Toten mehr."

„Außer Sophie Falk", warf Kassandra ein.

Noahs Gesichtsausdruck wurde eine Spur düsterer.

„Außer ihr, richtig. Aber sie … hm … sie hat sich mit einem ziemlich unverlässlichen Kerl eingelassen. Dass das kein gutes Ende haben würde, war abzusehen. Dass sie so drastisch darauf reagiert hat, ist zwar schon erschreckend, aber hat bestimmt nichts mit irgendwelchen magischen Aktivitäten zu tun."

Sieben hätte an dieser Stelle gerne gefragt, was es mit Sophie Falks „unverlässlichem" Partner auf sich hatte, doch Ottos Neugier bezüglich der Ursache war geweckt.

„Was könnte denn der ursprüngliche Grund für die ganzen Tode gewesen sein?", fragte er an seine Meisterin gewandt.

Kassandra zuckte mit den Achseln.

„Solange wir nicht mehr Anhaltspunkte haben, kann ich nichts Genaueres sagen."

Sie wandte sich wieder an Noah.

„Sind irgendwelche seltsamen Wesen gesichtet worden?"

„Wesen?"

„Na ja, irgendwelche komischen Kreaturen oder Energiewesen? Gab es Berichte über nächtliche Geräusche? Hat jemand behauptet, dass es irgendwo spukt?"

Noah schüttelte den Kopf.

„Nicht mehr als sonst eigentlich."

Otto runzelte die Stirn.

„Was soll das heißen?"

„Das Tal des Iphikles galt immer schon als verflucht. Dort steht die Krähenburg und aufgrund ihres schlechten Rufes behaupten immer wieder Leute, sie hätten die schaurigsten Dinge erlebt. Aber es ist nie was dabei herausgekommen. Außerdem traut sich dort ohnehin nur selten jemand hin."

„Weil dort jemandem einmal etwas passiert ist?"

„Weil es ganz einfach keinen Grund gibt, dorthin zu gehen. Im Tal des Iphikles gibt es nichts. Die Wanderwege mögen ganz nett sein, aber aufgrund ihres schlechten Images gehen dort seit Jahren kaum noch irgendwelche normalen Leute hin. Na ja, außer mir und meiner Schwester vielleicht, wir halten die Wege instand, aber das ist mehr Gewohnheit als irgendetwas sonst. Ach ja, und Yaron, wenn ihn mal wieder die Muse küsst und er dort etwas malen will. Die Krähenburg ist alt und verlassen, sie verfällt langsam und ich würde sagen, dass es wahrscheinlich wirklich nicht ganz sicher ist dorthin zu gehen. Daran sind aber eher die Holzwürmer in den alten Holzstufen und -geländern schuld als irgendwelche Geister. Und ja, es gibt angeblich tatsächlich ein paar Gänge und Zimmer in der Burg, die noch niemand betreten hat, weil irgendwelche alten, magischen Schilde das Eindringen verhindern. Alle paar Jahre kommt ein Magier oder Archäologe oder sonst ein Bücherwurm vorbei und versucht dort einzudringen, aber bis jetzt ist noch jeder erfolglos abgezogen."

Otto sah nachdenklich zu seiner Meisterin.

„Können so alte, magische Schilde nicht manchmal Probleme verursachen?"

Sie nickte.

„Viele Fälle von wilder Magie sind in Wirklichkeit nur alte Zauber, die mit der Zeit einfach nachgelassen haben und irgendwie mutiert sind oder auf eine Einwirkung durch frische Magie reagieren."

„Könnte es dann nicht sein, dass ein alter Zauber schuld daran ist, was mit den Leuten passiert?"

Kassandra wirkte nicht überzeugt.

„Möglich ist alles, aber das erscheint mir unwahrscheinlich. Ich hätte noch nie davon gehört, dass so ein Zauber Suizid bei Menschen auslösen könnte. Außerdem müssen all die Leute ja erst einmal in das Tal gehen, und viele von denen tun das ja ohnehin schon mit einer bestimmten Absicht."

Noah nickte zustimmend.

„Genau. Viele Leute, die dahin gehen, sind psychisch schon … leicht angeschlagen."

Otto ließ jedoch nicht locker.

„Und was, wenn daraus ein Energiewesen entstanden ist? Zum Beispiel eine Art Vampir?"

Noah sah geradezu angewidert in den Rückspiegel.

„Ein blutsaugendes Monster?"

Sieben schüttelte den Kopf.

„Viele Energiewesen werden in den Medien ganz falsch dargestellt. Der Begriff ,Vampir' umfasst alle Energiewesen, die in erster Linie von einem Wunsch angetrieben werden, sich die Lebensenergie anderer Wesen zu eigen zu machen. Und da das eigentlich bei einem lebenden Menschen unmöglich ist, kommt es dann meistens dazu, dass Leute bei ihren Versuchen sterben … und ja, bevor Sie fragen, es ist tatsächlich schon bei mehreren Gelegenheiten vorgekommen, dass ein solches Wesen Menschen gebissen hat, um zu versuchen, ihnen das Blut auszusaugen, aber die meisten sehen dann schon nach dem ersten Versuch, dass das nicht klappt, und machen es nie wieder."

Einige Augenblicke lang herrschte Ruhe im Wagen, dann zuckte Noah erneut mit den Schultern.

„Ob und was auch immer die Selbstmorde ausgelöst hat, der Inquisitor hat es beseitigt und ist dann abgereist. Wir haben seitdem nichts mehr von ihm gehört."

Ein kräftiger Ruck ging durch den Wagen, als Noah durch ein besonders tiefes Schlagloch fuhr. Sieben stieß mit dem Schnabel seiner Maske gegen die Kopfstütze von Noahs Sitz und Otto, der anscheinend wieder dazu übergegangen war, sich Notizen zu machen, fluchte leise, als die Spitze seines Bleistifts einen langen Strich über den Block zog und dann abbrach.

„Ist er tatsächlich abgereist?", hakte Kassandra nach. „Hat er sich verabschiedet?"

„Hat er nicht", gab Noah zu. „Er hat nur eine Weile lang Ermittlungen angestellt, hat dann gemeint, er hätte einen Durchbruch erzielt, und ist los. Seitdem ist nichts mehr passiert. In Oslubo war man der Meinung, er wäre nach Erledigung seines Auftrages einfach abgehauen. Er war ja ohnehin ein wenig in sich gekehrt und hat nicht wirklich Kontakte geschlossen, also warum sollte er sich verabschieden?"

„Sind während seiner Untersuchungen Mitglieder der Liga im Tal gewesen?", erkundigte sich Kassandra.

Erneut verneinte Noah.

„Nicht dass ich wüsste. Herzog taucht hier immer wieder mal auf, um die Leute einzuschüchtern, aber hier im Tal gibt es keine Ligisten. Auch wenn nicht jeder in Oslubo Zauberern freundlich gegenübersteht, ich versichere Ihnen, dass keiner von denen mit diesen Rüpeln unter einer Decke steckt."

Er klang, als würde er es ehrlich meinen. Aber Sieben wusste, dass schon ganz andere Leute der Überzeugung gewesen waren, ihre Freunde und Verwandten wären niemals Teil einer solchen Organisation gewesen, nur um dann festzustellen, dass sie gemeinsam mit tausenden anderen unter Prinz Daniels Führung gegen das Parlament marschiert waren. Ihn interessierte jedoch etwas anderes.

„Diese Selbstmörder … bevor sie sich umgebracht haben, müssen sie doch öfter bei Ihrer Herberge vorbeigeschaut haben, nehme ich an?"

Noah nickte.

„Das stimmt natürlich. Aber diese Leute sind selten besonders gesprächig. Na ja … sie waren zwar aus geschäftlicher Hinsicht eine gute Kundschaft, aber trotzdem vermisse ich es kein bisschen, die Wälder zu durchsuchen, um nachzusehen, ob sie sich umgebracht oder nur verirrt haben. Zum Glück sind sie meistens ohnehin ein paar Tage später am Chorenaufer in Krithon gefunden worden. Aber wenn nicht …"

Er beendete den Satz mit einem Nicken nach hinten zur Ladefläche, wo der Aluminiumbehälter mit den Formaldehydvorräten stand. Der Pick-up fuhr durch eine kleine Mulde, hinter der die Straße wieder steiler wurde. Sieben spürte einen leichten Schauer über seinen Rücken laufen und Otto rutschte auf seinem Sitz unruhig hin und her. Die Straßenverhältnisse wurden etwas besser, es sah so aus, als wären die Schlaglöcher hier erst vor Kurzem aufgefüllt worden. An einer Stelle schien ein Wanderweg die Straße zu kreuzen, dort befand sich auch eine kleine Kapelle, die dem Großen Licht geweiht war und regelmäßig gepflegt zu werden schien.

„Nette Gegend", bemerkte Otto.

Noah stimmte ihm zu. „Ja, Wanderern gefällt es hier auch. Vor zehn Jahren waren einmal einen Sommer lang so viele Gäste …"

Weiter kam er nicht, bevor der Wagen so ruckartig zum Stehen kam, dass es Sieben im Sitz so weit nach vorne drückte, dass er mit der Schnabelnase seiner Maske erneut an der Kopfstütze anstieß und seine Maske ihm schmerzhaft gegen die Wangenknochen gedrückt wurde. Bevor einer von ihnen fragen konnte, was los war, kurbelte Noah schon das Fenster auf der Fahrerseite hinunter.

„Was machst du denn hier?", rief er überrascht.

Erst jetzt sah Sieben, dass zwischen den Bäumen eine junge Frau stand. Sie war um die zwanzig, also in etwa in Ottos Alter. Sie besaß blondes, zu einem sportlichen Pferdeschwanz zusammengebundenes Haar und war mit einer Jogginghose und einem für die Jahreszeit ungewöhnlich luftigen Tanktop bekleidet. Trotz ihrer sportlichen Aufmachung fiel Sieben jedoch auf, dass sie geschminkt zu sein schien.

Ziemlich eitel.

Die Frau verschränkte die Arme, neigte den Kopf zur Seite und sah Noah herausfordernd an.

„Wonach sieht es denn aus? Spazieren gehen natürlich! Du brauchst ja immer ewig, bis du aus Krithon zurück bist."

In diesem Moment erblickte sie die anderen Passagiere des Wagens.

„Du hast mir gar nicht gesagt, dass du Gäste mitbringst."

Kassandra, die inzwischen auch auf ihrer Seite das Fenster heruntergekurbelt hatte, erwiderte: „Das war auch eine eher spontane Sache. Wir sind erst heute in Krithon angekommen und Noah war so freundlich uns eine Fahrgelegenheit nach Oslubo anzubieten. Und mit wem habe ich das Vergnügen?"

„Das ist meine Schwester Nadine", beeilte Noah sich zu erklären.

Richtig. Der Wirt und Noah haben beide schon erwähnt, dass er eine Schwester hat. Und dass sie mit Sophie Falks Freund in Kontakt stand. Vielleicht wäre es günstig, sie später dazu zu befragen.

Nadine winkte ihnen gut gelaunt zu, dann wandte sie sich wieder an Noah. „Kannst du mich nach Hause zurück mitnehmen?"

„Klar, kann ich. Aber warum gehst du auch so weit, wenn du zu faul bist auch zurückzugehen?"

Sieben und Otto rückten zusammen, um ihr auf der Rückbank Platz zu machen, und sie stieg ein. Die Magier stellten sich ihr der Reihe nach vor, wobei Sieben auffiel, dass Otto ein wenig nervös zu sein schien.

Wahrscheinlich gefällt ihm die Kleine.

Seiner Ansicht nach war das eindeutig Geschmackssache. Es war unverkennbar, dass Nadine nicht nur recht sportlich, sondern auch hübsch war. Im Gegensatz zu ihrem leicht melancholisch wirkenden Bruder schien sie energetisch und auch ziemlich selbstbewusst zu sein. Allerdings fand er es doch ziemlich seltsam, dass sie sich für einen Waldspaziergang so stark schminkte. Ihre Züge waren fast maskenartig, wie man es sonst bei älter werdenden Frauen oft sah, welche versuchten dem Zahn der Zeit mit allen Mitteln Herr zu werden und dabei einen klar verlorenen Kampf kämpften. Nur dass Sieben nicht wirklich glauben konnte, dass so ein junges Mädchen dieses Problem schon hatte.

Wie er, nachdem sie sich zu ihnen in den Wagen gedrängt hatte, jedoch naserümpfend feststellen musste, hatte sie mit ihrem Bruder zumindest eines gemeinsam: eine Schwäche für intensive Gerüche.

Nicht nur geschminkt, sondern auch noch Parfum!

Die Geruchsnote war wirklich intensiv, mit seiner empfindlichen Nase konnte Sieben trotz der starken Beeinträchtigung Sandelholz, Vanille und irgendeine Art Blumengeruch herausfiltern. Da war auch noch etwas anderes, ein süßlicher Geruch.

Vielleicht Linde?

Aber ob der Geruch Teil ihres Parfums war oder von draußen zu ihnen hereinströmte, konnte er bei dem Gemisch an Düften nicht mehr sagen. Langsam wurde Sieben schwindlig.

Hoffentlich erstreckt sich diese Schwäche für penetrante Gerüche nicht auf die Herberge.

Schon oft war es ihm passiert, dass er keinen Schlaf gefunden hatte, weil seine Nase von einem für andere schwach ausgeprägten Duft belästigt wurde. Es war wie lauter Lärm, nur für den Geruchssinn. So eine empfindliche Nase mochte ihre Vorteile haben, wenn ihm Dinge auffielen, die anderen entgingen, aber oft war sie auch eine Belastung. Nadine begrüßte sie alle der Reihe nach recht freundlich und sie fuhren weiter.

„Schön, dass der Orden hier einmal vorbeischaut", meinte sie, „ich wette, das macht Herzog ganz schön nervös. Es wird dringend Zeit, dass sich einmal jemand um die Liga kümmert."

„Nun ja", erwiderte Kassandra nach kurzem Zögern, „unser Auftrag lautet, dem Verschwinden von Inquisitor Nummer Sechsundzwanzig auf den Grund zu gehen. Fürs Erste sind wir uns noch nicht sicher, ob zwischen diesem Ereignis und den Aktivitäten der Liga in der Gegend ein Zusammenhang besteht."

„Hm", antwortete Nadine nur, wirkte jedoch ob dieser Antwort ein wenig verstimmt.

Sie wandte sich an Noah. „Hast du ihnen schon davon erzählt, dass er sich ständig in der Burg herumgetrieben hat?"

Noah sah in den Rückspiegel und schenkte seiner Schwester einen Blick, den Sieben nur schwer deuten konnte.

„Nein, habe ich nicht", erwiderte er langsam.

Kassandra horchte auf.

„Sechsundzwanzig war in der Krähenburg?"

Nadine bejahte die Frage. „Das war er. Oft und gerne. Er hat zwar nicht viel mit uns geredet, aber soweit ich weiß, war er der Meinung, dass es dort irgendetwas von Interesse gäbe."

„Und Sie haben ihn nie gefragt, was er dort genau finden will?"

Nadine zuckte mit den Achseln.

„Nun ja, viele Magier haben im Verlauf der letzten Jahre versucht dort einzudringen. Alle haben geglaubt, es gäbe dort verborgene Schätze, Bücher oder einfach irgendetwas, für das es sich lohnen würde, so komplizierte Abwehrzauber zu wirken. Aber bis jetzt ist noch jeder enttäuscht worden."

Kassandra wirkte skeptisch.

„Ich kann mir nicht vorstellen, dass Sechsundzwanzig sich so leicht von seiner Mission hat ablenken lassen. Die Selbstmorde in der Region aufzuklären war in seinem eigenen Interesse, es war kein Auftrag des Ordens."

Nadine lächelte. „Nun, in dem Fall wird es Sie freuen zu hören, dass er ganze Arbeit geleistet hat. Seit er abgereist ist, hat sich niemand hier umgebracht."

„Außer Sophie Falk."

Nadines Lächeln erstarb. „Jaah …", sagte sie gedehnt, „außer ihr. Aber das war etwas anderes."

Allmählich kam Sieben die Sache komisch vor. Sowohl Noah als auch Nadine hatten Sophie Falks Tod verschwiegen, bis sie ihn angesprochen hatten, und dann sehr abweisend darauf reagiert. *Offenbar gab es einen Konflikt zwischen ihnen und Sophie. Der Wirt hat auch etwas in der Richtung erwähnt. Und Nadine kannte Sophies Freund ...*

In seinem Kopf spann sich langsam eine Idee zusammen. Allerdings würden weitere Befragungen zu dem Thema notwendig sein. Vermutlich war es jedoch fürs Erste das Beste, das Thema ruhen zu lassen und vielleicht in Oslubo zuerst andere Leute zu der Sache zu befragen. Kassandra schien zum selben Schluss gekommen zu sein.

„Kommen wir noch einmal auf die Krähenburg zu sprechen", meinte sie ein wenig ablenkend. „Weder die Polizei in Krithon noch der Wirt haben uns irgendetwas darüber erzählt, dass Sechsundzwanzig sich für die Festung interessiert hat."

Nadine winkte ab.

„Den Leuten in Krithon kann man nicht vertrauen. Die Liga hat dort fast alle in der Tasche und der Rest zieht den Kopf ein. Wir tun hier in Oslubo unser Bestes, um Herzogs Schergen von uns fernzuhalten, aber wenn der Orden eingreifen würde, wäre uns das mehr als nur recht." Das war nicht eben ein dezenter Wink mit dem Zaunpfahl.

Die Einheimischen, oder zumindest Noah und Nadine, scheinen wirklich der Meinung sein, dass das Problem mit den Selbstmördern sich erledigt hat. Nun ja, sie selber hat es ja auch in den allermeisten Fällen nicht direkt betroffen. Trotzdem ... ob am Ende tatsächlich die Liga die Schuld an Sechsundzwanzigs Verschwinden trägt? Offenbar war Herzog vorhin durchaus gewillt, sich mit uns mitten in Krithon zu schlagen, also scheint die Hemmschwelle in der Hinsicht recht niedrig zu sein.

Aber noch war er nicht gewillt diese Annahme als Tatsache hinzunehmen.

„Der Wirt im Ort hat nicht wie jemand gewirkt, der sich mit der Liga einlässt", erwiderte er.

„Moment", warf plötzlich Otto ein, „als Sie gekommen sind, ist doch einer von den anderen Gästen hinausgegangen, oder? Könnte es nicht sein, dass er Herzog von unserer Ankunft alarmiert hat? Immerhin stand Minuten später dieser riesige Mob vor der Tür. Und der Wirt hat gesagt, seine Gäste würden der Liga kritisch gegenüberstehen."

Nadine zuckte mit den Schultern. „Dann hat er sich eben geirrt. Noah kennt ihn besser als ich, und er ist ein ganz netter Kerl, aber sicher nicht der Hellste."

Kassandra schien jedoch über die Theorie ihres Schülers nachzudenken.

„Möglich ist alles", meinte sie schließlich, „Ligisten hatten immer schon ein erstaunliches Talent dafür, ihre wahren Absichten selbst vor Magiern zu verdecken."

Wie zufällig streifte ihr Blick im Rückspiegel dabei den Inquisitor. Er sah ein, dass es jetzt wohl wenig Sinn hatte, mit ihr über dieses Thema zu streiten. Stattdessen wandte er sich wieder an die beiden Geschwister.

„Was ist mit diesem ‚Flussgeist' im Darineus? Der Wirt hat ihn erwähnt, wusste aber nichts Genaueres."

Nadine sah ihn fragend an.

„Was soll mit ihm sein? Er ist unser Schutzpatron. Er passt auf Oslubo auf. Manche nennen ihn auch den ‚Alten Mann in der Grotte' oder einfach ‚Grottengeist', weil dort seine Quelle ist."

Plötzlich spürte Sieben ein leichtes Vibrieren an seiner Brust. H2O, der wieder die Form einer Seepferdchenbrosche angenommen hatte, war erschaudert. Irgendetwas schien den kleinen Wassergeist zu beunruhigen. Er streckte einen Gedanken nach ihm aus, doch offenbar wusste H2O selber nicht so wirklich, was ihn beunruhigte.

Er mag keine anderen Energiewesen, dachte Sieben, *vielleicht macht ihn die Erwähnung eines Geistes, der einen ganzen Fluss sein Eigen nennt, nervös.*

Sieben sah wieder zu Nadine. „Und hat schon einmal jemand diesen … ‚Grottengeist' gesehen? Oder überhaupt wahrgenommen? Ist er ein Gespenst oder eine Legende?"

Einen Augenblick lang sah ihn Nadine fast schon perplex an, dann lachte sie herzlich.

„Ich kann Sie gerne einmal mit ihm reden lassen. Wir sind befreundet und unterhalten uns oft über alles Mögliche."

„Nadine kennt im Tal des Darineus jeden Stein und jede Wurzel", fügte Noah, der den Wagen gerade um eine Kurve lenkte, hinzu, „vielleicht sogar noch besser, als ich das Tal des Iphikles kenne. Sie ist nämlich schon als kleines Kind ständig draußen herumgelaufen. Und bei der Gelegenheit hat sie ihn schon früh kennengelernt."

Otto wirkte fasziniert. „Und? Wie ist er so? Hat er etwas von den Selbstmorden mitgekriegt?"

Nadine sah ihn mit einer Mischung aus Kummer und Verständnis an. „Es macht ihn traurig. Aber er kann nichts daran ändern. Die Leute gehen alle in das Tal des Iphikles, er aber kann nur im Darineus mit den Leuten kommunizieren. Und selbst da ist es am besten, man geht direkt zu der Grotte, in der er wohnt. Vielleicht kann ich dich ja einmal bei Gelegenheit zu ihm bringen."

Kassandra wirkte immer noch skeptisch.

„Was auch immer dieser Grottengeist unternimmt, er scheint für unsere Ermittlungen nicht von Bedeutung zu sein. Sollte aber einmal etwas im Tal des Darineus passieren, würden wir Ihr Angebot gerne annehmen."

Der Wagen fuhr eine kleine Anhöhe hinauf, dann befand sich vor ihnen auf einmal eine kleine Allee aus Bäumen, an deren Ende Sieben einige Häuser um einen kleinen Platz erkennen konnte. Noah lenkte den Wagen durch die Allee direkt vor ein älter wirkendes, zweistöckiges Gebäude, das sich aber noch in sehr gutem Zustand zu befinden schien. „Da wären wir", bemerkte Nadine. „Willkommen in Oslubo."

5.

„Beschaulich" wäre wirklich eine mehr als treffende Beschreibung für das kleine Dorf gewesen. Die Häuser, die den größer gehaltenen Platz, in den die Talstraße hier mündete, umgaben, wirkten allesamt wie die Kulisse einer Postkarte. Altmodische Giebeldächer und kunstvoll verzierte Hausfassaden, wie Sieben sie hauptsächlich aus der Altstadt von Morkada kannte, waren hier die Norm. Zu ihrer Linken führte eine kleine, für Autos befahrbare Brücke auf das andere Ufer des Flusses, wo eng an einen Hang geschmiegt eine weitere Reihe Häuser stand, die jedoch moderner gehalten waren. An viele dieser Häuserfassaden waren die Namen verschiedener Gäste- und Ferienhäuser geschrieben, die vielen leeren Garagen verrieten jedoch, dass ein guter Teil von ihnen zurzeit leer stehen musste. Am Ende derselben Straße befand sich auf einem kleinen Vorsprung ein großes Holzgebäude, vor dem, zu einer Pyramide aufgestapelt, eine riesige Menge an Baumstämmen lag und es so klar als das vorhin erwähnte Sägewerk auswies.

Auf dem Platz selber waren die beiden auffälligsten Gebäude eine kleine Kirche mit einem daran angeschlossenen Friedhof und ein Haus mit dunkelblauer Fassade, dessen zum Platz gewandte Seite eine ganze Reihe von Arkadenbögen zierte. Ein großes, elektrisch beleuchtetes Schild wies das Gebäude als „Hostel" aus. Noah fuhr dorthin und ließ Sieben, Kassandra und Otto aussteigen.

„Wenn ihr euch im Dorf umsehen wollt, kann ich inzwischen gern euer Gepäck aufs Zimmer bringen", meinte Noah und nickte zu Kassandras Koffer auf der Ladefläche.

„Das wäre sehr nett", erwiderte die Magierin und warf einen Blick auf ihre Armbanduhr, „wir dürften dann gegen sechs zurück sein."

„Sehr gut, in dem Fall machen wir inzwischen Abendessen", meinte Nadine gut gelaunt und winkte ihnen zum Abschied zu.

Dann fuhr der Geländewagen hinter das Haus in eine kleine Garage. Otto streckte sich und sah sich um.

„Tja … da wären wir. Und wo sollen wir anfangen?"

Kassandra schien sich nicht ganz sicher zu sein. Sieben wusste, dass sie weder dumm noch schüchtern war, aber genau wie bei ihm war das ihre erste derartige Mission und offensichtlich wollte sie sich dabei keine Blöße geben. Er hoffte nur, dass das nicht zu überstürzten oder unbedachten Entscheidungen von ihrer Seite führen würde.

„Ich würde sagen, wir gehen einfach mal drauflos und fragen jeden, den wir finden", meinte sie schließlich nachdenklich, „aber bleiben wir zusammen. Es könnte doch sein, dass die Leute unangenehm von … unserer Anwesenheit überrascht sein könnten."

Sieben wusste sofort, dass Kassandra beinahe „von einem Inquisitor" gesagt hätte. Allerdings wäre das auch kaum notwendig gewesen. Schon ihre erste Begegnung verriet ihnen ganz eindeutig, mit was für einem Empfang sie hier zu rechnen hatten. Sie hatten gerade eben den Platz verlassen und waren noch auf dieser Flussseite einen kleinen Weg weitergegangen, als sie in einem Garten hinter einem Zaun eine alte Frau erblickt hatten, die scheinbar verträumt auf einer Bank saß und die Sonne genoss.

„Entschuldigung …", begann Kassandra und die Frau schreckte überrascht aus ihrem Halbschlaf hoch.

„Was? Wer seid ihr? Was wollt ihr? Und … schon wieder? Eine Schnabelnase?"

Ihr Blick wurde sofort feindselig, als sie Sieben erblickte.

„Wir sind Magier des Ordens von Quirilien", stellte Kassandra mit ruhiger Stimme klar, „und wir sind hier, um uns um das Problem mit den vielen Selbstmördern zu kümmern …"

Die alte Frau schüttelte so heftig den Kopf, als wollte sie eine lästige Fliege vertreiben.

„Es gibt keine Probleme! Nicht mehr! Aber einen Inquisitor wollen wir hier nicht! Geht weg!"

Und bevor noch irgendjemand von ihnen etwas dazu sagen konnte, war sie schon durch eine Tür ins Innere ihres Hauses verschwunden.

89

„Das war wohl nichts", murmelte Sieben.

Kassandra schnaubte empört. „Was sollte das denn? Die hat mich doch nicht einmal eine Frage stellen lassen!"

Auch Otto kam die Alte komisch vor. „Wenn Nummer Sechsundzwanzig hier doch das Problem mit den Selbstmördern gelöst haben soll, warum ist sie dann gegenüber einem Inquisitor so feindselig?"

Kassandra zuckte mit den Achseln. „Die Inquisition ist generell unbeliebt. Vor allem ältere Leute hassen sie. Aber ja, trotzdem …", sie murmelte etwas Unverständliches vor sich hin, dann gingen sie weiter.

„Wenn das die Dinge leichter macht, kann ich auch inzwischen zurückbleiben", schlug Sieben vor, doch Kassandra schüttelte den Kopf.

„Unsinn! Die Leute hier werden sich schon an Sie gewöhnen. Und die werden ja wohl nicht alle so paranoid sein!"

Sieben hoffte, dass sie Recht hatte.

Die Nächste, die sie befragten, war eine Frau mittleren Alters, doch auch sie schien nicht die geringste Lust zu haben, ihnen weiterzuhelfen, und flüchtete regelrecht beim Anblick von Siebens Maske. Schließlich kamen sie zu einer Stelle, wo am Fuße eines Abhanges ein Bungalow stand, an dessen Hinterseite ein Wohnwagen geparkt war, der wirkte, als wäre er schon seit mindestens zehn Jahren dort nicht mehr fortbewegt worden. Gerade kehrte ein großgewachsener, drahtiger Mann mit einem Besen das Laub von seiner Veranda, als er das Grüppchen zu sich hinunterkommen sah. Er hielt mitten in seiner Arbeit inne, sagte jedoch kein Wort. Allerdings stützte er sich in einer fast schon aggressiven Haltung auf seinen Besen und schenkte ihnen einen so abschätzigen Blick, dass Sieben sofort klar war, dass er ihnen mit Sicherheit nicht wohlgesonnen war.

„Entschuldigung, wären Sie so freundlich, uns ein paar Fragen zu beantworten?", begann Kassandra in ausgesucht freundlichem Tonfall.

„Wir sind Magier vom Orden von Quirilien und wollen sichergehen, dass es hier in Oslubo keine Schwierigkeiten mehr für die Einheimischen gibt."

Der Mann kniff misstrauisch die Augen zusammen und funkelte sie alle der Reihe nach an, wobei er Otto herablassend und Sieben abweisend ansah.

„Keine Probleme", bemerkte er schließlich knapp, fügte jedoch lauernd hinzu, „außer ihr bringt welche mit euch."

„Das haben wir bestimmt nicht vor", beeilte sich Kassandra ihm zu versichern, „aber wir würden gerne den Verbleib von Inquisitor Nummer Sechsundzwanzig klären. Er ist nie zum Orden zurückgekehrt."

„Ha!", machte der Mann und schnaubte. „Ach, ist er das nicht? Tragisch. Na ja, eine Schnabelnase weniger ist nichts, worüber sonderlich viele Menschen traurig sein sollten, nicht wahr?"

Sieben ballte in der Tasche die Faust.

Würde mich interessieren, ob du immer noch so ein verdammt großes Maul hättest, wenn du bis zum Hals in Eis stecken würdest.

Fürs Erste blieb er ruhig, doch H2O, der an seiner Brust hing, konnte seine Unruhe spüren und vibrierte leicht, offensichtlich ebenfalls von dem unhöflichen Tonfall erbost. Kassandra überging die Provokationen ohne mit der Wimper zu zucken.

„Wissen Sie etwas darüber, wo Sechsundzwanzig zuletzt gesehen wurde?"

Der Mann beachtete sie nicht. Stattdessen spuckte er aus, direkt vor Siebens Füße, machte kehrt und ließ die Haustür hinter sich krachend ins Schloss fallen.

Danach hatten sie überhaupt Schwierigkeiten, auf Leute zu treffen. Eine Straße weiter stießen sie auf ein kleines Lebensmittelgeschäft, das allerdings schon geschlossen zu haben schien. Soweit sie sehen konnten, trieb sich niemand draußen herum, auch die Gärten waren wie leer gefegt.

„Die scheinen alle davongelaufen zu sein, nachdem sie uns gesehen haben", meinte Otto verdrießlich, „und dabei hieß es, die Menschen hier wären Magiern gegenüber nicht so abweisend wie in Krithon."
„Ach was!", rief eine helle Stimme hinter ihnen. „Die sind nur schüchtern!"
Es war Nadine. Sie winkte ihnen gut gelaunt zu, sah einmal nach links, dann nach rechts die Straße hinunter und kam zu ihnen gelaufen. „Lasst euch nur nicht abwimmeln, man muss nur dranbleiben."
Sie zwinkerte schelmisch und bedeutete ihnen, ihr zu folgen.
„Noah verräumt inzwischen seine Ladung, aber ich habe mir schon gedacht, dass ihr ein bisschen Probleme haben könntet, darum bin ich euch schnell nachgegangen."
Otto, der sich redlich Mühe gab, ihr hinterherzukommen, hakte nach. „Wer ist denn dieser Kerl in dem Bungalow mit dem Wohnwagen? Der war bestimmt nicht nur schüchtern."
Nadine lachte und winkte ab. „Ach, ihr seid wohl schon an Yaron geraten? Na ja, der ist tatsächlich ein bisschen ein Griesgram. Und dieser letzte Inquisitor war ja auch einer, da könnt ihr euch vorstellen, dass die Chemie zwischen den beiden nicht so wirklich gestimmt hat. Aber wenn er erst mal erkennt, dass ihr in Ordnung seid, ist er bestimmt netter."
Yaron ... war das nicht der Cousin des Wirts?
Nadine ging zu einem Haus und klopfte drei Mal ans Fenster. Es dauerte keine zehn Sekunden, bevor jemand öffnete.
„Ja bitte?", fragte eine leise Frauenstimme. „Oh, du bist es, Nadine. Was kann ich …" Die Frau, der die Stimme gehörte, lugte hinter dem Vorhang hervor und verstummte in dem Moment, in dem sie Sieben und die anderen beiden sah.
Nadine lächelte unerschütterlich.
„Ist schon in Ordnung, Erika, die Zauberer sind hier, um uns zu helfen. Aber es wäre besser, wenn sich nicht alle vor ihnen verstecken

92

würden. Sie sind mit uns aus Krithon hergefahren und eine anständige Truppe, also sei so gut und beantworte ihnen ein paar Fragen."

Die Frau lehnte sich ein bisschen nach draußen und Kassandra begann mit der Befragung. Die Antworten waren nicht sonderlich ergiebig, sie schien von Inquisitor Nummer Sechsundzwanzig und seiner Arbeit wenig mitbekommen und noch weniger gewusst zu haben, aber immerhin redete sie mit ihnen und bestätigte, was schon Noah und Nadine ihnen gesagt hatten, nämlich dass, was immer der Grund für die vielen tragischen Suizidfälle gewesen war, nun offenbar aufgehört hatte. Immer wieder sah die Frau zu Nadine, fast als würde sie sich nach jeder gegebenen Antwort ein paar aufmunternde Worte oder eine Bestätigung erhoffen, und jedes Mal schenkte das Mädchen ihr ein freundliches Lächeln und nickte. Als die kurze Befragung schließlich vorbei war, verschwand die Frau wieder hinter dem Vorhang und schloss das Fenster.

„Hm … das war nicht wirklich hilfreich", bemerkte Kassandra.

Nadine zuckte mit den Schultern. „Das tut mir leid. Aber ehrlich gesagt denke ich, dass ihr heute nicht viel mehr erreichen werdet. Die Leute müssen sich erst einmal daran gewöhnen, dass wieder Magier hier sind, und dieses Mal nicht nur ein einzelner Inquisitor. Bis morgen hat sich das dann genug herumgesprochen, damit sie sich nicht so überrumpelt fühlen, wenn ihr ihnen Fragen stellt."

Das klingt vernünftig, dachte Sieben, *in so einem kleinen Ort, in dem so viele schlimme Dinge passieren, ist es ganz normal, dass man von einer Gruppe von Neuankömmlingen nicht besonders begeistert ist. Auch wenn wir eigentlich nur da sind, um diese Probleme zu lösen.* Ob ein erfahrenerer Inquisitor oder eine erfahrenere Einsatzleiterin von Anfang an so gehandelt hätte? Er wusste es nicht. *Es ist wirklich verrückt, uns drei auf diese Mission hier zu schicken. Aber es sind auch verrückte Zeiten.*

Nadine gab ihr Bestes, sie bei Laune zu halten. Auf dem Rückweg zur Herberge erzählte sie ihnen von den neuen Ferienhäusern am anderen

Ufer, von den langen Ausflügen, die sie mit ihrem Bruder immer wieder in das Tal des Iphikles gemacht hatte, und von der schönen Natur dort.

„Wenn in dem Tal nicht immer so traurige Dinge passieren würden, wäre es dort echt schön", meinte sie, „und wenn natürlich die Krähenburg nicht wäre. Aber …", unterbrach sie sich und fuhr erst, nachdem sie sich fast schon verschwörerisch umgesehen hatte, fort, „wenn ihr einmal wirklich in die Nähe der Krähenburg gehen wollt, oder vielleicht sogar hinein, dann kann ich euch helfen."

„Geht das denn?", erkundigte sich Kassandra.

Nadine nickte. „Es ist im Grunde genommen eine ganz normale Burg wie jede andere auch. Nur in einige Seitenflügel und in den Keller kann man nicht vordringen, weil da diese magischen Schilde sind. Aber sogar da kann man mit ein bisschen Geschick ein paar umgehen."

Sieben horchte auf und auch das Interesse der anderen war geweckt.

„Kannst du die Schilde denn aufheben?", fragte Otto aufgeregt. „Bist du vielleicht magisch begabt?"

Nadine machte eine unsichere Geste. „Nein, also, ich glaube nicht. Ich kann irgendwie eine magische … Aura fühlen. Energie eben. Und ich bin schon als Kind ein paar Mal in die Burg gegangen und kenne mich dort gut aus. Aber ihr dürft das unter keinen Umständen Noah erzählen, der würde sich nur furchtbare Sorgen um mich machen."

Nicht zu Unrecht, dachte Sieben, *in die Festung eines nekromantischen Schlächters von vor ein paar hundert Jahren einzudringen wäre für niemanden ungefährlich.*

Dass Nadine allerdings einige begrenzte magische Fähigkeiten zu haben schien, fand er interessant. Magisches Talent war nichts Absolutes. Viele junge Leute hatten bis zu einem bestimmten Grad die Begabung, mit magischer Energie umzugehen, aber nicht genug, um eine Lehre im Orden anzufangen. Und genauso wie Zauberer wie Sieben bestimmte Talente hatten und in anderen Bereichen schwächer

94

waren, ging es auch Gewöhnlichen häufig so, dass sie unerklärliche Fähigkeiten hatten, welche sich ihnen in ganz bestimmten Situationen auf einmal offenbarten. Die Fähigkeit, magische Energie und künstlich erschaffene Zauber zu erspüren, war sogar ein von verschiedenen Forschern des Ordens gut dokumentiertes Phänomen, welches bei einer gar nicht so geringen Anzahl an Menschen auftrat. Und eine noch viel größere Gruppe lebte ein ganzes Leben, ohne herauszufinden, dass er oder sie in dieser Hinsicht begabt waren.

„Sollte es notwendig sein, werden wir auf dein Angebot zurückkommen", meinte Kassandra schließlich, „aber fürs Erste wäre es uns recht, du gingst nicht in die Nähe der Krähenburg, bevor wir uns nicht sicher sind, was hier los ist."

Nadine nickte ernst. „Selbstverständlich."

Zurück in der Herberge machten sie sich daran, ihre Zimmer zu beziehen. Da das gesamte Haus ohnehin zurzeit leer stand, hatte jeder von ihnen sein eigenes Zimmer. Sieben, der im Verlauf seines Lebens schon an einigen Plätzen eine Nacht hatte verbringen müssen, fand, dass es für ein Hostel einwandfrei war. Sein Zimmer wäre für vier Personen, auf die es eigentlich ausgelegt war, recht klein gewesen, dafür war es hell, die Stockbetten gemütlich und zu H2Os riesiger Freude befand sich das Fenster auf der dem kleinen Bergfluss zugewandten Seite, sodass man jederzeit im Hintergrund ganz leise das Rauschen und Gurgeln des Wassers hören konnte. Das Seepferdchen drehte übermütig ein paar Runden durch das Zimmer, bevor es mit dem Kopf nach unten vor ihm in der Luft stehen blieb und seinen eingerollten Schwanz so reckte, dass seine ganze Erscheinung ein annehmbares Fragezeichen ergab.

Der Inquisitor seufzte. „Also schön, schau dich von mir aus um. Aber pass ja auf, dass dich niemand sieht, und mach keinen Unfug. Ich will nicht, dass morgen Früh ein Mob mit Fackeln und Mistgabeln vor meinem Zimmer steht, um irgendwelche ‚durchsichtigen Tiger, die unsere Hunde erschrecken', oder ‚Geister in einer Flasche, die einem nicht drei Wünsche erfüllen, sondern einem nur Wasser ins Gesicht spritzen', zu fangen. Das war schon beim ersten Mal nicht lustig."

Doch, war es. Aber brauchen kann ich es gerade wirklich nicht.

Der Wassergeist verstand. Er schwirrte ihm zwei Mal um den Kopf, schmiegte sich dann kurz liebevoll an seine Wange und war mit einem aufgeregten Wiehern durch das Fenster nach draußen verschwunden. „Und klau auch ja niemandem Zucker!", rief er ihm noch nach.

Dann ging er nach unten. Im Gegensatz zu Kassandra hatte er kein Gepäck mitgenommen, zum Teil weil er der Meinung gewesen war, sich einfach vor Ort alles kaufen zu können, was er brauchte, zum Teil weil er so gut wie nichts besaß. Alles, was sich vor seinem Beitritt zur Inquisition in seinem Besitz befunden hatte, gehörte nun niemandem. Nicht, dass er zuvor viel besessen hätte. Der Inquisitor zog einen schmucklosen Flachmann aus seiner Tasche und stellte ihn auf das Nachtkästchen. Er war leer, allerdings war er auch nicht dazu da, um alkoholische Getränke aufzubewahren, sondern diente H_2O als Rastplatz, wenn er müde war. Ein paar Wäschestücke, die er bei sich getragen hatte, legte er in den kleinen Holzschrank. Kurz dachte er auch darüber nach, seinen Degen und Zauberstab hier abzulegen, aber erstens würde Kassandra wohl von ihm erwarten, sie bei jeder Tages- und Nachtzeit bei sich zu tragen, andererseits war es generell unklug, magische Waffen einfach herumliegen zu lassen.

Vor allem diesen lausigen Zauberstab. Der ist ja praktisch ein Unfall in Arbeit.

Als alles an Ort und Stelle war, ging er wieder nach unten, wo Otto bereits in einer Art Speisesaal auf ihn wartete. Er saß an einem der langen, simplen Holztische und schien in Gedanken versunken zu sein. Als sich Sieben ihm gegenüber niederließ, schreckte er kurz hoch. „Wa-? Ach so, Sie sind's. Ähm … wie ist Ihr Zimmer?"

Sieben zuckte mit den Schultern.

„Ganz gut, denke ich. Wieso? Ist etwas bei deinem nicht in Ordnung?" Otto schüttelte den Kopf. „Nein, nicht wirklich. Es ist schon ganz … o. k. Allerdings kommt es mir vor, dass alles ein bisschen staubig ist, nicht?"

Unter seiner Maske lächelte Sieben schief.

Nett ist er ja, aber immer noch aus einer Adelsfamilie.

Ganz Unrecht hatte Otto allerdings nicht, ihm war tatsächlich aufgefallen, dass das Zimmer zwar sauber, aber nicht sonderlich regelmäßig gepflegt wirkte.

Wenn Noah zurzeit so melancholisch ist und kaum Gäste hat, vernachlässigt er vielleicht auch ein bisschen seine Arbeit.

Allerdings hatten sie seiner Meinung nach andere Probleme als staubige Möbel.

„Morgen müssen wir uns gut überlegen, wie wir vorgehen", begann er. „Es ist heute schon ziemlich spät. Wahrscheinlich wäre es das Beste, wenn wir am Vormittag noch nicht mit den Leuten reden, sondern lieber einmal die beiden Täler untersuchen."

Otto horchte auf. „Beide? Ich dachte, wir würden nur den Iphikles unter die Lupe nehmen. Immerhin ist es dort zu den ganzen Selbstmorden gekommen."

„Das mag sein, aber trotzdem wäre es sicher von Vorteil, einfach die Gegend zu kennen. Und dieser … Grottengeist hat mich neugierig gemacht. Einem solchen Wesen, wie Nadine es beschrieben hat, bin ich noch nie begegnet."

„Halten Sie ihn für gefährlich?"

Sieben wusste es nicht. „Möglich? Kann sein. Aber vermutlich nicht, sonst hätten die Einheimischen ja etwas davon gesagt. Der erste Reflex der meisten Zauberer ist es, wilder Magie gegenüber misstrauisch zu sein. Aber gerade durch H_2O habe ich gelernt, dass Energiewesen auch andere Seiten haben können."

Otto nickte langsam. „Das kann ich mir denken. Ist er denn … ich meine, kann H_2O mit Ihnen kommunizieren? Ist er intelligent? Oder kann er im Kampf behilflich sein?"

„Die Antworten sind: Ja, wenn er Lust hat, ja, wenn er ernst bleibt, und ja, wenn er sauer ist."

Und du willst ihn wirklich nicht sauer erleben.

Auf Ottos fragenden Blick auf seine Brust hin erklärte Sieben, dass der kleine Wassergeist gerade einen Ausflug machte.

„Du kannst ihn dir ein bisschen vorstellen wie ein Kleinkind. Wenn du ihm etwas beibringst, lernt er schnell, aber seine Aufmerksamkeitsspanne ist … überschaubar. Außerdem ist er furchtbar albern und hat die halbe Zeit nur Unsinn im Kopf. Aber du brauchst dir eigentlich keine Sorgen zu machen, denn seine Streiche sind so gut wie immer harmlos, außerdem ist er extrem gutmütig."

Irgendwo fiel in diesem Moment eine Tür ins Schloss, und wenige Sekunden später schlurfte Noah durch den Gang. Offenbar trug er sogar im Haus einen Hut, denn das auffällige Filzkleidungsstück verbarg nach wie vor einen Großteil seiner dunkelblonden Haare. Als er sie beide im Speisesaal sitzen sah, kam er zu ihnen.

„Nadine hat euch also gefunden … gut. Wisst ihr, wo sie gerade steckt?"

Otto schüttelte den Kopf.

„Sie muss vor Kurzem noch hier gewesen sein", antwortete Sieben „ich kann ihr Parfum noch riechen."

Noah runzelte die Stirn und schnupperte. „Ich kann nichts riechen … Sie haben wohl eine gute Nase?"

Der Inquisitor nickte. „Habe ich. Manchmal ganz praktisch. Aber wo sie hin ist, weiß ich nicht."

Noah zuckte mit den Achseln. „Schon gut, dann ist sie vermutlich wieder losgegangen. Meine Schwester kann keine zwei Sekunden stillsitzen. Als Kind ist sie einigen Leuten mit ihrer Art ganz schön auf die Nerven gegangen."

„Wir finden sie sehr nett", beeilte Otto sich zu versichern, „außerdem hat sie uns im Dorf schon geholfen, als niemand mit uns sprechen wollte."

Noah nickte langsam. „Ja, das dachte ich mir schon, dass das für euch ein Problem werden könnte. Aber ich würde mir darüber nicht den Kopf zerbrechen, wahrscheinlich werden schon morgen ein paar Leute darum bitten, mit euch reden zu dürfen, immerhin wollen die ja, dass hier alles wieder zur Ruhe kommt. Und Nadine dürfte auch einen guten Einfluss auf die Menschen haben. Sie ist vielleicht ein bisschen naiv, aber ihre Geselligkeit wissen die Leute zu schätzen."

„Sind Sie und Ihre Schwester eigentlich schon seit der Geburt hier in Oslubo?"

Noah nickte. „Unsere Eltern waren früher die Eigentümer dieser Raststätte. Aber sie hatten zusätzlich noch eine kleine Ziegenzucht und eine kleine Hütte weiter oben in den Bergen. Als wir noch jünger waren, haben sie dort einmal ein paar Nächte verbracht, während sie daran gearbeitet haben, das Gebäude instand zu setzen. Dann gab es einen Sturm und eine Schlammlawine hat das ganze Haus weggerissen. Seitdem haben wir bei unserer Großmutter gewohnt, sie ist allerdings vor zwei Jahren verstorben. Jetzt führe ich die Herberge und Nadine ... hilft mir."

Das kurze Zögern sprach Bände.

Offensichtlich hilft sie nicht besonders viel, aber er ist zu höflich, um das laut auszusprechen. Aber wahrscheinlich wäre das zurzeit ohnehin unnötig.

Wenig später stieß Kassandra zu ihnen und Noah machte sich daran zu kochen. Sie diskutierten ihre Pläne und beschlossen, es am nächsten Tag flott anzugehen.

„Frühstück um sechs, dann versorgen wir uns im Laden und marschieren los und schauen nach, wo sich der kleine Fluss hier in den Darineus und den Iphikles teilt. Übrigens habe ich in einem örtlichen Führer nachgesehen: Eigentlich ist der Iphikles der größere Zweig und offiziell würde das heißen, dass der Fluss hier auch der Iphikles ist, aber weil er so einen schlechten Ruf hat, nennen ihn die Einheimischen trotzdem Darineus."

Hm. Ganz schön abergläubisch.

Kassandra fuhr fort: „Wir werden jedenfalls nachsehen, wie die Lage vor Ort ist. Ich finde, wir sollten zuerst in das Tal des Iphikles gehen und uns dort umsehen. Die Krähenburg würde ich fürs Erste gerne umgehen, mich interessiert mehr die Gegend um den Wald, wo die Leute ihrem Leben dann schließlich ein Ende setzen. Vielleicht finden wir ja dort ein paar Anhaltspunkte."

„Und am Nachmittag?", erkundigte sich Otto.

Kassandra dachte kurz nach.

„Da haben wir zwei Möglichkeiten. Entweder wir schauen dann ins Tal des Darineus, ob wir da etwas finden, oder wir machen uns an die Befragung der Einheimischen. Bis dahin sollte sich hoffentlich ausreichend herumgesprochen haben, dass wir da sind. Mit ein bisschen Glück kommen die Leute dann sogar zu uns."

In diesem Moment betrat Noah mit einem riesigen Topf Suppe den Raum und stellte ihn neben ihnen ab.

„Da, glaube ich, habt ihr gute Chancen", meinte er, „und wenn ihr im Wald im Tal des Iphikles einen Führer braucht, kommen Nadine und ich gerne mit."

„Ist der Weg denn schwer zu finden?"

Noah schüttelte den Kopf.

„Es ist alles gut beschildert, dafür sorge ich immer. Außerdem habe ich eine Karte der Gegend, die ihr euch gerne ausleihen könnt. Aber wenn ihr wirklich in die Wälder und von den Pfaden wegwollt, könnte ich euch ein wenig herumführen."

Einerseits war es vermutlich nicht klug, die beiden Geschwister mitzunehmen, solange sie noch nicht Gelegenheit gehabt hatten, sie ausführlich über die Geschehnisse zu befragen. Andererseits gab es bis jetzt jedoch keine Anhaltspunkte dafür, dass irgendjemand aus dem Dorf in die Sache direkt verwickelt war. Und jemanden zu haben, der sich in der Gegend auskannte, konnte sicher nicht schaden.

Kassandra schien ähnlich zu denken.

„Das wäre nett von Ihnen, danke. So können wir wahrscheinlich Zeit sparen. Aber wenn Sie so gut wären, uns schon mal auf der Karte die Leichenfundorte einzuzeichnen, wäre ich Ihnen sehr dankbar."

Noah nickte. „Klar. Mach ich."

Das Essen verlief ruhig. Die Stunde war noch nicht sonderlich fortgeschritten, aber durch die Jahreszeit war es draußen schon dunkel geworden. Sieben fragte sich, wie es Nadine wohl ging, wenn sie sich um diese Uhrzeit noch im Freien herumtrieb, doch Noah schien sich keine Sorgen zu machen. Nach der Suppe, die, wie Otto, offenbar überrascht, bemerkte, vorzüglich geschmeckt hatte, gab es noch frischen Lachs mit Kartoffeln und einer Sauce, bei der nicht einmal der Inquisitor mit seiner feinen Nase sämtliche Bestandteile erschnüffeln konnte. Noah war wirklich ein ausgezeichneter Koch. Nachdem sie ihre Mahlzeit beendet hatten, halfen sie ihrem Gastgeber noch beim Abräumen. Da Nadine noch immer nicht zurück war und es noch nicht allzu spät war, wollte Otto noch irgendetwas unternehmen.

„Tja, allzu viel gibt es in Oslubo nicht", meinte Noah, „wir haben nicht einmal ein Gasthaus. Die meisten Einheimischen setzen sich beieinander zu einem gemütlichen Bier zusammen. Wer hier feiern will, muss nach Krithon fahren."

„Feiern hatte ich auch nicht vor", meinte Otto, „aber ich würde gerne trainieren."

„Mit dem Degen? Na ja … ich schätze, der Freizeitraum wäre groß genug. Da stehen ein Tischtennistisch, ein paar Flippermaschinen und einige Stühle, wenn ihr die zur Seite rückt, solltet ihr genug Platz haben. Aber wenn ihr so gut wärt, dabei nicht zu zaubern, wäre ich euch sehr verbunden."

„Machen Sie sich da keine Sorgen", erwiderte Kassandra, „es geht nur um das reine Degentraining. Seine Lehrabschlussprüfung liegt nicht mehr allzu weit in der Zukunft, da ist es sicher nicht schlecht, jede freie Minute zum Trainieren zu verwenden. Würden Sie uns Gesellschaft leisten, Sieben?"

Der Inquisitor war von dieser plötzlichen Einladung überrascht.
„Ich? Wieso denn?"

Kassandra nickte zu ihrem Schüler.

„Um dem Grünschnabel Respekt beizubringen. Mit mir ficht er oft genug, er kennt schon meinen Stil und meine Tricks. Aber der Degenmeister des Ordens hat mir einmal erzählt, aus einem seiner besten Schüler wäre vor Kurzem ein Inquisitor geworden. Ich nehme an, das sind dann wohl Sie."

Da hatte sie natürlich Recht. Auch wenn er während seiner ganzen Ausbildung stets damit zu kämpfen gehabt hatte, in der praktischen Anwendung von Magie auch nur vom Fleck zu kommen, mit dem Degen war er ein Ass gewesen. Da er allerdings niemals offiziell eine Waffe hatte führen dürfen, war es bei kleineren Gefechten im Trainingsraum geblieben. Er war inzwischen mit Sicherheit ein wenig eingerostet, aber nun, da er zumindest für eine Weile offiziell einen Degen mit sich führen durfte, juckte es ihn danach, seine Fähigkeiten wieder auf die Probe zu stellen. Allerdings hatte er das Gefühl, dass Kassandras Angebot nicht rein der Ausbildung ihres Schülers diente. *Wahrscheinlich will sie sich ein Bild davon machen, wie nützlich ich im Kampf sein könnte. Und ob sie mich im Notfall schlagen könnte.* Das ständige Misstrauen von Gesslers Tochter wurde ihm allmählich lästig, aber vermutlich würde es noch eine Weile dauern, bis er sich ihr Vertrauen erarbeitet hatte. Wahrscheinlich war es also eine gute Idee, ihrem Vorschlag Folge zu leisten.

So kam es, dass sie eine halbe Stunde später im Untergeschoss der Herberge in einem großen Raum standen. Alles war an die Seite geschoben worden und tatsächlich hatten sie jetzt genug Platz, um einen kleinen Übungskampf zu wagen, allerdings war die Decke so niedrig, dass eine Reihe von Schlägen außerhalb ihrer Möglichkeiten bleiben würde.

Sieben zog seinen Degen. Er war zwar schartig, lag jedoch gut in der Hand und die Balance stimmte auch einigermaßen. Ihm gegenüber machte Otto sich bereit, während Kassandra an der Seite stand.

„Fürs Erste eine kleine Aufwärmrunde. Keine Magie, kein aggressives Stechen, keine Angriffe gegen Hals und Kopf. Wer den jeweils anderen zuerst drei Mal trifft, hat gewonnen."

Otto sprang ein paar Mal auf und ab und dehnte sich, dann nahm er den Degen fest in die Hand und ging in Position. Sieben knackte einmal kurz mit den Knöcheln und stellte sich ihm gegenüber.

„Bereit?", fragte Kassandra.

Otto und Sieben nickten. „Gut, dann … los!"

Sieben spannte sich an. Nichts passierte. Für mehrere Augenblicke standen er und Otto nur da. Er grinste breit unter seiner Maske.

Kluger Junge. Er hat wahrscheinlich gewusst, dass er mich nicht wird überraschen können.

Er selbst war mehr neugierig gewesen, mit welchem Stil sein Gegner eröffnen würde. Im Orden gab es sieben weit verbreitete Kampfstile mit dem Degen. Nur vier davon eigneten sich für den Kampf ohne Magie, und davon wiederum waren nur zwei defensiv. Wenn Ottos Zögern nun ein Indikator dafür war, welchen Stil er bevorzugte, dann konnte Sieben seinen Stil nun also schon auf zwei Möglichkeiten eingrenzen. Seine Haltung, Position und die Art, wie er den Degen hielt, gaben ihm weitere Anhaltspunkte. Genau wie er selber war Otto bisher wohl meistens in der Situation gewesen, seine Degenkünste in einer kontrollierten Trainingsumgebung zu schleifen. Im Gegensatz zu Sieben hatte er jedoch noch nicht so viele Jahre lang Gelegenheit gehabt, sich über die möglichen negativen Aspekte einer solchen Ausbildung den Kopf zu zerbrechen.

Theoretische Kämpfer sind berechenbar. Sie kämpfen nicht unfair, weil sie in der Regel mit Leuten üben, die sie kennen. Sie halten sich streng an vorgegebene Schlagmuster, um ihren Meistern zu gefallen. Und sie führen jeden Hieb mit dem Bemühen aus, einer Abbildung in

einem Lehrbuch zu entsprechen, anstatt den Gegner damit zu
erledigen.

Mit diesem Wissen bewaffnet hatte er nun schon eine ganze Menge an
möglichen Taktiken parat, wie er mit Otto verfahren sollte. Er
entschied sich für die effektivste.

Warten.

Wenn Ottos Stil wirklich defensiv war, würde er bestimmt noch einen
Moment lang so in Position bleiben. Dann würde er sich langsam
reichlich dumm dabei vorkommen, einfach nur dazustehen, während
seine Meisterin ihn beobachtete. Otto schien nicht sehr selbstbewusst
zu sein und würde nicht wollen, dass Kassandra ihn für einen
Zauderer halten könnte, also würde er zum Angriff übergehen. Da das
nicht seine übliche oder geplante Vorgehensweise war, würde diese
Attacke vermutlich nicht sonderlich schnell oder stark sein und Sieben
würde es ein Leichtes sein, den ersten Treffer zu landen. Eine Sekunde
verging. Zwei. Drei.

Geduld hat er ja.

Dann sprang Otto vor. Er war schnell. Aber eben auch vorhersehbar.
Sieben wich seinem Hieb mit Leichtigkeit aus. Otto machte einen
Schritt nach vorne und schlug erneut zu. Wieder wich Sieben aus.
Dann, anstatt zurückzutreten, sprang er schnell nach vorne und packte
Ottos Degenarm, duckte sich um ihn herum und verdrehte ihn ihm auf
dem Rücken. Eine schnelle Drehung, ein gestelltes Bein – und sein
Gegner lag kampfunfähig am Boden. Aus dem Augenwinkel hätte er
schwören können, Kassandra grinsen zu sehen, doch als er kurz
aufsah, war ihr Gesichtsausdruck wieder so neutral und streng wie
immer. „Was ist passiert?", fragte Otto, mehr verwirrt als erschrocken.
„Tja, eigentlich solltest du in der Lage dazu sein, uns das zu sagen,"
erwiderte Kassandra, „aber der Kampf ist noch nicht vorbei. Steh auf
und macht weiter."

Sieben ließ Otto los. Der junge Magier richtete sich auf und schenkte ihm einen Blick, in dem eine Mischung aus Bewunderung und Furcht steckte.

Jetzt wird er sich genau überlegen, was er macht.

Aber genau das war wieder seine Schwäche. Otto würde erwarten, dass sein Gegner wieder passiv anfangen und auf einen möglichen Konter warten würde. Alleine die Tatsache, wie er sich nun mit nachdenklichem Gesichtsausdruck in Position brachte, verriet schon, dass er sich darüber den Kopf zerbrach, wie er diese Strategie kontern konnte.

Tu immer das Unerwartete. Sei deinem Gegner immer zwei Schritte voraus.

Während seiner Ausbildung mit dem Degen hatte er diese Lektion seines Instruktors perfektioniert. Gerade weil er in seiner eigentlichen Magieausbildung so kläglich gescheitert war, war er hochmotiviert gewesen, im Degenkampf jede freie Minute zu trainieren. Und nun spürte er auch wieder einen Ansatz der damaligen Freude am Kampf.

Kassandra gab das Signal zum Weitermachen. Ohne auch nur einen Lidschlag vergehen zu lassen, sprang Sieben nach vorne, mit seiner Waffe einen angedeuteten Schlag von der rechten Seite aus machend, nur um dann im allerletzten Moment, in dem Otto gerade seinen Degen zur hastigen Parade hochriss, eine schnelle Drehung zu vollführen und ihm mit der Klinge auf Beckenhöhe einen im letzten Moment abgebremsten, leichten Schlag zu versetzen. Nun wirkte Kassandra weniger amüsiert, sondern vielmehr missbilligend.

„Komm schon, Otto. Ich weiß doch, dass du das besser kannst. Sei kreativ mit deinen Angriffen."

Auch bei ihrem Schüler hatte sich mittlerweile neben Bewunderung und leichter Einschüchterung jetzt ein kleines bisschen Zorn hinzugemischt.

Gut. Zornige Gegner machen mehr Fehler.

Aber offensichtlich hatte ein Teil von Kassandras Lehren bereits auf ihn abgefärbt, denn er hatte sich schnell wieder im Griff.

Ein wenig eitel, aber ruhig. Unsicher, aber geschickt. Anfällig für Kritik, aber beherrscht. Sein ehemaliger Lehrer im Degenkampf hatte gemeint, wenn man richtig kämpft und mitdenkt, könne man einen Gegner in einem kurzen Trainingsmatch besser kennenlernen als in einem stundenlangen Gespräch. Damals hatte Sieben das für ausgemachten Blödsinn gehalten, doch inzwischen hatte er gelernt, dass ein Körnchen Wahrheit in dieser Aussage steckte. Otto war zuvor in einer Anwesenheit immer ein wenig zurückhaltend gewesen, doch sein Stil und seine Reaktionen verrieten dem Inquisitor mehr über seinen Charakter als alles, was er bisher über ihn in Erfahrung gebracht hatte.

Wieder gingen sie in Position. Als Kassandra nun zum dritten Mal das Signal zum Kampfbeginn gab, begann Siebens Gegner mit einem flinken, aber nicht überstürzten Schritt zur Seite. Den Degen von sich weggestreckt versuchte er einen anderen Angriffswinkel auf Sieben zu bekommen. Der Inquisitor machte einen Halbschritt nach hinten und passte seine Position an. Er erlaubte sich einen Moment lang, Ottos Haltung zu analysieren.

Recht neutral, wenig Aufschluss gebend darüber, wo er als Nächstes hingehen könnte.

Irgendwie sagte ihm seine Intuition, dass Otto nun weniger nachdachte, sondern mehr improvisierte und gleichzeitig versuchte an der Oberfläche ruhig zu sein.

Gute Strategie. Aber in so einem Fall gewinnt immer der Erfahrenere. Sieben ließ langsam den Degen sinken, dann trat er leicht zur Seite. Dieses Mal war Otto gezwungen seine Bewegung mit einer Gegenbewegung zu kontern. Gleichzeitig musterte er mit einer Spur von Unsicherheit die leicht gesenkte Waffe.

Er sieht eine Öffnung und vermutet eine Falle.

Natürlich vermutete er richtig. Aber offensichtlich machte er sich darüber nicht wirklich groß Gedanken und griff trotzdem an. Das wiederum war ein Schachzug, den Sieben nicht wirklich erwartet hatte, und so war er dieses Mal ganz alleine auf seine Reflexe angewiesen, um keinen Schlag abzubekommen. Zum Glück waren diese ausgezeichnet und er konnte, ohne einen Treffer zu kassieren, zurückweichen. Wieder setzte Otto nach. Offenbar war es nun seine Absicht, ihn zurückzudrängen. Sieben vermutete, dass er damit das Ziel verfolgte, ihn vielleicht irgendwann entweder in eine Ecke zu drängen oder ihn zu einem Gegenangriff zu bewegen, der dann vorhersehbarer sein würde.

Clever.

Aber er hatte nicht vor, Otto diese Taktik durchgehen zu lassen. Er wich zurück. Ein Schritt zur Seite. Wieder zurück. Erneut zur Seite. Immer und immer und immer wieder sprang Otto nach, griff ihn einmal aus dem Winkel an, tastete sein Reaktionsspektrum durch ein neues Manöver ab … und bemerkte dabei gar nicht, dass sie sich in eine ganz bestimmte Richtung bewegten. Dann war es soweit. Sieben tat so, als würde er bei einer Ausweichbewegung leicht ins Straucheln geraten. Für den Bruchteil einer Sekunde war sein Degen von seinem Körper so weggestreckt, dass er ein gutes Ziel für einen Angriff bot. Otto sah die Chance und schlug zu. Sieben wich aus … und Kassandra, die direkt hinter ihm gestanden hatte, musste im letzten Moment ihren eigenen Degen hochreißen, um nicht vom Schlag ihres Schülers getroffen zu werden. Als die beiden Klingen aufeinandertrafen, war Otto im ersten Moment zu Tode erschrocken. „Ups …", entfuhr es ihm und er fügte nach einem kleinen, nervösen Auflachen hinzu, „tut mir leid, Meisterin."

Dann zuckte er zusammen, als Siebens Degen ihn leicht im Rücken traf. Nun entfuhr Kassandra tatsächlich ein amüsiertes Schnauben. „Interessante Strategie", meinte sie an Sieben gewandt, „und offenbar sehr effektiv."

Otto dagegen war empört. „Das kann doch nicht gelten! Ich habe mich nur eben entschuldigt, wie könnt ihr da …?"

„Glaubst du, ein echter Feind nimmt Rücksicht auf dich?", schoss Kassandra sofort mahnend zurück.

Otto schwieg einen Moment, dann sagte er leise. „Wohl nicht."

„Eben. Alles, was nicht ausdrücklich verboten ist, ist erlaubt. Oft kannst du einfach gewinnen, indem du etwas tust, das der Gegner für unmöglich hält. Und Nummer Sieben scheint diese Kunst sehr gut zu beherrschen. In der Hinsicht kannst du einiges von ihm lernen."

Der Inquisitor fragte sich, ob Otto ihm seine List übel nahm, aber offenbar hatte er sich schnell wieder beruhigt und forderte eine Revanche. Wieder gelang es Sieben, ihm drei Treffer zuzufügen, ohne dass sich ihre Waffen ein einziges Mal trafen. Aber er merkte, dass Otto sehr schnell von Begriff war. Natürlich hatte Sieben den Vorteil seiner besser ausgebildeten, durch langjährige Erfahrung geschärften Reflexe und darüber hinaus noch eine ganze Menge mehr Training. Ihm war schon zu Beginn schnell klar geworden, dass Otto mit Sicherheit zu den besten Kämpfern unter den Schülern des Ordens zählen musste, denn seine Technik war beinahe fehlerlos und ganz unkreativ war er auch nicht. Sieben fielen zwar immer wieder neue Wege ein, ihn auszutricksen, doch schon bei der nächsten Rückrunde gelang es Otto, einmal einen Konter zu parieren, und ihre Waffen prallten aufeinander. In einem ausgedehnteren Kampf hatte Kassandras Schüler zwar auch keine Chance gegen ihn, aber trotzdem wurden ihre Matches langsam länger. Nur sehr selten gelang Sieben dasselbe Manöver zwei Mal gegen ihn. Als sie schließlich eine halbe Stunde später eine Pause machten, in der Otto sich verschwitzt und erschöpft auf einen Stuhl niederließ, war dem ein zweiminütiger Wechsel von verschiedenen Hieben und Parierbewegungen vorangegangen, was schon verhältnismäßig lang war. Nur wenige echte Degenkämpfe zwischen Magiern dauerten länger als eine halbe Minute.

„Sie … sind … echt eine Wucht!", keuchte Otto und wischte sich mit dem Ärmel den Schweiß von der Stirn. Auch Kassandra, die die ganze Zeit über mit ernster Miene zugesehen hatte, nickte anerkennend.
„Der Degenmeister des Ordens hat nicht gelogen. Sie sind ein guter Kämpfer, Sieben."
„Danke."
Er selber war bei weitem nicht so erschöpft wie Otto, trotzdem forderte so eine lange Trainingseinheit auch bei ihm ihren Tribut. Sein Atem ging schnell. Unter seiner Maske war ihm heiß. Er fühlte sich lebendig. Der Degenkampf war für ihn immer wieder aufs Neue eine herrliche Erfahrung gewesen. Schon seit Monaten war er nicht mehr dazu gekommen zu kämpfen, doch nun, da es endlich wieder soweit war, dürstete es ihn nach mehr.
Ob Kassandra vielleicht auch zu einem Übungskampf bereit wäre? Wenn Sie so gut ist wie ihr Vater, könnte das eine echte Herausforderung werden.
Der Gedanke beflügelte ihn. Otto, der sich wieder einigermaßen erholt hatte, stand auf.
„Okay, noch eine Runde! Irgendwann muss ich ja treffen!"
Er sprang ohne Vorwarnung vor und hieb mit dem Degen nach Sieben. Dieser Angriff überraschte ihn nun tatsächlich und nur im allerletzten Moment konnte er seine eigene Waffe hochreißen und den Schlag parieren. Otto ließ nicht nach, ihre Klingen rutschten aneinander ab, stießen auf die Parierglocken und drückten gegeneinander. Otto versuchte mit aller Kraft, seine Verteidigung einfach beiseitezufegen, aber Sieben war stärker. Trotzdem genoss er für einige Momente einfach nur das Gefühl, wieder in so einen Kampf verwickelt zu sein. Sie standen da, die Beine gegen den Boden gepresst, und versuchten einander mit bloßer Körperkraft zu überwinden. Sieben ließ schließlich seiner Kraft freien Lauf und warf Otto mit einem starken Ruck zurück. Dieser ließ sich davon jedoch nicht lange aufhalten, sondern machte einen tänzelnden Schritt zur

Seite, blieb in sicherer Entfernung stehen und hielt den Degen provokativ seitlich von sich weg.

„Na komm schon", lachte er, „ich warte!"

Ein Schrei. Ein Gesicht. Wallende Hitze und ein alles verschlingendes Licht. Sieben erstarrte. Unter seiner Maske war es zum Glück nicht zu sehen, doch einen Augenblick lang fletschte er die Zähne. Seine Finger umklammerten den Degen in seiner Hand so fest, dass seine Knöchel weiß hervorstanden. Dann war es vorbei.

„Wir sind fertig", sagte er knapp. Ohne auf den verwirrten Otto oder die alarmierte Kassandra zu achten, verließ er den Raum und ging die Treppe hinauf nach oben in sein Zimmer.

6.

Die Zimmertür fiel hinter ihm ins Schloss. Was ihn empfing, war Stille. Erdrückende, den Raum wie eine Wolke aus schwerem Gas füllende Stille. Erst jetzt fiel ihm auf, dass er immer noch den Degen in der Hand hielt. Einen Augenblick lang starrte er die Waffen an wie etwas Fremdes, Ekelhaftes, dann warf er sie frustriert auf den Boden und legte sich aufs Bett. H2O war von seinem kleinen Rundflug noch nicht zurück und Sieben war froh darüber, denn nichts wollte er jetzt lieber, als alleine zu sein. Und das, obwohl er wusste, dass alleine zu sein immer dieselben Folgen hatte. Seine Gedanken wanderten. Zu einem anderen Ort. Zu einer anderen Zeit.

Einer Lichtung zu Frühlingsbeginn, auf der noch Schneereste lagen, aus denen jedoch schon die ersten Schneeglöckchen ihre Köpfe streckten, um sich von der Sonne Wärme und Energie zu holen. Der Boden war schlammig, seine Schuhe schmutzig. Manchmal war es schwierig, das Gleichgewicht zu halten, weil man so leicht wegrutschte. Auch seinem Gegner passierte das ständig, aber wie er hatte dieser so viel Spaß am Kampf, dass er sich immer wieder aufs Neue aufrappelte und den Degen herausfordernd hob.

„Na komm schon!", lachte der Junge. „Ich warte! Was ist los?"

Er war gut. Trotz seiner Jugend war seine Technik schon einwandfrei, ohne dass er dabei an Kreativität in der Ausführung einbüßte. Mit ihm mitzuhalten erforderte einiges an Geschick. Es wurde heiß, die Sonne brannte trotz der Jahreszeit mit voller Wucht auf sie herab. Zu seinem Glück wusste Sieben genau, was der Junge machen würde. Er hatte ihm schließlich alles beigebracht, was er wusste. Seine Schläge zu parieren war eine Kleinigkeit. Der Bursche begann zu schwitzen, seine Stirn glänzte im Schein des Sonnenlichts wie ein Spiegel, so hell, dass es fast schon blendete. Dann rammte Sieben ihm die Degenklinge bis zum Anschlag in den Bauch. Es gab kein Blut, nicht einmal einen Schrei. Der Junge fiel auf die Knie und sah fassungslos zu ihm auf. Dann waren da Augen. Feurig brennend und urteilend sahen sie auf

ihn herab, drohten ihn zu verbrennen, zu verschlingen und vollständig auszulöschen. Grauen packte ihn. Dann wurde das Licht heller, verschlang den Jungen, den Inquisitor, die Lichtung, einfach alles, bis es nur noch eine Erinnerung war. Sieben hatte das Gefühl zu fallen, wo aber oben und unten war, konnte er nicht sagen, selbst das Konzept von Richtungen schien ihm inmitten des alles verschlingenden Lichts fremd zu sein. Alles war hell. Dann dunkel. Und plötzlich war Ruben alles und nichts, konnte er Gedanken fühlen, die nicht die seinen waren, sah er Erinnerungen, manche von Fremden, manche von Menschen, die er schon vor langer Zeit verloren hatte. Und dann die Erinnerung des Jungen. Sieben wollte danach greifen, doch er hatte keine Finger, keine Hände, keinen Körper. Was er wollte, war direkt vor ihm, doch es hätte genauso gut eine Galaxie weit entfernt sein können. Er hätte vor Frustration geschrien, wenn er denn nur einen Mund oder eine Stimme gehabt hätte, doch alles, was er fühlte, was er überhaupt noch als ein Gefühl wahrnehmen konnte, das tatsächlich und unverkennbar zu ihm gehörte, obwohl er weder einen Körper noch einen Geist, vielleicht gerade noch eine eigene Seele hatte, war Schmerz.
Dann verschwanden die Erinnerungen, die Finsternis und alles andere und er war gefangen. Eingesperrt. Er konnte nirgends hin, in jeder Richtung stieß sein Geist auf Widerstand. Die Wände kamen näher und drohten ihn zu ersticken, sie zerquetschten ihn und drückten so heftig gegen ihn, dass sie ein Teil von ihm wurden, sich zu einem Körper formten und ihm jede Freiheit nahmen, bis ER das Gefängnis war. Er wollte zurück zu dem Jungen, wollte ihn aus der Dunkelheit ziehen und mit sich nehmen, doch er wusste, dass er ihn verloren hatte. Das Gefängnis war nun sein Zuhause und sein Körper, den er nicht mehr verlassen konnte, ja, nicht mehr verlassen wollte, nun, da er wusste, was ihn auf der anderen Seite erwartete. Dann drückte plötzlich etwas auf sein Gesicht. Vor seinen Augen formierte sich

etwas in der Luft und drückte gegen ihn. Alles wurde rot. Der Inquisitor schrie.

Dann schreckte er hoch. Im ersten Moment streckte er im Dunkeln die Hände aus und versuchte die Wände seines Gefängnisses von sich zu drücken. Es dauerte einen Moment, bis er begriff, dass es keinen Sinn hatte, weil er in seinem Zimmer war, in der Herberge in Oslubo, wo keine Wände ihn zu erdrücken drohten. Mehrere Minuten lang lag Sieben einfach nur da. Er zitterte und sein Herz raste. Ihm war kalt. Zumindest Letzteres ließ sich leicht erklären.

Da er nicht die Absicht gehabt hatte, schlafen zu gehen, hatte er das Fenster nicht zugemacht, da H2O ja irgendwann zurückkommen musste. Hier oben waren die Nächte um diese Jahreszeit eisig. Nachdem er sich wieder einigermaßen beruhigt hatte, stand er auf und sah nach draußen. Es musste ziemlich spät sein, denn es herrschte finsterste Nacht und Oslubo lag völlig regungslos vor ihm. Die einzigen Straßenlaternen, die hier brannten, befanden sich um den Hauptplatz herum und an den Rändern der Allee, die in den Ort führte. Nirgendwo sonst brannte ein Licht, keine Stimmen waren zu hören, gar nichts. Das Dorf wirkte wie ausgestorben. Der Himmel war klar und man konnte so weit weg von der Stadt eine überwältigende Anzahl an Sternen sehen. Sieben hörte das Plätschern des durch den Ort fließenden Iphikles. Oder Darineus. Oder wie immer ihn die Einheimischen nennen wollten. Es hatte eine beruhigende Wirkung und half ihm dabei, klar zu denken. An seinen Traum, aber von einer nüchternen Perspektive aus.

Ich darf nicht einschlafen, wenn ich an so etwas denke, schwor er sich. Es war nicht das erste Mal, dass ihm das passierte, doch so intensiv war der Traum schon lange nicht mehr gewesen. Er war auch oft verschieden, die einzigen Konstanten waren der Junge, die schrecklichen Augen und das Licht.

Keine Vergangenheit, kein Gesicht, kein Name, nur das Licht.

Dieser Satz war sein Schild, der ihn von dem, was er getan hatte, trennte. Jedes Mal, wenn er diesen Traum hatte, bekam dieser Schild Risse und er erinnerte sich an einen Mann, der Fehler gemacht hatte. Der schreckliche Dinge getan hatte im Namen der Gerechtigkeit. Im Namen der Liga. Aber jedes Mal, wenn ihn dieser Gedanke zu übermannen drohte, fühlte er die beruhigende Kühle der Maske auf seinem Gesicht, die ihn vom Rest der Welt trennte. In diesen wenigen Augenblicken war er dankbar für sie und alles, was sie tat. Und alles in allem war sie es dadurch auch wert.

Ich bin Inquisitor Nummer Sieben. Ich arbeite für den Magischen Orden von Quirilien. Ich bin hier, um in seinem Auftrag eine Aufgabe zu bewältigen. Wenn ich diese Aufgabe bewältigt habe, bekomme ich die nächste. Das ist mein Leben. Das ist mein Sinn.

Es lag etwas Tröstliches in der Einfachheit dieser Vorstellung. Ein Dasein, das einen klaren Zweck hatte und das jemandem etwas nützte. Der Inquisitor atmete tief ein, sog die kalte Nachtluft in sich auf, ließ sie durch seine Lungen strömen und spürte das Leben.

Dann klatschte ihm mit voller Wucht ein Schwall Wasser ins Gesicht und ließ ihn nach hinten taumeln. Er hustete und wischte sich mit dem Ärmel über die Maske.

„Eigentlich hatte ich gerade nicht wirklich Lust auf ein Bad!", schnauzte er, halb wütend, halb amüsiert. Hinter sich hörte er ein entschuldigendes Wiehern. H2O, der ihn allem Anschein nach weder erwartet noch gesehen hatte, war bei seiner Rückkehr durch das Fenster voll in ihn hineingekracht und vermutlich dabei genauso erschrocken wie er selber. Der kleine Wassergeist flitzte einmal geschwind über den Boden und saugte die verlorengegangene Flüssigkeit auf, bis nirgendwo auch nur ein Tropfen übrigblieb.

„Hattest du wenigstens Spaß?", erkundigte sich Sieben.

Das Seepferdchen, das in der Luft umherhopste, nickte und blitzte grün auf.

„Tatsächlich? Na dann lass doch mal riechen."

H2O zischte. Der ganze Raum wurde auf einmal erfüllt von einem Gemisch aus Düften. H2O brachte von seinen kleinen Ausflügen oft Geruchsproben mit, entweder weil sie angenehm waren, oder weil sie Sieben über den Ort, wo er war, unter Umständen etwas verraten konnten. Diese Probe stammte anscheinend von dem Ort, an dem ein Stück hinter Oslubo der erste Arm des Darineus und der Iphikles ineinanderflossen. Sieben konzentrierte sich. Seine Nase war empfindlich, aber wie wenn man etwas mit den Augen genau untersuchte und diese dabei zusammenkniff, konnte er nur dann wirklich ausgezeichnet riechen, wenn er sich auf etwas fokussierte. Die Gerüche wurden klarer wahrnehmbar. Zuerst roch er Staub. Menschliche Ausdünstungen. Und eine Spur von Formaldehyd. Es waren die Gerüche, die hier im Zimmer existierten. Letzterer war wahrscheinlich an Sieben irgendwie von ihrer Fahrt in Noahs Geländewagen hängen geblieben. Da es eine sehr intensive Duftnote war, konnte das durchaus vorkommen. Doch dann erschnüffelte er H2Os Geruchsprobe.

Fichtennadeln, feuchter Schlamm. Gräser. Nichts Ungewöhnliches vorerst. Dann tauchte er tiefer ein. Er roch einzelne Tiere, ein Reh, einen Fuchs, mehrere Kleintiere. Und etwas Süßliches.

Verwesungsgestank. Die Duftnote der Zersetzung von Fleisch war ihm nicht unbekannt. Es war an und für sich kein unangenehmer Geruch, wenn er in so geringen Mengen vorlag wie hier. Aber natürlich bedeutete er selten etwas Gutes. Trotzdem fand er ihn nicht so ungewöhnlich.

„Es ist die freie Natur", machte er H2O aufmerksam „hast du denn irgendwo eine menschliche Leiche gesehen?"

H2O schüttelte den schlanken Seepferdchenkopf. Sieben dachte nach. „Es ist schon möglich, dass der Duft von irgendeinem menschlichen Körper stammt. Vielleicht hat sich flussaufwärts im Iphikles irgendwo ein Körper verfangen, den Noah noch nicht gefunden hat. Aber viel wahrscheinlicher ist, dass es ein Tier ist."

H2O wirkte enttäuscht. Sieben lächelte unter seiner Maske.

„Ach komm schon, trotzdem gute Arbeit. Und überhaupt, wer ärgert sich denn, dass er NICHT auf eine menschliche Leiche gestoßen ist? Morgen schauen wir wahrscheinlich ohnehin dorthin, dann kann ich der Sache nachgehen."

Er griff unter seinen Mantel und holte eine kleine, längliche Papiertüte hervor, wie er sie im Wirtshaus in Krithon zu seinem Kaffee dazubekommen hatte. Sieben riss sie auf und ließ den Inhalt mit einem leichten Ruck aus dem Handgelenk durch die Luft fliegen. Kein einziges Zuckerkorn erreichte den Boden, bevor H2O es absorbiert hatte. Der kleine Wasserdämon schlug einen übermütigen Salto, blieb dann mit dem Kopf nach unten stehen und miaute wie eine hungrige Katze, während er Sieben mit übertrieben großen Augen ansah.

„Nein, das war's. Zu viel Zucker tut dir nicht gut, das weißt du."

H2O legte den Kopf schief, akzeptierte aber schließlich seine Antwort. Er flog einmal um ihn herum, wobei er sich kurz gegen seine Wange schmiegte, dann verschwand er in den offenen Flachmann auf Siebens Nachtkästchen und gab Ruhe. Auch Sieben legte sich wieder ins Bett, nachdem er das Fenster geschlossen hatte. Die Matratze war angenehm und er zog die Decke über sich.

Lausebengel, dachte er mit einem letzten Blick auf den Flachmann und fiel wenig später in einen tiefen, traumlosen Schlaf.

7.

Die Sonne war über den auf beiden Seiten des Tals befindlichen
Bergen noch nicht zu sehen, doch eine schwache Dämmerung war
schon über den Himmel gekommen, als er wieder aufstand. Er wollte
früh dran sein, wenn sie heute nun endlich mit dem praktischen Teil
ihrer Ermittlungen begannen. Zu seiner nicht geringen Überraschung
schienen sowohl Noah als auch Nadine ebenfalls schon auf den
Beinen zu sein.

„Hier lohnt es sich ohnehin selten, länger aufzubleiben", lachte
Nadine auf seine Frage hin, „und so gibt es hier viele Frühaufsteher.
Außerdem hört man meistens ab sieben Uhr ohnehin schon die
Maschinen vom Sägewerk im ganzen Dorf."

Noah, der schon um diese Tageszeit seinen altmodischen Filzhut trug,
war entweder nicht ganz ausgeschlafen oder noch eine Spur
melancholischer als am Vortag, denn er schlurfte nur mit einem
kurzen Nicken an Sieben vorbei und machte sich daran, ihnen allen
ein Frühstück herzurichten.

„Wenn ihr heute vorhabt weiter zu gehen, kann ich euch auch ein
kleines Essenspaket zusammenstellen", meinte er.

Sieben zuckte mit den Achseln.

„Soweit ich weiß, hat Meisterin Kassandra geplant am Vormittag das
Tal des Iphikles unter die Lupe zu nehmen, aber wir wollten eigentlich
bis Mittag wieder zurück sein, um mal mit den Leuten hier zu reden."

„Ganz genau", meinte Kassandra, die in diesem Moment selber die
Treppe hinunterkam und dabei so frisch wirkte, als wäre sie schon seit
Stunden wach, „aber gegen einen kleinen Snack hätte ich trotzdem
nichts einzuwenden, danke."

Noah schlurfte mit Nadine im Schlepptau zurück in die Küche,
während Kassandra sich zu ihm an den bereits fertig gedeckten Tisch
setzte.

„Ist bei Ihnen alles in Ordnung?", erkundigte sie sich an Sieben
gewandt.

Ihre Stimme verriet zumindest zu einem ganz geringen Teil ehrliche Besorgnis, auch wenn sie sich Mühe gab, einen neutralen Tonfall einzulegen.

Sieben hatte jetzt wirklich keine Lust, über den Vorabend zu reden, also nickte er nur und meinte: „Es geht mir gut."

Doch offenbar stellte Kassandra diese Antwort nicht zufrieden.

„Wieso sind Sie einfach gegangen? Hat etwas nicht gestimmt? War Ihnen unwohl?"

„Nein. Es hatte nichts mit der Situation zu tun. Und jetzt ist alles wieder in Ordnung."

„War es etwas, das Otto gesagt oder getan hat?"

Allmählich ging Sieben ihre Hartnäckigkeit auf die Nerven. „Es ist wirklich nichts. Wann machen wir uns auf den Weg?"

„Sobald wir hier fertig sind und Otto endlich aus dem Bett gekommen ist. Wir haben gestern noch lange trainiert. Aber das ist jetzt unwichtig, ich will wissen, was Sie in solche Aufregung versetzt hat."

„Wieso ist das relevant?"

Kassandra runzelte ungehalten die Stirn.

„Weil wir hier zu dritt auf einer Mission sind, von der keiner von uns weiß, wie gefährlich sie möglicherweise ist, weil außer Ihnen meine einzige Hilfe mein eigener Schüler ist, der auf diesem Gebiet sogar noch weniger Erfahrung hat als wir beide, und weil ich die Einsatzleiterin bin und wissen will, wenn irgendetwas Ihre Einsatzbereitschaft beeinträchtigt. Sind das genug Gründe?"

Sieben seufzte. Er war kurz davor, ihr zu sagen, dass Sie sich nicht in seine Angelegenheiten einmischen sollte, doch ihm war klar, dass diese Antwort die Diskussion sicher nicht beenden würde. Außerdem hatte er nicht vor, wegen einiger unausgesprochener Dinge einen dummen Streit anzufangen. Er legte sein Brot beiseite, vergewisserte sich, dass weder Noah noch Nadine in der Nähe waren, und erklärte.

„Otto hat etwas gesagt, das mich an meinen Sohn erinnert hat. Ich weiß, dass ich meine Vergangenheit abgelegt habe, aber das ist nicht immer ganz einfach. Ich versuche mir mehr Mühe dabei zu geben, aber das, was ich gesehen und erlebt habe, zu vergessen wird einige Zeit brauchen. Stellt Sie diese Antwort zufrieden?"

Kassandra sah ihn lange an, wobei sie sorgfältig abzuwägen schien, was er gesagt hatte. Sieben rechnete schon halb damit, dass sie ihm für seine mangelnde Fähigkeit, nach dem Motto der Inquisition zu leben, die Leviten lesen würde, doch zu seiner Überraschung nickte sie nach einer Weile nur langsam mit dem Kopf.

„Das tut Sie. Ich danke Ihnen für Ihre Offenheit, Sieben …"

Sie wandte sich von ihm ab und warf einen kritischen Blick auf die Uhr an der Wand. „Hoffentlich beeilt sich Otto langsam", murmelte sie mürrisch. „Pünktlichkeit ist nicht gerade seine Stärke. Sein alter Meister hat ihm viel zu viel durchgehen lassen, fürchte ich."

„Hm… kannten Sie denn?"

„Ottos vorherigen Meister? Ja."Sie blickte ernst. „Er war ein umgänglicher Mann. Sehr talentiert, aber er hatte ein Problem mit Regeln. Und mit dem Großmeister."

Sie legte nachdenklich die Hände ineinander, wobei sie ihre verstümmelte Hand in ihrer gesunden verbarg.

„Die Ligakrise hat tiefe Gräben in den Orden gerissen. Ich kann mich noch erinnern, als Ottos Meister sich der Liga anschloss. Viele haben damit gerechnet, dass sein Schüler mit ihm gehen würde, doch er hat sich gegen ihn gestellt. Er ist vielleicht manchmal etwas…unreif, aber gerade in solchen Situationen zeigt sich bei einem Menschen sein wahrer Charakter."

Die Magierin zögerte kurz, als müsste sie sich überwinden fortzufahren, doch für einen Moment schien sich ein Knoten in ihr zu lösen und sie sackte ein wenig in sich zusammen.

„Jeder im Orden hat in letzter Zeit einiges durchgemacht, aber nicht viele haben so viel verloren wie er. Ein bisschen Stabilität täte ihm gut. Ich wünschte nur, ich wüsste, wie ich ihm helfen kann."

Dieser kurze Moment der Offenheit stimmte Sieben nachdenklich.

„Ehrlichkeit wäre ein guter Anfang" erwiderte er schließlich.

„Wie meinen Sie das?"

„Was Otto sich jetzt mehr als irgendetwas sonst wünscht, ist ein klarer Weg und einfache Antworten. Aber die gibt es nicht. Die gibt es nie. Ich weiß nicht, wie es mit mir weitergehen soll, Sie sind hier genauso neu wie ich und mit diesem Einsatz und einem neuen Schüler mutet man Ihnen mehr zu, als in irgendeiner anderen Situation angebracht wäre.

Wenn er versteht, dass wir ebenfalls noch auf der Suche nach unserem Weg sind, aber zumindest dabei nicht aufgeben und so ehrlich mit uns selbst sein können, dass wir das auch zugeben…vielleicht fühlt er sich dann zumindest nicht mehr so alleine. Weil er weiß, dass er nicht der Einzige auf der Suche ist."

Seit er seine Maske angenommen hatte, konnte der Inquisitor sich nicht daran erinnern, jemals so offen mit einem anderen Menschen gesprochen zu haben, doch dieser kurze Moment der Aufrichtigkeit hatte ihn berührt.

Kassandra nickte langsam.

„Vielleicht haben Sie Recht. Ich werde daran denken."

Sieben schenkte sich ein Glas Orangensaft ein und begann mit dem Frühstück. Auch Kassandra griff nach dem Besteck, benötigte dafür jedoch beide Hände. Sie zögerte einen Augenblick, bevor sie ihre verstümmelte linke Hand auf den Tisch legte. Ein wenig ungeschickt versuchte sie eine Toastscheibe auf ihrem Daumen und dem kläglichen Rest ihres Zeigefingers zu balancieren, während sie sie mit Butter beschmierte. Der Rest des Frühstücks verlief wortlos, aber in einer angenehmen Atmosphäre, während beide ihren Gedanken nachhingen.

Wenig später kamen Noah und Nadine mit kleinen Lunchpaketen zurück. „Zwei Sandwiches, eine Flasche Limonade, ein Müsliriegel, ein Apfel, ein Stück Käse und ein paar kleine Tomaten für jeden", verkündete Nadine gut gelaunt, „damit solltet ihr auch für weite

Wanderungen gerüstet sein. Und in einem der Päckchen ist noch ein Zuckerwürfel drin."

Sie zwinkerte in Richtung des Seepferdchenanhängers auf Siebens Brust. Offenbar hatte ihr Bruder ihr von dem kleinen Wassergeist erzählt. Kassandra nickte.

„Sehr nett von Ihnen, danke." Sie sah erneut auf die Uhr und runzelte die Stirn. „Otto ist wirklich spät dran", meinte sie missbilligend.

„Ist er überhaupt schon wach?", erkundigte sich der Inquisitor.

Kassandra nickte. „Ich habe vorhin in seinem Zimmer vorbeigesehen. Er meinte, er wollte noch schnell duschen, aber ich hatte eher den Eindruck, als würde er sich für einen Festanlass feinmachen. Ich frage mich wieso." In ihrem letzten Satz lag eine gehörige Spur Sarkasmus und ihr Blick streifte Nadine, die genauso aufpoliert wirkte wie am Tag zuvor, als sie sie auf dem Weg nach Oslubo mit dem Pick-up aufgegabelt hatten. „Wenn er jedenfalls noch lange braucht, ziehe ich ihm die Ohren lang", knurrte Kassandra.

Sieben schmunzelte. *Dafür, dass zwischen den beiden vielleicht sechs oder sieben Jahre liegen, sind sie ziemlich verschieden.*

Das lag vermutlich zu einem nicht geringen Anteil daran, dass Kassandra Ottos Meisterin war, aber auch so hätte zwischen den beiden ein himmelweiter Unterschied geherrscht. Während er und Kassandra ihr Frühstück beendeten und auch Nadine sich eine Kleinigkeit gönnte und dabei gut gelaunt allerlei Geschichten aus dem Dorf erzählte, ging Noah durch die Tür, auf der in großen Lettern „Privat" stand, zurück in den Wohnbereich der Geschwister. Sieben sah ihm nach.

Eigentlich ist er ja ganz nett und hilfsbereit, aber irgendwie wirkt er tatsächlich ständig ein bisschen geknickt. Aber der Wirt in Krithon hat gemeint, es hätte nichts mit der Verstorbenen zu tun. Was dann wohl der Grund ist?

Vielleicht war er ja besorgt, weil das Geschäft so mies lief. Oder es war etwas anderes. Plötzlich rumpelte es. Nadine zuckte zusammen und auch Kassandra sah auf, ihre Hand schoss zu ihrem Zauberstab. Irgendjemand schien mit der Faust wie verrückt gegen die Eingangstüre zu klopfen.

„Wer kann das denn sein, so früh?", wunderte sich Nadine, stand auf und ging zum Eingang.

Kaum, dass sie die Verriegelung gelöst hatte, flog auch schon die Tür auf und ein alter Mann drängte sich an dem Mädchen vorbei ins Haus. Er war kleingewachsen und geradezu erschreckend dürr, sein schütteres, weißes Haar und das viel zu weite, kurzärmelige Hemd, das ihm um die dünnen Oberarme schlackerte, ließen ihn noch viel schmächtiger wirken, als er ohnehin schon war, aber offensichtlich war er ziemlich aufgebracht.

„Aus dem Weg, du Luder! Wo sind sie?", rief er und seine Stimme klang wütend und gehetzt „Wo sind die Zauberer?"

Er sah sich um und ließ seinen Blick durch den Vorraum wandern, doch Sieben und Kassandra saßen an dem Tisch ein Stück von ihm entfernt und seitlich, sodass er sie nicht sofort erblickte, bevor nun die Tür zum Privatbereich der beiden Geschwister aufsprang und Noah heraustrat.

„Was willst du denn hier?", knurrte er den Alten an. „Ich habe dir doch gesagt, dass ich dich hier nicht mehr sehen will!"

Der Kopf des Alten fuhr zu ihm herum und taxierte ihn mit grimmigem Blick.

„Du!", zischte er und Spucke flog aus seinem Mund. „Du! Wegen der Magier bin ich hier! Die sollen ruhig hören, was deine Schwester getan hat! Wenn die die Wahrheit erfahren, landet das Biest endlich hinter Gittern! Die durchtriebene, kleine Hexe!"

Noah trat drohend an den Mann heran und nun, da er neben dem Alten stand, fiel Sieben wieder auf, von was für einer beeindruckenden Statur der Herbergsbesitzer eigentlich war.

„Wenn die Zauberer wollen, kannst du gerne mit ihnen reden, aber sicher nicht jetzt. Und wenn du noch einmal unter meinem Dach meine Schwester beleidigst, Zacharias, dann setz ich dich notfalls auch mit Gewalt vor die Tür, damit das klar ist!"

Sieben hatte genug gehört, er wollte wirklich nicht, dass hier jetzt zwischen den beiden Männern eine Prügelei ausbrach. Er stand auf und trat vor.

„Wir sind hier. Wie können wir Ihnen helfen?"

Der Mann namens Zacharias fuhr ruckartig zu ihm herum und sein Blick hellte sich sofort auf.

„Ah, ein Inquisitor! Sehr gut! Genau so jemanden wie Sie haben wir hier gebraucht!"

Unter seiner Maske verzog der den Mund zu einem schiefen Grinsen.

Normalerweise, wenn der Satz fällt, ist er sarkastisch gemeint.

Aber es schien dem Alten tatsächlich ernst zu sein. Zacharias machte Anstalten, sich zu ihnen zu setzen. Noah wollte sich ihm in den Weg stellen, doch Kassandra machte eine beruhigende Geste in seine Richtung.

„Keine Sorge, wir halten es kurz. Wir wollen nur hören, was er zu sagen hat."

Noah wirkte, als würden ihm dazu eine ganze Menge Einsprüche einfallen, doch zu Siebens Erleichterung begnügte er sich damit, nur verärgert den Kopf zu schütteln.

„Der Alte ist verrückt", sagte er noch, während er in der Tür stand, „da können Sie jeden hier fragen. Also glauben Sie dem am besten kein Wort."

Auch Nadine schien von Zacharias' Anwesenheit alles andere als begeistert zu sein, doch wie ihr Bruder zog sie sich nach einem gekränkten Blick in seine Richtung in ihren Wohnbereich zurück. Kaum dass die Tür hinter ihr ins Schloss gefallen war, setzte der Alte zu einem Redeschwall an, von dem Sieben im ersten Moment nichts verstand. Kassandra schnitt ihm das Wort ab.

„Alles der Reihe nach bitte! Wir hören Ihnen gerne zu, aber zuerst müssen wir ein paar Dinge wissen! Wer sind Sie überhaupt?"

Der Alte kratzte sich am Ellenbogen und fuhr sich fahrig ans Ohrläppchen, bevor er antwortete.

„Also, ich bin Professor Zacharias de Meijer. Ich wohne in einem Haus außerhalb von Oslubo, ein Stück weiter im Tal des Darineus drinnen."

„Aha", machte Kassandra nur, doch ihre Stimme klang zweifelnd.

„Dürfte ich fragen, was für eine Art von Professor Sie sind?"

„Ich bin Historiker und Archäologe. Ich und mein Sohn Jannis sind vor einigen Monaten hierhergezogen, um die Krähenburg zu untersuchen."

Er senkte fast schon verschwörerisch die Stimme.

„Und in der stimmt etwas absolut nicht, sage ich Ihnen! Als ich hierhergekommen bin, habe ich die Einheimischen für abergläubisch gehalten, aber wenn Sie die Dinge gesehen hätten, die ich gesehen habe …"

Er hielt inne, als Schritte die Treppe herunterkamen. Einen Augenblick später betrat Otto den Raum, offenbar war er in großer Eile heruntergehastet.

„Was war hier los? Ich habe jemanden rufen hören …"

Kassandra winkte ihn ungeduldig zu sich und wandte sich wieder an Zacharias.

„Ist schon gut, das ist mein Schüler. Also, Sie sind Archäologe. Aber warum haben Sie vorhin Nadine so beschimpft?"

Zacharias knallte die Faust wütend auf den Tisch.

„Weil sie schuld daran ist, dass mein Sohn spurlos verschwunden ist! Und ich will wissen, warum und wohin!"

Kassandra machte eine beruhigende Geste.

„Bleiben Sie doch ruhig, Zacharias! Wieso soll Nadine schuld an seinem Verschwinden sein?"

Zacharias leckte sich die Lippen und seine Pupillen zuckten mehrmals nervös zu der Tür hin, durch die Noah und seine Schwester eben noch das Zimmer verlassen hatten. Dann fuhr er grummelig murmelnd fort.

„Weil sie seine Neugier ausgenutzt hat, so sieht's nämlich aus. Mein Jannis hat den Forscherdrang seines Vaters, aber diese Hexe hat ihn eingelullt. Hat ihm gesagt, sie könne ihn in die Krähenburg bringen, wenn er das will. Und dann ist er eines Nachts zurückgekommen, völlig durcheinander, und hat etwas von Nadine und bösen Zaubern gequatscht. Und dann, wenige Tage später, ist er verschwunden, ja. Und ich weiß nicht wohin."

Mit einem Mal hatte der Alte die volle Aufmerksamkeit seiner Zuhörer.

Nadine hat uns auch schon angeboten uns in die Krähenburg zu führen, und ihrer Aussage nach weiß nicht einmal ihr Bruder, dass sie dort einfach reingehen kann. Wenn Zacharias behauptet, dass sie diesen Jannis dorthin geführt hat, ist das entweder ein ziemlicher Zufall oder er sagt die Wahrheit.

Doch bevor jemand eine weitere Frage stellen konnte, war Zacharias schon wieder in seinen üblichen Sermon verfallen.

„Und alle lügen sie darüber, behaupten dummes Zeugs, erwähnen mit keinem Wort, dass der Inquisitor nicht mehr zurückgekehrt ist und dass dieser Dämon in der Grotte dort oben wahrscheinlich hinter allem steckt, verbreiten üble Gerüchte über Jannis, dumme Dorftrottelbande …!"

„Moment, Moment, eins nach dem anderen!", versuchte Kassandra seine Aussagen zu ordnen. „Was war mit Nummer Sechsundzwanzig? Und dem Grottengeist? Und was für Gerüchte über Ihren Sohn?"

Bei der letzten Frage weiteten sich Zacharias' Augen gefährlich.

„Nichts! Gar nichts! Mit Jannis ist alles in Ordnung! Aber sie haben ihn verschwinden lassen! Wir sind hierhergekommen, um in Ruhe gelassen zu werden, aber die, die schnüffeln herum in den Angelegenheiten anderer Leute!"

„Ha, Jannis, das Unschuldslamm!", rief plötzlich eine Stimme von der Eingangstüre her. „Dass ich nicht lache!"

Die Unterbrechung kam so plötzlich, dass alle drei Magier erschrocken herumfuhren. Ohne dass sie es über dem Geplapper des alten Mannes bemerkt hatten, war eine weitere Person in die Herberge eingetreten. Es dauerte einen Augenblick, bis Sieben in dem großen, drahtigen Kerl, der in der Tür stand, den Mann mit dem Besen vor dem Bungalow erkannte, der am Vortag zu ihnen so unhöflich gewesen war. *Yaron, der Cousin vom Wirt.*

Zacharias fixierte ihn einen Augenblick lang, dann sprang er überraschend flott auf und verschwand ohne ein weiteres Wort nach draußen, bevor ihn irgendwer aufhalten konnte. Kassandra fluchte.

„Was hat der Alte nur mit all dem gemeint? Und was wollen Sie hier?"

Der Neuankömmling schloss die Tür hinter sich und trat vor. „Der Alte ist verrückt, das Meiste von dem, was er sagt, ergibt für niemanden einen Sinn. Und er hat es schon seit längerem auf die arme Nadine abgesehen."

Er bemerkte, dass alle drei ihn mit misstrauischem Blick beäugten (oder zumindest sah er es bei zweien und vermutete es beim Dritten, dass Sieben ihn unter seiner Maske anfunkelte, konnte er ja nicht sehen). Er wirkte mit einem Mal ein wenig eingeschüchtert, was bei ihm fast schon lustig aussah.

„Na ja, ähm … also, mein Name ist Yaron. Und … zuerst wollte ich mich mal dafür entschuldigen, dass ich gestern so … hm … aufbrausend war. Aber es gibt ein paar Dinge, die Sie wissen sollten, bevor Sie sich in der Gegend näher umsehen."

Sieben war immer noch misstrauisch.

„Woher der plötzliche Sinneswandel?", fragte er und seine Stimme klang unter der Maske finster und einschüchternd.

Yaron zuckte mit den Achseln.

„Na ja, ich hatte eben gehofft, dass die Dinge hier im Tal wieder normal werden könnten. Dass hier plötzlich gleich eine ganze Truppe Zauberer auf der Matte steht, hat mich ziemlich erschreckt."

Kassandra schien genauso wie der Inquisitor auch langsam die Schnauze voll davon zu haben, dass die ganze Zeit Leute hereinplatzten und nichts wirklich erklärten, doch sie blieb geduldig.

„Also schön, was sollen wir wissen? Und was hat es mit Zacharias auf sich? Ist sein Sohn wirklich verschwunden?"

Yaron zögerte einen Moment lang, bevor er nickte.

„Ja, soweit wir das hier in Oslubo beurteilen können, schon. Er wohnt ja ein Stück weit entfernt und zeigt sich selten, meistens ist er mit irgendwelchen Vermessungen oder Untersuchungen beschäftigt und gibt sich mit uns nicht ab. Und Zacharias … tja, so seltsam das vielleicht klingen mag, aber der Alte ist noch relativ normal. Sein Sohn ist es, der uns eigentlich Kopfzerbrechen bereitet."

„Tatsächlich? Und wieso das?"

Yaron wiegte einen Moment lang den Kopf hin und her, bevor er zögernd antwortete.

„Na ja … um ehrlich zu sein: Die meisten hier denken, dass er mit der Liga unter einer Decke steckt. Er und sein Vater sind hier wenige Tage nach dem Tod von Prinz Daniel bei seinem Marsch auf Morkada aufgetaucht. Und seitdem kommt es immer öfter vor, dass wir zwielichtige Gestalten, die zu David Herzogs Bande gehören, hier in der Umgebung sichten. Und manchmal ist Jannis in ihrer Gesellschaft."

„Ligisten!", entfuhr es Otto und er wandte sich an seine Meisterin.

„Aber wieso kommen sie zu ihm?"

Yaron zuckte mit den Achseln.

„Das wissen wir nicht. Wie gesagt, wir haben keine Beweise dafür, wir sehen nur, dass die Ligisten offensichtlich versuchen mit ihm in Kontakt zu treten. Und … tja, wie soll ich sagen? Jannis ist ein ziemlich mieser Charakter. Im Gegensatz zu seinem Vater, der sich lieber nur auf seine Forschungen konzentriert, war er öfter auch einfach mal so hier im Dorf und unterhält sich mit den Leuten. Er hat schon mehrmals Leute zum Kartenspielen eingeladen und ihnen dabei eine Menge Geld abgeknöpft, außerdem ist er einmal von meinem Kumpel Sven dabei erwischt worden, wie er versucht hat bei einem meiner Nachbarn durch das Fenster zu steigen. Und als er ihn darauf angesprochen habe, hat er nur frech gegrinst und gemeint, er wollte nur mal dessen Katze streicheln, aber wenn Sie mich fragen, ist er ein Dieb, ein Betrüger und ein Einbrecher."

Das klang in der Tat beunruhigend. „Aber was ist mit Nadine und Jannis los? Wieso soll sie ihn ausgenutzt haben?"

Nun schnaubte Yaron verächtlich.

„Ich vermute mal, dass Eltern sich so einiges einreden können, wenn es um ihre Kinder geht. Aber soweit ich das mitbekommen habe, ist es eigentlich andersherum gewesen. Jannis hat Nadine um den Finger gewickelt und sie später fallen lassen wie einen alten Schuh. Und später hat er dasselbe mit Sophie gemacht."

Sieben horchte auf.

„Sophie Falk? Die bei Krithon gefunden wurde?"

Yaron nickte düster. „Genau die. Ein paar Leute glauben, dass sie der Liga zum Opfer gefallen ist."

Kassandra runzelte kritisch die Stirn.

„Unwahrscheinlich. Aus der Obduktion ging hervor, dass kein Fremdverschulden vorlag."

Yaron zuckte erneut mit den Achseln.

„Das wissen Sie sicher besser als ich, Frau Magierin. Aber Sie haben sich ja erkundigt, was es hier Wissenswertes gibt."

„Natürlich, fahren Sie fort."

„Also, ein paar der Älteren meinen, der ‚Alte Mann' in der Grotte hätte sie und Jannis bestraft, weswegen auch er verschwunden ist. Aber das glaube ich auch nicht."

Wieso erwähnst du es dann überhaupt?

Kassandra verschränkte mit einem kritischen Blick die Arme. „Weil es diesen angeblichen Grottengeist nicht gibt?"

Yaron schüttelte den Kopf.

„Oh nein, den ‚Alten Mann‘ gibt es. Aber in all den Jahren, die er nun schon auf Oslubo aufpasst, hat er niemandem auch nur ein Haar gekrümmt. Ich weiß auch gar nicht, ob er dazu in der Lage wäre, ehrlich gesagt.“

„Na gut. Und was glauben Sie, was mit Sophie, Jannis und Inquisitor Nummer Sechsundzwanzig passiert ist?“

Yaron dachte einen Moment lang nach.

„Also, ich weiß ja nicht. Aber ich denke, Jannis hat Sophie das Herz gebrochen, weswegen sie sich umgebracht hat. Und wenig später hat ihn dann die Liga erwischt. Vermutlich hat er es sich irgendwie mit ihnen verscherzt. Und der Inquisitor … wird da wohl auch in die Sache hineingeraten sein.“

Kassandra schwieg. Sie musterte Yaron eingehend, dann nickte sie.

„Wenn das alles wäre, danke ich Ihnen für die Auskunft. Wir würden uns jetzt gerne über unser weiteres Vorgehen beraten.“

Yaron nickte und winkte ihnen zum Abschied zu.

„Ach übrigens, damit Sie wirklich wissen, dass es mir leidtut, heute Abend sitzen ich und ein paar Kumpels vor meiner Hütte herum, um ein bisschen zu feiern. Wir haben auch vor, was auf den Grill zu werfen. Wenn Sie vorbeikommen wollen, sind Sie alle herzlich eingeladen.“

Und dann war er verschwunden.

„Der war ja komisch“, meinte Otto und verbesserte sich sofort, „na ja, eigentlich waren sie beide komisch. Nur … verschieden komisch.“

Kassandra nickte abwesend.

„Allerdings … hm, was halten Sie davon, Sieben?“

Der Inquisitor dachte nach.

„Also, dieser Professor de Meijer war ja ziemlich durcheinander. Aber die Sache mit Nadine und der Krähenburg finde ich dann doch interessant. Wenn er schon sowas sagt, wäre es bestimmt nicht unklug, noch einmal mit ihm zu reden. Vielleicht sollten wir uns erkundigen, wo er wohnt. Und mit Nadine sprechen.“

„Da stimme ich zu", meinte die Magierin, „und wir sollten uns auf jeden Fall darauf konzentrieren, diesen Jannis zu finden, und ihm mal auf den Zahn fühlen. Wenn er direkt nach dem Sturz Prinz Daniels geflohen ist und seitdem von Herzog und der Liga bedrängt wird, ist es gut möglich, dass er dort eine wichtigere Rolle spielt."

Verdammt. Schon wieder versteift sie sich darauf.

Er versuchte die Sache behutsam anzugehen.

„Und der Verbleib von Inquisitor Nummer Sechsundzwanzig ...?"

„Erklärt sich irgendwie von selber, wenn dieser Yaron Recht hat, meinen Sie nicht? Nummer Sechsundzwanzig muss bei seinen Ermittlungen der Liga in die Quere gekommen sein. Denken Sie doch einmal nach: Sowohl er als auch Jannis sind wie vom Erdboden verschwunden und niemand scheint etwas davon zu wissen. Das war das Schicksal vieler Gegner der Liga, bevor sie geschlagen wurde."

Das war natürlich nicht falsch. Die Angst, die in der Bevölkerung umgegangen war, wenn wieder ein Journalist, Politiker oder Magier einfach so verschwunden war, wenn er oder sie sich gegen die Liga stellte, war ein ganz zentraler Faktor dabei gewesen, warum die Organisation so einfach in vielen Bereichen die Macht hatte an sich reißen können. Trotzdem hatte Sieben das Gefühl, dass sie etwas übersahen.

„Aber warum sind dann vorher die Leute hier verschwunden? Und hat Sechsundzwanzig das Problem wirklich gelöst?"

Kassandra wedelte ungeduldig mit der Hand.

„Das wird wahrscheinlich mit der Krähenburg zu tun haben. Sobald wir Jannis de Meijer aufgetrieben haben, können wir uns auch darum kümmern. Nadine wird uns sicher helfen."

Der Inquisitor hatte wirklich gehofft, dass es nicht so weit kommen würde, doch ihm blieb nun keine andere Wahl.

„Der Oberste Inquisitor hat mich ausdrücklich darauf hingewiesen, dass eine Konfrontation mit der Liga auf dieser Mission unerwünscht ist. Wir sollten uns zuerst um die verschwundenen Leute kümmern. Und das Tal des Iphikles untersuchen."

Kassandra schenkte ihm einen kühlen Blick.

„Ich kenne die Anweisungen meines Vaters. Ich habe allerdings auch andere Anweisungen von höherer Stelle bekommen."

Die Sache gefiel Sieben nicht.

„Das mag sein. Aber das Problem mit der Liga existiert erst seit sechs Monaten."

„Und das mit den Selbstmorden vermutlich überhaupt nicht mehr! Bis wir herausgefunden haben, was für die ganzen Toten verantwortlich war, könnten die Liga, Herzog und dieser Jannis, falls er denn noch lebt, über alle Berge sein!"

„Das glaube ich nicht. Die beiden Ligisten am Ufer haben gemeint …" Er hätte sich am liebsten die Zunge abgebissen, doch was er gesagt hatte, konnte er nun nicht mehr zurücknehmen. Sowohl Otto als auch Kassandra sahen ihn überrascht an.

„Welche Ligisten an welchem Ufer?"

Ach scheiße …

Er räusperte sich und erzählte, was er bei seinem Spaziergang am Chorena während seines Treffens mit Konrad Gessler mitangehört hatte.

„Sie wollten sich offensichtlich mit jemandem treffen, und sie haben gemeint, sechs Monate vorher wäre einer ihrer Späher hier verloren gegangen. Das trifft sich zeitlich mit Jannis' Ankunft hier. Außerdem … Zacharias hat ja gemeint, Jannis wäre weg. Wer auch immer daran schuld ist, es scheint schon eine Weile her zu sein. Schaut …", er schob die Teller und Essensreste auf dem Tisch beiseite, zückte einen Stift und ein Papier und zeichnete eine lange Linie und einen dicken Punkt an deren Anfang.

„Inquisitor Nummer Sechsundzwanzigs Nichte hat sich vor ungefähr einem Jahr umgebracht. Der Orden hat das Phänomen noch immer nicht für wichtig erachtet, aber Sechsundzwanzig ist dann hier im Tal angekommen. Er selber ist dann ein paar Wochen später verschwunden, aber zu dem Zeitpunkt war der Orden noch zu beschäftigt mit der Ligakrise, um sich darum zu kümmern. Dann, vor sechs Monaten, ist Jannis hier im Tal aufgetaucht und dieser Ligistenspäher verloren gegangen. Die Leiche von Sophie Falk hat man vor ungefähr drei Monaten gefunden, ungefähr zur selben Zeit dürfte auch Jannis de Meijer verschwunden sein."

Er sah auf, ob Kassandra und Otto ihm noch folgen konnten.

„Wenn jetzt also das Verschwinden des Spähers schon ein halbes Jahr zurückliegt, und das von Jannis schon mindestens zwei Monate, und die Liga erst jetzt jemanden zur Hilfe heranzieht, dann können wir mit Sicherheit davon ausgehen, dass, was immer sie hofft hier zu erreichen, noch eine Weile dauern wird. Wir haben also bestimmt noch zumindest ein paar Tage Zeit, um uns um unseren eigentlichen Auftrag zu kümmern."

Kassandra sah ihn düster an. Otto, dem der Streit zwischen den beiden offenbar unangenehm war, zuckte mit den Achseln. „Wie wäre es, wenn wir uns einfach beim Orden erkundigen, wie wir vorgehen sollen?", schlug er diplomatisch vor. „Wir sollten doch ohnehin regelmäßig Bericht erstatten."

Einen Augenblick lang wirkte Kassandra von diesem Vorschlag genervt, doch plötzlich hellte sich ihre Miene auf.

„Weißt du was, das halte ich für eine hervorragende Idee."

8.

„Das ist doch dämlich", seufzte Sieben.

Kassandra, die mit geschlossenen Augen auf einem Stuhl saß und geduldig wartete, antwortete nicht. Otto stand ein wenig eingeschüchtert in einer Ecke und wagte es nicht so recht, seine Meisterin oder den Inquisitor anzusprechen. Sieben schüttelte den Kopf.

„Hätten wir nicht einfach anrufen können?"

Kassandra schüttelte langsam den Kopf.

„Nein, hätten wir nicht. Der Großmeister besitzt kein Handy."

„Noch immer nicht?! Er ist der Großmeister des Ordens! Man sollte doch meinen, es würde ihm was daran liegen, dass man ihn im Notfall schnell erreicht!"

„Er mag es auf diese Weise aber lieber."

Sieben konnte es immer noch nicht fassen. Sie befanden sich in Noahs privatem Schlafzimmer. Der junge Herbergsinhaber war verwirrt gewesen, als Kassandra sich bei ihm danach erkundigt hatte, ob er irgendwo einen großen Spiegel stehen hatte, doch zufälligerweise besaß er tatsächlich einen fast schon antik anmutenden, mannshohen Standspiegel, der nun in der Mitte des Raumes stand und dessen Oberfläche undurchsichtig silbrig schimmerte. H_2O löste sich von Siebens Brust, hüpfte in der Luft mit wachsamem Blick vor dem Spiegel auf und ab und musterte neugierig die wabernde Masse, die das Glas verdeckte. Magier hatten schon vor hunderten von Jahren verschiedene Methoden gehabt, um über weite Strecken miteinander kommunizieren zu können. Botengeister auf lange Strecken, Blitzmorsecodes für kürzere Entfernungen … aber irgendwann hatte eine eitle, aber findige Magierin den Einfall gehabt, mit Hilfe einiger simpler Zauber ihren Spiegel mit dem einer guten Freundin zu verbinden. Dafür war nur an einem Ende der Verbindung ein komplizierter Zauber nötig, die Person am anderen Ende musste nur im Geiste versuchen eine Verbindung herzustellen. Diese Art von

Kommunikation war so schnell, einfach, sicher und praktisch gewesen, dass sie von Magiern über Jahrhunderte hinweg als eine sehr simple Verbindung zu anderen Zauberern genutzt worden war.

Und dann hat jemand das Telefon erfunden. Und den Funk. Und das Handy. Und das Internet. Und immer noch bestehen ein paar antiquierte Magier darauf, dass Spiegel, verdammte Spiegel das bessere Mittel sind, nur weil sie zu nostalgisch oder arrogant sind, um auf etwas viel Praktischeres umzusteigen, das von Gewöhnlichen erfunden wurde.

Aber eigentlich überraschte es ihn nicht wirklich, dass der Großmeister es verabsäumt hatte, mit der Zeit zu gehen. Und nun, da sie das Sekretariat des Ordens darüber verständigt hatten, dass sie eine Verbindung zum Großmeister wünschten, warteten sie nun schon seit einer geschlagenen halben Stunde auf eine Antwort. Sieben sah auf die Uhr an der Wand. Es war immer noch recht früh. Es konnte noch eine Ewigkeit dauern, bis der Großmeister sich zurückmeldete. Um sich zu beruhigen, begann er langsam im Zimmer auf und ab zu gehen. Er selber hätte den Spiegel lieber irgendwo anders hinbugsiert, um nicht in Noahs Privaträume eindringen zu müssen, doch offensichtlich waren Kassandra solche Höflichkeiten egal. Der Raum wirkte so persönlich auf ihn, dass er sich wie ein unerwünschter Eindringling vorkam. Das Zimmer war überraschend freundlich und hell, an der Wand hingen einige Bilder von verschiedenen Leuten, und da und dort waren jüngere Versionen von Noah oder Nadine zu erkennen. Der einen guten Teil des Bodens einnehmende Teppich wirkte modern und war ziemlich bunt, allerdings auch ein wenig fransig und staubig. In der Ecke stand ein Schreibtisch mit einem schon etwas älter wirkenden Laptop, ein Waschbecken mit einem kleinen Wandspiegel und einigen Fächern für verschiedene Hygieneartikel davor, ein einfacher Hutständer aus Holz, an dem zwei Exemplare hingen, die dem, welches Noah die ganze Zeit über zu tragen schien, recht ähnlich sahen, und ein paar ziemlich voll wirkende Bücherregale.

Er trat heran und besah sich die Buchrücken näher. Seine Vorliebe für altes Zeugs schien sich auch auf Bücher zu erstrecken, denn die meisten der Bände waren entweder alte, klassische Romane und Erzählungen von bekannten Autoren der letzten paar Jahrhunderte oder Kunstbände mit Fotos von verschiedenen Gemälden aus allen möglichen Epochen.

Ein Kunstkenner also. Hätte ich ihm nicht zugetraut.

Auch an der Wand hing ein Bild, es war modern, aber recht geschmackvoll gehalten und ziemlich bunt.

Am Ende einer langen Reihe von Bildbänden zur Malerei fand er einige Bücher und Ratgeber zur Pflege von verschiedenen Garten- und Wildpflanzen, welche er wahrscheinlich bei seiner Arbeit im Wald manchmal brauchen konnte. Und ganz am Ende der Reihe klemmte noch die Bedienungsanleitung für eine Spielekonsole. Er sah sich im Zimmer um. Entweder war die beschriebene Konsole in einem anderen Zimmer oder schon kaputt. Wahrscheinlicher war wohl, dass er sie an Nadine weitergegeben hatte.

Der Spiegel in der Mitte des Raumes blieb immer noch still. H2O flog noch einmal um ihn herum und befand ihn schließlich für langweilig. Otto, der immer noch in seiner Ecke stand, beobachtete die Bewegungen des Wassergeistes gebannt. Weitere fünf Minuten vergingen. Gerade als Sieben darüber nachdachte, ob es nicht das Klügste wäre, die Lunchpakete, die immer noch auf dem Frühstückstisch draußen lagen, inzwischen in den Kühlschrank zu legen, erwachte die silbrige Oberfläche des Spiegels zum Leben.

„Ermittlungsleiterin Gessler?", ertönte eine näselnde Stimme.

Kassandra erhob sich.

„Ich bin bereit."

„Sehr gut."

Einen Moment lang wurde die Spiegeloberfläche gleißend hell, flimmerte und schlug Wellen wie eine Wasseroberfläche, dann kam mit einem Mal eine Person inmitten eines abgedunkelten Raumes in Sicht. Es war ein schon älterer, untersetzter Mann mit fleischigem, rotbackigem Gesicht, dessen Haupt nur von einem kläglichen Überrest eines weißen Haarkränzchens geschmückt wurde. Sein feister Körper war in teures Gewand gekleidet und an seiner Seite hing gut sichtbar ein kunstvoll gearbeiteter Zauberstab. Jedes Land auf dem Kontinent hatte seinen eigenen magischen Orden. Traditionellerweise wurde das wichtigste Amt des Hochmeisters des Hohen Rates von einem der fähigsten, intelligentesten und charismatischsten Magier eingenommen. Nur in Quirilien war es Zeus.

„Es hätte mich schon sehr gewundert, wenn dein erster Auftrag einfach glatt über die Runden gegangen wäre, ohne dass du dich wieder gegen die Anweisungen von erfahreneren Leuten wendest", knurrte der alte Großmeister ohne Begrüßung in Siebens Richtung. Kassandra räusperte sich.

„Großmeister Zeus, wir wollten, wie von Ihnen gefordert, Bericht erstatten und Ihren Rat in einem Punkt, in dem wir uns uneinig sind, einholen."

Zeus machte eine ungeduldige Geste mit der Hand.

„Jaja, dann lassen Sie mal hören. Gab es Probleme mit der Liga?"

Kassandra zögerte kurz.

„Noch nicht direkt, nein, wir wurden nur einmal kurz in Krithon von einer Gruppe kurz aufgehalten. Aber hier im Tal bei Oslubo scheint es immer wieder Zwischenfälle zu geben. Die Leute meinen, dass eine Gruppe um einen Ligisten namens David Herzog zunehmend aktiv werden würde. Sie sollen mit jemandem namens Jannis de Meijer in Verbindung getreten sein, ein junger Mann, der vor sechs Monaten hier herzog und seitdem regelmäßig Probleme bereiten soll."

„Wenig überraschend. Ligistenabschaum macht immer nur Ärger. Worüber herrscht Unklarheit?"

Kassandra berichtete dem Großmeister von ihren beiden interessanten Gästen am Morgen und was sie zu sagen hatten. Zeus hörte ihr die ganze Zeit über einigermaßen aufmerksam zu, wobei er es sich jedoch nicht verkneifen konnte, immer wieder in Siebens Richtung zu sehen und ihn böse anzufunkeln. Kassandra versteckte zwar nicht, was ihrer Meinung nach die richtige Vorgangsweise wäre, erklärte jedoch auch die Argumentationskette des Inquisitors auf eine faire Art und Weise, wofür er sehr dankbar war. Wenn es sich irgendwie vermeiden ließ, wollte er mit dem Großmeister kein direktes Wort wechseln müssen. Der schien jedoch seine Meinung schnell gebildet zu haben.

„Ganz klarer Fall, die Liga hat Vorrang. Dem Treiben dieser Terroristen muss ein Ende gesetzt werden, ganz egal, was Nummer Sieben davon hält."

Am liebsten hätte der Inquisitor die Sache damit auf sich beruhen lassen, doch er erinnerte sich erneut daran, wie sehr Konrad Gessler darauf bestanden hatte, dass sein Auftrag in erster Linie der Aufklärung von Sechsundzwanzigs Verschwinden umfasste. Er räusperte sich und trat vor.

„Ich halte meine Argumentation durchaus für schlüssig", begann er, „die Liga ist jetzt schon mindestens seit sechs Monaten in der Region aktiv, und sie wird es bestimmt auch noch ein paar Tage mehr sein. Und Oberster Inquisitor Gessler hielt es für wichtiger, dass wir uns zuerst …"

Zeus trat so plötzlich näher an den Spiegel heran, dass es im ersten Moment so aussah, als würde er gleich aus dem Glas herausspringen. „Jetzt hör mir mal gut zu, *Nummer Sieben!*", fauchte er und ließ die letzten beiden Worte wie eine Beleidigung klingen. „Gessler mag dich vielleicht davor gerettet haben, dass man dich für den Rest deines Lebens in irgendein Loch steckt und dort verrotten lässt oder dich vielleicht sogar aufhängt. Aber wenn du glaubst, dass diese blöde Maske dir erlaubt, deiner Einsatzleiterin oder mir gleich bei deinem ersten Einsatz frech daherzukommen, dann hast du dich gewaltig geschnitten! Wenn ich noch ein einziges Mal davon Wind bekomme, dass du deine Kumpane bei der Liga davor schützt, dass man sie wie die Saukerle, die sie sind, erledigt, dann kannst du dich darauf gefasst machen, dass ich höchstpersönlich dafür Sorge trage, dass man dir deine verdammte Maske auch wieder wegnimmt. Und dann siehst du dein Ligistenbalg schneller wieder, als dir lieb ist, das versprech ich dir!"

Während der Tirade des Großmeisters hatte Sieben auch unter seiner Maske mit keiner Wimper gezuckt. Er war es gewohnt, dass Zeus so mit ihm umsprang, immerhin war alleine die Tatsache, dass der Inquisitor noch am Leben war, für ihn einer der größten Misserfolge seiner Laufbahn. Doch der letzte Satz hatte ihn tief getroffen. H2O, der während des Gesprächs unter der Decke gehangen hatte, zuckte zusammen und flitzte unter Noahs Bett. Otto sah erschrocken zuerst zu Zeus, dann zu Sieben und sogar Kassandra wirkte ob er Unhöflichkeit des Großmeisters zutiefst erschüttert. Der Inquisitor biss die Zähne so fest zusammen, dass er sich fragte, wie viel Kraft es brauchte, um sie auf diese Weise zum Brechen zu bringen. Seine Hände waren zu Fäusten geballt und er spürte, dass um ihn herum die Luft leicht zu flimmern begann.

Magie war eine Kraft, die zu einem großen Teil von Emotionen angetrieben wurde. Wenn man die Kontrolle über seine Gefühle verlor, konnte das verheerende Folgen haben. Sieben wusste das. Und Zeus auch. Ein solcher Ausbruch war fast mit Sicherheit das, was der Großmeister sich jetzt von ihm wünschte. Sieben atmete tief durch. Dann verbeugte er sich.

„Vielen Dank für Euren Ratschlag, Großmeister."

Zeus reckte das Kinn herausfordernd nach vorne, wirkte ansonsten aber enttäuscht über seine Reaktion. Dann wandte er sich wieder an Kassandra.

„Wäre das dann alles?"

Die Magierin nickte.

„Wir melden uns morgen wieder mit Neuigkeiten zu den Ermittlungen."

„Von mir aus. Aber meldet sie der Sekretärin der Inquisitionsabteilung, wenn Gessler schon nicht hier ist. Ich habe jedenfalls Besseres zu tun, als mich mit meinem neunmalklugen Ex-Schüler zu streiten. Wenn er wirklich so intelligent wäre, wie er immer getan hat, wäre diese Aufgabe bei der Inquisition genau das Richtige für ihn. Aber offenbar ist es mit seinem ausgeprägten detektivischen Sinn nicht so weit her, wie er immer geglaubt hat."

Das Bild begann zu verschwimmen, doch plötzlich hob Kassandra den Arm. Überrascht hielt Zeus inne und wurde wieder klarer.

„Was denn noch?"

Kassandra wirkte mit einem Mal wie jemand, dem klar wurde, dass er etwas Unüberlegtes getan hatte, doch dann schien sie sich zusammenzureißen und sah dem Großmeister fest in die Augen.

„Laut den Statuten der Inquisition ist es keinem Ordensmitglied gestattet, die Vergangenheit eines Inquisitors direkt anzusprechen."

Zeus runzelte die kahle Stirn. „Ja, und?"

„Sie nannten Nummer Sieben soeben ihren ,Ex-Schüler'. Ich muss das in meinem Abschlussbericht erwähnen."

Sieben hätte jetzt gerne H2O in seinem Versteck unter Noahs Bett Gesellschaft geleistet und auch Otto wirkte allem Anschein nach so, als würde er sich am liebsten in Luft auflösen. Zeus sah kurz so aus, als würde ihm tatsächlich die Kinnlade runterklappen, jedenfalls lag in seinem Blick ein solches Maß an Fassungslosigkeit, dass es fast schon komisch anzusehen war. Nur Kassandra stand da wie aus Stein gemeißelt, offenbar erschrocken über ihre eigene Kaltschnäuzigkeit, aber gleichzeitig ohne den Versuch, einen Rückzieher zu machen.

Tatsächlich, ganz wie ihr Vater.

Schließlich schüttelte Zeus nur kurz den Kopf und kniff die Augen zusammen.

„Sie bewegen sich auf dünnem Eis, Kassandra", knurrte er.

139

Dann wurde die Spiegeloberfläche erneut unscharf, blitzte kurz hell auf und das Gespräch war beendet.

Nach der Verabschiedung beriet sich Kassandra kurz mit Otto, wie es weitergehen sollte. Soweit Sieben das mitbekommen hatte, wollten sie nun am Vormittag zumindest einmal zu der Stelle gehen, wo der Iphikles in den Darineus mündete (oder umgekehrt), und sich endgültig entscheiden, in welches Tal sie zuerst gehen wollten. Dafür hatten sie Noah um Hilfe gebeten und sowohl er als auch seine Schwester hatten sich dazu bereit erklärt, sie zu begleiten.

Anschließend, am Nachmittag, wollte Kassandra sich mit den Leuten über Jannis de Meijer und die Liga zu unterhalten. Er selber war noch kurz in Noahs Zimmer geblieben, um nachzudenken. H2O, der sich inzwischen wieder in seiner Seepferdchenform an seine Brust geheftet hatte und spürte, wie aufgewühlt er war, vibrierte beruhigend. Der Inquisitor ging einmal um den Spiegel herum.

Es machte ihn irgendwie nervös, dass ihre beiden Gastgeber auf der Liste von Menschen, mit denen sie reden sollten, ganz oben standen, aber er sah durchaus ein, dass es das Beste war, sich zuerst durch der ganzen Angelegenheit vielleicht nicht so nahestehende Personen im Dorf ein klareres Bild darüber zu machen, wie die Sache zwischen Nadine und Jannis denn nun wirklich gewesen war.

Aber irgendwann wird es sich nicht mehr vermeiden lassen, dass wir das Thema anschneiden. Vielleicht ergibt sich ja bei der Besichtigung der Täler eine Gelegenheit ...

Als hätte sie seine Gedanken gelesen, öffnete sich die Tür und Nadine kam herein.

„Hat das Gespräch mit dem Großmeister lange gedauert?", fragte sie und lächelte freundlich.

„Nicht wirklich", erwiderte er abwesend „Eigentlich wussten alle schon so ungefähr, was er sagen würde."

„Aha ... wie ist er denn so?"

Sieben sah kurz irritiert auf. „Hm? Wer?"

„Na, der Großmeister."

„Ach so. Er ist …"

Was jetzt? Ganz nett? Ein ausgemachtes Arschloch? Lügen oder die Wahrheit sagen?

„Er ist sehr selbstbewusst."

Sieben konnte sofort hören, dass diese Antwort recht unverhüllt sagte, was er dachte, doch Nadine ging nicht näher darauf ein.

„Wahrscheinlich ist das normal, wenn man so einen wichtigen Posten hat", dachte sie laut nach.

Oh nein. Er war schon vorher ein fetter, arroganter Trottel. Jetzt ist er eben ein wichtiger fetter, arroganter Trottel.

Aber er nickte nur. Nachdenklich ging er noch eine Runde um den Spiegel. Irgendetwas juckte ihn in der Nase. Nadine trug wieder ihr aufdringliches Parfum und es begann langsam den gesamten Raum zu erfüllen, doch ein anderer Geruch fiel ihm dieses Mal schneller auf.

Formaldehyd. Sogar hier klar wahrnehmbar.

Hatte er es nicht am Vorabend sogar in seinem Zimmer gerochen? Er empfand es als ziemlich störend. Ihm kam der Gedanke, dass Nadine den Geruch sogar unterbewusst wahrnahm und deswegen so viel Parfum verwendete. Er lächelte schief.

Na bitte, dafür reicht es noch. Auch wenn Zeus sagt, dass dein detektivischer Sinn nicht so ausgeprägt ist, wie du immer gegl-

Er hielt inne.

Staubige Zimmer. Schweres Gemüt. Vielleicht noch mehr?

Er sah kurz zu dem Hutständer, dann zu dem Waschbecken in der Ecke.

„Was ist los?", fragte Nadine, als er schnellen Schrittes darauf losging. Er antwortete zuerst nicht. Er öffnete die Kästen des kleinen Schränkchens, in dem verschiedene Hygieneartikel aufbewahrt waren. Im ersten Fach fand er Zahnpasta, Zahnseide, einen Rasierer und ein dazugehöriges Ladekabel. Nichts wirklich Auffälliges.

„Ähm … suchen Sie vielleicht etwas Bestimmtes?", erkundigte sich Nadine. Sieben nickte.

„Du und dein Bruder … ihr habt doch beide recht dichtes Haar, oder?" Nadine wirkte von der Frage einen Moment lang verwirrt.

„Ja … schon. Ich meine, wir sind beide blond, ich glaube mal gehört zu haben, dass das heißt, wir hätten von Natur aus mehr Haare als andere. Wieso?"

Der Inquisitor öffnete den zweiten Schrank und wurde fündig. Ein Haargel und drei verschiedene Mittel gegen Haarausfall. Er hielt sie Nadine hin. „Die verwendet dein Bruder noch nicht so lange, oder?" Nadine schüttelte den Kopf.

„Nein … nein, ich wusste überhaupt nicht, dass er so etwas braucht. Aber er wird wohl einfach älter, oder?"

„Mhm. Und seine Hüte trug er früher auch nicht im Haus, oder?"

„Jetzt, wo Sie es sagen, das tat er tatsächlich nicht. Hängt das damit zusammen?"

„Vielleicht … ein Wirt in Krithon hat mir erzählt, dass Noah in letzter Zeit ein wenig deprimiert wirkt, kann das sein?"

Mit einem Mal wirkte Nadine ein wenig in die Defensive gedrängt.

„Na ja, schon möglich", antwortete sie, „aber ich sehe ihn jeden Tag, da fällt mir das nicht so auf. Wieso, was ist denn los?"

Sieben dachte kurz nach, bevor er antwortete.

„Weil dein Bruder offensichtlich zu viel Umgang mit Formaldehyd hat. Deswegen ist er in letzter Zeit hier in der Herberge auch so schlampig mit dem Aufräumen. Antriebslosigkeit und Depressionen sind in der Liste der möglichen Folgen von langer, übermäßiger Aussetzung ziemlich weit oben. Er könnte auch verschiedene Atemwegserkrankungen bekommen, aber ich vermute, so schlimm ist es um ihn noch nicht bestellt, außerdem ist er jung und kräftig. Mal sehen …"

Er öffnete das dritte und letzte Fach und stieß erneut auf Gold. Ein Schlafmittel.

Schlafstörungen. Passt auch perfekt ins Bild. Der Haarausfall ist nicht wirklich typisch, könnte aber mit anderen Komplikationen zusammenhängen.

Eigentlich blieb damit nur eine Frage offen: Warum erst jetzt?
Die Selbstmorde haben abgesehen von Sophie Falk vor fast einem Jahr aufgehört. Aber Noahs Vergiftungserscheinungen scheinen noch nicht so lange anzuhalten. Das muss dann wohl heißen, dass es in seinem Lager ein Leck geben muss. Er wandte sich an die immer noch ein wenig erschrockene Nadine.

„Zeig mir, wo Noah sein Formaldehyd lagert."
Unter der Maske gestattete Sieben sich ein selbstgefälliges Grinsen.
Von wegen mein detektivischer Sinn wäre nicht so stark, wie ich glaube.

Eine Viertelstunde später stand er in einem kleinen Kellerraum und war ziemlich niedergeschlagen. Nadine und Noah waren bei ihm und hatten ihm bereitwillig alles gezeigt, jede Tür und jeden Behälter geöffnet. Aber das Ergebnis blieb das gleiche: nichts. Noah mochte vielleicht in letzter Zeit unter Antriebslosigkeit leiden, doch Unachtsamkeit in Bezug auf die Lagerung konnte man ihm beim besten Willen nicht vorwerfen. Alles war vorschriftsgemäß in speziellen Behältern verschlossen. Wäre eine Aufsichtsbehörde in diesem Moment mit ihnen in dem Kellerabteil gewesen, hätte sie nichts zu beanstanden gehabt.

„Wie sieht's aus?", erkundigte Noah sich vorsichtig.
Der Inquisitor hatte ihm noch nicht gesagt, dass seine Vermutung wahrscheinlich falsch gewesen war. Aber noch gab er sich nicht geschlagen. Er schnupperte. Natürlich war es über Nadines Parfum hinweg nur schwer wahrzunehmen, doch es lag eindeutig eine sanfte Note des Formaldehyds in der Luft. Allerdings war der Geruch kaum stärker als im Rest vom Haus. Also musste er sich entweder die Frage

stellen, warum es überall im Gebäude ein wenig danach roch oder wie Noah sonst eine ausreichende Dosis hatte abbekommen können.

Vielleicht sollte ich später noch einmal ohne Nadine im Schlepptau hier herunterkommen, wenn die Luft reiner ist.

Allerdings wusste er schon jetzt, dass das Ergebnis wohl dasselbe sein würde. Er drehte sich zu Noah um.

„Mit Sicherheit kann ich es nicht sagen, aber ich glaube, dass ich falschlag. Trotzdem: Alle Symptome passen, also wäre es wahrscheinlich klug, in nächster Zeit jeden Kontakt mit Formaldehyd zu vermeiden. Vielleicht ändert sich dann was.“

„Na hoffentlich“, murmelte Noah und nahm den Hut ab. „Wenn das so weitergeht, sehe ich bald so aus wie Großvater. Und mal wieder durchschlafen zu können wäre auch ganz toll.“

Sieben nickte, doch eigentlich war er enttäuscht.

Alles hätte gepasst. Aber da lag ich wohl zumindest teilweise falsch.

Eine kleine, gehässige Stimme in seinem Hinterkopf machte sich darüber lustig, wie er vorhatte, einen Massensuizid zu lösen, wenn er nicht einmal in der Lage war, den Haarausfall eines einzelnen Mannes zu erklären, doch er verscheuchte den Gedanken. Er hatte schon so genug Probleme.

9.

Der Inquisitor sog die Luft ein. Langsam atmete er aus. Noch immer hatte er ein bisschen was von dem stechenden Gestank des Formaldehyds in der Nase, doch die Duftprobe vom Vorabend stimmte eindeutig mit dem Geruch hier vor Ort überein.

Nachdem er mit Kassandra, Otto, Noah und Nadine die Herberge verlassen hatte, waren sie dem Weg am Fluss entlang gefolgt, der aus Oslubo hinaus taleinwärts führte. H_2O hatte sich von seiner Brust gelöst und genoss es, sich endlich einmal wieder unbehelligt austoben zu können. Er verwandelte sich in eine Katze und lief neben ihnen her, er wurde zum Fischotter und sprang laut keckernd ins kühle Nass des Darineus oder erhob sich als Rabe in die Lüfte und zog über ihnen seine Kreise.

Otto und Nadine, die ein Stück vor Kassandra und Sieben gingen, schienen die Spielereien des Wassergeistes zu amüsieren, denn immer wieder folgten sie seinen Bewegungen für ein paar Sekunden, bevor er wieder irgendetwas gesehen hatte, das seine Aufmerksamkeit erregte, und davonflog. Kassandra war natürlich voll bei der Sache und hielt die Augen offen. Und Noah führte die Gruppe an.

Der Inquisitor versuchte die Bestandteile des Geruchs herauszufiltern. Fichtennadeln, Moos, andere Gerüche der Natur … alles war genau wie in der Duftprobe vom Vorabend. Doch der zarte Hauch vom Verwesungsgeruch des Vorabends war verschwunden. Das war nicht weiter verwunderlich, trotzdem dachte er darüber nach, was das bedeuten konnte.

„Was ist los?", erkundigte sich Otto, der sein Innehalten offenbar bemerkt hatte.

Der Inquisitor zuckte mit den Achseln.

„Nichts Besonderes. Ich versuche nur mir ein Bild von der Umgebung zu machen."

Währenddessen stand Kassandra an der Weggabelung und schien mit sich zu ringen. Sie sah immer wieder zwischen den beiden Tälern hin und her. Sieben ahnte, worüber sie nachdachte.

Einerseits will sie nun, da sie Großmeister Zeus' Einverständnis hat, sicher so schnell wie möglich mit Zacharias reden, um der Liga nachzugehen ... aber der Fall von Sophie Falk scheint da ja irgendwie unter Umständen ebenfalls eine Rolle zu spielen. Außerdem haben wir heute Noah und Nadine dabei, die beide eine große Hilfe in den Wäldern beim Iphikles wären.

Er rechnete ihr hoch an, dass sie aufgrund ihres Sieges über ihn nicht nur stur versuchte ihren Willen durchzusetzen.

Doch auch der Inquisitor hatte nachgedacht. Und er war zu dem Schluss gekommen, dass eine eingehende Befragung von Zacharias de Meijer und der damit verbundene Ausflug in das Tal des Darineus keine so viel schlechtere Option waren. So hätte er zumindest die Gelegenheit, auch bei diesem „Alten Mann" in der Grotte vorbeizuschauen, die nicht sonderlich weit vom Haus der de Meijers entfernt zu sein schien. Außerdem, wenn es ihnen tatsächlich gelang abzuklären, ob der Tod von Sophie Falk und das Verschwinden von Jannis de Meijer mit der Liga zusammenhingen, war es gut möglich, dass sie sich wieder auf ihren ursprünglichen Auftrag konzentrieren konnten, ohne sich ständig herumstreiten zu müssen.

Zumindest wenn die Liga tatsächlich nichts damit zu tun hat.

Angesichts all der Beschwerden über David Herzogs Bande war er sich da allerdings mittlerweile gar nicht mehr so sicher.

Otto trat zu seiner Meisterin und sie wechselten leise ein paar Worte. Sieben beschloss, sich nicht einzumischen.

Sie wird schon selber zu einer Entscheidung kommen.

Noah, der bis zu diesem Moment recht still gewesen war, kam zu ihm. „Schön hier, nicht?"

Sieben konnte ihm da zumindest teilweise zustimmen. Hier gab es äußerlich keine Anzeichen dafür, dass hier in letzter Zeit so viele schlimme Dinge passiert waren, doch die zwei Taleingänge vor ihnen wirkten eindeutig unterschiedlich einladend.

Jener auf Seiten des Darineus war wesentlich breiter. Die Berge links und rechts ragten dort nicht besonders steil auf und auf den sanften Hügelkuppen darunter wuchsen zahlreiche Fichten, deren sattgrüner Teppich da und dort von einzelnen gelben, orangen und hellgrünen Punkten verschiedener Laubbäume durchbrochen wurde, sodass es wie eine bunte Fleckendecke wirkte. Auch das Bachbett des Darineus war viel breiter und flacher, dafür wurde es jedoch von wesentlich mehr größeren Steinen unterbrochen.

Das Tal des Iphikles … zuerst einmal fiel es Sieben etwas schwer, es wirklich ein „Tal" zu nennen, auf ihn machte es mehr den Eindruck einer breiteren Klamm. Die Felswände auf beiden Seiten fielen beinahe senkrecht ab, an mehreren Stellen weiter oben gab es kleine, mit Kies übersäte Abhänge, auf denen sich da und dort kleine, knorrige Bäumchen mit ihren Wurzeln geradezu krampfhaft an den Felsen klammerten und irgendwie zu überleben schienen. Der Taleingang selber war so eng, dass außer für den Fluss und einen schmalen Weg kaum Platz war. Und nur wenige hundert Meter weiter schien das Tal eine scharfe Kurve nach links zu machen. Was sich hinter dieser Biegung befand, konnte man von ihrer Position aus nicht sehen. „Hm … und es ist wirklich das Tal des Iphikles, das die Poeten anzieht?" *Die Selbstmörder kann ich ja noch nachvollziehen …*

Noah schien sofort zu verstehen, was er meinte. „Der Schein trügt ein bisschen. Es sieht vielleicht nicht so aus, aber da hinten wird das Tal dann wesentlich breiter. Auch die Krähenburg kann man von da aus schon gut sehen und dahinter liegen die Wälder. Ich nehme an, Sie wollen dort zuerst nachsehen?"

Sieben zuckte mit den Achseln.

„Das hängt von Meisterin Kassandras Entscheidung ab."

Noah wirkte, als wollte er dazu etwas sagen, doch er kam nicht mehr dazu, denn die Magierin schien zu einem Entschluss gelangt zu sein.

Otto zuckte mit den Schultern und sie schüttelte energisch den Kopf, dann drehte sie sich zu ihnen um.

„Ich denke, wenn es Ihnen nichts ausmacht, Noah, werden wir auf Ihr Angebot eingehen, uns in den Wäldern herumzuführen."

„Sicher."

„Gut. Einen ersten Eindruck dort zu gewinnen sollte uns die Befragungen am Nachmittag erleichtern. Und bei den de Meijers können wir morgen immer noch vorbeischauen, falls er sich nicht mehr von sich aus in Oslubo blicken lässt."

„Wir sollten aber wirklich zusehen, dass wir rechtzeitig zurück sind", bemerkte Nadine, „heute Früh gab es für die Region eine Gewitterwarnung. Das Wetter sieht jetzt vielleicht noch gut aus, aber am Abend soll es zu richtig starken Regenfällen und Wind kommen … und hier in der Gegend kann das ganz schön gefährlich werden."

Kassandra nickte ernst. „Ja, das wird wohl das Beste sein. Eine kleine Runde in den Wald hinein genügt heute vollends. In ein paar Tagen können wir uns eingehender mit der Umgebung befassen."

Nadine sah zu ihrem Bruder. „In dem Fall wird wohl der Weg zur Kapelle der beste sein, oder was meinst du?"

Noah nickte bedächtig.

Kassandra runzelte die Stirn. „Was für eine Kapelle?"

„Ach, nur eine uralte, aber ganz nette Kapelle des Lichts. Sie ist ungefähr so alt wie die Krähenburg und wird nur noch selten besucht. Eigentlich ist sie nur ein besserer Schrein, aber wir kümmern uns noch um sie."

Sieben fiel etwas ein. „Auf dem Dorfplatz in der Nähe der Herberge gibt es doch auch eine kleine Kirche. Sollte die Pflege heiliger Stätten nicht die Aufgabe des örtlichen Priesters sein?"

Nadine wirkte amüsiert, während Noahs Blick noch eine Spur grimmiger wurde.

„Der ist weg", murmelte er.

„Während der Ligakrise ist er … abgereist", erläuterte Nadine näher und fügte hinzu, „so wie viele hier. Ein guter Teil der Leute im Ort hat sich zu Verwandten oder ins Ausland geflüchtet."

Wohin will man denn fliehen, wenn man hier wohnt? Herzogs Bande hin oder her, so schlimm kann es hier doch nicht gewesen sein, oder? Aber wenn sie glaubten, dass ihre Leben auf dem Spiel standen, handelten Menschen selten logisch. Er erinnerte sich an die vielen leeren neuen Häuser in Oslubo an der anderen Seite des Ufers und auch daran, dass in der Nacht kaum irgendwo ein Licht gebrannt hatte. *Davonlaufen … eine gute Strategie.*

Otto dagegen schien empört. „Eigentlich sollte doch gerade ein Priester den Leuten Sicherheit vermitteln und sich gegen die Liga stellen. Sie glauben genau wie die Magier an das Große Licht. Der Orden und die Kirche sind vielleicht in vielerlei Hinsicht Rivalen, aber die Liga sollte doch ein gemeinsamer Feind sein, oder?"

Als Antwort erntete er nur einen leicht mitleidigen Blick seiner Meisterin, doch sie verzichtete darauf, näher darauf einzugehen. „Aber auch sie können Angst haben", erwiderte sie schließlich nur.

Die Gruppe marschierte los und Sieben pfiff H2O zu sich. Der kleine Wasserdämon, der während ihres langen Gesprächs aus Langeweile damit begonnen hatte, Steine aus dem Flussbett zu einem wackeligen Türmchen zu stapeln, kam sofort angeflogen und trottete nun als Hündchen neben ihnen her.

Schon zehn Minuten später musste der Inquisitor feststellen, dass Noah Recht gehabt hatte. Kaum dass sie die Flussbiegung des Iphikles hinter sich gelassen hatten, war es, als würden sie aus einem Tunnel treten. Zur ihrer Linken lag der kleine Fluss in einem recht schmalen, aber größtenteils von Hindernissen befreiten Bett.

Die Felswände zu beiden Seiten waren bei weitem nicht mehr so steil, dazu entfernten sie sich ein Stück, sodass man wieder das Gefühl hatte, nicht im nächsten Moment von den zusammenrückenden Wänden erdrückt zu werden wie ein Käfer. Anstatt der winzigen

Absätze gab es über ihnen nun kleine, teilweise zusammenhängende Plateaus, welche von dichtem Gebüsch und etwas kräftigeren Bäumen dominiert wurden.

Und vor ihnen, auf einem großen, sich an die rechte Seite des Tales anlehnenden Kegel mit steil abfallenden Seiten, ragte die Krähenburg empor. Die dunklen Umrisse ihrer Zinnen und Türme überblickten das ganze Tal wie ein finsterer Wächter.

Der Weg, auf dem das Grüppchen ging, führte direkt darauf zu. Schon nach wenigen Minuten kamen sie jedoch an ein Teilstück, das sich ein Stück vom Iphikles entfernte. Ein Abschnitt um den Fluss, wo mehrere kleine Bergbäche in das Flüsschen mündeten und die unmittelbare Umgebung so in ein kleines, mit Schilfgras übersätes Moor verwandelten, hätte ein Vorankommen dort vermutlich nur schwer möglich gemacht. Wieder versuchte Sieben hier die Umgebung mit seinem feinen Geruchssinn zu untersuchen, doch hier wurden die meisten feinen Nuancen in der Luft leider vom Aroma feuchten Grases überlagert. Und Nadines Parfum half auch hier leider nicht sonderlich.

Doch auch Kassandra wollte offenbar mehr über die Gegend erfahren. Sie hob ihren Zauberstab. Auch wenn Sieben zu vielen Zaubern nicht in der Lage war, so konnte er doch aufgrund seines umfangreichen theoretischen Wissens die meisten herkömmlichen erkennen. Offensichtlich versuchte sie festzustellen, ob magische Energie in kleineren Mengen in der Umgebung vorhanden war, verwendete dafür jedoch eine ihm unbekannte Variation eines häufiger verwendeten Zaubers.

Langsam glaubte Sieben sich ein recht gutes Bild von ihren Fähigkeiten machen zu können.

Wenn Ottos Können mit dem Degen irgendein Indikator für ihre eigenen Fähigkeiten ist, dann hat sie bestimmt einiges drauf. Aber wahrscheinlich liegt ihre Stärke wohl eher in der Zauberei.

Seiner Meinung nach mangelte es selbst vielen der größten Magier im Orden an Fantasie, eine Eigenschaft, über die sich sein eigener Meister damals mehr als nur einige Male lustig gemacht hatte. Doch es war nun einmal leider so, dass viele Schüler von ihren Meistern lernten, wie man bereits etablierte Zauber genau anwandte, und lernten von eigenen Experimenten Abstand zu nehmen, da das durchaus gefährlich sein konnte. Das bedeutete zwar, dass sie in der Regel ziemlich schnell ziemlich stark wurden, jedoch auch vorhersehbar.

Soweit Sieben das aber bisher beurteilen konnte, schien Kassandra nicht so eingeengt zu sein, und das wiederum ließ vermuten, dass sie auf ein Grundwissen in einem gewissen Umfang zurückgreifen konnte.

Kein Wunder, dass sie so vielen im Orden als vielversprechendes Talent gilt. Wer weiß, eines Tages schafft sie es vielleicht noch wie ihr Vater in den Hohen Rat.

Doch selbsterfundene Zauber hin oder her, während ihres ganzen Marsches schien Kassandra keine Anzeichen für Magie finden zu können. Das schien sie nicht gerade zu überraschen, und als sie Siebens Blick bemerkte, zuckte sie nur mit den Achseln und meinte: „Wäre auch zu einfach gewesen. Außerdem spürt der Zauber ja nur Energie in der Luft auf, sonst würde er ja schon alleine wegen unserer Zauberstäbe, Degen und H2O reagieren. Aber zumindest versuchen wollte ich es."

Die Sonne lugte langsam hinter den Bergen hervor, doch ihre Strahlen waren zu schwach, um sie wirklich zu wärmen. Es herrschte kühles Herbstwetter, und auch wenn von dem zuvor erwähnten Unwetter am Abend noch nichts zu sehen war, so hing doch ein nicht sonderlich dichter, aber dennoch vorhandener Nebelschleier über dem Tal. Die Krähenburg kam immer näher, und nach einem etwa eineinhalbstündigen Marsch standen sie schließlich an einer weiteren Wegkreuzung.

„Hier geht es zur Burg hinauf", meinte Noah, „der Weg ist allerdings nicht ganz ungefährlich. Höhenangst sollte man jedenfalls nicht haben."

Sieben fiel auf, dass Nadine bei diesen Worten geradezu auffällig teilnahmslos wirkte. Er musste an das denken, was Zacharias ihnen während seines kurzen Besuches gesagt hatte.

Er hat etwas von bösen Zaubern erwähnt ... bei einer alten, verfluchten Festung eigentlich kein Wunder. Und er hat Nadine die Schuld daran gegeben, dass sein Sohn Jannis nach ihrem gemeinsamen Besuch dort so durcheinander war. Aber es wäre sicher kein Fehler, dort einmal vorbeizuschauen.

Fürs Erste hatte der Wald jedoch Vorrang. Der Weg, dem sie folgten, umrundete den großen Felskegel, auf dem die Burg stand, und führte danach über eine alte, nicht wirklich Vertrauen erweckende Holzbrücke auf die andere Seite des Iphikles. Und dort begann der Wald. Dass die Gegend hier in der Vergangenheit auch vielen Künstlern und Poeten zusagte, konnte er sofort verstehen.

Auch hier gab es einen Mischwald aus Nadel- und Laubbäumen, doch ihr Zusammenspiel wirkte, als hätte ein fleißiger Gärtner mit besonderer Umsicht jeden Einzelnen von ihnen platziert. Statt der sonst überall präsenten Fichten gab es hier zahlreiche Tannen, deren Nadeln verschieden lang und etwas unregelmäßig von den Ästen standen und an der Spitze leichte Einkerbungen hatten. Sieben konnte sie nicht klar einordnen, es musste sich um eine seltenere Unterart handeln. Außerdem wuchsen noch da und dort niedrigere Nadelbäume, die er als Kiefern identifizieren konnte. Doch während zu dieser Jahreszeit die Nadeln noch immer grün an den Bäumen hingen, spielte der Rest des Waldes ein ganz anderes Farbenspiel. Grellrote Blätter an den Ahornbäumen und die bräunlich gelben Glocken mächtiger Eichen durchbrachen hier die Oberfläche wesentlich häufiger, als er vorhin im Tal des Darineus gesehen hatte. Außerdem waren die Stämme fast aller hier wachsenden Bäume in verschiedenen Grautönen gehalten, sodass die grellen Farben noch einen stärkeren Kontrast bildeten. Ebenfalls auffallend war, wie dicht hier das Unterholz abseits der Wege war, Büsche verdeckten den Boden und viele Bäume hatten auffallend krumme Stämme, sodass diese bei einem weiteren Vordringen in den Wald wohl im Weg wären.

Auch das Zusammenspiel der Gerüche hier war beeindruckend, Laub und Holz und Blüten ergaben eine durchaus angenehme Mischung. Der Inquisitor hätte sich hier noch lange umsehen und die Natur bewundern können, doch sie waren schließlich hier, um einen Auftrag zu erledigen.

„Etwa zehn Minuten von hier liegt die Kapelle", meinte Noah und Nadine fügte hinzu: „Der Weg dorthin ist nett, viele schlagen ihn ein, bevor sie tiefer in den Wald gehen, um … na ja …"

Sie brach ab, doch es war klar, was sie meinte. Der leichte Nebel war, seit sie die Krähenburg passiert hatten, immer dichter geworden und hüllte nun die Bäume ein, sodass sie nicht mehr weiter als ein paar Meter sehen konnten, auch das bunte Blätterdach war von unten aus gesehen bei weitem nicht so malerisch und aufheiternd. Sieben wusste nicht, ob sich das Wetter generell verändert hatte oder ob es nur hier so war, doch die überdurchschnittliche Menge an Moos, die hier die Stämme vieler Bäume bedeckte, verriet ihm, dass es hier wohl öfter feucht war. Normalerweise passte ihm das ganz gut, immerhin bedeutete Wasser in der Luft auch, dass er im Falle eines Kampfes Munition hatte. Trotzdem, in Kombination mit den recht kühlen Temperaturen und dem Wissen, wofür dieser Ort bekannt war, kam in Sieben ein leichtes Gefühl der Unruhe auf.

Kassandra und vor allem Otto schien es nicht anders zu gehen. Hatte er vorhin noch munter mit Nadine geplaudert, so war er nun, während sie auf dem laubbedeckten Weg tiefer in den Wald eindrangen, geradezu auffallend still und sah sich immer wieder um, bis sein Blick den von Sieben kreuzte und er offenbar bemerkte, wie albern er sich benahm. Von dem Moment an sah er stur geradeaus, doch der Inquisitor konnte sehen, dass er den Kopf leicht eingezogen hatte. Auch H2O schien es hier nicht wirklich zu gefallen. Der Wasserdämon blieb dicht bei der Gruppe, die sich instinktiv näher zusammenzudrängen schien, nur Noah ging immer noch unbeirrt voran.

Dafür, dass er sonst so wortkarg und antriebslos ist, scheint ihm die Gegend hier nicht wirklich etwas auszumachen.

Aber vermutlich hatte er sich auch einfach nur daran gewöhnt. Kassandra versuchte erneut ein paar ihrer Zauber, um magische Energie aufzuspüren, doch nie hatte sie Erfolg. Es schien ewig zu dauern, bis sie die von Nadine angekündigte Kapelle erreicht hatten, aber schließlich gelangten sie tatsächlich dorthin.

Sie war wirklich nichts Besonderes, nur ein kleiner, mit Moos bewachsener Ziegelbau unter einigen feuerroten Ahornbäumen. In ihrem Inneren befanden sich links und rechts zwei Kerzenständer, ein paar morsche Holzstühle und das Bild irgendeines Lokalheiligen. Trotzdem, inmitten der nebligen, düsteren Waldlandschaft wirkte sie wie ein Lichtquell.

„So", meinte Nadine und legte ihren kleinen Rucksack auf einen moosbedeckten Baumstamm, „Zeit für eine kleine Rast."

Eine leise Stimme in Siebens Kopf meinte sarkastisch, dass es ungefähr eine Million Orte gab, an denen er lieber eine Pause eingelegt hätte, denn jedes Mal wenn er in den sie umgebenden Nebel sah, beschlich ihn das Gefühl, dass jemand zurückstarrte und sie genau beobachtete. Doch er versuchte diese Ahnung abzuschütteln und öffnete stattdessen seinen Rucksack. Während er aß und H2O an dem Zuckerwürfel herumnuckelte, bemerkte er, dass Kassandra offenbar Probleme hatte, ihren Rucksack zu öffnen. Sie stand mit dem Rücken zu den anderen, doch offenbar bekam sie die Schnalle nicht richtig auf. Sieben sah zu Otto, der gerade erfolglos versuchte mit seinem Zauberstab den Suchzauber seiner Meisterin nachzuahmen, und trat an sie heran.

„Darf ich?", fragte er.

Sie sah ihn über die Schulter an und ließ ihre linke Hand schnell in ihrer Jackentasche verschwinden, dann nickte sie jedoch. Eine Lederschnalle hatte sich etwas verhakt, doch Sieben gelang es schnell, sie zu lösen. Der Inquisitor vergewisserte sich, dass von den anderen niemand zuhörte, dann wandte er sich an Kassandra.

„Wie ist das passiert?", fragte er geradeheraus.

Die Magierin sah ihn einen Moment lang überrascht, dann ein wenig nachdenklich an.

„Die Liga", antwortete sie schließlich.

Sie zog ihre linke Hand aus der Tasche, was sie offensichtlich einen Moment der Überwindung kostete, und hielt sie vor ihm in die Höhe. Sieben stellte fest, dass seine Vermutung bezüglich des Alters der Verletzungen vermutlich richtig gewesen war, denn sie wirkten, als lägen sie noch nicht sehr lange zurück.

Kassandra seufzte.

„Es war wenige Wochen vor dem Marsch der Liga auf das Parlament von Morkada. Vater war es gelungen, ein hochrangiges Mitglied der Liga dingfest zu machen, und er wollte ihn vor Gericht stellen. Alle hielten ihn für verrückt."

Wahrscheinlich mit gutem Grund.

Er erinnerte sich noch gut an die Zeit unmittelbar vor Prinz Daniels Tod. Die Liga hatte das ganze Land eingeschüchtert gehabt. Offener Widerstand war praktisch nicht existent gewesen. Jeder, der es trotzdem gewagt hatte, war ziemlich schnell auf unglückliche Art und Weise ums Leben gekommen. Aber natürlich ließen sich Menschen wie Konrad Gessler auch davon nicht abhalten, ihre Pflicht zu erfüllen. Irgendwie bewunderte Sieben seine Torheit.

„Wir hatten allerdings Schwierigkeiten, überhaupt einen Richter zu finden, der bereit war, den Fall zu behandeln", fuhr Kassandra fort.

„Aber schließlich hatten wir Glück. Mein Vater versprach dem Richter direkten Schutz durch mehrere Magier des Ordens vor und nach dem Prozess. Er meinte, wenn wir einen ersten Schritt setzen und ein so wichtiges Mitglied vor Gericht bringen, wird das andere zum Widerstand ermutigen. Und … na ja, ich war unter denen, die den Richter beschützen sollten."

Sie wackelte einmal kurz mit dem Stumpf ihres Zeigefingers und blickte grimmig.

„Dann, mitten in der Nacht, standen sie auf einmal vor der Tür. Eine ganze Gruppe von Ligisten, bis an die Zähne bewaffnet. Meine zwei Kollegen nahmen sich vor sie aufzuhalten, bis Hilfe eintraf, aber die Ligisten machten keine halben Sachen und warfen eine dieser magischen Granaten, einen Amliden. Sie wurden auf der Stelle getötet und ich ohnmächtig geschlagen. Man hielt mich für tot. Der Richter versuchte sich mit seiner Frau in seinem Arbeitszimmer zu verbarrikadieren, doch die Ligisten erwischten sie. Als sie abhauen wollten, bin ich gerade wieder zu mir gekommen. Einer von ihnen hatte den Degen eines meiner Kollegen mitgenommen und wollte mir damit den Garaus machen. Ich hatte keine Waffe bei mir und habe den Schlag mit meiner Hand abgefangen … na ja, mehr oder weniger. Dann ist die Polizei eingetroffen und sie mussten fliehen."

Kassandra lachte bitter. „Da hätten sie sich nicht beeilen müssen, denn der Richter hatte der Polizei am Telefon nicht gesagt, dass die Angreifer von der Liga waren. Als die gesehen haben, was passiert ist, haben sie für mich einen Krankenwagen gerufen, sonst aber nichts unternommen."

Sieben nickte ernst. „Eine schlimme Zeit", meinte er und fügte hinzu, „zum Glück liegt sie hinter uns."

Sie hörten Otto fluchen. Offensichtlich hatte er immer noch Probleme damit, den Zauber seiner Meisterin zu imitieren, denn er schwang seinen Stab mittlerweile ziemlich frustriert.

„Das Werkzeug kann nichts dafür", sagte Kassandra laut, „denk daran: Erst die Konzentration auf das Wesentliche, dann loslassen und lenken."

Er nickte. „Ja, Meisterin. Entschuldigung."

Kassandra sah ihm bei seinem nächsten Versuch zu und lächelte plötzlich milde. „Das sieht schon besser aus. Nur nicht aufgeben, ich habe diesen Zauber auch nicht an einem Tag gelernt. Du schaffst das schon."

Sie wandte sich wieder an Sieben.

„Ich will mir gar nicht vorstellen, wie es ist, so viel an die Liga zu verlieren wie er. Finger … ich komme auch ohne ein paar von ihnen zurecht. Aber ich weiß nicht, was ich ohne meinen Vater damals getan hätte."

Sieben musste ihr zustimmen.

„Konrad Gessler ist … stark. Ich weiß, dass viele im Orden ihn stur und unnötig dickköpfig nennen, aber wenn es mehr Leute wie ihn gegeben hätte … wer weiß, vielleicht wäre die Liga dann nie so mächtig geworden."

Kassandra schenkte ihm einen schwer zu deutenden Blick, schließlich nickte sie jedoch.

„Hoppla!", rief plötzlich Otto.

Vor ihm in der Luft schwebte eine silbrige Kugel, die ein leicht knisterndes Geräusch von sich gab. Es war der Aufspürzauber, er war ihm offensichtlich endlich gelungen. Und er schlug an.

Nadine blickte verwirrt zu ihnen. „Was hat das zu bedeuten?"

Kassandra zog alarmiert ihren Zauberstab und sah sich um.

„Das bedeutet, dass hier Magie präsent ist."

H2O hüpfte in der Luft nervös hin und her und schwebte höher, um besser sehen zu können, und auch der Inquisitor wurde unruhig.

Bildete er sich das ein, oder war der Nebel wieder dichter geworden? Dann, plötzlich, völlig ohne Vorwarnung stießen die Schwaden nach vorne und hüllten sie völlig ein. Dick und undurchdringlich wurde alles von ihm verschlungen. Sieben und Kassandra, die ein Stück vom Rest der Gruppe entfernt gestanden hatten, konnten diese nun nicht mehr sehen.

„Hallo?", hörte Sieben die leicht panisch klingende Stimme von Otto aus dem Nebel. „Wo seid ihr alle?"

„Zusammenbleiben", antwortete Kassandra laut und griff mit ihrer Stummelhand nach Sieben, während sie den Zauberstab zum Angriff bereit in ihrer Rechten hielt. „Geratet nicht in Panik! Sagt alle einmal laut euren Namen, findet zueinander und fasst euch an den Händen!"

„Nadine", sagte eine zittrige, helle Stimme ein Stück vor ihnen.

„Otto", eine nicht minder nervöse aus derselben Richtung.

„Noah", eine ruhige, tiefe Stimme zu ihrer Rechten.

„Was? Das war nicht ich!", erwiderte Noah ein ganzes Stück weiter links.

„Nadine!", rief nun eine ängstliche Stimme hinter ihnen.

„Nummer Sieben!", hörte der Inquisitor sich selber ein Stück zu ihrer Linken sagen.

Scheiße!

Die verschiedenen Stimmen riefen nun wild durcheinander, einige von ihnen immer panischer.

„Nadine, wo bist du?"   „Noah!"   „Kassandra"   „Hallo, Otto!"
„Noah?"   „Hilfe! Hallo? Wo seid ihr?"   „Sieben!"
„Kassandra!"   „Otto, was ist mit dir?"   „Nadine!"
„Hier ist etwas!"   „Noah, das bin nicht ich!"   „Hey, wer seid ihr?"
„Nummer Sieben!"   „Nein! Bleib weg! Fass mich nicht an!"
„Noah!"   „Hilfe!"   „Ich sehe nichts!"   „Bitte! Lass mich los!"
Der Chor wurde immer vielstimmiger und Sieben war kurz davor, komplett die Orientierung zu verlieren. Dann fiel ihm etwas ein.

Er drückte Kassandras Arm. „Ich kann die anderen riechen", zischte er. Sie nickte. „Gut, dann ziehen Sie mich einfach mit." Er schnupperte. Gerne hätte er zuerst Otto gefunden, aber Nadines Parfum war der stärkste Geruch in der Luft, also ging er zuerst auf sie

158

zu. Zu seiner Überraschung schien sie sich ein Stück von ihnen entfernt zu haben. *Ist sie in Panik geraten?*

Zum Glück schien sie noch nicht weit gekommen zu sein, denn nach nur wenigen Schritten sah Sieben sie am Boden knien, das Gesicht in den Händen. Sie schien zu weinen.

„Nadine!", rief Sieben und hielt sie an der Schulter. „Was ist passiert?" Die junge Frau zeigte nach vorne in den Nebel.

„M-Meine Eltern! Sie waren da! Da vorne! Eben noch! Aber dann ha-hat sie etwas mitgenommen!" Sie wimmerte. Sieben sah in die Richtung, in die sie gezeigt hatte, konnte jedoch nichts erkennen außer dicken Nebelschwaden.

„Das war wahrscheinlich eine Illusion", sagte er sanft. „Lass dich nicht ablenken! Wir müssen Otto und Noah finden! Weißt du, wo sie sind?" Sie schüttelte langsam den Kopf und blieb am Boden.

„Ich will hierbleiben. Was ist, wenn sie wiederkommen? Ich kann sie nicht zurücklassen."

„Sie sind nicht echt, Nadine", sagte Kassandra nun fest, „und wir sind hier in Gefahr. Wir müssen aus diesem Wald."

Sieben wollte Nadine hochziehen, doch in diesem Augenblick hörte er einen zornigen Schrei und jemand prallte mit voller Wucht gegen ihn. Völlig überrascht fiel er zu Boden und prallte mit dem Ellenbogen schmerzhaft gegen einen Stein. Dann fielen sie beide nach hinten und stürzten einen kleinen Abhang hinunter, wobei sich sein Angreifer jedoch mit aller Kraft an ihn klammerte und unten angelangt sofort wieder über ihm war. Sieben kam nicht dazu, irgendetwas zu sagen, bevor sein Angreifer ihm die Faust mitten ins Gesicht rammte.

„Warum?!", brüllte Otto während er immer und immer wieder auf ihn einschlug „Warum habt Ihr ihn getötet, Meister!? Er war ein Magier wie wir!"

Ottos Schläge waren außergewöhnlich heftig, offenbar legte er seine ganze Kraft in sie. Zum Glück war die Inquisitorenmaske mit einigen einfachen Zaubern belegt, sodass sie den größten Teil der Wucht

159

absorbierte und dabei keinen Schaden nahm, doch Sieben musste Otto schleunigst zur Vernunft bringen. Er fing seinen nächsten Schlag mit der Hand ab und versetzte ihm einen Tritt, der ihn von ihm herunter beförderte. Dann, mit einem schnellen Handgriff, drückte Sieben Otto auf den Boden.

„Otto! Ich bin es! Beruhige dich! Ich habe niemandem etwas getan, was hier passiert, ist nur eine Illusion!"

Einen Moment lang wehrte sich der junge Magier noch, dann zuckte er zusammen.

„Sieben … Sieben? Oh, beim Licht, Entschuldigung! Ich … ich war …" „Ist schon in Ordnung", beeilte er sich zu versichern, „gib mir einfach deine Hand. Wir müssen zurück zu …"

Plötzlich roch er etwas. Blut. Einen ganz zarten Hauch, nicht weit von ihnen entfernt.

Ist jemandem etwas passiert?

Er zog Otto mit sich.

Seine Nase führte ihn weg von der Stelle, an der sie den Abhang hinuntergefallen waren, aber vielleicht hatte einer der anderen versucht zu fliehen und sich dabei verletzt. Wenige Schritte weiter kamen sie an ein Gebüsch, dahinter befand sich am Boden ein Blutfleck. Schon auf den ersten Blick konnte der Inquisitor jedoch sagen, dass er schon älter war. Daneben lagen ein paar Habseligkeiten, darunter ein Schal, ein einzelner Handschuh, eine Schachtel Zündhölzer und eine Halskette aus bunten Perlen, die ihm vage bekannt vorkam.

Wo habe ich die schon einmal gesehen?

Jedenfalls war hier niemand von den anderen, also griff er nach ihr und steckte sie ein. Ottos Hand zitterte.

„Ich kann nichts sehen", wisperte er.

„Ich auch nicht", antwortete Sieben, „aber ich kann die anderen riechen, komm einfach mit." Sie fanden den Weg zurück zu dem Abhang, den sie hinuntergefallen waren. Er war weder besonders steil noch hoch und sie schafften es fast ohne Probleme den größten Teil nach oben. Dann, als er sich gerade mit seiner freien Hand über den Rand der Böschung ziehen wollte, blitzte es ganz plötzlich grell auf. Feuer. Alles verschlingendes, unnachgiebiges Feuer brannte auf ihn nieder. Die beiden Augen starrten von oben auf ihn nieder, vernichteten ihn unter ihrem hasserfüllten Blick.

„Wo?", brüllte eine zornige Frauenstimme ihn an. „Wo ist er?" Sieben schrak zurück. „Ich … ich weiß es nicht! Bitte, es tut mir leid, ich …"

„Was ist los?", hörte er Otto fragen und er klang ängstlich. „Mit wem reden Sie?"

„WO IST ER?"

Sieben schluckte. Er schloss die Augen und umfasste Ottos Hand fest. *Es ist nur eine Illusion. Sie ist nicht echt. Es ist alles falsch. Es ist nur eine Illus-*

Dann plötzlich fiel bei ihm der Groschen.

„Eine Illusion", flüsterte er.

„Wie bitte?", fragte Otto.

Sieben hob den Arm. Er sammelte sich. Energie floss durch seinen Körper, durchströmte ihn, erfüllte ihn mit Kraft. Dann begann er Wasser zu bündeln. Es war sein Element. Eine wabernde Wasserkugel bildete sich in der Luft vor ihm und der Nebel begann sich zu lichten. Immer weiter zog er sich zurück. Dann gab er plötzlich mehrere Gestalten vor ihnen frei. Es waren Kassandra, Noah und Nadine, außerdem schwebte H_2O über ihnen, der nun, da er den Inquisitor erblickte, mit einem erfreuten Wiehern zu ihm flitzte.

„Kommt alle her!", rief er.

Kassandra zog Noah und Nadine, die offenbar immer noch von der vorigen Illusion verstört war, mit sich.

„Gut mitgedacht", keuchte Kassandra und hob den Zauberstab. Gemeinsam gelang es ihnen, den Nebel immer weiter zum Verschwinden zu bringen, dann bewegten sie sich vorwärts, den Weg entlang, den sie gekommen waren. Es schien eine Ewigkeit zu dauern, bis sie es geschafft hatten, doch schließlich gelangten sie an den Rand des Waldes und zu der Brücke über den Iphikles. Der Nebel folgte ihnen nicht, sondern verschwand zwischen den Bäumen langsam immer weiter weg, bis von ihm nichts mehr zu sehen war. Sieben ließ die Wasserkugel, die inzwischen beachtliche Dimensionen angenommen hatte, in den Iphikles fallen.

„Was … um alles in der Welt war denn das?!", ächzte Otto, der fassungslos in Richtung des Waldes sah.

„Ist das schon einmal vorgekommen?", fragte Kassandra an Noah gewandt.

Der quittierte die Frage mit einem entgeisterten Blick. „Glauben Sie allen Ernstes, ich würde noch einmal einen Schritt in diesen Wald setzen, wenn das öfter passieren würde? Ich bin doch nicht lebensmüde!"

Kassandra nickte. „Schon gut, selbstverständlich. Entschuldigung."

„Das war … furchtbar", murmelte Nadine, die sich inzwischen zumindest zum Teil wieder erholt hatte. „Aber … das wird wohl der Grund für die ganzen verschwundenen Leute sein."

Sieben überlegte. „Möglich. Aber wir wissen nicht, was es ist, und auch nicht, warum es nur uns und die Selbstmörder … angreift. Warum hat Noah es noch nie gesehen?"

„Keine Ahnung", erwiderte dieser, „aber eines weiß ich: In diesen Wald bringen mich keine zehn Pferde mehr hinein."

Das konnte Sieben durchaus nachvollziehen, seine Frage beantwortete das jedoch nicht.

Was hat das alles zu bedeuten? Was war der Grund für diesen Nebel? Für so eine mächtige Illusion braucht es eine Quelle … aber was für ein Wesen könnte dafür verantwortlich sein?

Auf dem Rückweg war es still. Instinktiv blieben sie alle näher beisammen, und jeder von ihnen beäugte immer wieder misstrauisch die einzelnen Nebelfetzen, die sich im Tal des Iphikles gebildet hatten, doch es kam zu keinerlei Zwischenfällen. Der Rest des Tales wirkte ungeachtet der Vorkommnisse im Wald ruhig und friedlich. Otto, der sich bei dem Inquisitor für seinen Angriff vorhin im Nebel ausführlich entschuldigt hatte, kümmerte sich um die immer noch zu Tode erschrocken wirkende Nadine, während Sieben versuchte darüber nachzudenken, wie sie weiter vorgehen sollten.

Auf jeden Fall wissen wir jetzt, dass in dem Wald irgendetwas nicht stimmt. Ob Sechsundzwanzig dort drinnen umgekommen ist?

Er konnte es nicht mit Sicherheit wissen. Sechsundzwanzig mochte ein mächtiger Zauberer gewesen sein, doch die Intensität der Illusionen war enorm gewesen.

Alle Macht der Welt bringt einem nichts, wenn man in einer solchen Situation nicht einen kühlen Kopf bewahren kann.

Dennoch erschien es ihm unwahrscheinlich.

In diesem Fall konnte das jedoch nur eines heißen: Dass in dem Wald noch etwas wesentlich Mächtigeres war. Kassandra schien auf einen ähnlichen Gedanken gekommen zu sein.

„Wie steht es um Ihr Wissen mit Energiewesen?", fragte sie Sieben.

Er zuckte mit den Achseln. „Ich habe einiges über sie gelesen. Und mir fallen nicht sonderlich viele ein, die für so einen Zauber verantwortlich sein könnten. Ein Irrlicht haben Sie in dem Nebel nicht zufällig gesehen, oder?"

Die Magierin schüttelte den Kopf. „Nein. Und vielleicht könnte eines diesen Nebel produzieren, aber was immer für diese … Illusionen gesorgt hat, versteht sich auf das Wirken von Magie."

Richtig. Sieben fiel ein, dass die Erscheinungen in dem Nebel nur für einzelne Leute sichtbar gewesen waren. Nadine hatte ihre toten Eltern gesehen, Otto hatte Sieben für seinen ehemaligen Meister gehalten und er selber hatte … *ihre* Augen gesehen. Aber in allen Fällen hatte sonst niemand das Gesehene wahrgenommen.

Das heißt, dass es keine echten Illusionen waren, vielmehr muss der Nebel halluzinogene Eigenschaften gehabt haben.

Das war schon ziemlich speziell. „Ein höheres Energiewesen oder ein Zauberer", meinte er schließlich.

Kassandra nickte ernst. „So sieht es aus. Aber ich wüsste nicht, dass hier in dem Tal ein Magier lebt."

Otto hatte ihr Gespräch mitverfolgt.

„Was ist mit Waldemar Blaukrähe?", warf er ein und der Inquisitor bemerkte, wie der Blick des jungen Zauberers unwillkürlich zu den finsteren Umrissen der Burg hinter ihnen glitt.

Kassandra runzelte die Stirn. „Der ist schon seit Jahrhunderten tot. Der kann niemandem gefährlich werden."

„Aber auf seiner Burg gibt es sicher jede Menge uralte Zauber. Manchmal kommt es vor, dass sie, wenn sie mit anderer Magie in Berührung kommen, mutieren und Dämonen hervorbringen. Könnte das nicht sein?"

Sieben erinnerte sich daran, dass der junge Magier im Wirtshaus in Krithon schon einen ähnlichen Vorschlag gemacht hatte. Doch damals wie heute sprach einiges dagegen.

„Erstens hätten wir einen so mächtigen Dämon schon lange gespürt, wenn er in der Nähe wäre", erwiderte Kassandra, „außer vielleicht er hätte sich gänzlich an Materie gebunden, aber dann hätte er uns, um den Nebel zu wirken, die ganze Zeit über folgen müssen. Zweitens mutieren selbst die ältesten Zauber nicht einfach nur so. Etwas muss das ausgelöst haben."

Otto gab noch nicht auf. „Was ist mit Jannis de Meijer? Er war doch mit Nadine auf der Krähenburg …"

„Richtig, aber das war, wie du dich sicher erinnern kannst, Jahre, nachdem die Selbstmorde angefangen haben, und Monate, nachdem Sechsundzwanzig verschwunden ist. Jannis de Meijer kann mit der Sache also nichts zu tun haben … was nicht heißt, dass wir nicht auch ihm auf der Spur bleiben sollten."

Sieben seufzte innerlich.

Nach allem, was wir gerade erlebt haben, will sie immer noch die Jagd nach der Liga fortsetzen. Sie ist genau so stur wie ihr Vater.

„Auf jeden Fall haben wir es, so wie die Dinge stehen, mit einem ziemlich gefährlichen Dämon zu tun", bemerkte er „vermutlich eine Fünf oder mehr auf der Gefahrenskala für Energiewesen. Vielleicht sollten wir Verstärkung anfordern."

Kassandra schien etwas Ähnliches zu überlegen, doch Sieben sah, wie sie mit sich rang.

Es ist ihr erster Auftrag. Ihr Stolz verbietet ihr wahrscheinlich so früh schon um Hilfe zu bitten.

Genau so war es auch.

„Untersuchen wir die Sache noch etwas", meinte sie schließlich, „wir werden nicht mehr direkt in den Wald gehen, aber wir sollten noch die Umgebung erforschen. Vor allem die Krähenburg und den Rest des Tales."

Sieben sah ein, dass das wohl unter den gegebenen Umständen die vernünftigste Lösung war, und sie beschlossen nach ihrer Rückkehr den Tag wie geplant mit der Befragung der Leute in Oslubo fortzusetzen. Der Himmel wurde langsam bewölkt, und für einen umständlichen Ausflug hinauf zur Krähenburg war es vermutlich ohnehin bereits zu spät, wenn sie vor Einbruch der Dunkelheit zurück sein wollten. Der Rückweg zog sich hin, doch er war recht angenehm, um sich von der Aufregung zu erholen. Ihre Rucksäcke hatten sie bei der Kapelle zurücklassen müssen, doch als Sieben in seine Hosentasche griff, stieß er auf etwas, das er fast vergessen hatte.

Die Halskette ...

Offensichtlich hatte sie jemandem gehört, der in dem Wald den Tod gesucht hatte, doch irgendetwas an ihr war ihm bekannt vorgekommen. *Bunte, falsche Perlen ... wo habe ich die schon einmal gesehen?* Als sein Blick Noah streifte, fiel ihm auch ein, was.

„Sie haben doch auch so eine!", entfuhr es ihm.

Noah sah sich verwirrt zu ihm um und sah sich die Kette näher an. „Stimmt, so ähnlich. Sie hängt in meinem Auto."

„Und wo haben Sie die her?"

„Das ist eigentlich eine von Svens kleinen Kuriositäten. Er lebt in Oslubo und ist ein ziemlich geschickter Bastler, er repariert so ziemlich alles hier. Er arbeitet in dem Sägewerk und ist ein guter Freund von Yaron, dem Sie ja schon begegnet sind." Er lächelte schief. „Ich glaube, jeder Zweite im Dorf hat eine von denen."

Ach so. Schade. Er hatte gehofft, dass sie ihm zumindest irgendeinen Anhaltspunkt auf den ursprünglichen Besitzer hätte liefern können, aber wenn so viele Leute sie besaßen, war das natürlich sinnlos.

Sie waren schon in der Nähe des Talausgangs, als ihm plötzlich aus dem Augenwinkel etwas auffiel. Ein Schatten über ihnen, kaum sichtbar auf einem der Plateaus und halb hinter einem Baum. Der Umriss eines Menschen. Groß, breit und irgendwie bedrohlich. Er schien sie zu beobachten, wie sie den Weg entlanggingen. Doch kaum dass Sieben in seine Richtung gesehen hatte, war er auch schon wieder verschwunden. Wer immer das gewesen war, Sieben war sich ziemlich sicher, dass es dieselbe Person war, die sie schon bei ihrer Abreise in Krithon beobachtet hatte. Aber wer konnte das sein? Plötzlich kam ihm ein seltsamer Gedanke.

Könnte das ... vielleicht Nummer Sechsundzwanzig sein? Ist er etwa noch am Leben?

Es war unwahrscheinlich, wieso sollte er sich ihnen in dem Fall zum Beispiel nicht einfach zeigen? Aber wer immer der Unbekannte war, Sieben hatte das ungute Gefühl, dass er nicht auf ihrer Seite war.

10.

Zurück in Oslubo beschlossen sie, nicht näher auf ihr Abenteuer
einzugehen, sie einigten sich lediglich auf Anregung Kassandras
darauf, die anderen Einwohner des Dorfes darüber zu informieren,
dass der Wald im Tal des Iphikles bis auf Weiteres gesperrt war.
„Nicht, dass es da sonst so viele Leute hinzieht", meinte Noah, doch
er stimmte der Magierin zu, dass diese Maßnahme dringend
notwendig war. Um den Rest des Tages noch effektiv nützen zu
können, beschlossen sie sofort mit den Befragungen zu beginnen.
Während Kassandra und Otto sich bei den verschiedenen Leuten im
Dorf nach Inquisitor Nummer Sechsundzwanzig und Jannis de Meijer
erkundigten, sollte Sieben zuerst noch einmal Noah und Nadine ein
paar Fragen stellen, vor allem um herauszufinden, wie ihre Beziehung
zu den de Meijers nun wirklich aussah.
Es war ihm unangenehm, sie nach so einem für sie sicher
traumatischen Erlebnis auch noch in die Zange nehmen zu müssen,
doch beide machten in dieser Hinsicht keine Probleme. Zumindest in
Bezug auf ihre Verbindung zu Jannis und Zacharias gab es keine
Überraschungen. Ohne etwas zu beschönigen, bestätigte Nadine die
Geschichte, die ihnen schon Yaron erzählt hatte.
„Ich war dumm", gestand sie, während sie Sieben gegenüber an
demselben Tisch saß, an dem sie am Morgen gefrühstückt hatten,
„und … na ja, auch etwas neugierig. Hier ziehen nur sehr selten Leute
her, und Jannis war an der Oberfläche ein netter, gutaussehender Kerl.
Er ging genau wie ich gerne lange in den Wäldern spazieren und
interessierte sich für die Krähenburg."
Sieben zögerte kurz.
Zacharias hat gemeint, Jannis wäre mit ihr in der Burg gewesen und
wäre über irgendetwas entsetzt gewesen. Soll ich sie fragen, was es
damit auf sich hat?
Schließlich beschloss er sie ganz direkt darauf anzusprechen. Nadine
wirkte einen Moment lang perplex. Dann seufzte sie.

167

„Tja, ja, schon möglich, dass ich ihn erschreckt habe. Die Krähenburg ist nun mal kein Rummelplatz. Ich habe mich schon an die Dinge, die man da drinnen findet, einigermaßen gewöhnt. Aber für ihn war es dann wohl doch zu viel."

„Was waren das denn zum Beispiel für Sachen?"

Nadine errötete.

„Na ja … also … hm … Es gibt da ein ziemlich … romantisches Plätzchen, zumindest finde ich das. Durch die Burg fließt von der Bergseite her ein kleines Bächlein, und das mündet in ein künstlich angelegtes Becken im Keller. Ich wollte dort gemeinsam mit ihm … ein … na ja … ein kleines Bad nehmen." Sie schien bei jedem Wort zusammenzuschrumpfen.

Sieben legte den Kopf schief. „In der Krähenburg? Im Keller, von dem es heißt, dass es dort spukt, dass überall Abwehrzauber sind und dass dort früher hunderte von Menschen gefoltert und getötet wurden?" Nadine schüttelte heftig den Kopf und wurde noch röter.

„Nein! Also, ja, vermutlich schon, aber nicht dort! Der Raum war mit magischen Schilden geschützt, aber ich kannte einen Geheimgang dort hinein. Dort gab es nichts dergleichen, und eigentlich war es dort richtig schön! Vor dem Becken gibt es eine offene Arkadenreihe, von der aus man das ganze Tal wunderbar im Blick hat. An den Säulen wachsen Rosenbüsche und überall hängen schöne Gemälde. Na ja, ein bisschen verblasst sind sie schon, aber es ist trotzdem ein nettes Plätzchen!" *Rosenbüsche? Entweder hat sie einen komischen Geschmack oder sie lügt mich aus irgendeinem Grund an.*

Er selber konnte sich jedenfalls nicht vorstellen, dass der berühmte Schlächter Waldemar Blaukrähe irgendwo in seinem Folterkeller eine kleine Lustlaube angelegt hatte, auch wenn er offenbar eine poetische Ader gehabt hatte.

Und wie überleben dort überhaupt Rosen?

Aber es gab wichtigere Fragen. „Was hat Jannis dann so erschreckt?"

168

Nadine zuckte bekümmert mit den Achseln. „Eigentlich war es nur eine Kleinigkeit. Wir hatten es gerade eigentlich ganz nett ... na ja, aber dann war ich ein bisschen ungeschickt und habe einen der Abwehrzauber ausgelöst. Es ist nichts Schlimmes passiert!", bemühte sie sich auf Siebens kritischen Blick hin zu versichern. „Es sind ein paar Funken geflogen und es gab einen lauten Knall, aber er hat sich plötzlich aufgeführt, als hätte er einen Geist gesehen."

„Und dann ist er ganz plötzlich einfach verschwunden?"

Nadine nickte und sah dabei ein wenig traurig aus.

„Er hat mich einfach stehen lassen. Ich weiß nicht, was ihm solche Angst gemacht hat, aber er hat nur plötzlich irgendetwas gesagt wie: „Sie waren hier, sie sind wahrscheinlich ganz in der Nähe!" Er hat richtig panisch gewirkt. Und ein paar Tage später ist er dann mit Sophie herumstolziert. Elender Bastard."

Sie klang verbittert.

Sie ist natürlich wütend auf Jannis ... aber was hat ihn dort wirklich so erschreckt? „Sie sind wahrscheinlich ganz in der Nähe" ... Was hat das zu bedeuten?

Um das herauszufinden, gab es nur zwei Möglichkeiten: Entweder selber in der Burg vorbeischauen und Nachforschungen anstellen oder Jannis finden und ihn fragen. Und da Jannis immer noch verschollen war, schien es offensichtlich, was derzeit die einfachere Option war.

„Du bist immer noch der Meinung, dass du uns in der Krähenburg herumführen könntest?", erkundigte er sich vorsichtig.

Nadine nickte. „In großen Teilen schon. Überall komme ich natürlich auch nicht hin, weil ich die Schilde und Abwehrmechanismen nur fühle, aber nicht ausschalten kann. Aber ich kann euch überall hinbringen, wo ich sonst auch bin. Habt ihr euch denn schon entschieden, wo ihr morgen zuerst vorbeischauen wollt?"

Sieben dachte nach.

Es klingt schon interessant. Aber eigentlich sollten wir uns ja mehr auf das Verschwinden von Nummer Sechsundzwanzig konzentrieren als auf das von Jannis. Und dieser Zacharias ist der Einzige, der bisher zumindest irgendetwas über den Inquisitor gesagt hat. Solange wir also nicht in den Wald zurückkehren wollen, wird er unsere beste Option sein.

Er zuckte mit den Achseln.

„Ich denke, das wird Meisterin Kassandra entscheiden. Aber ich persönlich tendiere eher dazu, zuerst im Tal des Darineus vorbeizuschauen."

Nadine wirkte überrascht.

„Tatsächlich? Nach allem, was im Wald passiert ist? Warum?"

„Wegen diesem Zacharias. Selbst, wenn er uns eine Menge Blödsinn erzählt, kann er uns vielleicht mehr zu Nummer Sechsundzwanzigs Verschwinden erzählen. Außerdem könnte ich bei der Gelegenheit bei diesem Grottengeist vorbeischauen."

Nadine wirkte nachdenklich.

„Ist etwas?"

Die junge Frau schüttelte den Kopf. „Nein, aber …" Sie zögerte kurz, dann lächelte sie ein wenig entschuldigend. „Na ja, so seltsam das klingt, ich mache mir um den Alten Mann in der Grotte Sorgen. Sie wollen ihm doch nichts antun, oder?"

Sieben schüttelte den Kopf.

„Das hätte ich nicht vor, wenn er sich uns gegenüber auch friedlich verhält. Wie ist er denn dir gegenüber?"

Nadine lächelte. „Immer freundlich. Als ich noch ein kleines Mädchen war, bin ich mehrmals in der Woche bei ihm gewesen. Er hat mich sogar ein paar Mal dort übernachten lassen. Auch mit Noah und dem Rest vom Dorf hat er sich gut verstanden. Viele Fremde haben am Anfang Angst, weil sie einem Dämon nicht vertrauen. Aber der Alte Mann in der Grotte hat nie jemandem etwas zu Leide getan."

„Ist er denn mächtig?"

Nadine zuckte mit den Achseln. „Das weiß ich nicht. Ich meine, ich schätze schon, immerhin hat er früher im Tal des Darineus ziemlich beeindruckende Sachen gemacht. Einmal hat er sogar eine große Schlammlawine aufgehalten, die sonst wahrscheinlich das halbe Dorf weggerissen hätte."

Das klingt tatsächlich ziemlich beeindruckend.

„Früher? Macht er das jetzt nicht mehr?"

„Er ist schon sehr alt. Ich weiß nicht, vielleicht wird er schwächer?" Sieben dachte nach. „Als Energiewesen sollte ihm das eigentlich nichts ausmachen … hat er denn einen Körper? Wie sieht er überhaupt aus?"

Nadine schüttelte den Kopf. „Er zeigt sich nur selten direkt. Und wenn er es tut, bleibt er lieber auf Distanz. Das Einzige, was ich sagen kann, ist, dass er nicht sonderlich gut riecht. Irgendwie … verschimmelt."

Aha, das heißt dann wohl, dass es ein Geist ist, der an einen menschlichen Körper gebunden ist.

„Und wie steht er mit dem Darineus in Verbindung?"

„Er kann ihn kontrollieren. Einmal hat er zu mir gesagt, dass der kleine Fluss für ihn wie ein dritter Arm ist."

Sieben ging in seinem Kopf alle Energiewesen durch, die er kannte, aber das klang tatsächlich außergewöhnlich.

Ein Körper, aber trotzdem mit der Kontrolle über verschiedene Elemente in seiner Umgebung.

Die Frage war wohl, ob der Geist zu dem Körper gehörte oder ob er nur von ihm Besitz ergriffen hatte.

Wahrscheinlich Letzteres. Er muss irgendwie mit dem Körper und dem Fluss eine Verbindung haben. Vielleicht hat es mit der Burg zu tun. Wenn der Grottengeist wirklich so alt ist, könnte er schließlich auch mit einem Zauber von Blaukrähe oder einem seiner Schüler zusammenhängen.

Die Sache klang auf jeden Fall interessant, war aber für die Frage nach dem Verbleib von Nummer Sechsundzwanzig und Jannis wahrscheinlich nicht wirklich von Bedeutung.

Nach Nadine befragte er auch noch ihren Bruder, doch Noah konnte ihm nicht viel mehr Auskunft geben. Er beschrieb ihm auf der Karte genau den Weg zum Haus der de Meijers.

„Es ist ein ziemlich großes Gebäude, aber gut versteckt. Zacharias war schon immer ziemlich … exzentrisch, aber seit sein Sohn verschwunden ist, hat sich das noch verstärkt. Er täte mir ja leid, aber seine ständigen Beleidigungen und Anschuldigungen gehen mir auf die Nerven. Und Jannis war überhaupt ein Unruhestifter, ohne den alle besser dran sind. Was immer der Alte quasselt, glauben Sie ihm jedenfalls kein Wort."

Sieben dankte ihm für die Auskunft und setzte sich nachdenklich auf eine Bank vor der Herberge. Vor ihm lagen der weite Hauptplatz und dahinter die Allee, durch die die Talstraße führte. Jetzt blieb ihm nur noch darauf zu warten, dass Kassandra und Otto zurückkamen. *Hoffentlich versteift sie sich bei ihren Befragungen nicht wieder so furchtbar auf die Liga.*

Natürlich erklärten der Verlust ihrer Finger und der Wunsch, sich gleich bei ihrem ersten Einsatz vor dem Orden und ihrem Vater zu beweisen, warum sie so versessen darauf war, die Organisation zu jagen. Unter anderen Umständen hätte Sieben ihr gerne dabei Gesellschaft geleistet. Aber egal, was Zeus auch davon halten mochte, das Verschwinden von Sechsundzwanzig war doch keine Kleinigkeit. Sieben hatte schon vor seinem eigenen Beitritt bei der Inquisition mehrmals von ihm gehört, er hatte den Ruf eines der mächtigsten Magier des Ordens gehabt. Er war allerdings ziemlich aufbrausend gewesen und hatte sich seinen Platz in der Inquisition verdient, indem er immer wieder Gegner, die ihn in seinen Augen beleidigt hatten, zu Duellen herausgefordert hatte. Und nachdem ein Zauberer zu viel in einem dieser höchst illegalen Kämpfe sein Leben gegen ihn verloren hatte, war er dazu gezwungen worden, die Maske anzunehmen. *Wenn so jemand einfach verschwindet, muss mehr dahinterstecken.* Irgendwie konnte er sich nicht vorstellen, dass die Liga ihn erwischt hatte, selbst wenn der Organisation auch schon ähnlich starke Zauberer zum Opfer gefallen waren. Er erinnerte sich an den Schattenmann, auf den er vorhin erneut einen Blick erhascht hatte, und überdachte noch einmal die Möglichkeit, dass es sich dabei um den verschwundenen Inquisitor handeln könnte. Sieben war ihm nie persönlich begegnet, doch auf den Bildern hatte er recht groß gewirkt. *Wenn er es denn wirklich ist, wieso ist er dann seit Monaten verschwunden und versteckt sich? Ist er vielleicht auf der Jagd nach der Liga? Aber wieso hängt er dann seit fast einem Jahr in diesem Tal herum?*

Das Ganze ergab keinen Sinn, trotzdem beschloss er die Möglichkeit weiter in Betracht zu ziehen.

Dieser Fall wird immer komplizierter.

Während er wartete, zog er seinen geliehenen Degen und legte ihn auf seinen Schoß. Bei den Trainingskämpfen am Vorabend gegen Otto hatte die Waffe ihm trotz ihres Zustandes gute Dienste geleistet. Er war den Trainingsdegen im Orden nicht unähnlich, schmucklos, einfach und natürlich gebraucht. Die Waffen vieler seiner Kollegen sahen ganz unterschiedlich aus. Sie hatten in einem gewissen Umfang sogar Charakter.

Gesslers Degen war eine Waffe für den Krieg, simpel, ein bisschen grob vielleicht, aber in erster Linie praktisch. Der von Kassandra war nicht unähnlich, nur ein wenig kürzer und vielleicht eine Spur eleganter. Die Waffe von Richard Zeus war ein reines Prestigeobjekt, Sieben hatte ihn oft genug aus der Nähe gesehen. Kunstvolle Verzierungen am Griff, statt einer einfachen Parierglocke ein Kranz aus mehreren, ineinander verschlungenen Stäben in verschiedenen Formen und eine Klinge, die nicht von einem einzigen Kratzer verunziert wurde.

Bombastisch und oberflächlich wie sein Besitzer, gestattete er sich einen Moment lang gehässig zu denken. Während der Inquisitor seinen eigenen Degen musterte, kam ihm trotzdem der Gedanke, dass diesem hier ein wenig Pflege vermutlich nicht schaden würde. So verbrachte er die nächste halbe Stunde damit, mit Öl, Wasser und einem Lappen dem Schmutz und dem trüben Eisen an den Kragen zu gehen. Danach sah er merklich besser aus. Als Sieben sich jedoch dem Zauberstab zuwandte, bezweifelte er ernstlich, dass er hier ein ähnliches Ergebnis erzielen konnte.

Was beim Licht hält diesen abgebrochenen Ast überhaupt noch zusammen?

Dass der Stab voll funktionstüchtig war, daran zweifelte er nicht, denn er konnte die Kraft der auf dem Holz liegenden Zauber schon pulsieren spüren, wenn er sich der Energie nur ein wenig öffnete. Trotzdem, ein paar Jahrzehnte hatte dieser Stab schon mindestens auf dem Buckel, und wer immer sein voriger Besitzer gewesen sein mochte, hatte ihn in den letzten Jahren seines Lebens mit Sicherheit nicht besonders gut gepflegt. Da er selber keinen Zauberstab besaß, traute Sieben sich auch nicht zu versuchen diesen hier zu reparieren. Ein falsch verzauberter Stab konnte verheerende Folgen haben und ein kleiner Fehler von seiner Seite könnte unter Umständen schon eines der Siegel auf der Magie lösen, wonach vermutlich weder von ihm noch von der Herberge hinter ihm sonderlich viel übrigbleiben würde. Und eigentlich hatte er darauf nicht wirklich Lust. Kurz hielt er inne.

Gestern noch hast du gedacht, es wäre das Beste, wenn du mit dem Gesicht nach unten im Chorena treiben würdest, weil du dann deine Probleme los wärst. Was hat sich geändert?

Eigentlich nicht viel. Außer dass er jetzt eine klare Aufgabe vor Augen hatte. Dann fiel ihm noch etwas ein. Gestern vor dem Schlafengehen hatte er seine Maske nicht abgelegt. Heute Früh war ihm das gar nicht aufgefallen. Zum Teil lag das sicher daran, dass er zunächst unfreiwillig eingeschlafen war, aber er hatte auch danach nicht daran gedacht, sie abzunehmen.

Man gewöhnt sich wohl wirklich an alles.

Schulterzuckend steckte er den Zauberstab zurück an seine Seite und lehnte sich zurück. Besonders warm war es nicht, aber der Ausblick auf die umliegenden Berge gefiel Sieben gut. Es gab auch kaum Lärm, von dem Sägewerk, welches sich am gegenüberliegenden Ufer befand, hatte er seit seiner Ankunft kaum etwas gehört. Auch schienen sonst wenige Leute unterwegs zu sein. Zum Teil mochte das daran liegen, dass sie versuchten den Neuankömmlingen aus dem Weg zu gehen, oder daran, dass während der Ligakrise offenbar ein erstaunlich großer Anteil der Leute hier woandershin geflohen war. Doch dass es so ruhig sein würde, damit hatte er nicht gerechnet. Sieben genoss die Ruhe.

Als Kassandra und Otto endlich wieder in der Herberge ankamen, besprachen sie ihre Ergebnisse. Im Prinzip gab es keine großen Überraschungen, die meisten waren der Meinung, dass Zacharias de Meijer nicht mehr alle Tassen im Schrank hatte, dass Jannis allerdings tatsächlich verschwunden war. Und die meisten Leute schienen darüber ziemlich erleichtert zu sein.

„Dass er etwas mit der Liga zu tun hat, darin scheinen sich so gut wie alle einig zu sein", meinte Kassandra, „aber wenn es um Sechsundzwanzig geht, sind die Leute ratlos."

„Kein Wunder", bemerkte Otto, „der ist ja auch schon gut ein Jahr lang weg. Jannis fehlt erst seit ungefähr drei Monaten."

„Und wie gehen wir weiter vor?", erkundigte sich Sieben.

Kassandra dachte nach. „Sowohl die Burg als auch Zacharias de Meijer könnten aufschlussreiche Quellen für uns sein. Aber sofern der Alte sich morgen nicht wieder in aller Früh nach Oslubo verirrt, dürfte es schwierig sein, beide Orte an einem Tag zu erreichen. Laut Noah wohnen die de Meijers ganz hinten im Tal in der Nähe der Grotte, und es gibt keinen Weg von einem Tal in das andere, außer an der Kreuzung der beiden Flüsse."

„Könnten wir uns nicht einfach aufteilen?", fragte Otto.

Kassandra schüttelte bestimmt den Kopf. „Können wir nicht. Erstens glaube ich einfach nicht, dass die Krähenburg so harmlos ist, dass einer von uns alleine da hineinspazieren sollte, egal was Nadine sagt. Andererseits wissen wir nicht, ob uns nicht irgendwo die Liga auflauert. Uns außerhalb von Oslubo für einen längeren Zeitraum zu trennen erscheint mir zu riskant, aber … ich persönlich würde es für klüger halten, morgen erst einmal mit Zacharias zu reden. Nadine kann uns übermorgen immer noch alle gemeinsam in die Krähenburg bringen, und wenn der Alte uns irgendetwas erzählt, mit dem wir nicht gerechnet haben, müssten wir womöglich noch einmal dorthin. Besser ist es, wir haben vorher alle Informationen und sehen uns die Burg dann einmal gründlich an."

Sieben war erleichtert, dass sie in diesem Fall einer Meinung waren. Ihre Besprechung dauerte noch eine ganze Weile und schließlich begann es zu dämmern. Sieben hatte nicht wirklich das Gefühl, dass sie durch die Fragerei in Oslubo weitergekommen waren, aber zumindest hatte sich das Bild, das sie zu Beginn von der Lage in Oslubo gewonnen hatten, ein wenig geklärt.

Zacharias' Aussagen und die Untersuchung der Krähenburg sollten uns ein ganzes Stück weiterhelfen. Und wenn wir wirklich wissen, wie das ganze Umfeld ist, können wir uns auch bestimmt um diesen seltsamen Nebel kümmern.

Als er wieder auf seinem Zimmer war, seufzte er müde und breitete die Karte der Täler vor sich auf dem Tisch aus.

Diese ganze Untersuchung wäre ein ganzes Stück einfacher, wenn die Wege nicht so weit wären. Alleine der Marsch zur Krähenburg dürfte über zwei Stunden dauern, und dann folgen erst noch die Untersuchungen. Und zum Haus der de Meijers soll es noch weiter sein!

Es war wirklich schade, dass niemand im Dorf einen guten Draht zu dem exzentrischen alten Mann zu haben schien. Kassandra hatte sich überall umgehört, ob es nicht einen Weg gab, ihn darum zu bitten, zu ihnen zu kommen, doch anscheinend besaß er weder ein Telefon noch einen Internetanschluss.

Wie ein Einsiedler. Aber wenn das, was die Leute über Jannis sagen, stimmt, ist es ihm wahrscheinlich gar nicht so unrecht, dass man ihn so schwer erreichen kann.

Sieben studierte noch eine Weile lang die verschiedenen Wege, die Noah ihm auf der Karte eingezeichnet hatte, dann lehnte er sich nachdenklich zurück. H2O löste sich von seiner Brust und rollte sich auf dem Tisch zusammen. Sieben musterte den kleinen Wassergeist lächelnd. Dann hatte er einen Einfall.

„Hey, könntest du mir einen Gefallen tun?"

H2O sah blinzelnd zu ihm auf.

„Du musst die Augen für mich offen halten. Dieser Schatten, der uns verfolgt … wenn du ihn wieder siehst, flitzt du sofort hin und findest heraus, wer das ist."

H2O verwandelte den Schwanz seiner Seepferdchenfigur in eine kleine Faust, legte den Kopf schief und wieherte fragend. Der Inquisitor schüttelte den Kopf.

„Auf keinen Fall, das könnte zu gefährlich sein. Ich will nur wissen, um wen es sich handelt. Dann können wir uns gemeinsam um ihn kümmern. Ich will ja nicht, dass dir wieder was passiert."

Der Wassergeist schnaubte und warf gekränkt den schmalen Seepferdchenkopf in den Nacken.

„Das weiß ich doch. Aber die beiden Typen am Ufer gestern haben dich auch erwischt. Stell dir vor, der Kerl mit dem Handschuh hätte dich, statt dich in eine Flasche zu sperren, einfach zerquetscht. Was mach ich denn dann ohne dich?"

H2O legte den Kopf schief, dann setzte er sich auf seine Schulter und schmiegte sich an Siebens Gesicht. Dabei war ihm allerdings die Maske im Weg und er hopste einen Moment lang irritiert vor ihm in der Luft herum. Schließlich schien der Wassergeist zu einem Entschluss gelangt zu sein, denn mit einem Mal löste er sich in einer kleinen Dampfwolke auf und legte sich wie eine Schicht zarten Morgentaues über seine Schnabelmaske, wo er augenblicklich festfror. Einen Moment lang lief dem Inquisitor ein eisiger Schauer über die Wangen.

„Das ist ziemlich ungemütlich", murmelte er, doch er spürte, wie sehr H_2O es dort gefiel, also erhob er keine weiteren Einsprüche.

Stattdessen stand er auf und ging zu dem Waschbecken und dem Spiegel in der Ecke des kleinen Herbergszimmers. Er musterte sein Erscheinungsbild mit H_2O auf seiner Maske.

Macht eigentlich keinen großen Unterschied ... es glitzert vielleicht ein bisschen mehr, wenn Licht darauf fällt.

Und noch etwas war anders. Mitten auf seiner Stirn prangte ein kleiner goldener Kreis. Nur wenn man ganz genau hinsah, erkannte man, dass es sich dabei um einen Ring handelte. Es war ein kleines Schmuckstück, welches H_2O zu jedem Zeitpunkt mit sich herumtrug, üblicherweise verbarg er ihn jedoch gut vor neugierigen Augen.

„Daran musst du noch arbeiten", bemerkte er. H_2O brauchte einen Moment, um zu begreifen, was er meinte, dann waberte kurz die Oberfläche auf seiner Stirn und zog den Ring weiter in ihr Inneres. Ein kleines Blitzen sah man immer noch, aber ansonsten war der Fleck nun weitgehend so trüb, dass niemand erahnen konnte, was sich unter der dünnen Eisschicht verbarg.

„Schon besser."

Plötzlich klopfte es an der Zimmertür. Als er öffnete, stand Otto draußen.

„Ähm ... Meisterin Kassandra hat gemeint, ich solle Sie fragen, ob Sie wieder Lust auf einen Trainingskampf hätten."

Siebens Laune sank sofort bei der Erinnerung an den Vorabend.

Früher habe ich Kämpfe immer genossen. Und jetzt graut es mir davor, weil es mich an ihn erinnert.

Er bemühte sich um ein Lächeln, bevor ihm einfiel, dass Otto es unter seiner Maske ohnehin nicht sehen konnte.

Na bitte, noch ein Vorteil.

„Tut mir leid, aber heute nicht."

Nach einer kurzen Pause fügte er hinzu. „Keine Sorge, es ist nicht wegen gestern. Morgen oder übermorgen können wir es gerne wieder versuchen. Nur heute … steht mir danach nicht der Sinn."

Otto nickte, offensichtlich gleichzeitig enttäuscht und erleichtert.

„Ist in Ordnung. Falls Sie noch etwas brauchen, Meisterin Kassandra und ich sind im Untergeschoss."

Damit verabschiedete er sich und Sieben war wieder alleine. Alleine in dem leeren Raum. Na ja, nicht ganz. $H2O$ war ja noch bei ihm. Wieder stellte der Inquisitor sich vor den Spiegel und betrachtete den kleinen goldenen Punkt an der Stirn seiner Maske. Stille war in letzter Zeit ein fast so gefährlicher Feind für Sieben wie die Liga oder ein Energiewesen. Seine Gedanken schweiften umher, und meistens in die Vergangenheit. Eine Vergangenheit, die er nicht haben durfte, aber der man nicht einfach sagen konnte, dass sie nicht existierte.

Reiß dich zusammen, schalt er sich.

Doch der goldene Punkt an seiner Stirn war ihm im Weg.

„Geh weg", murmelte er. Er spürte $H2O$s fragende Gedanken.

„Nein … nein, es ist nicht das … ich will jetzt einfach alleine sein, okay?"

Der Wassergeist war ein wenig verwirrt, doch er gehorchte sofort. Er löste sich von seiner Maske, wirbelte einmal in der Luft herum und verschwand in dem Flachmann auf Siebens Nachtkästchen. Doch die Stille, die zurückblieb, war nicht viel besser.

Ein Ring. Ein Symbol. Gestern der Kampf mit Otto und heute das. Dabei hatte ich doch gedacht, einfach eine neue Aufgabe zu haben würde mich genug ablenken.

Aber da hatte er sich wohl geirrt, es brauchte mehr. Etwas unter seinem Mantel schien zu brennen wie ein heißer Stein. Sein letztes, sein kostbarstes Besitztum neben dem Ring, alles, was ihm geblieben war. Immer und immer wieder hatte er es in den letzten Wochen und

Monaten begutachtet wie seinen heiligsten Schatz, und jedes Mal hatte er sich danach schlechter gefühlt als davor. Doch er konnte nicht anders. Nachdem der Inquisitor sich vergewissert hatte, dass die Tür verschlossen und niemand auf dem Gang war, zog er einen kleinen Fotoanhänger aus der Tasche. Einige Minuten lang ließ er die Kette des Anhängers nachdenklich durch seine Finger gleiten, als würde er versuchen den Moment, den er fürchtete und gleichzeitig herbeisehnte, hinauszuschieben. Doch immer wieder näherte sich sein Finger dem kleinen Knopf, der den Schnappmechanismus öffnete.

Keine Vergangenheit, kein Gesicht, kein Name, nur das Licht.

Bei der Inquisition zu sein hatte ihn gerettet. Es hatte ihm ein neues Leben gegeben. Er hätte einfach nur dankbar sein müssen für diese Gelegenheit. Sein Zeigefinger streifte den Knopf für den Öffnungsmechanismus, allerdings nicht fest genug, um ihn auszulösen. *Keine Vergangenheit, kein Gesicht ...*

Gessler hatte hart gekämpft, um ihm diese Möglichkeit zu geben. Er war einer der wenigen gewesen, die nach dem Fall des Prinzen nicht sofort die Todesstrafe für ihn gefordert hatten.

Keine Vergangenheit, kein Gesicht.

Und dann war da natürlich sie ... sie war noch da. Sie lebte noch. Trotz allem hatte er noch nicht die Hoffnung aufgegeben, dass sie eines Tages wieder mit ihm reden würde. Und vielleicht irgendwann sogar verzeihen, vergessen. Und dann konnte er sein Leben wiederhaben ... Sein Finger fuhr wieder über den Knopf, und dieses Mal fest genug, um den Deckel aufspringen zu lassen. Da waren sie. Ein Mann. Eine Frau. Ein fröhlicher, kleiner Junge. Ein ganzes Leben war der Moment her, und noch ein ganzes Leben hätte er darauf gewartet, um diese wenigen Sekunden wieder erfahren zu dürfen. Zu lächeln für die Kamera, während er sie im Arm hielt und ihn auf dem Schoß hatte. Der Inquisitor erinnerte sich daran, dass sie den Jungen, kurz bevor der Fotograf abgedrückt hatte, leicht in die Seite gestupst und gekitzelt hatte, weswegen auf dem Bild sein Mund leicht zu einem Lachen geöffnet war. Unter der Maske pressten zwei Lippen gegeneinander. Dann die Zähne. Er wollte das Bild verschließen, es wegsperren hinter die dünne Metallschicht, die das Foto von seinen Augen trennte, wie seine Augen von einer kalten Maske und den rubinroten Steinen von der Welt getrennt waren. Aber noch hatte er nicht die Kraft dazu. Sekunden und Minuten vergingen. Es dauerte, bis das Bild vor ihm langsam wieder an Bedeutung verlor. Bis er sich wieder die Realität ins Gedächtnis rufen konnte. Bis er langsam den Daumen auf die Rückseite des Verschlusses legen konnte. Und bis sich langsam das kalte Eisen der Bildabdeckung wieder über das Foto schob.

Keine Vergangenheit, kein Gesicht.

Die Inquisition war sein Leben.

Aber was für ein Leben war das? Ist mein ganzes restliches Leben, einfach nur von Ort zu Ort zu ziehen und gegen Ligisten und Energiewesen zu kämpfen? Bis ich alt und grau werde? Oder bis jemand einen Sekundenbruchteil schneller ist als ich?

Er machte sich keine Illusionen. Schon sehr lange war kein Inquisitor mehr an Altersschwäche gestorben. Man stieß immer früher oder später auf irgendeinen Gegner, der einem gewachsen war. Jeder Kampf, jede Auseinandersetzung war nur eine mathematische Formel, und irgendwann wurde man selbst als bester Magier das Opfer einer zu seinen Ungunsten eingetretenen Wahrscheinlichkeit, mochte sie auch noch so gering sein. Welchen Unterschied machte es da schon, ob dieser Fall früher oder später eintrat?

„Nein!", sagte er laut. „Hör damit auf!"

So konnte es nicht weitergehen. Was er brauchte, war ein Tapetenwechsel. Er musste hier raus.

Vielleicht doch zu einem kleinen Trainingskampf mit Otto?

Aber nein, das würde nur wieder dieselben Folgen haben wie beim letzten Mal. Er trat ans Fenster und sah hinaus. Der Himmel war dunkel, doch von dem angekündigten Gewitter war noch weit und breit nichts zu sehen. Vor ihm lag Oslubo, ruhig und still wie in der Nacht zuvor. Zumindest fast. Von irgendwoher drangen Stimmen an sein Ohr. Es handelte sich um ein Gewirr von Leuten, bei denen er nichts Genaueres verstehen konnte. Es dauerte einen Augenblick, bis dem Inquisitor einfiel, wo sie herkamen.

11.

Die fröhliche Runde bestand aus etwa zwanzig Leuten. Die meisten
von ihnen saßen um eine große, offene Feuerstelle, über der ein paar
von den Anwesenden an Spießen Maiskolben, Würstchen oder
Ähnliches grillten. Direkt neben der Feuerstelle befand sich jedoch ein
klassischer Gartengrill aus Edelstahl, an dem Yaron gerade mit einem
Bier in der Hand stand und gut ein halbes Dutzend Steaks wendete.
Irgendjemand erzählte einen Witz und mehrere Leute lachten. Erst als
der Inquisitor den halben Hang hinunter bis auf den Platz vor dem
Wohnwagen und dem kleinen Bungalow gekommen war, bemerkten
sie ihn.
„Hey! Inquisitor!", begrüßte Yaron ihn offenbar überrascht, aber
keineswegs unfreundlich. „Schön, dass Sie der Einladung gefolgt
sind! Ihre Kollegen wollten wohl nicht mitkommen?"
Er schüttelte den Kopf. Streng genommen hatte er auch keine Ahnung,
was er selber hier tat, aber alles war besser, als in seinem Zimmer
düsteren Gedanken nachzuhängen. Die meisten der Anwesenden
kannte er noch nicht, da er ja in der Herberge bei Nadine und Noah
geblieben war, während Kassandra und Otto die Befragungen
durchgeführt hatten, doch Yaron stellte ihn den Leuten der Reihe nach
vor. Die meisten von ihnen wirkten nicht feindselig, nur ein paar
schienen unter dem Blick seiner Rubinaugen ein wenig
zusammenzusinken.
Das musst du als Inquisitor gewohnt sein, sagte er sich.
Trotzdem war ihm gegenüber niemand offen unhöflich. Doch gerade
als er dem Letzten die Hand schütteln wollte, erstarrte er. Das Feuer
warf ein leicht gespenstisches Licht auf die Runde und die tanzenden
Schatten konnten trügen, doch für einen Augenblick meinte Sieben
den riesigen Schatten zu erkennen, der da vor ihm stand.
Der Beobachter aus Krithon! Der uns vorhin in das Tal gefolgt ist!
Wie versteinert blieb er einen Moment lang stehen.

„Ähm … ist etwas?", erkundigte sich der schwarzhaarige Mann leicht unsicher.

Sieben kam wieder zu sich. Der Unbekannte war in der Tat groß und ziemlich breit gebaut, aber das konnte natürlich auch Zufall sein. Der Mann wurde ihm von Yaron als dessen guter Freund Sven vorgestellt. Der Name erinnerte Sieben sofort an sein Gespräch mit Noah während ihrer Rückkehr aus dem Tal des Iphikles.

Er ist doch derjenige, der diese Perlenketten herstellt, die so viele Leute hier anscheinend haben.

Er zog das im Wald gefundene Exemplar, das er immer noch bei sich trug, aus der Tasche und zeigte es Sven.

„Die habe ich im Wald gefunden. Ist das eine von Ihren?"

„Ja, genau so eine", bestätigte der Hüne, als er sie sich genauer besah, „aber wem sie gehört, kann ich nicht sagen. Viele Leute hier haben eine davon."

Eine junge Frau winkte von der anderen Seite des Lagerfeuers gut gelaunt zu ihnen hinüber und deutete auf ihren Hals. Auch dort hing so eine bunte Kette. Sieben war ein wenig enttäuscht, aber eigentlich hatte er nichts anderes erwartet.

Die Identität des ursprünglichen Besitzers spielt wahrscheinlich auch keine Rolle.

Er schüttelte Svens ziemlich große Hand. Sein Händedruck war fest und seine Handflächen schwielig, der Inquisitor meinte sich entfernt daran zu erinnern, dass Noah erwähnt hatte, Sven würde im örtlichen Sägewerk arbeiten.

„Sagen Sie …", begann Sieben gedehnt, „kann es sein, dass ich Sie gestern in Krithon gesehen habe?"

Er beobachtete die Reaktion seines Gegenübers genau. Ein leichtes Zucken mit den Ohren, ein Blick in eine bestimmte Richtung, alles konnte ihm einen Anhaltspunkt dafür geben, ob man ihn anlog. Doch nichts davon konnte er erkennen, nur milde Überraschung.

„Nein, ich glaube, da irren Sie sich. Ich habe das Dorf schon seit Wochen nicht mehr verlassen."

Falls er wirklich log, tat er das sehr gut, aber Sieben war sich mittlerweile ziemlich sicher, dass sein Schrecken vorhin unbegründet war.

Man bot ihm einen Platz am Feuer an, drückte ihm einen Teller in die Hand und schaufelte ihm alles Mögliche darauf, von Fleischnuggets und Fischstäbchen über Kartoffelsalat, Pommes, allen möglichen Saucen und mehreren Broten. Es war nicht ganz einfach, jedes Mal seine Maske ein Stück anzuheben, wenn er einen Bissen zu sich nehmen wollte, doch nach einer Weile musste er zugeben, dass er sich nicht mehr ganz unwohl fühlte. Ein paar Leute waren sogar neugierig genug, ihn nach seinen Aufgaben und bisherigen Erlebnissen bei der Inquisition zu befragen. In diesen Fällen musste er jedes Mal erklären, dass es sich bei ihrer derzeitigen Mission um seinen ersten Auftrag handelte und er über seine Vergangenheit vor der Inquisition nicht reden durfte, doch die meisten wurden gleich darauf neugierig und erkundigten sich nach seinen Begleitern, und besonders nach Kassandra.

„Ich habe ja gehört, sie soll die Tochter vom Großmeister sein, stimmt das?", fragte Sven neugierig.

Sieben schüttelte den Kopf. „Nein, sie ist die Tochter von Konrad Gessler, dem Obersten Inquisitor. Aber der sitzt mit Richard Zeus, dem Großmeister, im Hohen Rat in Morkada."

Ein paar der Anwesenden pfiffen beeindruckt.

„Das heißt, ein Inquisitor sitzt also auch im Hohen Rat, oder wie?"

„Nein. Gessler ist selber kein Inquisitor, der Titel verwirrt aber viele. Sein Job ist es, uns mehr oder weniger auf die Finger zu schauen, damit wir keinen Blödsinn machen."

Ein paar lachten.

„Und diese Kassandra", hakte Sven mit einem schalkhaften Blitzen in den Augen nach, „… ist die vergeben oder noch Single?"

„Ähm …" Sieben war von der Frage einerseits perplex, andererseits wusste er jedoch auch die Antwort nicht und der metallene Klang seiner Maske verlieh seinem ratlosen Laut einen so seltsamen Klang, dass ein paar in der Runde kurz auflachten. Yaron wandte sich grinsend an seinen Kumpel.

„Wieso fragst du die Kleine nicht selber? Oder bist du dafür zu schüchtern, hä?"

Sven hatte sich gerade eine neue Bierdose aus der nahestehenden Kiste genommen und ließ sie mit einem lauten Zischen aufschnappen, bevor er breit grinsend antwortete: „Na hey, aber wenn sie beleidigt ist und mich in einen Frosch verwandelt?"

„Dann wärst du auch nicht viel hässlicher, als du eh schon bist!"

Die Runde lachte. Die Nacht war kalt und ganz in der Ferne meinte Sieben das Donnern eines fernen Gewitters zu hören, aber das Feuer wärmte gut. Wäre Sieben nicht selbst dort gewesen, hätte er nie glauben können, dass die Leute in Oslubo ihm und den anderen Magiern einen Tag vorher noch so verhalten gegenübergestanden hatten, und Yaron war ein äußerst freundlicher Gastgeber.

Wahrscheinlich ist es, wie der Wirt gesagt hat: Man muss ihn zuerst kennenlernen.

Nach einer Weile zog Yaron aus einer kleinen Plastiktüte etwas hervor, das wie eine kleine, etwas dickere und ziemlich verschrumpelte Chilischote aussah.

„Na?", fragte er in herausforderndem Ton und sah in die Runde. „Fühlt sich jemand heute mutig genug?"

Sven stöhnte. „Vergiss es. Nach dem letzten Mal hatte ich zwei Tage lang das Gefühl, mein Magen wäre eine glühend heiße Bleikugel."

Yaron lachte. „Feigling. Wie steht's mit Ihnen, Inquisitor?"

Sieben wusste, was er da vor sich hatte, nämlich eine der schärfsten Chilischoten der Welt. Mit einem Mal spürte er, wie sich ein spitzbübisches Grinsen auf seine Züge schlich.

Wenn der arme Kerl nur wüsste …

„Warum nicht … ich bin dabei", meinte er.

Die Menge grölte anerkennend. Yaron grinste.

„Sind Sie sicher, dass Sie wissen, was Sie da tun, Herr Inquisitor? Nichts für ungut, aber die Dinger haben mehr Feuer, als Sie vielleicht glauben."

Das wäre vermutlich wirklich schmerzhaft, wenn ich nicht meinen Geschmackssinn und meine Nervenenden auf der Zunge zu neunzig Prozent vor Jahren schon verloren hätte.

Von all den Dingen, die er zuvor gegessen hatte, hatte er so gut wie nichts schmecken können. Früher hatte ihn das deprimiert, aber mittlerweile hatte er sich daran gewöhnt und konzentrierte sich stattdessen mehr auf Geruch und Konsistenz. Vermutlich wäre es fairer gewesen, seinem Gegner in Bezug auf seinen Vorteil eine Warnung zu geben, doch der schwere Knoten, den er zuvor in seiner Brust gespürt hatte, war verschwunden und er konnte spüren, dass ihm ein wenig danach war, etwas Spaß zu haben. Also zuckte er stattdessen nur mit den Achseln und meinte: „Und ich glaube, ihr wisst alle nicht, wie viel Schmerzen ein Inquisitor verträgt. Ein paar kleine Paprika sind da ein Kinderspiel."

„Ooooh", machte Sven, „das klingt nach einer ganz schönen Herausforderung, Yaron. Ich glaube, der Inquisitor will's wirklich wissen."

„Na dann immer herangetreten!", erwiderte Yaron, immer noch recht selbstsicher und hielt die Tüte mit den Schoten vor sich ausgestreckt. Sieben stand auf und nahm eine der in der Verpackung befindlichen Chilischoten am Stängel. Auch Yaron nahm sich eine und wog sie in den Fingern.

„Na dann, fangen wir an. Und gut kauen, sonst gilt's nicht! Moment, wo sind die Gläser und der Kübel? Nichts für ungut, aber ich mag's irgendwie nicht, wenn man mir direkt vor die Haustür kotzt."

Das Geforderte wurde herangetragen, Sven hielt einen großen Krug Milch in der Hand und schien neugierig zu sein, wer von ihnen beiden den Sieg davontragen würde.

„Na dann …", meinte Yaron, „legen wir los!"

Sieben hob die Maske ein Stück an und biss die Schote in der Mitte durch. Es stimmte, dass er kaum noch Geschmack oder Gefühl auf seiner Zunge hatte, doch schon nach wenigen Kaubewegungen spürte er, dass ihm die Hitze zu Kopf stieg. Es war nicht besonders schmerzhaft, aber genug, um zu wissen, dass Yaron gerade ziemliche Qualen leiden musste. Sieben sah ihn an. Der kaute gründlich und schluckte hinunter, anscheinend noch einigermaßen fit, aber schon mit offenem Mund atmend und merklich rot im Gesicht.

„Scheiße", sagte er, „ich hatte nicht daran gedacht, dass ich ja gar nicht sehen kann, ob der Inquisitor Schmerzen hat oder nicht."

Sieben zuckte locker mit den Achseln.

„Jaja, die alberne Maske hat auch ihre Vorteile. Aber es stimmt schon, das ist doch recht würzig."

Er nahm die zweite Hälfte in den Mund, kaute scheinbar genüsslich, griff dann in die Tüte und zog die nächste Schote hervor, die er, wie um ihm zuzuprosten, vor Yaron in die Höhe hielt. „Wollen wir?"

Es war offensichtlich, dass Yaron eigentlich vorgehabt hätte, eine kurze Pause vor der nächsten Schote einzulegen, und dieser Umstand war nicht nur dem Inquisitor aufgefallen.

„Oh-oh", bemerkte Sven grinsend. „Sieht so aus, als würde der Zauberer sogar noch mehr vertragen als du, Kumpel."

Yaron schnaubte trotzig. „Das wollen wir erst einmal sehen."

Beide bissen in die nächste Schote. Sieben musste gestehen, dass er jetzt lieber aufgehört hätte. Geschmack hin oder her, sein Magen und sein Hals würden vermutlich in Kürze höllisch wehtun. Aber eine kleine Stimme in seinem Kopf begrüßte jede Ablenkung von dem Gedanken an die Stille, die ihn auf dem Zimmer erwartete, und verlangte nach Nervenkitzel.

Für die Inquisition, dachte er grinsend und schluckte die zweite Hälfte der Schote hinunter. Yaron hustete.

„Na, schon genug?", fragte Sieben und gab sich dabei Mühe, seine Stimme so gleichgültig wie möglich klingen zu lassen.

„Ach was!", knurrte der zur Antwort. „Ich hab mich nur … huh! … pfhh … ich hab mich nur an einem Kern verschluckt, das ist alles!"

„Na dann", sagte Sieben und hielt ihm die nächste Schote hin, „kannst du ihn gleich hiermit runterspülen."

Yaron sah ihn mit tränenden Augen an und in seinem Blick lag eine Mischung aus Fassungslosigkeit, Bewunderung und wütendem Trotz.

„O. k. … o. k. … klar … immer her damit." Er biss in die Schote. Sieben kaute lässig auf der seinen. Dann warf Yaron mit einem Mal das Päckchen weg, griff mit beiden Händen hastig nach dem Milchkrug und begann in langen, gierigen Zügen zu trinken. Nachdem der Krug halb leer war, hielt er inne, griff dann genauso schnell nach dem Kübel und erbrach sich geräuschvoll in ihn. Die Umstehenden lachten.

„Sieht glatt so aus, als wäre der Inquisitor eine ganze Ecke härter als du!", grinste Sven.

„Halt dein Maul und bring mir mehr!", keuchte Yaron. „Milch, Wasser, mir egal!"

Es dauerte fast eine Viertelstunde, bis ihr Gastgeber wieder dazu in der Lage war, zwei Sätze zu sagen, ohne dazwischen zu versuchen, sich in irgendeiner Flüssigkeit zu ersäufen. Aber als er sich schließlich einigermaßen erholt hatte, nahm er die Sache mit Humor.

„Unglaublich!", meinte er kopfschüttelnd und klopfte Sieben kumpelhaft auf die Schulter. „Einfach Wahnsinn. Wenn alle bei der Inquisition so hart sind, möchte ich mich wirklich nicht mit dem Orden anlegen."

Sieben hätte ihm sagen können, dass sein Geschmacksverlust eine ausgesprochen seltene Nebenwirkung seiner durch ständigen Umgang mit magischer Energie verursachten magischen Sinnesveränderungen war, doch eigentlich genoss er den Nimbus seiner für die anderen fast schon mystisch wirkenden Fähigkeiten. Yaron nahm sich zwei Schnapsgläser und reichte dem Inquisitor eines. „Das feiern wir!" Sieben öffnete den Mund, um ihm zu sagen, dass er keinen Alkohol trank, dann hielt er jedoch inne.

Ich habe früher keinen Alkohol getrunken ... aber ich habe ja keine Vergangenheit, oder? Warum nicht etwas Neues versuchen? Dazu ist ein neues Leben doch da?

Von anderen Magiern hatte er gehört, dass es für sie ungemein schwer war, sich zu betrinken, vermutlich war erhöhter Widerstand gegen Alkohol ebenfalls eine häufige Nebenwirkung einer magischen Ausbildung.

Wenn schon sonst nichts, ist das hier zumindest eine gute Gelegenheit zu sehen, ob das auf mich auch zutrifft.

Er hatte vorhin einiges gegessen, also würde er schon ein bisschen was vertragen. Yaron hob das Glas und wandte sich an die Runde. „Auf die Inquisition! Dass sie uns in Zukunft Leute wie Herzog vom Hals hält!"

Selbst die, die über Siebens Anwesenheit offensichtlich nicht so recht glücklich waren, stimmten in den Trinkspruch mit ein. Sieben leerte den Schnaps in einem schnellen Zug hinunter. Der Geschmack war stark abgedämpft, aber er konnte trotz allem eine ganz leicht scharfe Note wahrnehmen, allerdings in keiner Weise vergleichbar mit den Chilischoten zuvor. Yaron schenkte sich wieder ein und der Inquisitor hielt ihm sein Glas hin.

Nachdem er ausgetrunken hatte, setzte sich Sven neben ihn. Angesichts der Ähnlichkeit mit dem unbekannten Schatten war er Sieben immer noch ein wenig suspekt, doch Sven schien etwas auf dem Herzen zu liegen.

„Dürfte ich die Kette, die Sie im Wald gefunden haben, noch einmal sehen?"

Sieben zog sie aus der Tasche und gab sie ihm. Sven musterte die Kette eingehend. „Interessant. Wenn ich mich nicht irre, gehörte sie jemandem aus dem Dorf …"

Sieben horchte auf. „Wie kommen Sie darauf?"

Sven deutete mit dem Finger auf einen einzelnen, unauffälligen Stein, der so dunkelgrau war, dass er fast schon schwarz wirkte.

„Der hier. Die Ketten, die ich an Auswärtige verkaufe, sind meistens bunter. Und bei denen, die ich an Leute hier verschenke oder verkaufe, ist überall so ein dunkler Stein dabei."

Sieben runzelte unter seiner Maske die Stirn. „Gibt es dafür einen bestimmten Grund?"

Sven beugte sich verschwörerisch zu ihm herunter. „Ich erzähle das eigentlich niemandem, aber wenn es für den Fall relevant ist … eigentlich ist es ein ganz gewöhnlicher Stein, er kommt hier öfter vor, aber so sehe ich, ob jemand eine Kette, die ich verschenkt habe, weiterverkauft. Das wäre ziemlich unhöflich, kommt aber zum Glück so gut wie nie vor."

Das fand Sieben ziemlich unnötig und paranoid, aber in diesem Fall kam ihm das sehr gelegen.

Das ist wirklich aufschlussreich. Das bedeutet, dass die Kette wahrscheinlich Sophie Falk gehört hat, denn ansonsten hat sich ja niemand aus dem Dorf umgebracht.

Dann kam ihm plötzlich noch ein Gedanke.

„Haben Sie Jannis de Meijer auch so eine gegeben?"

Sven nickte. „Selbstverständlich. Wie gesagt, so gut wie jedem hier schenke ich so eine. Es ist ja nur ein Hobby, Geld macht man damit ja kaum. Damals herrschte noch ein ziemliches Durcheinander wegen der Liga und viele waren den de Meijers gegenüber misstrauisch … zu Recht, wie ich im Nachhinein sagen muss. Dieser Jannis ist ein echter Gauner, er hat Yaron beim Spielen um eine Menge Geld gebracht, und ich habe ihn einmal dabei erwischt, als er wo einbrechen wollte. Aber damals wussten wir das ja noch nicht.

So ist das also ... dann bin ich im Nebel also entweder auf den Ort gestoßen, wo Sophie Falk ihr letztes Lager aufgeschlagen hat, oder ich bin auf eine Spur zu Jannis gestoßen ...

So weit entpuppte sich dieser gemütliche Abend teilweise als ergiebiger als ihre Befragungen im Dorf. Sven schenkte dem Inquisitor noch eine seiner Ketten (Sieben fiel auf, dass auch sie einen schwarzen Stein beinhaltete) und stieß mit ihm an.

Nach einer Weile musste Sieben die Toilette aufsuchen und er ging in den Bungalow. Hätte er sich Gedanken darüber gemacht, wie jemand wie Yaron seine Wohnung einrichtete, wäre er weit danebengelegen. Von außen hätte man es ihm wohl kaum angesehen, aber das Innere des Bungalows glich einem seltsamen Hybriden aus einer kleinen Kunstgalerie und einer typischen Junggesellenwohnung.

An den Wänden hingen in einfachen Rahmen einige hübsche Bilder, sie waren allesamt in etwa im selben Stil gemalt.

Richtig, der Wirt hat ja gemeint, Yaron wäre ein Künstler.

Sieben verstand zwar wenig davon, aber seiner Meinung nach war er sogar richtig gut, wenn auch etwas fantasielos. Es waren überwiegend Bilder von Landschaften oder Gebäuden. Was sich jedoch stark unterschied, waren die Mittel, mit denen die Gemälde zustande gekommen waren: Sieben sah Radierungen und Ölgemälde, einfache Bleistiftzeichnungen und Aquarellbilder. Offenbar konnte Yaron mit allem umgehen.

Allerdings war auch klar erkennbar, dass hier jemand wohnte, der nicht sonderlich viel Wert auf Ordnung legte. Es war zwar kein Staubfussel zu sehen, dafür lag alles, was kein Malereizubehör war, kreuz und quer in der Gegend herum. Im Badezimmer stand ein halb voller Wäscheständer neben einer halb leeren Waschmaschine, in einer Ecke lag neben einem offenen Wäschekorb eine zerknäulte Socke und auf dem Gang musste der Inquisitor aufpassen, nicht zu stolpern, weil jemand ziemlich achtlos dort einfach eine Leiter, einige Eimer mit Farbe, einen zugebundenen Müllsack, einen billigen

Gartenstuhl, über dem eine zerrissene, mit bunten Farbspritzern verunreinige Jacke hing, und einen halb gepackten Koffer hingestellt hatte.

Als er gerade wieder zurück nach draußen gehen wollte, fiel ihm eine kleine Bildreihe an der Wand besonders auf. Es handelte sich offenbar um eine thematisch zusammenhängende Reihe zu den beiden Tälern. Auf der einen Seite hing eine naturgetreue Abbildung der Krähenburg, umgeben von weiteren Zeichnungen aus verschiedenen Blickwinkeln, welche nur einzelne Türme oder Mauerabschnitte darstellten. Auf der anderen Seite sah man einfach ein Landschaftsbild von einem Fluss, von dem Sieben nur annehmen konnte, dass es sich um den Darineus handelte. Es war ein friedliches, stilles Bild und war offenbar im Frühling gemalt worden, denn die Bäume und Sträucher im Hintergrund standen in voller Blüte. Bei fast allen umgebenen Bildern handelte es sich ebenfalls um Landschaftsgemälde, doch eines davon stach Sieben besonders ins Auge. Es handelte sich um ein Aquarellbild, auf dem der Eingang zu einer Höhle zu sehen war.

Ist das etwa die Grotte, in der dieser „Alte Mann" lebt?

Auf dem Bild sah man nicht wirklich viel davon, aber es wirkte so, als hätte der Künstler sich Mühe gegeben, das Umfeld des Höhleneingangs besonders prächtig erscheinen zu lassen, während das dunkle, schwarze Loch wie ein Schlund wirkte, in dem alles Licht verschwand. Irgendwie wurde Sieben bei diesem Anblick unruhig.

„Gefällt es Ihnen?", fragte plötzlich eine Stimme hinter ihm.

Offenbar hatte Yaron bemerkt, dass Sieben sich die Bilder näher besah. Der Inquisitor nickte.

„Ich bin kein Kunstkenner, aber die Bilder sagen mir zu."

Yaron folgte seinem Blick. „Ah … ja, das hier gefällt mir besonders. Die Umgebung der Grotte ist … interessant."

Etwas an der Art und Weise, wie er es sagte, machte Sieben stutzig.

„Hatten Sie auch schon Kontakt zum ‚Alten Mann'?"

Yaron nickte. „Den hatte jeder hier in Oslubo. Er passt auf uns auf."
Sieben nickte zu dem Bild. „Dafür sieht der Höhleneingang aber
ziemlich düster aus."

Yaron zuckte mit den Schultern. „Nun ja, der Grottengeist wirkt auf
manche eben auch ein wenig … unheimlich. Haben Sie übrigens vor
ihn einmal zu besuchen?"

Sieben nickte. „Eigentlich schon. Nicht, dass ich glaube, dass er etwas
mit dem Fall zu tun hat, aber ich habe einfach ein Interesse an
vernunftbegabten Energiewesen. Sie können interessante
Gesprächspartner sein." Yaron sah mit gerunzelter Stirn zur Seite, als
würde er etwas sagen wollen, dann schien er es sich jedoch anders zu
überlegen und lächelte.

„In dem Fall lohnt sich ein Ausflug zu ihm bestimmt. Aber vorher
sollten Sie noch mit Nadine reden."

„Ich hatte schon gehört, dass sie einen besonders guten Draht zu ihm
hat."

„Stimmt, das hat sie. Aber das ist es nicht. Nadine ist … besonders."
Etwas an der Art, wie er das sagte, ließ ihn aufhorchen.

Sag bloß, Otto hat Konkurrenz.

In diesem Moment kam Sven herein, ein Glas in der Hand, und
erblickte sie.

„Heya, was ist denn los? Jetzt ist doch nicht die Zeit für eine
Museumsführung!" Er lachte und klopfte Yaron auf den Rücken. „Na
kommt, die anderen fragen sich schon, wo ihr seid!"

Der Inquisitor ging wieder nach draußen und sog die kühle Luft ein.
Sein Hals kratzte ein wenig von den scharfen Chilischoten, aber
ansonsten war der Abend echt erfrischend.

*Jedenfalls besser, als auf dem Zimmer zu sitzen und düsteren
Gedanken nachzuhängen.*

Sven schenkte ihm erneut ein. Sieben trank aus. In der Ferne donnerte
es.

Gut zwei Stunden leistete er der kleinen Feier noch Gesellschaft, und aus den drei Gläsern wurden noch viele mehr. Eigentlich spürte er so gut wie keine Veränderung, außer dass ihm irgendwie aus seinem Inneren heraus warm zu werden schien. Aber seine schlechte Laune war verflogen. Die Leute waren nett, das Essen zumindest dem Geruch nach gut und die Runde hatte ihren Spaß. Doch irgendwann musste er sich eingestehen, dass es unvernünftig war, hier so lange zu bleiben, wenn sie morgen Früh in das Tal des Darineus wandern wollten, außerdem wurde es langsam merklich kühler und windiger und auch die anderen begannen der Reihe nach zu gehen.

So verabschiedete er sich von der Gesellschaft und kehrte gut gelaunt in die Herberge zurück.

Als er die Treppe zu den Zimmern hochging, wurde ihm zum ersten Mal klar, dass der Alkohol vielleicht doch eine stärkere Wirkung auf ihn gehabt hatte, als er zuerst geglaubt hatte. Seine Hand verfehlte das Geländer zwei Mal, bevor er es fest umklammerte und sich darauf gestützt nach oben bugsierte. Er hoffte innig, dass Kassandra ihn jetzt nicht sah.

Er hatte Glück. Obwohl er sich im Gang zu seinem Zimmer einmal ziemlich geräuschvoll die Schulter an einer Tür anschlug, gelangte er unbemerkt zurück in sein Zimmer. Zu seiner gelinden Überraschung war seine Zimmertür nicht abgesperrt, aber er war viel zu erleichtert, dass er es ohne größeren Unfall zurück geschafft hatte, um sich darüber groß Gedanken zu machen. *Ich muss wohl vergessen haben, sie zuzusperren,* dachte er und war erleichtert, als die Tür hinter ihm ins Schloss fiel. Der Raum vor ihm schien sich leicht zu bewegen. *Scheiße. Hoffentlich vergeht das bis morgen wieder.*

Er atmete tief durch und trat nach vorne. Wenn er sich konzentrierte, funktionierte das mit dem Gehen zum Glück ganz gut. Der Flachmann auf seinem Nachtkästchen rührte sich nicht, offenbar befand sich H2O noch immer in der Energiewelt. Sieben hatte nicht vor ihn zu stören. Er legte sein Handy, seine Geldtasche und den Zauberstab beiseite,

195

griff nach seinem Gürtel, um den Degen loszumachen, und setzte sich aufs Bett, um sich die Schuhe auszuziehen, als er plötzlich ein Rascheln hörte, wie von zerknülltem Papier.

Sieben hielt inne und lauschte. Mehrere Sekunden lang horchte er, doch das Geräusch konnte er nicht mehr hören.

War da jemand auf dem Gang? Oder war das draußen?

Das Fenster war jedoch geschlossen. Sieben zuckte mit den Schultern und bückte sich nach seinen Schuhen. Da! Wieder ein Knirschen. In gebückter Haltung hielt Sieben inne und sah auf. Er drehte den Kopf in alle Richtungen, doch nirgends war irgendetwas zu sehen. Durch die Spalte unter der Tür drang kein Lichtstrahl und Schritte waren auch nirgendwo zu hören.

Werde ich denn jetzt schon verrückt?

Als er schließlich erneut versuchte sich seiner Schuhe zu entledigen, ertönte das Rascheln zum dritten Mal und endlich erkannte er, dass auf seinem Bett offensichtlich ein Stück Papier gelegen hatte, das bei jeder seiner Bewegungen geraschelt hatte. Er stand auf, vergaß jedoch, dass die Herbergsbetten allesamt zweistöckig waren, und stieß sich seinen Kopf am Holz an, bevor er aufstand und nach dem Zettel griff.

Wieder ein Fall gelöst, Detektiv Schnapsnase, schimpfte er sich für seine Begriffsstutzigkeit. Er sah recht gut im Dunkeln und das schwache Licht, das von außen in sein Zimmer drang, genügte ihm, um lesen zu können, was da stand.

An Inquisitor Nummer Sieben

Ich muss dringend mit Ihnen über die Vorfälle der letzten Monate im Tal des Iphikles reden. Ich kann es mir nicht leisten, noch einmal in der Nähe von Oslubo gesehen zu werden, aber die Sache duldet keinen Aufschub. Treffen Sie mich um Mitternacht alleine an der Stelle, wo der Darineus in den Iphikles fließt.

Z. de Meijer

Siebens Gedanken überschlugen sich.

Was will er mir sagen? Weshalb will er nicht noch einmal in Oslubo gesehen werden? Warum so dringend? Und wieso soll ich alleine kommen?

All die Fragen wirbelten ihm im Kopf herum, aber zuerst warf er einen Blick auf seine Armbanduhr.

In zehn Minuten!

Bis zu der Kreuzung war es ein ganzes Stück, er würde laufen müssen, um es einigermaßen rechtzeitig zu schaffen. Er knüllte den Brief in seine Tasche und schlich sich flink nach draußen und die Treppe hinunter. Die körperliche Wirkung des Alkohols schien von dem Schock mehr oder weniger wie weggeblasen zu sein, aber er konnte trotzdem spüren, dass sein Kopf nicht ganz klar war. Er hatte das Gefühl, etwas Wichtiges vergessen zu haben, doch in seiner Eile wollte er keinen Gedanken darauf verschwenden.

12.

Draußen in der kühlen Nachtluft hörte er noch irgendwo den Lärm von Yarons Feier, doch er bewegte sich davon weg zu dem Weg am Fluss entlang. Er war nicht beleuchtet und einige schwere Wolken hatten sich in den letzten Stunden vor den Mond gelegt, trotzdem hatte er kein Problem, ihm zu folgen. Der Darineus (oder Iphikles) neben ihm plätscherte gemächlich vor sich hin, während Sieben danebenzu einem Sprint ansetzte. Wahrscheinlich würde Zacharias auch ein paar Minuten länger auf ihn warten, aber bei so einem paranoiden alten Mann war es bestimmt nicht verkehrt, wenn man rechtzeitig war. Den ganzen Weg über rannte er und schaffte es, auf die Minute genau zum Treffpunkt zu kommen.

Er konnte sich noch gut daran erinnern, wie er am Vormittag gemeinsam mit Kassandra, Otto und Noah hier durchgekommen war, und sah instinktiv zum Taleingang in Richtung des Iphikles, wo er auf dem Rückweg den unbekannten Schatten gesehen hatte. Doch wenn hier irgendjemand war, musste er sich gut versteckt haben.

Die Gegend war schön, auch bei Nacht. Die beiden kleinen Bergflüsse trafen hier aufeinander, um mit vereinter Kraft den Rest des Weges bis zum Flussdelta am Talausgang, der Dammanlage und schließlich in den Chorena zu schaffen. Irgendwo raschelte das Gras und Sieben sah die Silhouette eines Igels flink in einem großen Laubhaufen versinken. Irgendwo hörte er den einsamen Schrei eines Käuzchens.

Doch von Zacharias fehlte noch jede Spur. Wieder donnerte es in der Ferne und der Inquisitor erkannte, dass sich das Gewitter, welches sich anscheinend bisher etwas weiter entfernt entladen hatte, langsam in seine Richtung bewegte.

Der Wind wurde kälter. Sieben drückte seinen Inquisitorenumhang enger an sich. Dadurch, dass er so schwarz gekleidet war, würde es für Zacharias vermutlich nicht ganz einfach werden, ihn im Dunkeln zu sehen. Andererseits musste der Alte, wenn er um diese Zeit von seinem Haus bis hierherkam, doch sicherlich eine Taschenlampe dabeihaben … oder? Jedenfalls unterdrückte der Inquisitor den Reflex, unter einem der umstehenden Bäume Schutz zu suchen, und blieb möglichst gut sichtbar auf dem Weg stehen.

Und er wartete. Fünf Minuten. Zehn. Eine Viertelstunde. Immer wieder blickte er auf die Uhr, sah sich um, überlegte, ob er vielleicht rufen sollte. Aber von Zacharias de Meijer fehlte jede Spur.

Habe ich mich auf dem Zettel verlesen?

Er zog das Schriftstück noch einmal hervor und studierte es genauer.

Da steht: „Um Mitternacht". Damit meint er doch sicher heute, oder? Aber wenn er gewusst hat, dass ich nicht auf dem Zimmer bin, wie konnte er dann damit rechnen, dass ich vor Mitternacht zurück bin?

Irgendetwas an dem Gedanken störte ihn zusätzlich noch, doch sein Gehirn bewegte sich schmerzhaft langsam und er verfluchte sich für seinen Leichtsinn bezüglich des Schnapses.

Was war da noch … Genau! Wie ist er überhaupt in mein Zimmer gekommen? Hat Noah ihn vielleicht hereingelassen?

Das war allerdings bei der gespannten Beziehung zwischen den beiden ziemlich unwahrscheinlich. Es wurde dunkler. Den Mond hatte Sieben zwischen den Wolken nun schon eine ganze Weile nicht mehr gesehen. Sein Hals fühlte sich kratzig an. Ob es an den Chilis von vorhin lag oder daran, dass er vielleicht eine Krankheit ausbrütete, konnte er nicht sagen. Jedenfalls wäre es wahrscheinlich das Beste, wenn er nicht mehr zu lange im Freien war, Gewitter im Gebirge konnten ziemlich unangenehm werden.

Zehn Minuten warte ich noch, dann gehe ich. Wir hatten ohnehin vor, morgen, oder besser gesagt heute, bei ihm vorbeizuschauen.

Er seufzte und trat an das Ufer der beiden Flüsse. Zu seiner Rechten lag der Iphikles, zu seiner Linken der Darineus. Vermutlich unterschieden sich die beiden Flüsschen nicht wirklich stark voneinander, doch der Iphikles wirkte im Dunkeln irgendwie … zwielichtig. Oder lag das einfach daran, dass Sieben wusste, wie viele Leichen er bis vor kurzer Zeit aus dem Tal heraus bis zum Chorena getragen hatte? Er wusste es nicht. Sieben sah sich um. Noch immer kein Zacharias.

Der Inquisitor hob einen flachen Stein vom Ufer auf und warf ihn mit einer beiläufigen Bewegung aus dem Handgelenk in den Fluss. Zwei Mal sprang er auf, bevor er versank. Er dachte über die Fragen nach, die er sich in der Herberge gestellt hatte, bevor er hierher gerannt war. Was der Alte ihm sagen musste und warum er nicht nach Oslubo kommen wollte, darüber konnte er nur rätseln. Den Grund dafür, warum es auf einmal so dringend war, konnte er auch nur vermuten, allerdings gab es in dieser Hinsicht einen klaren Favoriten.

Wenn er sich solche Sorgen um seinen Sohn macht, muss es wohl um ihn gehen. Vielleicht ist er wieder aufgetaucht, oder er hat einen Hinweis über seinen Verbleib erhalten.

Aber auch die Frage, warum er gerade IHM so vertraute, brannte ihm im Kopf.

Nicht viele Gewöhnliche würden einen Inquisitor der Polizei oder irgendeinem sonstigen Zauberer vorziehen. Wenn er mir so sehr vertraut, ist es gut möglich, dass er auch zu Sechsundzwanzig einen guten Draht hatte.

Wieder ein Grund mehr, mit dem alten Mann zu reden. Aber so wie es aussah, würde das Gespräch heute Abend wohl nicht mehr stattfinden. Das spärliche Schilf, das hier am Ufer wuchs, bog sich raschelnd in einer weiteren Windböe. Von den Bäumen lösten sich reihenweise welke Blätter, viele von ihnen landeten im Fluss und wurden davongeschwemmt. Sieben beschloss umzukehren.

Dann roch er etwas. Der Geruch war schwach, nur eine Andeutung, aber er kannte ihn. Ihn zu beschreiben war nicht ganz einfach, vielleicht ein bisschen metallen, vielleicht eine Spur süßlich.

Blut.

Es roch nach Blut, und der Geruch wurde stärker. Sieben sah sich um und schnupperte. Der Wind wirbelte die Luft umher und machte es so gut wie unmöglich, einem Duft in eine bestimmte Richtung zu folgen, dazu kam noch, dass Blut bei weitem nicht so intensiv roch, wie viele Leute glaubten. Altes Blut vielleicht, aber das, was Sieben in diesem Moment roch, war frisch. Erst nachdem er sich in alle Richtungen gewandt hatte, konnte er mit Sicherheit sagen, woher der Geruch kam. *Es ist der Fluss!*

Er sah hinunter in das Wasser. Erkennen konnte er nichts, dafür war es selbst für seine Augen zu dunkel, doch zum Glück hatte seine Uhr eine Leuchtfunktion. Er betätigte den kleinen Knopf und leuchtete nach links. Dort schien das Wasser klar zu sein. Langsam ließ der Inquisitor den schwachen Lichtstrahl nach rechts schweifen.

Und dann sah er es. Einen roten Farbton im Wasser. Nun konnte er es auch besser riechen. Das Blut schenkte dem Fluss einen schaurigen Farbton und ließ sich nach und nach von ihm davontreiben. Und es kam aus dem Iphikles.

Einen Augenblick lang war Sieben wie vom Donner gerührt. Die Situation war so surreal, dass er sie erst einmal einen Moment lang verarbeiten musste. Doch ihm wurde sofort klar, was zu tun war. *Wenn das Blut frisch ist, kann ich den, dem es gehört, vielleicht sogar noch ausmachen.*

Je nachdem ob es ein Selbstmörder war oder ob hier ein Verbrechen vorlag, konnte er ihn vielleicht sogar retten. Aber dafür brauchte er Hilfe. Er langte in seinen Umhang. Doch seine Hand griff ins Leere. *Das Handy! Ich wusste doch, dass ich etwas vergessen hatte!*

Vor dem Zubettgehen hatte er es in den Nachtkästchenschrank gelegt und nicht mehr daran gedacht, es mitzunehmen, genauso wie seinen Zauberstab. Doch selbst wenn er es gehabt hätte, war keineswegs gesichert, dass er Kassandra oder Otto oder sonst wen um diese Zeit überhaupt erreichte. Und H2O lag in seiner Flasche in Siebens Zimmer und schlief wahrscheinlich tief und fest. Es war möglich, dass der kleine Wassergeist sich auf die Suche nach ihm machte, wenn er so spät in der Nacht noch nicht zurück war, doch es würde eine ganze Weile dauern, bis er sich hierher verirrte, wenn überhaupt.

Der Inquisitor sah auf die Uhr. Zurück zum Dorf würde er, wenn er rannte, zehn Minuten brauchen. Bis er alle aus den Federn geworfen, über die Lage aufgeklärt und hierhergebracht hatte, konnte gut und gerne noch einmal eine halbe Stunde vergehen. Aber wenn sich tatsächlich jemand in Gefahr befand, war das Zeit, die er nicht hatte. *Das hast du von deiner verdammten Dummheit!,* schalt er sich, doch ihm blieb keine Wahl. Über Steine und kleine Sandbänke machte er sich am Ufer entlang auf den Weg in das Tal des Iphikles.

Immer wieder blies ihm der Wind Blätter, kleine Äste oder ein paar verirrte Regentropfen ins Gesicht. Immer wieder stolperte er über kleine Unebenheiten, weil er nicht achtsam genug war. Und immer wieder verfluchte er sich für all die Unvorsichtigkeiten, die er sich an diesem Abend schon erlaubt hatte. Aber nichts davon hielt ihn auf. Das Blut im Wasser war noch eine Weile lang wahrnehmbar gewesen, doch mittlerweile war es verschwunden. Sieben verließ sich zu einem großen Teil nun auf seinen Geruchssinn. Selbst bei diesem Sturm wäre es für ihn wohl einfacher, einen Menschen, egal ob tot oder lebendig, mit seiner Nase zu finden als in der Dunkelheit mit seinen Augen.

Aber die Spur wurde schwächer. Er hatte keinen Zweifel daran, dass er nicht bereits an seinem Ziel vorbeigelaufen war, vielmehr musste es noch weiter flussaufwärts liegen, aber trotzdem fragte er sich, wie weit er noch würde gehen müssen. Vorerst schien das Wetter noch mehr schlecht als recht zu halten, doch das konnte sich sehr schnell ändern. Schließlich kam er an die Stelle, wo sich der Weg ein Stück vom Fluss entfernte, da sich hier ein kleiner Sumpfkomplex befand. Und hier wurde das Vorankommen zum ersten Mal richtig schwierig. Der Boden war matschig und drohte ihn stellenweise bis zu den Knien hin zu verschlingen.

Der Iphikles bekam hier Zuwachs durch ein kleines Bächlein, das sich von den Bergen her zu ihm hinunter ergoss. Unter anderen Umständen hätte es Sieben hier nicht schlecht gefallen, immerhin fühlte er sich in der Nähe von Wasser, mit dem er besser umgehen konnte als die meisten anderen Magier, die lieber mit der puren Energie arbeiteten, recht wohl. Aber vermutlich war es zumindest bis zum Ende dieses kleinen Sumpfes besser, auf den Weg zurückzukehren. Gerade wollte sich Sieben dazu aufmachen, die Böschung zu erklimmen, als er erneut einen ihm nicht unbekannten Geruch wahrnahm.

Süßlich, nicht unangenehm, ein bisschen wie Blumen ...

Verwesung. Die Zersetzung von Fleisch, in diesem Fall eindeutig menschlicher Natur. Hier in der Nähe musste sich eine Leiche befinden.

Aber die kann unmöglich die Quelle des Blutes sein! Das war doch frisch!

Doch ein anderer Gedanke machte sich bemerkbar.

H2Os Geruchsprobe ... darin hast du doch eine ganz schwache Note Verwesung gerochen, oder?

In seinem Zimmer in der Herberge, nicht durch Wind, Regen und den Geruch faulenden Schilfes beeinträchtigt und von dem kleinen Wassergeist verlässlich konserviert, wäre es durchaus möglich, dass eine Spur des Geruches des Leichnams es bis zu der Stelle geschafft hatte, an dem der Iphikles auf den Darineus traf.

Sieben zögerte. Eigentlich galt seine Priorität der Ursache des Blutes. Was immer da so roch, konnte unmöglich ein und dieselbe Person sein. Aber die Quelle war nahe, nur ein Stück weiter in das Sumpfgebiet hinein. Er suchte nervös seine Umgebung ab. Nirgends konnte er auch nur die Spur eines Schattens erkennen und durch den Wind gab es hier auch keinen Nebel. Trotzdem war ihm unwohl.

Jetzt ist nicht der richtige Zeitpunkt für paranoide Gedanken!

Sieben gab sich einen Ruck und drang tiefer in das matschige Schilfgebiet vor.

Es dauerte tatsächlich nicht lange, bis er fündig wurde.

Hinter einem knorrigen, umgestürzten Baumstamm, direkt bei einem großen Findling lag halb im Schlamm versunken eine Leiche. Beide Arme nach vorne hin von sich weggestreckt lag sie mit dem Gesicht nach unten da, ganz offensichtlich schon seit längerer Zeit.

Ein Schauer fuhr dem Inquisitor über den Rücken.

Ganz unwillkürlich musste er sich noch einmal umsehen, um sich zu vergewissern, dass er mit dem Toten im Sumpf alleine war.

Sieben war kein Experte für solche Sachen, außerdem spielte die Beschaffenheit des Bodens bei solchen Dingen eine große Rolle, doch er schätzte, dass die Person hier schon mindestens vier Monate lag, wahrscheinlich sogar länger.

Komm schon, denk nach. Da ist doch noch etwas.

Sein Kopf sagte ihm, dass die Leiche ihm schon aus dieser Entfernung etwas verraten konnte, doch er brauchte einen Moment, um darauf zu kommen.

Höchstwahrscheinlich kein Selbstmord. Seine Position wirkt nicht beabsichtigt, und dass er so angespült wurde, ist auch sehr unwahrscheinlich.

Der Inquisitor sah sich aufmerksam um. Noch immer gab es keine Anzeichen, die dafür sprachen, dass er nicht alleine war. Vorsichtig näherte er sich dem Leichnam und begutachtete im schwachen Schein seiner Uhr-Lampe den Körper.

Männlich, zwischen zwanzig und vierzig Jahre alt. Kleidung unauffällig, aber gutes Schuhwerk. Todesursache ...

Er beugte sich weiter nach vorne, um besser sehen zu können. Die Jacke des Toten war an der Schulter durchlöchert, außerdem wies die Hinterseite des Schädels ein dickes Loch auf.

Zwei Schüsse. So wie er die Arme ausstreckt, hat ihn der erste Schuss von hinten in die Schulter getroffen, der zweite in den Kopf.

Wieder griff er instinktiv in seinen Mantel und musste sich gleich darauf verfluchen.

Fotos wären nicht schlecht. Aber ohne Handy ist da nichts zu machen. Hm ... aber wonach hat er die Hände ausgestreckt? Hat er etwas gesehen? Oder ist ihm nach dem ersten Schuss etwas aus der Hand gefallen?

Sieben leuchtete in die Richtung, in die die Hände des Toten zeigten. Ein Stück weiter vorne lag eine kleine Umhängetasche, vom Schlamm so verdreckt, dass sie dem Inquisitor im ersten Moment gar nicht aufgefallen war. Vermutlich wäre es das Beste gewesen, hier nichts anzufassen, immerhin handelte es sich aller Wahrscheinlichkeit nach um einen Tatort, aber die Neugier hatte die Oberhand gewonnen. Die Tasche war ziemlich prall gefüllt. Stellenweise war Feuchtigkeit in sie eingedrungen, zum größten Teil hatte sie sich allerdings bemerkenswert gut gehalten. Neben einigen für ihn wertlosen Gegenständen wie einem zusammengerollten, dicken Mantel, einer Wasserflasche, einem verfaulten Apfel und einigen Taschentüchern befanden sich darin auch ein Mobiltelefon, ein kleiner, silberner Anhänger und ein in einem Kuvert versiegelter Brief. Zuerst besah er sich das Handy.

Kaputt! Fluchte er. Trotzdem konnte es nützlich sein. Mit einer schnellen Bewegung entfernte er die Speicherkarte und hoffte, dass sich daraus noch einige Daten gewinnen ließen.

Als Nächstes griff er nach dem Anhänger. Und mit einem Mal wurde die ganze Sache noch einmal erheblich ernster. Ein schwarz-weißer Hintergrund, ein großes, blaues „D" auf einer gelben Pyramide. Und darunter sogar noch eine kleine Inschrift. *„Wir sind die Liga! Wir sind Gerechtigkeit!"*

Sieben atmete tief durch. Der Tote war also wahrscheinlich ein Ligist gewesen. Was bedeutete das?

Das bedeutet, dass der Kerl wahrscheinlich zu der Zeit hierhergekommen ist, in der auch Jannis de Meijer schon im Tal war. Zumindest, wenn er wirklich erst seit vier Monaten hier liegt.

Aber wer war sein Mörder? Sein erster Gedanke galt Inquisitor Nummer Sechsundzwanzig, immerhin hatte er ja schon die Überlegung gehabt, dass es sich bei ihm um seinen unbekannten Verfolger handelte. Trotzdem war es sehr unwahrscheinlich, dass er hierfür verantwortlich war. Der Tote war zwei Schusswunden erlegen und Zauberer töteten sehr selten mit Schusswaffen. Aber wer dann sonst?

Ein anderer Ligist? Oder jemand aus Oslubo?

Eine Antwort darauf würde er hier wahrscheinlich nicht bekommen.

Darum kann sich ein Gerichtsmediziner kümmern. Die Leiche ist ja noch ziemlich intakt. Eigentlich komisch, dass sich kein Tier an ihm gütlich getan hat.

Dann jedoch fiel ihm seine Begegnung mit den beiden Ligisten in Krithon ein.

Hatten die nicht irgendetwas in ihrem Gespräch erwähnt? Dass ein Kundschafter hier im Tal verschwunden ist? Das muss dann wohl der arme Kerl hier sein.

Nun war zumindest dieses Rätsel gelöst, doch das machte ihn nur noch neugieriger darauf, was in dem Papier stand, das er dabeihatte. Sieben öffnete den Brief. Es handelte sich tatsächlich nicht wirklich um einen Brief, sondern eine handschriftlich verfasste Notiz, doch leider war sie an einigen Stellen durch das eingedrungene Wasser unkenntlich gemacht worden:

Jannis de Meijer:

Ca. 1,75m groß, schwarze Haare, kurzer Vollbart, Muttermal am Kinn, …??? …

Der Rest der Beschreibung war verschwommen. Danach folgte eine kurze Liste mit Anweisungen:

1. Feststellen, ob Jannis de Meijer in Oslubo untergetaucht ist
2. Vorsichtige Kontaktaufnahme
3. Verhandlungen über die Herausgabe des USB-Sticks mit der Namensliste, Vernichtung aller Kopien und …??? …

Sieben strich mehrmals mit dem Finger über die verschwommene Tinte, konnte aber leider nicht mehr ausmachen. Hier war ein größerer Wasserfleck, weswegen er erst wesentlich weiter unten den Rest des Textes ausmachen konnte, der stellenweise von kleineren Tropfen unkenntlich gemacht worden war.

Sollte es von Seiten de Meijers merklichen Widerstand geben, ist die Aktion abzubrechen, in diesem Fall erfolgt …??? … Kopfgeldjägers „Antares", der unserer Vereinigung nicht nahesteht und sich daher sowohl um de Meijer als auch um Herzog kümmern kann. Kontaktaufnahme mit David Herzog ist erwünscht …??? … zu gegebenem Zeitpunkt. Eliminierung von de Meijer und Herzog sind von höchster Wichtigkeit, Priorität liegt jedoch auf der Sicherstellung oder Vernichtung des USB-Sticks. Dieses Ziel ist durch keine Handlung zu gefährden!

Darunter folgte noch eine Unterschrift, von der jedoch nur die ersten beiden Buchstaben zu lesen waren.
I und N.
Wer könnte das sein? Ihm fiel kein hochrangiges Mitglied der Liga ein, das einen solchen Namen trug, doch da die Unterschrift nur sehr kurz war und offensichtlich keinen Nachnamen beinhaltete, konnte es sich auch gut um einen Decknamen handeln. In diesem Fall hatte er sogar eine sehr gute Vermutung.
Ines.
Wie viele andere war sie eine anonyme, finanzielle Unterstützerin der Liga gewesen, hatte sich aber auch immer wieder mit der Zurverfügungstellung von Informationen nützlich gemacht. Selbst in der Liga hatten nur sehr wenige gewusst, wer sich hinter diesem Namen verbarg. Sieben hatte eine Vermutung, die sich mit diesem Brief nur noch erhärtete, aber ohne Beweise konnten weder er noch

der Orden etwas machen. Doch das Interessanteste an dem Brief war für ihn die Erwähnung von de Meijer und Herzog.

De Meijer scheint einen USB-Speicher zu besitzen, den die Liga gerne haben möchte. Und sie sind bereit ihn nötigenfalls mit Gewalt an sich zu bringen.

Das erklärte endlich, was für eine Verbindung zwischen Zacharias' Sohn und der Liga bestand. Aber die Erwähnung des Kopfgeldjägers machte ihn stutzig.

„Eliminierung von de Meijer und Herzog sind von höchster Wichtigkeit ..." Und wenn diese Ines Herzog aus dem Weg räumen will, muss das heißen, dass ich Recht hatte! Die verschiedenen Anführer der Liga bekämpfen einander, zumindest verdeckt!

Er dachte kurz über die beiden Ligisten am Ufer nach, und wie sie mit dem Ganzen in Verbindung standen.

Sie haben erwähnt, dass sie sich mit einer Art Experten treffen wollten ...

Dabei konnte es sich eigentlich nur um diesen Kopfgeldjäger namens Antares handeln. Und das wiederum hieß, dass die beiden Ligisten auf Ines Seite stehen mussten und somit Herzogs Gegner waren. Trotzdem hatte Herzog während seiner Rede vor dem Wirtshaus anscheinend von Siebens Auseinandersetzung mit ihnen gewusst, was hieß, dass die beiden mit ihm in Kontakt standen.

Also spielen sie wohl ein doppeltes Spiel ... aber ob sie das für Herzog oder Ines machen ...?

Noch hatte er für eine Antwort auf diese Frage keine Anhaltspunkte, aber die Tatsache, dass sie von Ines losgeschickt worden waren, um den Kopfgeldjäger zu treffen, ließ ihn vermuten, dass sie ihr Vertrauen genossen und somit vermutlich eher zu ihrem inneren Zirkel gehörten. Noch einige Augenblicke lang stand er so da und studierte den Brief. So viele Gedanken und Fragen schwirrten ihm durch den Kopf, bezüglich de Meijer, Ines, Herzog und dieses Kopfgeldjägers.

Dann jedoch steckte er das Papier gemeinsam mit der Handyspeicherkarte, dem Ligaabzeichen und Zacharias' Brief aus der Herberge in seine Tasche.

Das ist ja alles schön und gut, aber ich sollte wirklich wieder weiter nach der Person suchen, zu der das Blut im Fluss gehört.

Bevor sie morgen Zacharias aufsuchten, würden sie hier vorbeikommen müssen, um den Tatort bei Tageslicht zu beobachten. Aber jetzt musste er weiter!

Immer wenn ich glaube weiterzukommen, lenkt mich die Liga ab!

Das schien langsam zu einem Muster zu werden. Sieben kehrte um, ließ den Toten im Sumpf zurück, suchte sich eine geeignete Stelle, um die Böschung hinauf zum Weg zu gelangen, und umrundete auf diese Weise das kleine Moor. Auf der anderen Seite war das Bachbett weiter und leichter begehbar und es dauerte nicht lange, bis er wieder die Witterung aufnehmen konnte. Der Wind legte sich einen Moment lang und für einige Minuten blitzte der Mond durch die Wolkendecke. Sein schwacher Schein fiel auf das felsige Plateau, das ein ganzes Stück vor ihm bedrohlich in die Höhe ragte und auf dessen Rand die Krähenburg wie ein stummer Wächter das ganze Tal im Blick hatte. Dann zogen die Wolken sich wieder zusammen und Sieben spürte die ersten Tropfen auf seinen Händen.

Knapp über eine Stunde lang lief er am Bachbett entlang. Trotz des unsicheren, rutschigen Untergrundes kam er schnell voran. Nach einer Weile konnte er kein Blut mehr riechen, aber da nirgends auch nur eine Spur von menschlichem Geruch war, hegte er keinen Zweifel daran, dass sich sein Ziel weiter taleinwärts befand. Immer wieder musste er den Gedanken verjagen, dass er gerade eine große Dummheit beging, dass er umkehren und Verstärkung holen sollte. Aber umso weiter er in das Tal des Iphikles vordrang, umso klarer wurde ihm, dass die Person, der das Blut im Fluss gehört hatte, vermutlich eine ganze Menge davon verloren haben musste, wenn er es über eine solche Entfernung noch hatte wahrnehmen können.

Zu viel, sagte eine unbarmherzige Stimme in seinem Kopf, doch auch die verscheuchte er.

Er sah hoch zu den schattigen Umrissen der Krähenburg. Er war zu weit gekommen, um jetzt umzudrehen. Außerdem zogen ihn die finsteren Mauern der Festung mittlerweile geradezu magisch an. Dann, nach einer gefühlten Ewigkeit, stand er schließlich am Fuß des gewaltigen Plateaus. Und erlebte eine kleine Überraschung. Ein kleiner Wasserfall ergoss sich von dem Felsen hinab in den Iphikles. Er war aus der Ferne nicht sichtbar, weil er erstens wirklich nicht besonders groß war und zweitens zu seinem größten Teil von einer natürlichen Rinne im Gestein verdeckt wurde. Aber nun stand er vor einer Entscheidung.

Dem Flussverlauf folgen oder hinauf in die Krähenburg gehen?
Sein Geruchssinn gab ihm bei dem mittlerweile zum kleinen Sturm angeschwollenen Wind keinerlei Anhaltspunkte mehr. Beide Optionen waren geradezu sträflich leichtsinnig.

Wenn ich dem Iphikles folge, muss ich womöglich weiter bis in den Wald ... Alleine der bloße Gedanke an seine alptraumhafte Begegnung im Nebel ließ ihn erschaudern. Aber die andere Option war mindestens gleich unangenehm.

Bei Nacht und ohne eine Begleitung, die sich auskennt, in die Krähenburg eindringen.

Der Inquisitor erinnerte sich daran, dass die Wegkreuzung mit dem Steig hinauf zur Burg nicht weit entfernt war. Ihm zu folgen wäre bei dem Wetter vermutlich äußerst riskant ... aber dasselbe galt wohl auch für einen Ausflug in den Wald.

Und wenn das Gewitter wirklich schlimm wird, bin ich wohl besser in der Burg als im Freien.

Trotzdem war er unsicher. Plötzlich meinte er aus dem Augenwinkel über sich etwas wahrzunehmen. Er sah nach oben, doch es war schon wieder verschwunden.

War das ein Lichtstrahl? Aus der Burg?

Von hier unten konnte er nur die höchsten Türme der Festung sehen. Sie lagen in Finsternis, doch nach einigen Sekunden blitzte erneut ein Licht auf.

Irgendjemand ist da oben!

Es warf einen seltsamen Schatten, als würde es von einer unsichtbaren Macht teilweise verschlungen werden, doch es war eindeutig erkennbar.

Damit war sein Entschluss gefasst. Der Inquisitor erklomm erneut die Böschung und folgte dem Weg hinauf zur Krähenburg. Ein Warnschild ein Stück weiter wies ihn darauf hin, dass der Zutritt zu der Festung verboten und der Weg dahin nur für schwindelfreie Wanderer mit geeignetem Schuhwerk ratsam war.

Der Pfad war tatsächlich steinig und sehr steil, mehrmals musste er sich über kleine Stufen hinaufziehen, die in den Fels gehauen worden waren.

Als er etwa die Hälfte des Weges hinter sich gebracht hatte, begann er auch immer wieder zu Stellen zu kommen, an denen ein einziger Fehltritt ihn knapp hundert Meter in die Tiefe hätte fallen lassen. Seine Glieder waren kalt und klamm, dazu merkte er auch noch, dass der Alkohol seine Geschicklichkeit zusätzlich noch ein Stück beeinträchtigte. Doch schon nach wenigen Minuten war er für seine Entscheidung, diesen Weg zu nehmen, dankbar, denn nun begann das Gewitter so richtig zu wüten. Der Regen wurde stärker, große Tropfen prasselten auf ihn herunter und durchnässten ihn bis auf die Knochen. Der schmale Pfad verwandelte sich in ein Bächlein und der noch einmal stärker werdende Wind riss von den wenigen hier wachsenden Bäumen, die sich unter dem Ansturm der Elemente ächzend bogen, ganze Äste und Wipfel ab.

Einmal traf ihn, gerade als er sich an einer exponierten Stelle um eine Felswand herum an einer im Gestein befestigten Kette entlanghangeln musste, eine besonders kräftige Böe. Der Inquisitor taumelte einen Augenblick lang, dann rutschte sein rechter Fuß über den Rand. Er ging in die Knie – dann brach der Stein unter seinem linken Fuß ab. Einen Moment lang schien alles zu fallen, sein Oberschenkel schrammte schmerzhaft über einen Stein und sein Degen prallte funkenschlagend gegen den Felsen. Mit aller Kraft klammerte er sich an die Kette, während seine Füße über dem gähnenden Abgrund baumelten. Einen furchtbaren Augenblick lang meinte er die Glieder der Kette unter seinen Fingern leicht nachgeben zu spüren.

Doch sie hielten.

Sieben zog sich hoch. Als er wieder festen Boden unter den Füßen hatte, musste er sich trotz des Unwetters einen Augenblick lang hinsetzen, der Schreck saß ihm in allen Gliedern. Er sah über den Wegrand nach unten. Vielleicht vierzig Meter unter ihm war eine kleine Felsstufe, ansonsten fiel hier am Rand des Felsens die Wand senkrecht hinab bis in den Iphikles.

Wenn du da runtergefallen wärst, hättest du dir an der Felsstufe alle Knochen gebrochen und wärst spätestens beim Sturz in den Iphikles gestorben, dachte er. *Und dann hätte man dich vermutlich morgen am Chorena gefunden.*

Instinktiv griff er sich an die Brust an die Stelle, wo normalerweise H2O hing. Der kleine Wassergeist hätte ihn vermutlich fangen können, aber ausprobiert hatte er das noch nie. Der Wind heulte. Sieben atmete tief durch, rappelte sich auf und ging weiter.

Der Rest des Weges verlief einigermaßen ereignislos, doch als er schließlich vor der Hängebrücke stand, die vom letzten Wegstück über eine kleine Schlucht hinweg direkt zum Burgeingang führte, war er kurz davor, sich auf den Rückweg zu machen.

Das ist doch reiner Selbstmord!

Die Brücke schien zwar überraschend gut intakt zu sein, trotzdem entsprach sie mit Sicherheit nicht modernen Baustandards. Der Wind ließ sie hin und her wackeln und die Holzbretter waren glatt wie Eis. Aber so kurz vor seinem Ziel führte kein Weg zurück. Sich mit beiden Händen an die Drahtseile klammernd ging er schnell und sicher los.

Mehrmals musste er kurz innehalten, um zu warten, bis sich das Schwingen der Brücke unter dem Ansturm eines besonders heftigen Windstoßes wieder beruhigt hatte, doch schließlich schaffte er es ohne übermäßige Probleme auf die andere Seite. Das Fallgatter des Torhauses war zum Glück geöffnet und mit großer Erleichterung rettete Sieben sich ins trockene Innere des Torhauses.

Das wäre dann geschafft. Aber was jetzt?

Er sah sich um. Von dem Licht von vorhin war nichts zu sehen, darüber hinaus übertönte das Prasseln des Regens jedes Geräusch, und sobald er nicht mehr im Freien war, stand er in einer so absoluten Finsternis, dass ihm selbst seine guten Augen keine große Hilfe mehr waren. Mit einem Mal wurde Sieben klar, wie tief er in der Tinte steckte. Die Burg von Waldemar Blaukrähe war der Stoff vieler Sagen, und die wenigsten endeten gut. Er hatte keine Ahnung, wie es hier aussah, welche Bereiche sicher waren und wo die Fallen lauerten, von denen Nadine gesprochen hatte. Aber Verzweifeln brachte ihm nichts.

Eins nach dem anderen ... zuerst muss ich zusehen, dass ich tiefer in die Burg hineinkomme.

Er sah sich um. Die Rückseite des Torhauses war anscheinend vor vielen Jahren zugemauert worden, denn die Ziegel dort wirkten neuer als die Wände um sie herum. Im Notfall wäre Sieben dazu in der Lage gewesen, die dünne Wand einfach aufzusprengen, aber selbst während des Sturmes wäre eine solche Aktion wohl laut genug, um die meisten Anwesenden in der Burg zu alarmieren. Hier kam er also nicht weiter. Zu beiden Seiten waren jedoch schmale Türen in der Wand, von denen eine offen stand. Sieben zögerte. Dann konzentrierte er sich. Sein Inneres wurde langsam von einer fremdartigen Kraft durchströmt, die ihn viele Jahre zuvor vielleicht noch erschreckt hatte, ihm nun allerdings so vertraut war wie die angenehme Wärme eines Lagerfeuers. Er leitete die Energie um sich herum, ließ sich von ihr umfassen, bis sie ihn ganz umhüllte und einen unsichtbaren,

213

magischen Schutzschild bildete, der ihn zumindest vor den gröbsten Gefahren schützen sollte. Dann schlich er vorsichtig in den nächsten Raum. Zum Glück erwartete ihn dort keine unangenehme Überraschung. Stattdessen gab es hier ein Fenster, welches nach hinten hinaus in den Burghof zeigte. Sieben sah nach draußen. Noch immer regnete es wie aus Kübeln und der Hof war weitläufig genug, um in der beschränkten Sicht zu verhindern, dass er ihn zur Gänze im Blick hatte. Aber zumindest schien sich in seiner unmittelbaren Umgebung niemand zu befinden. Sieben dachte nach.

Wenn das Blut im Iphikles tatsächlich mit dem Licht von vorhin in Verbindung steht, dann muss es in der Burg einen Raum geben, durch den das Wasser hier nach unten fließt.

Dann fiel ihm plötzlich ein, was Nadine ihm am Vortag erzählt hatte.

„Durch die Burg fließt von der Bergseite her ein kleines Bächlein, und das mündet in ein künstlich angelegtes Becken im Keller."

Und dieses Becken war wahrscheinlich auch der Ort, von dem aus der Wasserfall in den Iphikles hinunterstürzte. Sein Herz sank ein Stück.

Nadine hat gemeint, es wäre ein mit magischen Schilden geschützter Ort, in den man nur durch einen Geheimgang kommt. Selbst wenn ich also in den Keller vordringe, ist es äußerst unwahrscheinlich, dass ich in den Raum reinkomme.

Er zerbrach sich gerade den Kopf darüber, wie er weiter vorgehen sollte, als ihm ein Lichtstrahl direkt ins Gesicht schien. Aus Reflex warf er sich sofort zur Seite und zog seinen Degen, doch da war niemand. Erst als er draußen im Hof das ziellose Umherschweifen einer Taschenlampe sah, wurde ihm klar, dass jemand wohl nur, ohne nach etwas zu suchen, in seine Richtung geleuchtet hatte. Schnell sah er wieder nach draußen.

Tatsächlich schien dort draußen jemand durch den Regen zu laufen, er erkannte die Umrisse eines Mannes, der schnellen Schrittes den Hof überquerte und zu einer Steintreppe lief, die auf die Zinnen führte. Sieben zögerte nicht lange. Er hastete in den nächsten Raum, wo sich zu seinem Glück eine Tür nach draußen befand, und öffnete sie einen Spalt weit. Die Gestalt mit der Taschenlampe war auf halber Höhe nach oben und ging mit dem Rücken zu ihm, sodass sie ihn unmöglich bemerken konnte.

Der Inquisitor sah dem Mann zu, wie er oben ankam, dann kurz stehen blieb und sich offenbar noch einmal umsah, um dann über den Wehrgang hinweg bis zu einem der großen Türme zu gehen. Dort öffnete er eine Tür und verschwand in dessen Inneren. Sieben wartete einen Moment.

Wer könnte das gewesen sein?

Natürlich war die Person kaum zu sehen gewesen, doch sie war ihm auch nicht bekannt vorgekommen. Dann war es also entweder jemand aus dem Dorf, dem er noch nicht begegnet war …

Oder ein Ligist.

In diesem Fall war sein Aufenthalt hier, falls das überhaupt noch möglich war, noch gefährlicher geworden. Trotzdem, er musste der Sache auf den Grund gehen.

Zuerst muss ich herausfinden, ob sie wirklich zur Liga gehören und wie viele von ihnen sich hier auf der Burg befinden. Er lugte nach draußen. Die Tür, durch die der Mann einen Moment zuvor verschwunden war, rührte sich nicht. Schon wollte er sich aus seinem Versteck wagen, als ihm etwas auffiel. Der Inquisitor sah an sich hinab. Er war völlig durchnässt. Wo er auch hinging, hinterließ er eine Spur aus Tropfen und seine Schuhe schmatzten bei jedem Schritt.

So kann ich sicher nicht herumschleichen, ohne bemerkt zu werden.

Er konzentrierte sich. Wasser war sein Element. Auch während seiner Ausbildungszeit, wenn er mit allen anderen Elementen und Energieformen Probleme gehabt hatte, mit Wasser war er besser als alle seine Mitschüler. Selbst die kleinsten Mengen konnte er spüren und kontrollieren. Und sich mit Magie abzutrocknen war ohnehin eine leichte Übung. Im Nu schwebte vor ihm eine kleine Wasserkugel, die er durch die offene Tür nach draußen warf. Aber noch war er nicht zufrieden. Er schlüpfte aus seinen Schuhen und Socken. Wenn er hier umherschlich, war er barfuß auf den alten Steinböden bestimmt besser dran. Bei dem Wetter würden die Leute in der Burg bestimmt nicht auf die Idee kommen, nach draußen oder gar zur Hängebrücke zu gehen, deswegen konnte er seine Sachen wohl relativ gefahrlos hierlassen.

Er sah wieder nach draußen. Niemand zu sehen. Der Inquisitor zählte langsam bis hundert, dann schlüpfte er hinaus. Sofort hüllten Wind und Regen ihn wieder ein, doch dank seines Schutzzaubers blieb er dieses Mal von den Elementen völlig unberührt. Als er auf halbem Weg die Treppe zu den Wällen hinauf war, sah er kurz nach oben. Die Krähenburg, die sich gegen den ohnehin schon dunklen Nachthimmel als besonders finsterer Schatten abhob, hatte sechs Türme, von denen zwei zumindest teilweise eingestürzt zu sein schienen. Sehr viel konnte der Inquisitor nicht erkennen, doch irgendwo in dem weitläufigen Innenhof stach ein großer, finsterer Block heraus, zu dem zwei der noch intakten Türme gehörten. Das war zweifellos der Bergfried.

Ob dort schon jemand hineingekommen ist?

Aber das war jetzt nicht von Belang. Ohne Zwischenfälle gelangte er zu der Holztür und konnte, ohne ein verräterisches Geräusch von sich zu geben, hineinschlüpfen. Drinnen brannte zu seiner Überraschung Licht, jemand hatte sich tatsächlich die Mühe gemacht, hier die alten, an der Wand angebrachten Öllampen zu entzünden. Und da nur diejenigen brannten, die über die Wendeltreppe des schmalen Turmes nach unten führten, musste er nicht einmal seine Nase bemühen, um herauszufinden, wohin der Mann verschwunden war.

Nach unten. In die Keller der Krähenburg.

Einen Moment lang musste er an all die Dinge denken, die er über die Verliese von Waldemar Blaukrähe gehört hatte. Doch er schüttelte den Gedanken ab und folgte dem Licht der Lampen nach unten.

13.

Die Wendeltreppe führte den Inquisitor nur etwa zwei Etagen in die Tiefe, bevor sie in einen langen, geraden Gang mündete. Auch hier war niemand zu sehen, doch am anderen Ende waren die Umrisse einer Tür zu erkennen, hinter der weitere Lichter brannten. Sieben gefiel die Sache nicht.

Wenn jemand nach draußen geht, während ich in dem Gang bin, gibt es für mich keine Möglichkeit, mich zu verstecken. Wenn der Kerl vorhin tatsächlich ein Ligist war, bedeutet das entweder Flucht oder Kampf, aber auf jeden Fall werden sie herausfinden, dass ich hier war.

Doch er sah keinen Weg an diesem Dilemma vorbei, dieses Risiko musste er eingehen. Leise schlich er auf die Tür zu. Der Steinboden unter seinen Zehen war kalt und ein wenig uneben, dazu noch staubig. Sieben versuchte eine Spur von magischer Energie zu erfühlen, doch hier im Gang fand er nichts. Trotzdem konnte er spüren, wie die Luft um ihn herum förmlich unter der Last all der uralten Zauber, die auf verschiedenen Bereichen der Festung lagen, zu vibrieren schien. Instinktiv umklammerte er den Degen an seiner Seite, bevor er weiterging. Vor der Tür blieb er schließlich stehen und verwendete seine Sinne. Seine Nase sagte ihm, dass mehrere Menschen in der Nähe sein mussten, und wenige Sekunden später hörte er eine recht ferne Stimme irgendetwas murmeln. Wieder stand er vor einer Entscheidung.

Hier draußen konnte er nichts hören oder sehen, aber gleichzeitig konnte er nicht wissen, wie der Raum hinter der Tür aussah. Wenn er versuchte sich hindurchzuschleichen, war es sehr leicht möglich, dass man ihn entdeckte. Er sah sich um. Seitlich von der Tür war nur wenig Platz, doch wenn er sich ganz in die Ecke drängte, war es gut möglich, dass jemand, der nur einen schnellen Blick nach draußen warf, ihn übersah. Wenn er einfach die Tür öffnete und jemand es bemerkte, würden sie vielleicht glauben, dass der Mann vorhin sie nicht richtig geschlossen hatte. Oder dass es hier spukte. In Anbetracht der Tatsache, dass sie sich auf einer alten Burg eines Zauberers befanden, hätte er diese Möglichkeit sogar selber in Betracht gezogen.

Der Inquisitor drückte die Klinke hinunter und öffnete die Tür gerade so weit, dass jemand, der von innen in ihre Richtung sah, es mit Sicherheit bemerken würde. Dann lehnte er sich zurück und lauschte. Die Stimme redete weiter. Keine Unterbrechung, keine Schritte. Sieben beschloss sein Glück nicht weiter zu strapazieren, sondern schlüpfte schnell durch die Öffnung in den Raum.

Was sich darin befand, war beeindruckend. Offenbar handelte es sich hierbei um eine Art Ausstellungssaal. In dem weitläufigen Raum standen überall kleine Podeste mit Vitrinen, an den Wänden hingen Gemälde, Karten und Trophäen aller Art und der Boden war zur Gänze bedeckt mit Teppichen mit verschiedensten Mustern. Vor ein paar hundert Jahren musste dieser Ort ganz schön ehrfurchterweckend gewesen sein. Doch sowohl der Zahn der Zeit als auch die vielen Eindringlinge, die auf der Suche nach Schätzen hierhergekommen waren, hatten offensichtlich ihre Spuren hinterlassen. Die Bilder waren völlig verblichen, die Teppiche allesamt grau von Staub, teilweise löchrig und die meisten der Vitrinen zerschlagen und leer. An den Seiten des Saales führten dutzende von Türen in weitere Räume.

Sieben hatte jedoch keine Zeit, sich alles näher anzusehen, stattdessen hielt er nach dem Ursprung der Stimmen Ausschau. Er musste nicht lange suchen. Ein Stück von ihm entfernt saßen drei Personen auf dem Boden um einen kleinen, batteriebetriebenen Scheinwerfer herum und unterhielten sich angeregt. Zwei von ihnen, ein Mann und eine Frau, hatten der Tür den Rücken zugewandt, der Dritte wurde zum Teil von einer Säule verdeckt und hätte Sieben nur aus dem Augenwinkel heraus sehen können, doch dafür war es wohl zu dunkel. Trotzdem schob Sieben die Tür hinter sich zu und brachte sich hinter einem kleinen Podest, auf dem eine kleine Säule mit einer inzwischen völlig zur Unkenntlichkeit verkommenen Büste stand, und lauschte.

„Bei dem Sauwetter bringst du mich jedenfalls nicht noch einmal nach draußen", murrte einer der beiden Männer gerade.

Sieben kannte seine Stimme nicht. Dann jedoch antwortete die Frau.

„Keine Sorge, das musst du nicht. Ich habe auch nicht wirklich geglaubt, dass er ausgerechnet jetzt hier eintreffen würde, aber man kann ja nie wissen."

Diese Stimme hatte er schon einmal gehört. Aber nicht in Oslubo. Es handelte sich um die Ligistin, der er am Chorena begegnet war und die gemeinsam mit ihrem Kollegen H2O gefangen gehalten hatte. Er glaubte sich daran zu erinnern, dass ihr Kollege dort sie Melanie genannt hatte. *Also doch die Liga. Aber sind noch mehr von ihnen hier oder nur die drei?*

Jedenfalls schienen sie mit Verstärkung zu rechnen.

Herzog vielleicht? Oder dieser Kopfgeldjäger Antares, der in dem Brief erwähnt wurde?

Er schlich von seinem Versteck aus weiter. Seine Füße machten auf dem muffigen alten Teppich nicht das leiseste Geräusch und sein schwarzer Umhang war die perfekte Tarnung. Nur die Maske wäre ein wenig auffällig gewesen, doch er gab sorgsam darauf Acht, sich dem Lichtkegel des Scheinwerfers nicht von vorne zu nähern. Unterdessen redete nun wieder der erste Ligist.

„Wie lange, glaubst du, dass er noch brauchen wird? Der Alte scheint ja ganz schön stur zu sein."

Melanie zuckte mit den Achseln. „Solange wie notwendig. Er wird ihn schon zum Sprechen bringen. Früher oder später. Er ist gut in dem, was er tut."

„Von mir aus. Zumindest hat das Geschrei jetzt aufgehört. Bei dem lief es mir kalt den Rücken runter."

Der andere Ligist lachte heiser. „Du bist noch nicht lange genug dabei, du hast noch nicht den Magen für solche Sachen. Ich weiß noch, in Kiruna, da haben wir mal einen Zauberer in die Finger gekriegt, der uns schon eine ganze Weile Ärger gemacht hat. Aber als wir mit ihm fertig waren, hat er gequiekt wie ein Schweinchen." Sieben sah über den Rand des Podests.

Der erste Ligist schüttelte den Kopf. „Von mir aus. Aber ich bin auch nicht sicher, ob ich mich an sowas gewöhnen will. Dieser Antares ist mir unheimlich. Sagt fast nie ein Wort und starrt einen immer so durchdringend an …" Er seufzte. „Unter dem Prinzen war alles anders. Es konnte zwar auch manchmal etwas brutaler werden, aber wenn er die Dinge beschrieben hat, habe ich zumindest immer gewusst, dass wir das Richtige tun. Für eine gerechte Sache kämpfen. Aber das hier …"

Er zuckte mit den Achseln und sah zu der Frau. „Stimmt es, dass die Chefs sich auch nicht einig sind? Herzog meint, ein paar der Alten würden weich werden."

Die Frau zuckte mit den Achseln. „Herzog vertritt eine etwas extremere Philosophie. Wenn es nach ihm ginge, würden wir den Orden zerschmettern und jeden einzelnen Zauberer töten."

„Gut so", bemerkte der andere Ligist.

Der Mann ignorierte ihn. „Was denkst du, Melanie?"

Sie lehnte sich scheinbar entspannt zurück, doch Sieben fiel auf, dass sie offenbar versuchte etwas Zeit zu gewinnen, um sich eine Antwort einfallen zu lassen. „Ich denke, dass Herzog einen guten Job macht", sagte sie schließlich. „Er hat viel mit dem Prinzen gemein, auch wenn er manchmal ein wenig … grob werden kann. Aber wenn man eine Organisation leitet, die für eine gerechte Sache kämpft, darf man eben nicht zimperlich sein."

Ihre beiden Begleiter schienen mit dieser Antwort halbwegs zufrieden zu sein. Sieben ballte die Hände zu Fäusten.

Viel mit dem Prinzen gemein? Dass ich nicht lache! Dieser primitive Schläger kann vielleicht gut Parolen schmettern, aber im Vergleich zu Prinz Daniel ist er nur ein erbärmlicher ...

Er schüttelte den Kopf. Jetzt war nicht der Zeitpunkt, um sich von seinem Zorn ablenken zu lassen. Von seinem Versteck hinter dem Podest versuchte er seitlich an der Wand im Schutz einiger Vitrinen näher an die Lagerstätte der Ligisten heranzukommen.

„Eigentlich haben wir ja ein ziemliches Glück", bemerkte Melanie schließlich, „wenn wir nicht ausgerechnet jetzt endlich einen Informanten aus dem Dorf bekommen hätten, hätten wir noch lange nach dem Alten suchen können. Mit ein bisschen Glück können wir unseren Auftrag jetzt in ein paar Tagen erledigen."

„Warum der sich wohl gerade jetzt gemeldet hat?", überlegte einer ihrer Kollegen laut. „Bisher wollte niemand in Oslubo etwas mit uns zu tun haben."

Melanie zuckte mit den Achseln. „Wahrscheinlich ist sogar genau das der Grund. Die mögen uns nicht und wollen uns loswerden. Indem sie uns sagen, wie wir an diesen Hurensohn herankommen, helfen sie uns damit."

Siebens Herz setzte einen Schlag aus.

Ein Informant? In Oslubo? Und wer soll das sein, den sie in die Finger bekommen haben?

Der Inquisitor hatte einen Verdacht und betete innigst, dass er falschlag.

Er wollte noch näher an die Ligisten herankommen und schlich um eine Säule herum.

Dann plötzlich stieg er auf etwas Scharfes. Reflexartig sog er schmerzerfüllt geräuschvoll die Luft ein.

Alle drei Ligisten fuhren mit einem Mal zu ihm herum. Sie waren erstaunlich schnell. Melanie zog unter einer Decke einen Revolver hervor, richtete ihn auf Sieben und drückte ab. Die Kugel prallte harmlos an seinem Schild ab und fuhr in die Decke, doch im nächsten Moment spürte er, wie weitere Projektile gegen ihn prallten und seine Abwehrmechanismen unter dem Kugelhagel geradezu zu leuchten begannen.

Sieben hob den Arm und warf den dreien eine kleine Energiewelle entgegen, doch sie war hastig und schlampig ausgeführt und richtete nicht viel Schaden an. Melanie wurde ein Stück zurückgeworfen, landete jedoch auf den Beinen, während einem ihrer beiden Kollegen seine Waffe aus der Hand gerissen wurde. Daraufhin zog er, ohne eine Sekunde zu verlieren, unter seinem Mantel etwas hervor, das wie eine altmodische Stielgranate aussah. Er warf es nach Sieben, der sofort erkannte, womit er es zu tun hatte. Amliden waren eine bevorzugte Waffe der Liga, um Magier auszuschalten. Sobald sie aktiviert waren, sogen sie umliegende magische Energie auf wie ein Magnet, was es unmöglich machte, sie mit Zauberei zu deaktivieren, dann setzten sie diese mit aller Kraft frei.

Der Inquisitor wusste, dass ihm nur wenige Sekunden blieben. Er warf sich nach hinten. Eigentlich hätte er vorgehabt, sich hinter eines der Podeste zu bücken, doch leider prallte er dabei gegen eine der Säulen und geriet ins Stolpern. Er fiel nach vorne, mit dem Gesicht direkt auf die Wand zu – und fiel einfach durch sie hindurch.

Hinter sich hörte er ein schnell immer höher und intensiver werdendes Surren, mit dem der Amlid sich auflud, doch er hatte keine Zeit, sich darüber den Kopf zu zerbrechen, denn vor ihm ging es bergab.

Offenbar war der Teil der Wand, gegen den er gestürzt war, nur eine Illusion gewesen, doch dahinter wartete eine lange Steintreppe in völliger Finsternis, die er nun hinunterfiel.

Er stieß sich das ohnehin schon angeschlagene Knie noch einmal an einer Stufe, prallte mit dem Ellenbogen gegen die Wand und versuchte seinen Sturz unter Kontrolle zu bringen. In dem Durcheinander sah er eine weitere Wand auf sich zu fliegen, doch auch durch die fiel er einfach hindurch und landete in einem Knäuel seines Mantels auf einem kalten, staubigen Fliesenboden.

Was beim Licht war denn das? Fluchte er und rappelte sich auf. Doch als er sich umsah, verschlug es ihm die Sprache.

Er befand sich nun noch weiter unter der Burg, tief in den berüchtigten Verliesen Waldemar Blaukrähes. Und hier vor ihm lag … ein wunderschöner, heller und weiter Raum wie aus einem Gemälde. Fassungslos blickte er um sich. Die niedrige Decke wurde hier von mehreren Reihen elfenbeinweißer, mit kunstvollen Motiven versehenen Säulen gestützt. Der Boden war durchgehend gefliest, wurde jedoch größtenteils von einem System aus kleinen Kanälen durchzogen. Gespeist wurden sie von einem Rohr an der Wand, aus dem sich ein tröpfelndes Bächlein ergoss. Kleine Brücken mit verschnörkelten Eisengeländern führten von einer rechteckigen Insel zur nächsten. Auch die Wände waren nicht kahl. Knüpfteppiche, Porträts verschiedener Leute, deren Gesichtszüge sich im schwachen Schein der Fackeln fast zu bewegen schienen, und mehrere Rahmen, in denen sich statt Bildern aufwändig verzierte Schriftrollen befanden, auf denen in großen Lettern Gedichte und kleine Weisheiten standen. In regelmäßigen Abständen waren auch Banner an der Wand zu sehen: eine blaue Krähe auf purpurnem Grund. Sieben wusste sofort, wo er war.

Das muss der geheime Raum sein, von dem Nadine erzählt hat! In dem sie mit Jannis de Meijer war!

Kein Wunder, dass er normalerweise nicht gefunden wurde, er selbst war ja nur durch Zufall durch die Wand gefallen und hatte ein Riesenglück gehabt. Der Inquisitor drehte sich einen Moment lang um und lauschte. Irgendwo ertönte eine dumpfe Explosion, offenbar hatten die falschen Wände auch eine leicht schallabschwächende Wirkung.

Es wird einen Moment lang dauern, bis sie merken, dass ich verschwunden bin. Ob sie wohl wissen, dass es hier runtergeht? Vermutlich nicht. Wenn er jetzt zurück nach oben ging, konnte er ihnen vielleicht auflauern und sie ohne Probleme ausschalten. Gerade wollte er sich von dem Saal vor ihm abwenden und seinen Plan in die Tat umsetzen, als ihm ein Stück weiter hinten etwas auffiel. Der Raum war am anderen Ende nach außen hin offen. Eine lange Arkadenreihe, um deren Säulen sich üppige Rosenbüsche rankten, verlieh dem Bild etwas Malerisches, doch draußen regnete es noch in Strömen und immer wieder drang das Grollen eines Donnerschlages an sein Ohr. Die Kanäle trafen sich alle dort vorne an einer Öffnung wieder, wo ein großes Becken von einer Steinkante so eingegrenzt wurde, dass nur eine gewisse Menge Wasser darüber hinaus in die Tiefe fiel.

Da also kommt der Wasserfall her, an dem ich gestanden habe. Wahrscheinlich liegt dort vorne ein Zauber auf den Säulen, der das Licht nicht nach außen dringen lässt, aber vielleicht wurde er so schlampig ausgeführt, dass man, wenn man direkt darunter steht, doch noch ein bisschen davon sehen kann.

In dem Fall war es also reines Glück gewesen, dass er hier oben auf die Ligisten gestoßen war. Aber das war es nicht, was ihn ablenkte. Dort in dem letzten Becken befand sich eine weitere, rechteckige Insel zu der nur eine einzige Brücke führte. Auf ihr war eine Steinbank, welche offenbar dazu gedacht war, auf das Tal hinauszusehen und den unglaublichen Ausblick dort zu genießen.

Und dort auf der Bank lag etwas.

Ein Körper.

Mit ausgestreckten Gliedmaßen lag dort ein Mensch, den Boden um die Bank umgab eine weite Blutlache. Sieben verlor keine Zeit, sondern lief los. Anstatt die Brücken zu benutzen, sprang er mit weiten Sätzen über die Kanäle und war im Nu bei der Person. Als er bei ihr angekommen war, erkannte er sofort, um wen es sich handelte.

Zacharias de Meijer.

Er hatte es befürchtet. Offenbar hatte die Liga ihn irgendwie in die Finger bekommen und hierhergebracht. Der Inquisitor kniete sich neben ihn und tastete nach seinem Puls. Doch er fand keinen. Sieben war nicht überrascht. Hier war viel Blut, und ein breiter, leicht eingetrockneter Strom, der über die Kante der Bank hinuntergeronnen war, floss über die Fliesen bis hin zu dem Becken, dessen Wasser sich über die Kante nach unten in den Iphikles stürzte. Wenn Sieben es so weit flussabwärts noch hatte wahrnehmen können und hier auch noch so viel war, dann war es nicht weiter verwunderlich, dass Zacharias dem Blutverlust erlegen war. Sieben besah sich seine Wunden. Die Verletzungen waren über seinen ganzen Körper verteilt, jemand schien ihn mit großer Geduld und Sorgfalt bearbeitet zu haben. Seine ausgestreckten Gliedmaßen wirkten, als hätte sie jemand sehr präzise gebrochen, doch tödlich war letztlich wohl ein besonders tiefer Schnitt am Hals gewesen.

Da hat wohl jemand endgültig die Geduld verloren.

Doch dann fiel ihm noch etwas auf. Zacharias lag der Länge nach auf der Bank und sein Blut befleckte einen großen Teil davon. Über seinem Kopf hätte die Kante allerdings eigentlich sauber sein müssen. Aber auch dort war Blut. Es wirkte wesentlich älter und war so verblasst, dass es Sieben auf den ersten Blick fast gar nicht aufgefallen wäre. Jemand hatte offensichtlich versucht es wegzuwischen, aber auf halbem Weg aufgegeben. Sieben war sich nicht völlig sicher, aber dass es ebenfalls zu Zacharias gehörte, erschien ihm äußerst unwahrscheinlich. Er besah sich den Fleck näher. Auch auf dem Boden darunter waren schwache Spuren zu sehen, doch hier war man bei der Spurenbeseitigung offenbar wesentlich gründlicher gewesen. Sieben schloss die Augen und versuchte mit seiner Nase vielleicht einen Eindruck davon zu bekommen, worum es sich hierbei handelte, doch ohne Erfolg, die Spur war zu alt, außerdem übertünchten die Rosen überall mit ihrem Geruch die dezenteren Düfte, die er vielleicht ansonsten hätte wahrnehmen können. Doch ein anderer Sinn in ihm schlug Alarm. Er spürte etwas.

Magie.

Vor ihm, auf der anderen Seite des Beckens, befand sich eine Tür. Es musste sich um den eigentlichen Eingang handeln, doch offenbar lag ein starker Zauber auf ihm, ganz wie Nadine gemeint hatte. Sieben hatte von antiker und mittelalterlicher Magie ein bisschen eine

Ahnung und er meinte zu spüren, dass es sich bei diesem Schutzzauber um einen Bann handelte, der darauf abzielte, Nichtsahnende, die in den Saal eindringen wollten, mit einer Art Ausdörrungszauber zu belegen, der offenbar bei Aktivierung begann umliegende Feuchtigkeit aufzusaugen. Es war ein ziemlich elegantes Stück Magie, das das alte Problem umging, dass kein Zauberer den Körper eines anderen Menschen direkt beeinflussen konnte, doch mit solchen Zaubern, die sich auf die gesamte Umgebung bezogen, war es oft möglich, jemandem schnell und effizient den Tod zu bringen. Aber wie die meisten älteren Dinge war auch dieser Zauber … gereift. Vermutlich hatte er seine Wirkung inzwischen völlig verändert und Sieben hatte nicht vor herauszufinden wie. Doch direkt vor der Tür in der Luft lag eine weitere Aura. Es handelte sich offenbar um die Spur eines Energiewesens, welches mit dem Zauber in der Tür in Berührung gekommen war.

Der Inquisitor war alarmiert. Energiewesen, egal welcher Natur, konnten dramatische Veränderungen erleben, wenn sie mit anderer, wilder Magie in Berührung kamen.

Vielleicht hat es etwas mit dieser älteren Blutspur zu tun. Ob hier irgendein Dämon gehaust hat, dem jemand zum Opfer gefallen ist? Aber wer? Sein Blick fiel auf Zacharias. *Nein. Das war ja laut den Ligisten vorhin kein Monster, sondern Antares, dieser Kopfgeldjäg-*

In dem Moment hörte er hinter sich ein Surren.

Instinktiv duckte er sich, und nicht einen Sekundenbruchteil zu früh. Das Projektil, was auch immer es war, durchschlug sein passives, magisches Schild, als wäre es nicht da, verfehlte seinen Kopf um Millimeter und prallte hinter ihm von einer der Arkadensäulen ab, wo es ein sichtbares Stück des alten Gesteins einfach herausriss. Sieben sah sich hektisch um. Auf der anderen Seite des Beckens, in einer kleinen, im Dunkeln liegenden Ecke, stand ein Schatten. Sein Umriss war Sieben sofort vertraut, denn es war derselbe riesenhafte Schemen, den er schon in Krithon und während ihrer ersten Besichtigung des

Tales auf dem Hügel erspäht hatte. Aus der Nähe war er noch beeindruckender. Mindestens zwei Meter groß und breit wie ein Kleiderschrank war der Kopfgeldjäger körperlich ziemlich einschüchternd.

Aber Stärke alleine ist nicht alles.

Sieben erwartete, dass der im Schatten stehende Angreifer versuchen würde nach seinem fehlgeschlagenen Fernangriff die Distanz zwischen ihnen zu verringern, immerhin war man gegen einen Zauberer in der Regel im Nahkampf besser dran. Doch stattdessen machte er eine seltsame Bewegung mit dem Arm, als würde er umständlich etwas aufheben. Es dauerte einen Augenblick, bis der Inquisitor begriff.

Er lädt eine Armbrust!

Das war nicht gut. Moderne Feuerwaffen bereiteten Zauberern selten Probleme, da gewöhnliche Kugeln passiven Schilden meistens nichts anhaben konnten. Aber aus den vergangenen Zeiten, in denen es oft Kämpfe zwischen Magiern und Gewöhnlichen gegeben hatte, waren noch heute einige Waffen erhalten, welche in der Lage waren, Projektile vor dem Abschuss magisch aufzuladen. Sie waren sehr selten, und selbst die Liga machte nur bei wenigen Gelegenheiten Gebrauch davon. Doch dieser Antares schien mit einer solchen Antiquität ausgerüstet zu sein.

Er hob die Armbrust und zielte auf Sieben, dann drückte er ab. Der Inquisitor warf sich erneut zur Seite und versuchte hinter der Steinbank in Deckung zu gehen. Antares lud nach. Sieben konzentrierte sich und hob den Arm. Aus dem Wasserbecken vor ihm erhoben sich vier etwa melonengroße Wasserkugeln, gefroren sofort zu Eis und flogen auf den Kopfgeldjäger zu. Der machte sich nicht einmal die Mühe auszuweichen. Stattdessen trat er nach vorne. Nun stand er im Licht und Sieben registrierte für einen kurzen Moment lang sein Erscheinungsbild. Die geradezu grotesk muskulösen, baumstammdicken Arme, die mit Panzerhandschuhen versehenen Hände und den korinthischen Helm, der das ganze Gesicht mit Ausnahme der grimmig blickenden, grünen Augen und eines schmalen, senkrechten Atemschlitz bedeckte. Antares holte mit der rechten Hand aus und zerschlug, ohne zu zögern, die erste Eiskugel in der Luft, als wäre sie aus Glas. Seine Reflexe waren unglaublich, denn ohne auch nur mit der Wimper zu zucken, erledigte er auch die zweite und dritte Kugel, die innerhalb von nicht einmal einer Sekunde auf ihn zurasten. Für das letzte Geschoss sah er nur nach unten und ließ es auf seinem Helm einprallen, wo es nicht einmal eine Delle hinterließ.

Der muss auch magisch sein.

Antares hatte inzwischen erneut nachgeladen. Sieben machte sich für einen Angriff bereit, doch plötzlich griff der Kopfgeldjäger in seine Tasche und warf etwas nach ihm.

Ein Amlid!

Sieben sah die magische Granate durch die Luft fliegen und wollte sich schon zur Seite werfen, doch in diesem Moment hob der Kopfgeldjäger erneut seine Waffe und schoss. Sein Bolzen flog zielgenau durch die Luft und traf den Amliden, der nur wenige Meter von Sieben entfernt war. Mit einem intensiven Heulen überlud die dem Projektil innewohnende Energie den Amliden und ließ sie sofort explodieren. Die Wucht und Intensität der Detonation ließ Siebens passives Schild in der Luft verpuffen und warf ihn zurück, hinunter von der Insel und in das Wasserbecken. Einen Moment lang wusste er nicht, wo oben und unten war, dann hob er die Arme. Er stieg in die Höhe, umgeben von einer wirbelnden Wassersäule. Antares funkelte ihn grimmig an, wie er über dem Becken auf einem Podium aus Wasser zu stehen schien. Dann machte Sieben eine stoßende Handbewegung und schleuderte sich wie ein Projektil in Richtung seines Gegners. Dieses Mal konnte der Kopfgeldjäger nicht rechtzeitig reagieren. Der Inquisitor warf sich ohne Rücksicht gegen ihn, sodass er zurückgeschleudert wurde, allerdings unterschätzte Sieben, wie abgebrüht sein Gegner war. Er krachte mit voller Wucht in ihn und rammte ihm dabei beide Fäuste ins Gesicht, doch der Helm fing seine Schläge größtenteils ab. Antares war nicht einmal sonderlich benommen, stattdessen gelang es ihm, Sieben, noch während sie beide seltsam ineinander verschlungen zurückfielen, zu packen und ihm die gepanzerte Faust in den Magen zu schmettern. Der Schlag wurde von dem Wasserstrahl, der ihn immer noch umhüllte, abgeschwächt, trotzdem traf er seinen Bauch wie eine Dampflokomotive.

Dann prallten sie gegen die Wand. Für einen Moment blieb ihnen beiden die Luft weg, Sieben von dem Schlag, Antares von dem Aufprall. Das Wasser, nun von Siebens magischer Bindung frei, floss über den Boden. Doch nun waren sie direkt nebeneinander.

Normalerweise für einen Magier keine wünschenswerte Situation, aber zumindest kann der Mistkerl jetzt seine Armbrust nicht verwenden.

Allerdings versuchte er das auch nicht. Stattdessen rappelte er sich auf und trat nach dem am Boden liegenden Inquisitor. Ächzend warf Sieben sich zur Seite und sprang aus der Rolle heraus auf, doch noch bevor er nach seinem Degen greifen konnte, war sein Gegner schon wieder bei ihm und drosch auf ihn ein. Wenn Sieben nicht von der übernatürlichen Kraft der meisten Magier profitiert hätte, wäre er schon nach dem ersten Schlag eingeknickt, doch auch so war der Aufprall der gepanzerten Faust auf seinem Oberarm beinahe mehr, als er verkraften konnte. Sieben versuchte sich an einigen geschickten Kontern, doch zu seinem Entsetzen musste er feststellen, dass sein Gegner nicht nur furchtbar stark, sondern auch schnell und offenbar in mehreren Kampfkünsten unterwiesen war. Ohne sichtliche Mühe wehrte Antares seine Schläge ab. Jedes Mal wenn Sieben auch nur für einen Lidschlag von seinen Angriffen abließ, konterte der Kopfgeldjäger mit einer Wildheit und Konzentration, dass er zurückweichen musste, um seinen Schlägen zu entgehen. So trieb ihn sein Gegner bis an den Rand des Beckens zurück. Doch mit jedem Schwung schienen Antares' Hiebe noch an Kraft zu gewinnen, wie ein kleiner Komet pflügte seine Faust Millimeter vor Siebens Gesicht durch die Luft und prallte dabei gegen den Schnabel seiner Maske. Siebens Kopf wurde zur Seite gerissen und Antares nutzte die kurze Ablenkung, um unter seinem Mantel etwas hervorzuziehen, das wie ein Elektroschockstab aussah, nur dass die Spitze in einem unheilvollen, violetten Licht blitzte. Sieben hatte kaum Zeit zu reagieren, als ihn das Ende des Stabes an der Brust traf. Energie, intensive, magische Energie durchströmte seinen Körper, erfüllte jede Sehne, jede Pore seines Körpers und entlud sich in einer Explosion aus Hitze und Schmerz. Doch der Inquisitor hatte solche Angriffe schon erlebt.

Jetzt habe ich dich, du Mistkerl!

Er hob die Arme und packte den Helm seines Gegners an beiden Seiten. Dann lud er den magischen Schlag auf seinen Gegner um. Das Ergebnis war ein dumpfer, tiefer Schrei, der vom Donnern des mittlerweile zu einer wahren Naturgewalt angeschwollenen Sturmes draußen verschluckt wurde, dann ließ Antares den magischen Schockstab fallen und taumelte ein paar Schritte zurück. Sieben sah seine Chance gekommen, holte aus und beschwor aus dem Becken einen Wasserstrahl, der den Kopfgeldjäger in die Luft hob, ihn zuerst gegen die Decke schmetterte und ihn im Anschluss regelrecht in den Boden stanzte. Es vergingen jedoch keine zwei Sekunden und der Hüne rappelte sich auf, als wäre nichts geschehen.

Wie viel hält dieses Arschloch denn aus?!

Sieben war ziemlich ausdauernd, doch irgendwie sagte ihm sein Gefühl, dass er diesen Kerl trotzdem nicht so einfach würde zermürben können. Außerdem schien er auf so gut wie alles eine Antwort zu haben und Sieben war sich nicht sicher, wie viele Tricks sein Gegner noch im Ärmel hatte. Es war eindeutig Zeit zu verschwinden. Aber der Aufgang zu der falschen Wand befand sich am anderen Ende des Raumes, und selbst wenn er es dorthin schaffte, würden oben wahrscheinlich schon die drei Ligisten auf ihn warten.

Bis er mit ihnen fertig war, würde Antares ihn sicher eingeholt haben. Der einzige andere Ausgang war mit einem für ihn höchstwahrscheinlich tödlichen Zauber belegt, und vor den Arkadenbögen fiel der Fels mindestens hundert Meter in die Tiefe. Es gab kein Entkommen.

Sein kurzes Zögern erwies sich als Fehler. Antares trat nach vorne und schmetterte ihm knurrend die Faust entgegen. Wieder konnte Sieben erst im letzten Moment ausweichen, doch im nächsten Augenblick versetzte er ihm einen überraschenden Kopfstoß. Der Helm prallte schmerzhaft in Siebens Gesicht und einen Augenblick lang sah er nur Sterne. Instinktiv sprang er zurück, um dem nächsten Angriff zu entgehen, doch Antares bückte sich schnell nach seinem ausgestreckten Bein und packte es. Der Inquisitor stieß sich mit seinem anderen Fuß ab und trat ihm gegen den Helm, doch da er barfuß war, blieb sein Angriff ohne Wirkung, außer dass ihm ein stechender Schmerz durch die Zehen fuhr. Dann packte Antares auch sein zweites Bein, klemmte sie zusammen und hob ihn daran hoch. Einen Augenblick lang sah Sieben in die hasserfüllten, grünen Augen, die ihn durch die Sehlöcher des Helmes boshaft anblitzten.

„Stirb!"

Dann vollführte Antares eine schnelle Drehung, während der Sieben gerade noch Zeit blieb, einen allerletzten, hastigen Abwehrzauber zu vollführen, und schmetterte ihn mit der Wucht eines Lastwagens gegen eine der Arkadensäulen. Der Inquisitor spürte, wie die Steinsäule unter dem Aufprall zerbrach wie Schilf.

Dann ließ der Kopfgeldjäger ihn los. Sieben flog nach draußen. Er war von dem Aufprall benommen, doch noch während er spürte, dass die Schwerkraft langsam ihren Dienst tat, wusste er, dass es vorbei war. Über ihm sahen die von Gewitterwolken umhüllten schwarzen Türme der Krähenburg unheilvoll auf ihn herab, unter ihm, weit unter ihm, waren die Felsen, die ihm die Knochen zerschmettern würden, und der Iphikles, der seine Leiche davontragen würde. Für einen kurzen

Augenblick blieb ihm sogar Zeit, daran zu denken, in was für einer friedlichen Umgebung man seinen Leichnam finden würde und dass Großmeister Zeus endlich seinen Willen hatte – als ihn erneut etwas am Fuß packte. Sieben sah auf. Ein großes, mit seltsam stilisierten Engelsflügeln versehenes Seepferdchen flog durch die Luft und hatte seinen Schwanz um sein Bein geschlungen, während es sich Mühe gab, das zusätzliche Gewicht mit sich zu tragen.

„H2O!", brüllte der Inquisitor. „Weg hier! Schnell!"

Irgendwo sirrte es. Durch Regen und Wind kam ein Armbrustbolzen geflogen, der den Wassergeist direkt in den Kopf traf. Etwas golden Glitzerndes flog durch die Luft und der Griff um Siebens Bein erschlaffte. Er fiel. Aus oben wurde unten und aus unten wurde oben, während er zwei Mal um sich selbst rotierte, dann gelang es ihm, sich zu stabilisieren. Fieberhaft suchten seine Augen seine Umgebung ab, während der Boden unter ihm rasend schnell näherkam. Dann sah er wieder den Ring. Der Inquisitor streckte die Hand aus. Ein kleiner Wasserball umschloss das fallende Schmuckstück und zog es zu ihm. Sieben hatte noch nie so überhastet und unkontrolliert magische Energie durch seinen Körper strömen lassen, doch im nächsten Moment strömte von allen Seiten Wasser auf den Ring zu, verformte sich und bildete eine kleine Wolke.

Und dann, im allerletzten Moment, materialisierte sie sich wieder zu einem geflügelten Seepferdchen, das Sieben so ruckartig am Bein packte, dass er schon meinte, es würde ihm ausgerissen. Ein weiterer Armbrustbolzen zischte heran, doch mittlerweile hatten Sieben und H2O so viel Distanz zwischen sich und den Kopfgeldjäger gebracht, dass nicht einmal er durch den Wind noch gezielt schießen konnte. H2O schnaubte wütend über ihm, doch der Inquisitor schüttelte den Kopf.

„Vergiss ihn. Bring mich einfach zurück nach Oslubo … wenn's geht, andersherum."

H2O war immer noch zornig, gehorchte jedoch anstandslos und zog ihn so hoch, dass er in aufrechter Position auf dem fliegenden Wassergeist sitzen konnte. Während sich hinter ihnen die dunkle Silhouette der Krähenburg immer weiter entfernte und auch die Windböen und der Regen ein wenig nachließen, wurde Sieben langsam klar, wie knapp er gerade mehrmals dem Tod entronnen war. Und was er dort oben alles gesehen hatte.

Die Liga hat Zacharias de Meijer ermordet. Aber Jannis haben sie offenbar noch nicht gefunden. Aber wo immer er ist, jetzt ist er vermutlich in größerer Gefahr denn je.

Nachdem der Wassergeist nach ein paar Minuten zum Landeanflug auf Oslubo eingesetzt hatte, wurde ihm jedoch noch etwas von dem, was er gehört hatte, bewusst.

Sie haben Informationen von jemandem aus Oslubo bekommen. Irgendwer ist eingeknickt und hat Zacharias an die Liga verraten. Offenbar will jemand sie wirklich loswerden.

Mit einem Schlag wurde ihm klar, dass der Zeitpunkt des Verrates ziemlich speziell war.

Die Liga war seit Monaten hier aktiv, warum bekamen sie ausgerechnet jetzt Hilfe? Was hatte sich geändert?

Die Frage war leicht zu beantworten.

Wir sind hier angekommen. Wer immer Zacharias an die Liga verraten hat, will nicht sie loswerden. Er will UNS loswerden

14.

Zurück in Oslubo schien niemand seinen nächtlichen Ausflug bemerkt zu haben. Auf den Straßen war es abgesehen vom prasselnden Regen und dem heulenden Wind still und in der Herberge schienen alle zu schlafen. Sieben war auch viel zu müde, um sich darüber groß Gedanken zu machen, sein Magen schmerzte vom Hieb des Kopfgeldjägers, sein angeschlagenes Knie protestierte bei jedem Schritt.

Sofort wollte er Kassandra verständigen, doch nachdem er sich gerade noch auf sein Zimmer geschleppt hatte, um sich zuerst aus seiner klatschnassen Robe zu schälen, ließ er sich kurz auf sein Bett fallen, um tief durchzuatmen – und schlief prompt ein.

Erst als schon die Sonne durch das Fenster schien, schreckte er hoch, als es an seiner Zimmertür klopfte.

„Nummer Sieben?", hörte er im Halbschlaf Kassandra rufen. „Sind Sie wach? Wir wollten uns schon vor zwanzig Minuten auf den Weg machen!"

Der Inquisitor schreckte hoch. Obwohl die sonnenbeschienenen Berge vor seinem Fenster der Beweis dafür waren, dass er mehrere Stunden lang geschlafen haben musste, fühlte es sich an, als wäre er vor vielleicht fünf Minuten ins Bett gegangen. Doch die Erinnerung an seine nächtlichen Abenteuer kehrte schnell zurück und ohne zu zögern, lief er zur Tür.

„Gut, dass Sie hier sind, ich muss dringend mit Ihnen reden …", begann er, hielt jedoch inne, als er Kassandras Gesichtsausdruck sah. „Was fällt Ihnen eigentlich ein?!", keifte sie aufgebracht. „Ziehen Sie sich gefälligst Ihre Uniform an!"

Sieben fuhr sich erschrocken mit der Hand ans Gesicht, doch zum Glück trug er seine Maske. Dann sah er an sich hinab und begriff. In seiner Eile hatte er vergessen sich seine Robe überzustreifen und gab nun nur mit Maske und Unterhosen bekleidet wahrscheinlich ein ziemlich dummes Bild ab. Er griff schnell nach seinem Umhang, doch da dieser aufgrund seiner Erlebnisse vom Schlamm völlig verdreckt und teilweise löchrig und anderweitig lädiert war, ließ er ihn nur noch schlampiger aussehen. Während Sieben ihn sich mit einigen Schwierigkeiten wegen seiner Maske über den Kopf stülpte, hörte er Kassandra angewidert fragen: „Und … ist das etwa Alkohol? Haben Sie sich betrunken, Nummer Sieben? Sie stinken wie eine ganze Schnapsbrennerei, erklären Sie sich gefälligst!"

Ihre zornige Stimme hatte auch H2O aufgeweckt und Otto angelockt. Sieben bat die beiden Magier herein und erzählte ihnen, was in der vorherigen Nacht alles passiert war. Während seines ganzen Berichtes unterbrach Kassandra ihn kein einziges Mal, doch aus ihrer mühsam beherrschten Wut wurde zuerst ein dünnlippiger, kritischer Gesichtsausdruck, dann interessierte Aufmerksamkeit, während Otto von Anfang an Augen groß wie Untertassen machte und seine Lippen während Siebens Erzählung von seinem Ausflug in das Tal des Iphikles ein bewunderndes „O" formten. Das Einzige, was er ausließ, waren seine Überlegungen bezüglich der Identität der in dem Brief des Ligistenspähers erwähnten „Ines". Als der Inquisitor zu der Stelle gelangte, an der er Zacharias' Leichnam und in dem Seitengang die Spuren eines Energiewesens fand, unterbrach Otto ihn zum ersten Mal.

„Ha! Das ist dann die Lösung, oder? So ein Energiewesen könnte doch der Grund für die ganzen Zwischenfälle im Tal sein! Es gibt doch Wesen, die ihrer Umgebung Energie entziehen können und sie so schwächen, eine solche Aura könnte psychisch angeschlagene Leute in den Tod treiben, oder?"

Sieben zuckte mit den Achseln. „Vielleicht ... Was du meinst, sind sogenannte Wiedergänger, ein höherer Vampir. Durch wilde Magie mehr oder weniger reanimierte Körper, die sich Lebensenergie einverleiben."

Otto nickte. „Ja, oder Nachzehrer! Über die habe ich etwas in der Bibliothek gelesen! Die sind doch auch Vampire, oder?"

Der Inquisitor schüttelte den Kopf.

„Ein Nachzehrer verlässt sein Grab nicht. Wie sollten dann die Spuren in die Krähenburg gekommen sein? Und sie sind zwar auch Vampire, aber nicht jedes Energiewesen, das Lebenden Energie entzieht, ist ein Vampir."

Ottos Enthusiasmus dämpfte sich für einen Moment. „Ach ja, stimmt … aber das mit dem Wiedergänger könnte stimmen, oder?" Kassandra unterbrach ihn. „Könnte es. Aber den Nebel im Wald erklärt es trotzdem nicht. Aber erzählen Sie Ihre Geschichte erst einmal zu Ende, Sieben."

Er berichtete von seinem Kampf mit dem Kopfgeldjäger Antares und wie H2O ihn im letzten Moment gerettet hatte. Als er schließlich geendet hatte, schien Otto vor Aufregung förmlich zu platzen, während auf Kassandras Züge wieder ein Ansatz der vorherigen Strenge zurückgekehrt war.

„Das heißt also, es gibt hier in Oslubo einen Verräter …", murmelte sie und schenkte Sieben einen strafenden Blick, „und es könnte gut sein, dass Sie noch Stunden zuvor mit ihr oder ihm herumgesessen sind und sich betrunken haben."

Der Inquisitor zuckte mit den Achseln. „Schon möglich."

Er hielt es nicht für sinnvoll, sich jetzt mit ihr zu streiten, doch sie war noch nicht mit ihm fertig. „Wir haben jetzt wichtigere Dinge zu tun, aber ich will Ihnen schon jetzt sagen, dass ich es im Namen der Inquisition nicht dulden werde, dass sie deren Ruf durch ihr leichtsinniges Verhalten beschmutzen."

Was gibt es denn da bei einer Bande von maskierten Mördern und Verbrechern noch groß zu beschmutzen?, hätte er um ein Haar laut gesagt, riss sich jedoch im letzten Moment noch am Riemen. Sie war gerade sicher nicht in der Stimmung für schnippische Antworten. Otto konnte sich unterdessen kaum bremsen.

„Meinen Sie, die Liga hat Sophie ermordet? Und haben sie Jannis schon? Oder haben sie diesen Datenspeicher gefunden, nach dem sie suchen?"

Sieben schüttelte ungeduldig den Kopf. „Das hatten wir doch schon, Sophies Tod war ein Suizid und hatte mit der Liga mit an Sicherheit grenzender Wahrscheinlichkeit nichts zu tun, und auch Jannis ist verschwunden, bevor Antares aufgetaucht ist. Und den USB-Stick haben sie auch noch nicht gefunden, sonst müssten sie ja nicht Zacharias deswegen aushorchen."

Kassandra sah nachdenklich auf.

„Aber sie scheinen zu glauben, dass sie ihre Angelegenheiten hier in wenigen Tagen erledigt haben. Wir müssen uns beeilen und die Ligisten dingfest machen."

Sieben riss sich zusammen, konnte jedoch einen leicht wütenden Unterton in seiner Antwort nicht verhindern. „Die Liga ist nicht unser primäres Ziel, sie lenkt uns nur ab. Jannis de Meijer zu finden hat Priorität. Er kann uns erzählen, was er in der Krähenburg gefunden und erlebt hat, ich halte es für wahrscheinlich, dass es damit zu tun haben könnte, warum sich im Tal so viele Leute das Leben nehmen. Und wenn wir das wissen, finden wir auch Nummer Sechsundzwanzig."

Kassandra kniff die Augen zusammen. „Auch diese Diskussion hatten wir schon. Die Selbstmorde liegen Monate zurück. Genauso wie das Verschwinden von Nummer Sechsundzwanzig. Was immer es mit diesem Nebel im Tal des Iphikles auf sich hat, ich bezweifle, dass er uns davonläuft. Die Liga aber ist das Problem im Hier und Jetzt."

„Aber nicht Teil unseres Auftrages."

„Großmeister Zeus ist da anderer Meinung."

„Der Großmeister kann mich mal am …"

„Entschuldigung", unterbrach Otto das Hin und Her zwischen ihnen, „aber ich hätte da auch noch eine Frage, die wichtig sein könnte. Wen können wir denn verdächtigen, den Aufenthaltsort von Zacharias an die Liga weitergegeben zu haben?"

Kassandra schenkte dem Inquisitor einen wütenden Blick.

„Mein erster Tipp wäre dieser Yaron. Er hat verdächtig schnell seine Meinung uns gegenüber geändert. Aber … wenn wir jemanden mit einem Motiv dafür wollen, Zacharias und Jannis etwas anzutun, wären auch Nadine und vielleicht sogar Noah eine Option. Beide scheinen eine besonders große Abneigung gegen die de Meijers zu haben … was natürlich nicht weiter verwunderlich ist."

„Ich glaube nicht, dass Nadine mit der Liga zusammenarbeitet", bemerkte Otto.

Der Inquisitor und Kassandra schenkten ihm gleichzeitig einen halb mitleidigen, halb genervten Blick und der junge Magier schrumpfte ein Stück zusammen. „Ich, ähm, also sie hat mir davon erzählt, dass sie die Liga nicht mag", murmelte er.

Einen Augenblick lang schlich sich auf Kassandras Gesicht ein fast schon belustigter Ausdruck, dann jedoch wurde sie einen Moment lang misstrauisch.

„Wann hast du denn mit ihr geredet? Gestern warst du die ganze Zeit mit mir unterwegs."

Otto wirkte mit einem Mal wie ein Reh im Scheinwerferlicht und sein Gesicht schien sich nicht dafür entscheiden zu können, ob es angebrachter war, blass oder rot zu werden.

„Ich … ähm, ich … also … ähm ja, gestern Abend nach dem Training, wo Ihr schon auf dem Zimmer wart, hat sie gemeint, sie würde noch einen kleinen Waldspaziergang machen, und …"

„… und du hast gedacht, so wie die Dinge stehen, ist es für sie sicher nicht ungefährlich, und hast sie aufopfernd begleitet", beendete Kassandra seinen Satz.

Ihre Stimme triefte förmlich vor Sarkasmus. Der Inquisitor war milde überrascht, bisher war sie ihrem Vater recht ähnlich gewesen, doch offenbar hatte sie zumindest eine Spur mehr Sinn für Humor. Sie schien jedoch gleichzeitig auch ein wenig verärgert zu sein, nahm ihre Brille ab und rieb sich mit Daumen und Zeigefinger den Nasenrücken. „Also hatte jeder von euch beiden gestern Kontakt mit einer der Personen, die wir heute unter Verdacht haben, mit der Liga zusammenzuarbeiten, sehe ich das richtig?"

Otto sank noch ein Stück in sich zusammen. „Ja, also … schon, ja. Aber sie hat mich nichts zu unserem Fall oder den Ermittlungen gefragt", fügte er hastig hinzu.

Kassandras Blick sprach Bände, doch zumindest fürs Erste schien sie die Sache auf sich beruhen lassen zu wollen.

„Jedenfalls dürfte unser nächster Schritt feststehen. Wir müssen die Krähenburg untersuchen. Mit ein bisschen Glück finden wir dort auch noch Spuren der Liga und dieses Kopfgeldjägers. Und wenn sie sich extra die Mühe gemacht haben, Zacharias dorthin zu bringen, muss das doch auch einen Grund gehabt haben."

Sieben hatte befürchtet, dass sie das sagen würde. „Ich denke, wir sollten beim ursprünglichen Plan bleiben und uns eher dem Darineus widmen", meinte er.

Kassandra sah ihn fragend an. „Weshalb? Zacharias können wir nicht mehr befragen. Und sonst gibt es in dem Tal nichts, was für uns von Interesse ist."

„Doch, gibt es", widersprach er, „wir müssen das Haus der de Meijers durchsuchen. Wenn es irgendwo Anhaltspunkte für Jannis' Verschwinden gibt, dann dort."

Kassandra verzog keine Miene und sah ihn kühl an.

„Für IHREN Fall gibt es eine ganz einfache Lösung. Jannis weiß, dass ihm die Liga auf den Fersen ist, und ist durchgebrannt. Inquisitor Nummer Sechsundzwanzig ist irgendwo im Tal des Iphikles umgekommen, hat es aber irgendwie geschafft, fürs Erste zu verhindern, dass er weitere Opfer fordert. Wie das passiert ist, müssen wir noch herausfinden. Das sind aber alles keine Probleme der GEGENWART. Wir wissen jetzt endlich, wonach die Liga sucht, und wir müssen diesen Datenspeicher vor ihnen finden. Die – Liga – hat – Vorrang."

Bei ihren letzten Worten klopfte sie jedes Mal betonend mit ihrer Fingerspitze an seine Brust.

Sieben hatte genug. „So wie die Dinge stehen, ist es am wahrscheinlichsten, dass Herzog und Santander sich gegenseitig erledigen! Und wenn die beiden miteinander fertig sind, können wir uns immer noch um den Überlebenden kümmern!"

In diesem Moment hätte er sich am liebsten die Zunge abgebissen.

Kassandra kniff misstrauisch die Augen zusammen.

„Santander? Anais Santander? Die Bürgermeisterin in Krithon? Was hat sie denn mit der Sache zu tun?"

Der Inquisitor beschloss, dass es nun keinen Sinn mehr machte, die Sache länger für sich zu behalten.

„Diese Ines … ich halte es für wahrscheinlich, dass es sich dabei um Anais Santander handelt. Ist Ihnen nicht aufgefallen, wie bereitwillig Herzog verschwunden ist, als sie aufgetaucht ist? Und erinnern Sie sich daran, was uns der Wirt in Krithon erzählt hat: Am Anfang war die Bürgermeisterin überhaupt nicht an einer Zusammenarbeit mit dem Inquisitor interessiert und hat ihre Meinung erst geändert, als er ihr erzählt hat, dass er sich eigentlich um den Fall mit den Selbstmördern in Oslubo kümmern will. Warum sollte die Bürgermeisterin eines Ortes, in dem es so offensichtlich ein Problem mit der Liga gibt, seine Hilfe nicht annehmen wollen?"

Otto war skeptisch. „Aber ich habe mich doch in die Polizeiberichte eingelesen. Nirgendwo wird erwähnt, dass Santander jemals mit der Liga zusammengearbeitet hat."

Sieben zuckte mit den Achseln.

„Sie ist eben nicht so eine Idiotin wie Herzog. Die Liga funktioniert überall dort am besten, wo die Organisation sich in den offiziellen Strukturen frei bewegen kann. Und wenn die Bürgermeisterin zu ihr gehört, wundert es wohl kaum jemanden, dass sie gerade hier so gedeiht. Und es GAB ein Verdachtsmoment gegen sie, aber die Vermutungen haben sich nie erhärtet und sie ist einflussreich genug, um die Aufzeichnungen über ihre Untersuchungen einfach verschwinden zu lassen."

Er hätte erwartet, dass Kassandra ihm einen weiteren zornigen Blick zuwerfen würde, doch zu seiner Überraschung wirkte sie eher … verletzt. „Und wann hatten Sie vorgehabt, diese Überlegungen mit uns zu teilen, Nummer Sieben?"

Es ist ihr erster Auftrag. Sie ist unsicher, auch wenn sie es nicht zeigt. Und trotz unserer Differenzen hat sie wahrscheinlich gehofft, ich würde ihr zumindest als Leiterin dieser Untersuchung alles sagen. Streng genommen ist das sogar das zweite Mal, dass ich ihr etwas verschweige.

Dumpf meldete sich bei ihm sein Gewissen, vor allem da er sich noch gestern beim Frühstück mit ihr darüber unterhalten hatte, wie wichtig Ehrlichkeit war. Natürlich war es in diesem Gespräch um Otto gegangen, trotzdem mussten ihr seine Heimlichkeiten in Hinblick auf seinen Ratschlag mehr als zynisch vorkommen.

Unter anderen Umständen hätte er seine Informationen auch bereitwillig mit ihr geteilt, aber eine Antwort dafür, warum das gerade nicht so war, hatte er sofort parat.

„Wenn es nach mir gegangen wäre, gar nicht. Sie lassen sich viel zu leicht von Ihrer Jagd nach der Liga ablenken. Aber wenn sowohl Santander als auch Herzog diesen Datenspeicher in die Finger bekommen wollen und sie sogar plant, ihn umbringen zu lassen, dann heißt das vermutlich, dass sich darauf Informationen befinden, die sie als ein Mitglied der Liga identifizieren könnten. Und so lösen sich unsere Probleme bezüglich der Liga von selber. Gelingt es ihr, Herzog zu töten, sind wir ihn los und haben einen Ansatzpunkt für Ermittlungen gegen sie. Schafft Herzog es, ihren Attentaten zu entgehen und findet den USB-Stick, wird er sie auffliegen lassen und wir müssen uns nicht einmal Mühe geben, eine Entschuldigung für ihre Verhaftung zu finden."

Kassandra war von der Schlussfolgerung wenig beeindruckt.

„Das mag ja alles stimmen, aber mit Sicherheit wissen können wir all diese Dinge nur, wenn wir ein paar der Ligisten festnehmen. Ich will in diesem Fall kein Risiko eingehen! Wir müssen den Tatort auf der Krähenburg besichtigen und die Leiche im Sumpfgebiet näher untersuchen! Deshalb marschieren wir jetzt zur Krähenburg und sehen uns dort um."

Sie schien das für ein Machtwort zu halten, doch Sieben war nicht bereit, das hinzunehmen.

„Ohne mich. Ich untersuche das Haus der de Meijers. Was immer aus Jannis geworden ist, er könnte noch am Leben sein. Und falls ihm etwas passiert ist oder er sich in Schwierigkeiten befindet, müssen wir ihn beschützen."

Kassandra sah ihn ungnädig an. „Sie stellen das Wohlergehen eines Ligisten über die Jagd nach diesen Verbrechern. Ihre Loyalitäten erscheinen mir fragwürdig."

„Ich stelle nur meinen Auftrag und das Leben eines Menschen über meinen persönlichen Rachefeldzug."

Kassandras linke Hand, die sie in die Tasche gesteckt hatte, zuckte, er sah, wie sich der einsame Daumen unter dem Stoff ihres Mantels regte. Einen Moment lang fragte er sich, ob sie versuchen würde ihn anzugreifen. Schließlich sah sie ihm fest in die Augen und sagte mit unversöhnlicher Stimme. „Ich kann Sie nicht zur Zusammenarbeit zwingen, Inquisitor Nummer Sieben. Gehen Sie von mir aus de Meijer retten und Geister jagen. Aber eines kann ich Ihnen sagen: Ich werde Großmeister Zeus von Ihrem Verhalten in Kenntnis setzen."

Sieben grinste unter seiner Maske freudlos. „Na, das will ich doch hoffen."

15.

Gerne hätte er sich zumindest noch ein paar Stunden hingelegt, doch er wusste, dass er unter Zeitdruck stand. Kassandra und Otto waren sofort nach ihrem kleinen Streitgespräch aufgebrochen, um gemeinsam mit Nadine die Krähenburg zu besichtigen. Bevor sie mitgegangen war, hatte Nadine ihm allerdings noch einen kurzen Besuch abgestattet.

„Sie wollen also in das Tal des Darineus?", erkundigte sie sich.

Der Inquisitor nickte, er teilte Ottos Vermutung, dass sie wahrscheinlich nicht der Kontakt der Liga war, außerdem hatte sie diese Information ohnehin schon der Tatsache entnehmen können, dass er sie nicht zur Krähenburg begleitete.

„Wollen Sie auch den Alten Mann besuchen?" Einen Augenblick lang dachte er, sie würde Zacharias meinen, doch dann erinnerte er sich daran, dass die Einheimischen auch den Grottengeist so nannten. Er hatte ihn schon fast vergessen gehabt. „Möglich. Wenn mir Zeit bleibt. Wieso?"

Sie kramte in ihrer Tasche und zog ein kleines rosa Stoffhäschen hervor. Es war offensichtlich als Schlüsselanhänger gedacht.

„Geben Sie ihm das und sagen Sie ihm, dass Sie ein Freund von mir sind. Er ist zwar zu allen höflich, aber so wird er Ihnen alle Fragen beantworten, die Sie wollen."

Sieben war angenehm überrascht. „Dankeschön."

Dann war sie verschwunden. Bevor er selber sich auf den Weg machte, gönnte er sich noch eine schnelle Dusche, um den von Kassandra beklagten Alkoholgeruch loszuwerden, und auch zum Teil, weil ihm gehörig der Schädel brummte und das kalte Wasser seine Gedanken etwas aufklaren ließ. Seinen Umhang hatte er währenddessen einweichen lassen, sodass er im Anschluss mit Hilfe von Magie den schlimmsten Schmutz davon hatte abwaschen können. Dann packte er seine Verpflegung in einen kleinen, von Noah zur Verfügung gestellten Rucksack, heftete sich H2O, der von dem

Armbrustbolzen am Vorabend ebenfalls noch ein wenig mitgenommen wirkte, an seine Brust und marschierte los. Neben all den anderen Dingen hatte Noah ihm fürs Erste auch noch Socken und ein Paar Wanderschuhe geliehen, immerhin standen seine eigenen in einem Seitenraum des Torhauses der Krähenburg, falls sie die Ligisten inzwischen nicht gefunden hatten.

Später sollte ich mich erkundigen, ob hier auch irgendjemand Schuhe verkauft.

Auf dem Weg zur Flusskreuzung fiel ihm erneut auf, wie leer Oslubo auch bei Tag zu sein schien. Niemand schien ihm zu begegnen außer Sven, der ihn, obwohl er ein wenig heiser wirkte, freundlich grüßte.

„Herr Inquisitor! So früh schon wach? Hilft Ihnen die Brise, Ihren Kater loszuwerden?"

Seine Annahme war richtig, trotzdem wollte er sich nichts anmerken lassen.

„Mehr oder weniger. Aber eigentlich bin ich dabei, Ermittlungen anzustellen."

„Ach ja? Wo geht es denn hin?"

Sieben war vorsichtig.

„Ich sehe mich nur einmal in der Umgebung um", meinte er ausweichend und hoffte, dass Sven es dabei beließ. Doch mit seiner kryptischen Antwort schien er dessen Interesse nur geweckt zu haben.

„Alleine? Wo sind denn Frau Gessler und ihr Schüler?"

„Sie folgen ... einer anderen Spur." Er hatte nicht vor die Leute wissen zu lassen, dass es zwischen ihnen zu einer Auseinandersetzung gekommen war. Doch endlich schien sein Gegenüber den Wink mit dem Zaunpfahl verstanden zu haben. Sven grinste breit und wackelte mit dem ausgestreckten Zeigefinger in der Luft.

„Aah, ich verstehe, Sie dürfen mir nichts sagen. Na ja, das soll kein Problem sein. Aber hören Sie, haben Sie gestern Nacht eigentlich diesen Sturm mitgekriegt?"

Besser als du denkst. „Ja, es hat ganz schön geregnet."

„Nicht nur das, uns hat es noch recht gut erwischt. Aber in Krithon hat er offenbar ganz schön viel Zerstörung angerichtet, Dächer wurden abgedeckt und an vielen Orten sind Hangrutsche geschehen … Yaron hat auch gemeint, die Straße von hier in die Stadt wäre teilweise von umgefallenen Bäumen verlegt, aber wie schlimm es ist, konnte er noch nicht beurteilen …"

Es sah so aus, als wäre Sven in gesprächiger Stimmung, doch Sieben hatte keine Zeit und entschuldigte sich bei der ersten Gelegenheit.

So ein geschwätziger Kerl.

Aber wenn Oslubo tatsächlich von der Außenwelt abgeschnitten war, konnte das ein Problem darstellen.

Falls wir Hilfe benötigen, muss sie wahrscheinlich mit dem Hubschrauber eingeflogen werden. Und wenn wir nicht hier wegkommen, dann bedeutet das auch, dass die Liga und der Kopfgeldjäger vermutlich noch irgendwo in der Gegend sind.

Mit einem Mal bereute er es, Kassandra, Otto und Nadine alleine zur Krähenburg geschickt zu haben, doch es war wirklich sehr unwahrscheinlich, dass die Ligisten so unvorsichtig gewesen waren, dortzubleiben, nachdem er sie entdeckt hatte.

Zumindest war das Wetter heute deutlich besser. Es hatte im Vergleich zur Nacht davor zum Glück ein wenig aufgeklart, immer wieder blitzte die Sonne durch einzelne Löcher in der Wolkendecke und es war sogar einigermaßen warm für die Jahreszeit. Allerdings war auch an der Natur zu erkennen, dass das Gewitter ziemlich heftig gewesen war, denn überall waren umgeknickte Bäume oder große Haufen abgerissener Blätter zu sehen.

Als sie die bewohnte Gegend hinter sich hatten und begannen in das Tal des Darineus zu wandern, erlaubte Sieben H2O sich frei zu bewegen.

„Mach aber keinen Blödsinn", schärfte er dem Seepferdchen ein, „wir wissen nicht, ob es hier nicht auch irgendwelche gefährlichen Wesen gibt."

Seine Befürchtungen zerstreuten sich jedoch recht schnell. Auch hier gab es einen Weg an dem kleinen Bergfluss entlang, doch er befand sich zum größten Teil auf einer geraden Linie ohne größere Umwege und auch die Bäume waren unten im Tal nur in kleinen Wäldchen verteilt, sodass er nach allen Richtungen einen recht guten Überblick hatte. Nach etwa einer Stunde kam er zu einer Stelle, an der sich auf der anderen Seite des Darineus mehrere terrassenförmige Plateaus zu befinden schienen, die jedoch natürlich wirkten. Sieben schnupperte. Hier war die Luft erfüllt von einem Geruch, den er nicht hundertprozentig ausmachen konnte, doch er war ein wenig unangenehm.

Das muss wohl die Gegend mit den Heilquellen sein. Ich würde hier nicht baden wollen, dachte er bei sich.

Aber offenbar gab es genug Leute, die genau das taten und sich davon die Heilung von irgendwelchen körperlichen Leiden versprachen. Aber das war ja nicht sein Problem. Während er weiterging, dachte er an Kassandra und ihren Streit. Er wusste, dass sie es nicht böse meinte, sie war einfach ein wenig übereifrig. Trotzdem war es gut möglich, dass Sieben sich nach Beendigung der Ermittlungen in ernsten Schwierigkeiten befand, sollte sie seine direkte Kooperationsverweigerung tatsächlich Großmeister Zeus melden. Wer einmal den Ruf eines Querulanten erwarb, wurde ihn so schnell nicht wieder los.

Na, zumindest das hat sich mit der Maske also nicht geändert.

Dass sie in der Krähenburg noch auf Spuren der Liga stoßen würden, wagte er zu bezweifeln, vermutlich hatten Melanie, Antares und die anderen den Ort evakuiert und sich woandershin zurückgezogen. Trotzdem hoffte er, dass Kassandra und Otto ohne ihn nicht in Schwierigkeiten kamen.

Hoffentlich nimmt Konrad Gessler bald wieder Kontakt mit uns auf. Wenn er mal mit seiner Tochter über unsere Prioritäten hier reden würde, würde das die ganze Sache vermutlich erheblich einfacher machen.

Der Weg durch das Tal zog sich eine ganze Weile dahin. Die Sonne stieg höher und die Temperatur wurde angenehmer. Schließlich gelangte er zu einer Wegkreuzung. Links von ihm führte der Weg noch ein Stück in das Tal hinein und dann hinauf zu der Grotte des Alten Mannes. Rechts dagegen ermöglichte eine kleine Holzbrücke die Überquerung des Darineus und führte in einen auf einer Länge von mehreren Kilometern bewaldeten Hang. Irgendwo dort drinnen befand sich das Haus der de Meijers. Dort wollte er zuerst hin. Sein Besuch in der Grotte hatte nicht unbedingt Priorität, und sollte er aus irgendwelchen Gründen in Zeitnot gelangen, konnte er dort immer noch später vorbeischauen. Auf der anderen Seite wurde der Weg steiler. Laut Noahs Karte schlängelte sich der schmale Fußweg über mehrere Kehren hinauf nach oben und teilte sich an mehreren Stellen, doch alles, was er tun musste, war, auf dem Hauptweg zu bleiben.

H2O hatte unterdessen ziemlichen Spaß dabei, er genoss den Geruch des Waldes und flitzte zwischen den vom Gewitter in der Nacht zuvor teilweise ziemlich lädierten Bäumen umher, allerdings fiel Sieben auf, dass er sich nur selten aus seiner Sichtweite bewegte. Offenbar machte sich der Wassergeist nach den Ereignissen der Nacht Sorgen um ihn. *Ha! Dabei musste ich ihn aus einer besseren Wasserflasche retten, während mein Gegner immerhin ein schießwütiger Kopfgeldjäger war.*

Trotzdem war er dankbar für die Anwesenheit des kleinen Wassergeistes. In den harten vergangenen Wochen war er ihm stets ein kleiner Quell des Trostes gewesen. Und ohne ihn würde er jetzt natürlich nicht mehr hier sein.

Sieben dachte an Antares. In all den Jahren hatte der Inquisitor, oder besser gesagt der Mann, der er vor der Maske gewesen war, einige Kämpfe bestritten, die meisten im Training, aber auch einige echte. Verloren hatte er schon öfter, als er sich erinnern konnte. In seinem ersten Jahr im Orden hatte er keinen einzigen Trainingskampf gegen einen Mitschüler gewonnen, das wusste er noch zu gut. Sein Meister, der viel höhere Anforderungen an ihn gestellt hatte, war beschämt gewesen und hatte ihn wieder und wieder die härtesten Trainingsprogramme absolvieren lassen, doch nur sehr langsam war er besser geworden. Und gereicht hatte es trotzdem nicht. Jeder kompliziertere Zauber hatte ihm Schwierigkeiten bereitet, jede körperliche Anforderung war für ihn schwieriger zu erfüllen gewesen als für alle seine Freunde.

Doch er hatte es irgendwie geschafft, nicht aufzugeben. Er war noch jung gewesen, da konnte man noch viel lernen. Später war es besser geworden. Nicht gut, nur mittelmäßig, aber das war schon ein großer Schritt nach oben. Er hatte gegen andere Zauberer in Trainingsrunden gekämpft, mit dem Degen, mit dem Zauberstab. Noch immer hatte er öfter verloren als gewonnen, doch aus jeder Niederlage hatte er etwas lernen können. Dann … später … hatte er auch gegen nichtmagische Gegner gekämpft. Als Zauberer hatte er dabei natürlich von Haus aus einen Vorteil, doch tatsächlich gab es für einen gut trainierten Nicht-Magier genug Wege, um sich gegen Zauberer zu wehren. Auch in diesen Auseinandersetzungen hatte er oft verloren. Und dann war die Zeit der ernsten Kämpfe gekommen. Hier hatte er vielleicht nicht geglänzt, aber sich für seine sonstigen Verhältnisse doch ganz gut geschlagen. Zumindest hatte er überlebt. Was mehr war, als viele seiner Kollegen hätten behaupten können.

Aber in all den Kämpfen in all den Jahren war ihm noch nie ein Gegner wie Antares untergekommen. Seine Kraft, seine Geschwindigkeit und vor allem seine Ausdauer waren jenseits von allem, was er im Orden erlebt hatte. Er hoffte ernstlich, dass er dem Kopfgeldjäger nicht noch einmal alleine über den Weg lief. Sollte das doch geschehen, brauchte er auf jeden Fall einen Plan.

Er ist größer, stärker und höchstwahrscheinlich ausdauernder als ich, dazu scheint er eine ganze Menge einstecken zu können.

Sieben wusste nicht, wie ein Gewöhnlicher körperlich so mächtig werden konnte, doch es war nun einmal so.

Seine Hiebe waren wie Hammerschläge, und er hat mich einfach so durch eine massive Steinsäule geworfen! In einem direkten Boxkampf würde er mich wahrscheinlich zermalmen.

Also musste es irgendetwas sonst geben, dass Sieben gegen ihn verwenden konnte.

Während er den steiler ansteigenden Waldweg hinaufging, begann er damit, das Verhalten seines Feindes zu analysieren.

Wann immer er im Zuge seiner Ausbildung in Trainingskämpfen einem Gegner unterlegen war, hatte er im Anschluss stunden- und tagelang darüber nachgebrütet, wie er beim nächsten Mal besser abschneiden konnte. Er hatte trotzdem danach noch oft verloren, und sein Meister hatte nie mit Spott und Herablassung gespart, wenn das der Fall gewesen war. Aber mit der Zeit war ihm die Analyse seiner Gegner ins Blut übergegangen und er hoffte, dass ihm diese Fähigkeit auch jetzt nützlich sein konnte.

Sein Arsenal ... was hatte er alles gehabt?

Der Inquisitor erinnerte sich an die Armbrust, die Panzerhandschuhe und den Helm.

Fernkampf, Nahkampf und Verteidigung. Was ist mit mir?

Seinen Zauberstab hatte er bei seinem Ausflug zur Krähenburg in Oslubo zurückgelassen, und um seinen Degen einzusetzen, hatte er nie die Gelegenheit bekommen. Auch H2O war während des Kampfes selber nicht dort gewesen. Erschöpfung nach dem anstrengenden Aufstieg zur Burg und eine leichte Vernebelung der Sinne durch den Alkohol hatten sicher ebenfalls eine Rolle gespielt. Tatsächlich war der einzige Vorteil, den er während ihres Kampfes gehabt hatte, die Menge an Wasser gewesen, die ihm zur Verfügung gestanden hatte. Der Inquisitor wog im Kopf einige Möglichkeiten ab.

Ich sollte mich auf jeden Fall nicht mehr von H2O trennen und mal versuchen meinen Zauberstab einzusetzen, sollte er mir noch einmal über den Weg laufen.

Zurzeit trug er ihn bei sich, neben seinem Degen hing er an seinem Gürtel. Er seufzte. Wenn er als Inquisitor tatsächlich überleben wollte, würde er sich definitiv an so einige neue Dinge gewöhnen müssen. Nach etwa einer halben Stunde befand er sich schon ein ganzes Stück über dem Talboden. Er sah von einer kleinen Lichtung aus hinab zum Darineus.

Was für ein Unterschied. Der hier wird geliebt für seine Heilquellen und einen Schutzgeist, der andere verteufelt für den Fluch der Krähenburg und die ganzen Selbstmorde. Sogar den Flussnamen weiter unten haben sie deswegen geändert. Als ob es einen Unterschied machen würde, ob man ihn Darineus oder Iphikles nennt.

Trotzdem musste er sich, während er die warmen Sonnenstrahlen und den leichten Wind einen Moment lang genoss, eingestehen, dass er auf diesen „Alten Mann" neugierig war.

In seiner Hosentasche befand sich das kleine rosa Stoffhäschen, das Nadine ihm mitgegeben hatte. Er zog es hervor und musterte es genau. Es wirkte wie ein ziemlich kindisches Andenken, vermutlich besaß sie es schon länger. Allerdings war es auch recht abgegriffen und offenbar stellenweise ziemlich schmutzig. Sieben erinnerte sich daran, dass in Noahs Pick-up am Rückspiegel dasselbe Häschen in Blau gehangen hatte, das war jedoch wesentlich gepflegter gewesen.

Wenigstens stinkt dieses hier nicht nach den ganzen Duftbäumen.

Dafür nahm er den Geruch von Nadines Parfum wahr, Sandelholz, Vanille und eine süßlich-blumige Duftmarke, die ihn an irgendetwas erinnerte. Und noch ein anderer, schwacher Geruch war da, und mittlerweile kannte er ihn gut genug, um ihn sofort zu erkennen.

Formaldehyd. Ich sollte wirklich noch herausfinden, wo das Leck in Noahs Haus ist. Überall hängt dieser Geruch, und auf Dauer kann

eine chronische Aussetzung noch weit schlimmere Folgen haben als
Schlaflosigkeit und Depressionen.

Aber eins nach dem anderen. Jetzt galt es erst einmal, endlich diesen
Jannis zu finden. In diesem Moment kam H2O auf ihn zugeflogen,
aufgeregt hopste er in der Luft herum und schlug ein paar Saltos. Sie
waren da. Über ihnen, ziemlich zwischen den Bäumen versteckt, stand
ein Haus. Es war überraschend groß und äußerlich intakt, allerdings
wirkte es etwas ungepflegt.

Natürlich haben die de Meijers hier nicht einfach ein Haus gebaut.
Vermutlich haben sie einfach nur irgendeine alte Jagdhütte renoviert.

Doch als Sieben näherkam, fiel ihm noch etwas anderes auf.
Die Tür stand offen und hing etwas schief in den Angeln.
Hier war jemand eingebrochen.
Sieben blieb stehen. Er lauschte. Er schnupperte. Hören konnte er
nichts, doch er meinte etwas zu riechen. *Jemand ist in der Nähe.*
Er bewegte sich weg vom Pfad hinter einen großen, bemoosten
Findling. H2O bemerkte seine Unruhe, schmiegte sich eng an ihn und
sah ihn mit großen Augen an.

„Ich glaube, der Geruch kommt aus dem Haus", wisperte er dem
Wassergeist zu. „Sieh mal vorsichtig nach, aber pass auf, dass man
dich nicht sieht."

H2O nickte und flog los. Siebens Gedanken rasten. War der
Kopfgeldjäger etwa hierhergekommen?

Was, wenn Zacharias ihm vor seinem Tod gestanden hat, dass Jannis
oder der Datenspeicher sich in seinem Haus befinden?

Eigentlich hätte er sich das vorher denken können, doch andere Dinge
hatten ihn abgelenkt. Er griff in seine Tasche. Dieses Mal würde er im
Notfall zumindest Kassandra anrufen können, allerdings war es
ausgeschlossen, dass sie schnell zu ihm kommen konnte. Falls er
überhaupt Empfang hatte. Doch er musste nicht lange auf H2Os
Rückkehr warten. Der kleine Wassergeist war sichtlich aufgeregt.

„Ein Mensch? Sonst niemand? Und er ist verwundet?"

Das Seepferdchen nickte. Sieben zögerte. Wenn das eine Falle war, konnte er sich jedenfalls nicht vorstellen, wie sie funktionierte. Nach einem Augenblick des Nachdenkens hastete er los. Zwei der groben Steinstufen, die zu dem Haus hinaufführten, auf einmal nehmend rannte er nach oben. Er trat durch die Tür und fand tatsächlich genau das, wovon H2O ihm berichtete hatte.

Vor ihm in dem überraschend breiten Eingangsbereich lag inmitten von Staub und Blutflecken eine erbärmliche Gestalt. Zerlumpte Kleider, fettiges, überlanges Haar, das an Stellen jedoch ausgerissen wirkte, und ein struppiger, schwarzer Vollbart ließen den am Boden Liegenden wesentlich älter wirken, als er wahrscheinlich war. Wo immer seine Haut frei lag, waren kleinere Blessuren zu sehen, Kratzer, Blutergüsse, aber auch einige tiefere Schnitte verunzierten seinen Körper. Er schien bewusstlos, aber noch am Leben zu sein, denn seine Brust hob und senkte sich langsam in einem gleichmäßigen Rhythmus. Sieben trat neben ihn und sah genauer hin. Er bückte sich und versuchte an seinem Kinn ein auffälliges Muttermal auszumachen, doch der dichte Bart machte das unmöglich.

Die Größe, das Alter und die Haarfarbe stimmen allerdings. Das muss Jannis de Meijer sein. Aber was macht er hier? Es ist sein Haus, aber ist er hier überfallen worden, oder hat ihn jemand so zugerichtet und dann hier zurückgelassen? Hat Zacharias de Meijer etwas damit zu tun? Oder Antares?

Was immer die Antworten auf diese Fragen waren, zuerst galt es einmal, den Burschen zu versorgen.

Ob es hier einen Verbandskasten gibt?

Er sah sich um. Die Tür zum nächsten Raum stand offen, doch wer immer hier eingebrochen war, hatte sich offenbar größte Mühe gegeben, jedem glaubwürdig versichern zu wollen, dass hier ein Tornado gewütet hatte.

Regale waren aus Schränken gezogen, Stühle umgeworfen und Bilder von den Wänden gerissen worden. Eine zerbrochene Stehlampe,

heruntergerissene Vorhänge, Kleidung, Geschirr, Glasscherben, eine
bunte Kette mit Zierperlen, Müll, alles war kreuz und quer über den
Boden verteilt und verlieh allem den Anschein eines
Kriegsschauplatzes. Sieben sah sich um. Offensichtlich befand er sich
in einer Art Esszimmer, doch im nächsten Raum fand er, wonach er
suchte. Das kleine, orange Kästchen war zwar mit ziemlicher Gewalt
auf den Boden geworfen worden, doch der Inhalt war noch intakt.
Nach kurzer Suche kehrte er ausgestattet mit einigen Verbänden,
Wundauflagen und einer Verbandsschere zurück in den Vorraum, wo
Jannis inzwischen mehr oder weniger zu sich gekommen zu sein
schien. Er blinzelte müde und drehte den Kopf ein wenig. Als er den
Inquisitor neben sich erblickte, wirkte er jedoch zu Tode erschrocken.
„N… Nein! Weg von mir! Lass mich!"
Sein Körper war so ausgemergelt, dass es Sieben überraschte, wie er
überhaupt noch am Leben war, trotzdem schien ihm der Schock seiner
Anwesenheit ein kleines bisschen Kraft zu geben. Sieben versuchte
ihn zu beruhigen.
„Keine Sorge, ich tu dir nichts! Ich will nur deine Wunden versorgen
und kurz mit dir reden."
Jannis hörte ihm nicht zu. Auf einen seiner Arme gestützt zog er sich
ein Stück von ihm weg und versuchte schwach mit dem Fuß nach ihm
zu treten. Es war ein jämmerlicher Anblick. Sieben schüttelte den
Kopf.
Warum fürchtet er sich so vor mir?
Plötzlich kam ihm ein Gedanke.
Sechsundzwanzig.
„Warte … glaubst du, ich bin Inquisitor Nummer Sechsundzwanzig?"
Bei den letzten Worten sah Jannis ihn mit einem Mal überrascht an.
„Du ... bist es … nicht?"
Er hustete rau. Sieben schüttelte den Kopf und erklärte Jannis kurz,
wer er war und was er hier machte, doch schon nach den ersten
Worten legte sich mit einem Mal ein Ausdruck der Erleichterung über

sein Gesicht. Jannis sank wieder nieder und schloss die Augen. Ohne Umschweife machte sich der Inquisitor daran, ihm seine Wunden zu verbinden, zwischendurch gab er ihm aus seinem Rucksack noch etwas zu essen und zu trinken. Sieben stellte ihm immer wieder Fragen, was mit ihm geschehen und wie er hierhergekommen war, ob er mit seinem Vater gesprochen hatte oder was er in der Krähenburg gesehen hatte. Doch auf nichts antwortete er. Er lag nur stumm da, sah mit starren Augen zur Decke, wobei er beim kleinsten Geräusch zusammenzuckte, und ließ seine Behandlung über sich ergehen. Erst als Sieben fragte, was zwischen ihm und Nadine auf der Krähenburg vorgefallen war, sah er mit einem Mal erschrocken zu ihm. Mit überraschender Kraft packte er seine Robe, als wolle er sich an ihm hochziehen, und sah ihn beschwörend an.

„Meine Schuld ... ich war's ... meine ... es tut mir so ...", er hustete erneut und holte rasselnd Atem.

Für Sieben klang es danach, als hätte er entweder Wasser oder Blut in der Lunge.

Auf jeden Fall braucht er bald einen richtigen Arzt. Mein Besuch beim Alten Mann kann warten.

Er dachte nach. Ein Blick auf den Empfangsstatus seines Handys verriet ihm, dass er mit einem Anruf in dieser Gegend keinen Erfolg haben würde.

Ich werde ihn wohl bis nach Oslubo tragen müssen.

Natürlich war Jannis in einem schlechten Zustand, allerdings schien er nicht in unmittelbarer Lebensgefahr zu schweben. So einen Ausflug auf seinem Rücken würde er schon überstehen. Plötzlich hörte er ein leises Schnarchen. Jannis war an Ort und Stelle eingeschlafen. Das war wahrscheinlich ein gutes Zeichen.

Vielleicht sollte ich ihn ein wenig rasten lassen, bevor wir losgehen. Der Tag dauert noch lange genug. Außerdem ... er sah sich in dem verwüsteten Vorraum um ... *gibt es hier vielleicht noch Anhaltspunkte darauf, was passiert ist.*

Er sah zu H2O, der die ganze Zeit über nervös vor der Haustür auf und ab geschwebt war, um nach möglichen Eindringlingen Ausschau zu halten.

„Bleib bei ihm", sagte Sieben und nickte zu dem schlafenden Jannis, „wenn er wieder zu sich kommt, ruf mich."

Das Seepferdchen nickte gehorsam und verwandelte sich in eine Katze, die sich neben Jannis einrollte und mit aufmerksamem Blick abwechselnd die Tür und den Schlafenden im Auge behielt.

16.

Der Inquisitor schlich durch das Haus. Er rechnete nicht damit, hier auf noch jemanden zu stoßen, doch er wollte nicht unangenehm überrascht werden. Es sah überall gleich aus, die Spuren der Verwüstung zogen sich durch jeden Raum. Im Wohnzimmer war ein Sofa umgeworfen und eine Hängelampe von der Decke gerissen worden, in der Küche hatte man sogar den Kühlschrank umgeworfen. Überall lagen Papierfetzen, Glasscherben und stellenweise Socken, Unterwäsche und T-Shirts herum. Als er schließlich einen Raum betrat, der wie ein Büro aussah, erhielt er einen ersten Anhaltspunkt. Direkt vor einem schweren Holzschreibtisch, den man auffälligerweise nicht umgeworfen hatte, lag eine Geldbörse am Boden. Sieben zog ein Stofftaschentuch hervor und hob sie damit hoch. Sowohl das Papiergeld als auch Kredit- und Bankomatkarten waren verschwunden, nur im Münzfach klimperte noch etwas Kleingeld. Er sah sich um und kniff misstrauisch die Augen zusammen.

Großmeister Zeus mochte spotten, wie er wollte, auf seine Fähigkeiten, logische Schlussfolgerungen zu ziehen, war Sieben immer noch stolz, und für ihn sprach das Bild hier eine klare Sprache. *Jemand hat hier offensichtlich alles Geld mitgenommen und die Brieftasche gut sichtbar hergelegt, um es nach einem einfachen Einbruch aussehen zu lassen. Gleichzeitig wurde das ganze Haus so verwüstet, dass man nur schwer würde feststellen können, was tatsächlich sonst gestohlen worden war. Ein billiger Trick.*

Das wiederum konnte jedoch nur bedeuten, dass die Einbrecher gefunden hatten, wonach sie gesucht hatten, sonst hätten sie sich die Mühe nicht gemacht. Das war nicht gut, vor allem da Sieben sich denken konnte, um wen es sich handelte und was ihr Ziel gewesen war. Aber er wollte keine voreiligen Schlussfolgerungen ziehen. In dem Büro fand er noch eine achtlos beiseite geworfene Mappe, in der Zacharias de Meijer Aufzeichnungen über seine archäologischen

Forschungsarbeiten aufbewahrt hatte. Offenbar hatte er ein besonderes Interesse an mittelalterlicher Geschichte der Zauberei und war sehr an der Krähenburg interessiert. Allerdings machte es auf Sieben den Eindruck, als wäre er im Gegensatz zu seinem Sohn nie in der Burg selber gewesen, denn all seine Unterlagen waren theoretischer Natur. Schließlich hatte er genug gesehen und beschloss das Obergeschoss zu inspizieren. Zuerst fand er dort nur noch mehr Verwüstung, doch schließlich stieß er auf ein Zimmer, dessen über den Boden verstreuter Inhalt die Anwesenheit eines etwas jüngeren Bewohners verriet.

Das muss Jannis gehören.

Es war möglich, dass er sich täuschte, doch für Sieben sah es so aus, als wäre man hier bei der Verwüstung besonders gründlich gewesen. Die Bettdecke war genau wie das Polster und die Matratze aufgeschlitzt worden, Federn flatterten bei jeder schnellen Bewegung Siebens herum. Aus Büchern waren Seiten herausgerissen, elektronische Geräte zerlegt und sogar der Boden eines Papierkorbs durchschlagen worden.

Alles gute Verstecke für etwas Kleines ...

Er sah sich um. Dann streckte er die Hand aus und wirkte einen kleinen Zauber. Er beeinflusste nichts in dem Raum, sondern diente ihm nur als eine Art erweiterter Tastsinn. Der Zauber war eigentlich etwas komplizierter, doch da er große Ähnlichkeit mit Wasserzauberei hatte, besaß er ein natürliches Talent dafür.

Es dauerte nicht lange, bis Sieben fündig wurde. Dort ganz hinten, direkt unter einem Fenster war die Bodenleiste locker. Jemand hatte sie anscheinend mit Gewalt heruntergerissen und danach provisorisch wieder über ein kleines Loch in der Wand gelegt. Sieben ging in die Knie und sah in das kleine Versteck.

Nichts.

Seine Enttäuschung hielt sich in Grenzen, immerhin wusste er nun, wo die Einbrecher fündig geworden waren. Und was sie vielleicht vergessen hatten. Er sah hoch. Die Vorhänge waren heruntergerissen worden, doch Sieben fiel auf, wie dick die hölzerne Vorhangstange war.

Perfekt, um darin etwas aufzubewahren.

Der Inquisitor machte sich gar nicht erst die Mühe, sie mit Magie abzutasten, sobald er sie aus der Befestigung genommen hatte, wurde ihm schon klar, dass man das Ende abschrauben konnte.

Wie praktisch.

Er schüttelte die Stange vorsichtig. Es raschelte.

Papier.

Aber dann hörte er auch noch ein Klappern. Als er das Geheimversteck öffnete, purzelten ihm gleich mehrere Zettel und etwas Kleines, Metallenes entgegen. Sieben erkannte es sofort.

Schwarz, weiß, eine gelbe Pyramide, ein blaues „D".

Ein Abzeichen der Liga. Nur Mitglieder trugen es. Unangenehme Erinnerungen stiegen in Sieben hoch, doch er schob sie beiseite.

Nur das Licht.

Auch der zuoberst liegende Zettel war ein eindeutiger Indikator dafür, dass die Dorfbewohner mit ihrem Verdacht gegenüber de Meijer richtig gelegen hatten. Es handelte sich dabei um eine Anklage gegen den Orden, wie die Liga sie öfter verteilt hatte:

„Bürgerinnen und Bürger von Quirilien!

Der Magische Orden von Quirilien erhält vom Staat Millionen und Abermillionen an Steuergeldern! Wofür? Die Magier des Ordens tun nichts für das Land oder die Bevölkerung, legen niemandem Rechenschaft ab über die Verwendung ihrer finanziellen Mittel und mischen sich ständig in die Politik ein, wenn sie ihre Machtposition gefährdet sehen! Nehmt das nicht hin! Schließt euch der Liga und Prinz Daniel an!"

Sieben schürzte unter seiner Maske die Lippen. Es war ein älteres Flugblatt und offensichtlich nicht von jemandem geschrieben, der wusste, wie man die Leute mitriss.

Fakten. Es gibt nichts Langweiligeres als Fakten.

Als Sieben es jedoch beiseitelegte, stieß er auf ein weiteres, etwas längeres Pamphlet. Die Überschrift lautete *„Wie ein Fels in der Brandung"* und parodierte offenbar eine Fernsehansprache, die Großmeister Zeus im Zuge der Ligakrise wenige Wochen vor dem Marsch der Liga auf die Hauptstadt gehalten hatte, in der er den Orden als „Bollwerk des Guten gegen den Terrorismus der Liga" und als einen „Fels in der Brandung gegen umstürzlerisches Gedankengut" propagiert hatte. Der Verfasser dieses Textes hatte sich anscheinend genauso wie viele andere Leute in Quirilien, die die Realität der damaligen Situation erkannt hatten, köstlich über seine Worte amüsiert und beschlossen seine Gedanken zu Papier zu bringen.

Wie ein Fels in der Brandung
steht der alte Großmeister
unbeweglich und starr
stellt sich klug und auch weise
und bleibt trotzdem ein Narr

Wie ein Fels in der Brandung
steht ihm das Wasser zum Hals
ist nur taubes Gestein
wähnt er sich sicher und fest
doch fällt ihm niemals ein

Dass ein Fels in der Brandung
so ist es unausweichlich
einmal muss versinken
fällt im Ansturm des Meeres
und wird schließlich ertrinken

Der Reim war etwas holprig, doch er brachte die Botschaft eindeutig besser rüber als das farblose Pamphlet zuvor. Unter den Zeilen befand sich die liebevoll überzeichnete Karikatur von Großmeister Zeus, der an der Oberfläche als großer, unbeweglicher (und ziemlich dicker) Stein mit arrogantem Gebaren und einem mädchenhaften Krönlein auf dem ballonartigen Kopf erschien, unter Wasser jedoch auf einer Reihe unmöglich gestapelter, kleinerer Kiesel balancierte wie ein Zirkusclown, um seine Position zu halten. Im Wasser war ein Hai zu sehen, der schelmisch grinste und einen Anstecker der Liga auf der Rückenflosse trug. Sieben konnte nicht anders, als leise zu lachen. *Schon besser.*

Er wusste, wer für dieses Schriftstück verantwortlich gewesen war, und auch wenn er den Betroffenen nicht mochte, weil er wie Herzog zu den extremeren Magier-Feinden gehört hatte, bewunderte er widerwillig sein Werk. Soweit er wusste, stand der betroffene Ligist zurzeit vor einem Gerichtsverfahren, aber so wie Sieben die Lage einschätzte, würde er freikommen. Er hatte die Anklage gelesen, und offenbar lautete die Verteidigung, dass es sich um das Werk eines Künstlers handelte, der nur von seinem Recht auf freie Meinungsäußerung Gebrauch gemacht hatte. Ihm die Mitgliedschaft zur Liga nachzuweisen würde für die Staatsanwaltschaft nicht ganz einfach werden. Das ärgerte ihn zwar, trotzdem kam er nicht umhin, sich köstlich über das kleine Gedicht zu amüsieren. Leise vor sich hin kichernd legte er das Pamphlet beiseite, doch was ihm dann in den Schoß fiel, ließ ihm das Lachen im Hals stecken bleiben.

Das Foto eines jungen Mannes, der auf einer Tribüne stand und offenbar eine Ansprache hielt. Er war nicht älter als zwanzig, war weder besonders groß noch stark, außerdem schien er ein wenig blass zu sein, was ihm ein fast schon engelhaftes Aussehen verlieh. Was dem Inquisitor jedoch sofort auffiel, war, wie schön sein Blick eingefangen worden war.

Seine Augen waren haselnussbraun, sein Blick freundlich und gütig und in seinen Zügen lag ein Ausdruck von tiefer Überzeugung. Ein Stück hinter ihm standen drei verschiedene Personen, zwei Männer und eine Frau. Sieben kannte sie alle drei, aber hätte noch irgendein Zweifel an ihrer Identität bestanden, hätte die Beschriftung am unteren Rand des Fotos alle Zweifel beseitigt.

Justus Blank, Jeremiah Griethoorn und Ines (?) bei einer Ansprache des Prinzen.

Die Männer kannte er aus der Liga, aber die Frau hatte er tatsächlich erst vor wenigen Tagen zum ersten Mal getroffen.

Anais Santander. Dann hatte ich also Recht.

Der Datenspeicher mochte weg sein und dieses Bild würde vor Gericht wohl kaum als handfester Beweis durchgehen, immerhin gab es keine Erklärung dazu, warum die Bürgermeisterin von Krithon auf dem Bild als „*Ines*" bezeichnet wurde. Aber trotzdem war es zumindest für ihre Ermittlungen eine wertvolle Information.

Doch wie ein Magnet kehrte sein Blick wieder zurück zu Prinz Daniel. Für einen Moment war dem Inquisitor fast so, als würde der ehemalige Anführer der Liga wieder vor ihm stehen und mit seinem bloßen Lächeln alle seine Sorgen beiseitefegen. Sekunden vergingen, während er das Bild in den Händen hielt. Minuten. Aber irgendwann wurde ihm klar, dass er weitermusste.

Du bist nicht hier, um in Erinnerungen zu schwelgen, sondern um einen Fall zu lösen! Keine Vergangenheit, kein Gesicht, kein Name, nur das Licht ...

Er durchsuchte das Durcheinander aus Zetteln weiter. Schließlich stieß er auf einige händisch beschriftete Zettel, deren Text jedoch offensichtlich mit dem Computer geschrieben worden war. Schon nach den ersten paar Zeilen wusste er, dass er erneut auf Gold gestoßen war. Es handelte sich um etwas, das auf Sieben wie eine Sammlung von E-Mail-Nachrichten wirkte, die an einen guten Freund verfasst worden waren. Die erste Nachricht, deren Datum preisgab, dass sie schon über ein Jahr alt sein musste, war mit Abstand die längste:

Die Liga mag kurz vor ihrem Ziel stehen, aber für uns hat sie eindeutig ihre Nützlichkeit verloren. In den letzten Wochen haben sich so viele neue Mitglieder um Prinz Daniel geschart, dass sie beschlossen haben eine eigene Unterabteilung zu schaffen, die sich darum kümmert, dass die Ligisten ihre Position gegenüber den Leuten nicht für „persönliche Zwecke ausnützen können" und so „den guten Namen der Liga in den Schmutz ziehen".
Gestern haben sie schon Siggi gerügt und ihm gesagt, wenn er sich noch einen Fehltritt erlaubt, wird er sich vor dem Prinzen zu verantworten haben. Daraufhin hat er mir mitgeteilt, dass er bei meinen kleinen ... Schutzgeldpfändungen nicht mehr mitmachen will. Du kannst gerne mal mit ihm reden, aber ich glaube nicht, dass er sich noch umstimmen lässt. Es kann nur eine Frage der Zeit sein, bis man auch den Rest unseres lieben, persönlichen Freundeskreises genauer untersucht. Mir ist es egal. Ich konnte Vater dazu überreden, irgendwo in eine abgelegene Gegend zu ziehen, bis sich der ganze Rummel um die Liga so oder so gelegt hat. Sobald ich ihm von der Krähenburg erzählt habe, war der Alte kaum noch im Zaum zu halten. Ich will fürs Erste den Kopf unten halten, bis man mich vergessen hat, und ich rate dir dasselbe zu tun. Aber ich bin natürlich nicht ohne eine Versicherung gegangen. Es sieht so aus, als würde Prinz Daniel demnächst ein paar tiefgreifende Veränderungen in Quirilien unternehmen. Er ist mittlerweile so mächtig, dass es kaum noch wichtige Ligisten gibt, die ihre Zugehörigkeit zur Organisation geheim halten, aber heute ist es mir gelungen, von einem Computer ein paar Dateien zu entwenden, die dem Prinzen gehören und die Aufschluss geben über einige verwendete Doppelnamen im Orden. Sollte die Liga gewinnen, kann ich mich in ein paar Monaten wieder der Organisation anschließen, sicher wird bis zu diesem Zeitpunkt

jeder vergessen haben, dass ich mir ein paar „Freiheiten" im Dienst der Liga erlaubt habe, und eine andere vorteilhafte Stelle finden. Und sollte doch noch etwas passieren, kann ich die Reicheren unter den geheimen Unterstützern und Gönnern bestimmt um einen Teil ihrer überschüssigen Erträge erleichtern. Es kann sein, dass ich dann wieder deine Hilfe zur Kontaktaufnahme brauche. Finanziell musst du dir dabei keine Sorgen machen, du wirst deinen Anteil daran nicht bereuen! Ich habe mir schon angesehen, wo wir hinziehen, den Ort müssten sie erstmal finden, wenn sie mich schnappen wollen.

Der Inquisitor schnaubte. Allmählich fügte sich für ihn ein Bild über Jannis de Meijer zusammen, das ihn in genau dem wenig schmeichelhaften Licht darstellte von dem Sieben bisher alle berichtet hatten. Aber offensichtlich hatten ihn inzwischen seine Intrigen ja eingeholt. Doch er wollte mehr wissen. Die nächste Nachricht war nur wenige Wochen später geschrieben worden und wesentlich kürzer.

Na bitte, ich hab's dir doch gesagt: Es ist doch immer gut, ein Ass im Ärmel zu haben. Jetzt, wo dieser Aufmarsch in Morkada danebengegangen ist, muss ich anfangen, mir darüber Gedanken zu machen, bei wem ich zuerst kassiere. Ich sollte mich beeilen, sonst findet der Orden sie noch, bevor ich ihnen androhen kann, sie auffliegen zu lassen. Das beste Ziel wird wohl Ines sein, immerhin lebt sie sozusagen um die Ecke in Krithon. Es ist schon beeindruckend, wie schnell selbst weniger opportunistische Ligisten sich gegen ihre früheren „Brüder und Schwestern" wenden. Herzog und Santander scheinen zwar oberflächlich zusammenzuhalten, aber man müsste schon blind sein, um nicht zu sehen, dass sie sich am liebsten gegenseitig erschlagen würden.

Die nächste Nachricht war sogar noch kürzer, aber nicht weniger interessant.

Gut, dass ich meinen alten Revolver noch bei mir habe. Heute habe ich zufällig einen Ligisten im Tal des Iphikles herumschleichen sehen. Offenbar hatte er die Orientierung verloren, als er abseits vom Weg am Ufer entlangschleichen wollte, und ist in dem kleinen Moorgebiet gelandet. Na ja, wo immer er hinwollte, seine Kollegen werden noch eine ganze Weile auf ihn warten müssen.

Das wird ja immer besser, dachte Sieben grimmig. *Nicht nur ein Betrüger und Erpresser, sondern auch noch ein hinterhältiger Mörder.*

Auf der nächsten Seite folgte eine etwas verspätete Beschreibung vom Umzug der de Meijers und wie er einige Dorfbewohner kennenlernte. Offenbar hatte Jannis Yaron bei einem Pokerspiel mit hohen Einsätzen tatsächlich übers Ohr gehauen, woraufhin ihn dieser anscheinend beinahe verprügelt hätte.

Leute wie Jannis sind wirklich gut darin, sich überall beliebt zu machen, dachte er sarkastisch. Dann folgte eine auffallend ausführliche Beschreibung von Nadine.

Ich habe dir ja schon erzählt, dass die Kleine mir jetzt schon länger nachsteigt, aber bisher habe ich sie ignoriert. Ihr Bruder misstraut mir, offenbar haben sich die Leute in Oslubo schon öfter über mich beschwert. Bis vor Kurzem war mir das noch egal, was kümmert es mich, was ein Haufen hinterwäldlerischer Dorftrottel von mir denkt, und Nadine mag ja ein hübsches, nettes Mädel sein, aber ich habe schon bei anderen Leuten gesehen, dass ein paar nette Nächte mit einem naiven Häschen den Ärger danach selten wert sind. Außerdem ist Sophie hübscher. Aber heute hat sie mir doch etwas Interessantes erzählt. Die meisten Leute glauben, dass es in der Krähenburg spukt, vielen scheint immer noch der Schock von den ganzen Selbstmördern vor ein paar Monaten in den Knochen zu sitzen. Gut, dass dieser

Inquisitor schon weg war, als ich hier angekommen bin, das hätte ziemlich ins Auge gehen können."

Sieben zog die Augenbrauen hoch.
Ach ja, zu dem Zeitpunkt war das Problem ja schon gelöst. Sechsundzwanzig ist mehrere Monate vor den de Meijers in Oslubo angekommen.
Er war neugierig, ob Jannis irgendetwas zum Verschwinden des Inquisitors wusste, doch seine Notizen konzentrierten sich mehr auf etwas anderes.

Offenbar scheint Nadine langsam zu kapieren, dass ich kein Interesse an ihr habe. Zum Glück, denn jetzt versucht sie mit allen Mitteln, mich doch noch zu gewinnen. Und so hat sie mir erzählt, dass sie sich in der Krähenburg auskennt. Ich habe natürlich zuerst nur beiläufig gefragt, was es dort alles gibt. Das Mädchen scheint ein Talent dafür zu haben, magische Energie zu spüren, so ist es ihr offenbar im Verlauf von Jahren gelungen, in ein paar Bereiche vorzustoßen, wo noch niemand war. Es sollte mich wundern, wenn es da nicht etwas gäbe, das sich mitzunehmen lohnt. Jetzt muss ich sie nur noch dazu überreden, mich dorthin zu bringen.

In den nächsten Zeilen beschrieb Jannis ausführlich, wie es ihm gelungen war, sich Nadine gefügig zu machen. Offenbar hatte er viel Zeit mit ihr auf Spaziergängen verbracht, weit entfernt von ihrem Bruder, der laut seiner Beschreibung ziemlich misstrauisch ihm gegenüber war. Sieben dachte nach. In Jannis' Notizen bestätigte sich Kassandras Verdacht, dass es drei Personen gab, die ein Motiv gehabt hätten, die de Meijers an die Liga auszuliefern. Yaron hatte seine Spielschulden, Noah und Nadine vermutlich den Zorn darüber, dass Jannis sie so ausgenutzt hatte. Allerdings kam Sieben ein Gedanke.
Noah ... ich hatte doch vermutet, dass seine Schlafstörungen und

Depressionen mit dem Formaldehyd zusammenhingen. Was, wenn er nur ein schlechtes Gewissen hatte, nachdem Jannis verschwunden war? Könnte das der Grund sein?

Die Ligistin namens Melanie hatte auf der Burg erwähnt, dass ihr Kontakt sich erst vor Kurzem an sie gewandt hatte, allerdings war es durchaus möglich, dass sie damit meinte, dass Noah Zacharias erst vor Kurzem an sie ausgeliefert hatte, die Sache mit Jannis konnte schon Monate zurückliegen.

Ist das die Lösung? Ist Jannis etwa der Liga entkommen und nun, da sie ihn nicht mehr finden konnten, haben sie sich an Zacharias gewandt? Aber wieso brauchen sie dann den Kopfgeldjäger?

Irgendetwas passte da nicht ganz zusammen. Doch ihm blieben noch mehrere Seiten in Jannis' Beschreibungen. Die nächste Nachricht war offenbar in großer Aufregung und ziemlich hastig geschrieben worden:

Es ist so weit. Heute Nacht will sie mich in die Krähenburg bringen. Sie hat etwas von einem geheimen, romantischen Plätzchen erwähnt. Sie will dort offenbar mit mir „ein kleines Bad nehmen". Verführerisch. Aber ich habe andere Pläne. Was immer ich aus der Krähenburg mitbringen kann, wird ein Vermögen wert sein, selbst wenn es nur nichtmagische Ziergegenstände sind. Ein paar verrückte Sammler gibt es immer.

Sieben war so in seine Lektüre versunken gewesen, dass er sein gesamtes Umfeld völlig ausgeblendet hatte. Hier oben in der Einsamkeit des Waldes war es still. Das Gezwitscher eines Vogels oder das Rauschen der Bäume waren die einzigen Geräusche, die zu ihm vordrangen, und so war er mehr oder weniger eingelullt dagesessen. Doch gerade als er nach der nächsten Seite greifen wollte, hörte er irgendwo Glas splittern und H2O überrascht aufwiehern. Er schreckte auf.

„Was ist los?", rief er, doch nur mehr Wiehern und ein lautes Poltern waren die Antwort. Der Inquisitor ließ alles stehen und liegen und lief los. Gerade als er zur Treppe ins Untergeschoss kam, hörte er einen ohrenbetäubenden Knall und er sah einen orangeroten Schein.
Feuer!
Gleichzeitig nahm er einen seltsamen Gestank wahr, der nun, da er darauf achtete, beinahe schon übelerregend war. Der Inquisitor beschleunigte seine Schritte, doch als er in den Vorraum kam, wo er Jannis und H_2O zurückgelassen hatte, war dort niemand zu finden. Dafür sah er, dass irgendetwas im Esszimmer Feuer gefangen hatte, das sich rasend schnell ausbreitete. Er hob den Arm, um zu versuchen, die sich schnell ausbreitenden Flammen zu löschen, doch in dem Moment hörte er eine menschliche Stimme wild schreien.
Es kam von draußen. Sieben rannte vor die Tür, wo sich ihm ein ziemlich bizarrer Anblick bot. H_2O war in einen Kampf verwickelt, allerdings nicht mit einem gewöhnlichen Menschen, sondern vielmehr mit einem bunten Sammelsurium von wandelnden Leichnamen in allen möglichen Verwesungsstadien. Sie waren ziemlich schnell und versuchten H_2O, der immer wieder mit flinken Ausweichmanövern ihren Angriffen auswich und sich dabei ein Stück in die Luft erhob, mit erstaunlich behänden Sprüngen zu fangen. Der Inquisitor musste nicht lange sein Wissen aus alten Wälzern über alle möglichen magischen Wesen abrufen, um zu begreifen, was er hier vor sich hatte.
Verweste.
Durch die Verwendung von magischer Energie wiederbelebte Tote ohne eigenen Willen wurden von Gewöhnlichen so häufig als „Zombies" oder Ähnliches bezeichnet, dass selbst in den magischen Orden, wo man normalerweise sehr darauf Acht gab, gewöhnlichen Aberglauben nicht mit korrekter, magischer Terminologie zu vermischen, diese immer wieder so genannt wurden. Einzeln waren sie für die meisten bewaffneten Menschen keine Gefahr, auch wenn es ganz schön schwer war, einen Verwesten zu stoppen, bevor er seinen

Auftrag erledigt hatte. H2O hatte vor ihnen eigentlich auch nicht wirklich etwas zu befürchten, immerhin war er nur ein Energiewesen. Aber vor Sieben lag doch eine Horde von sicher fünfzig dieser untoten Bestien, und drei oder vier von ihnen machten sich gerade aus dem Staub, während sie den wie am Spieß brüllenden Jannis mit sich zerrten.

Sieben trat vor und hob den Arm. Wasser, aus allen Richtungen aus dem feuchten Untergrund herausgezogen, bildete vor ihm eine große, wabernde Kugel. Er konzentrierte sich, lud sie mit etwas magischer Energie auf und ließ sie mitten in die Reihen der Verwesten einschlagen. Dann löste er den Zauber. Die Folge war eine kräftige Druckwelle, welche zusätzlich noch eine Reihe an rasiermesserscharfen Eissplittern mit sich brachte. Ein paar der Untoten wurden von den Eisschrapnellen erfasst, verloren Gliedmaßen oder wurden einfach in der Mitte auseinandergerissen. Mehrere Körper flogen wild durcheinander, ein abgetrennter, noch in dem dunkelbraunen Ärmel einer Jacke steckender Arm flog direkt auf Sieben zu und landete vor ihm auf dem Boden. Einen Moment lang blieb er dort benommen liegen, dann krabbelte er mit Hilfe seiner Finger langsam weiter. Einige der Verwesten, die ihm am nächsten standen, wandten sich stumm und wie eine einzige Person zu ihm um. Dann fielen sie über ihn her. Eine untere Körperhälfte, deren oberer Teil wahrscheinlich von Siebens erstem Zauber erfasst worden war, stürmte direkt auf ihn zu und rammte ihn mit voller Wucht, bevor er reagieren konnte, und riss ihn halb zu Boden. H2O tauchte aus der Luft zu ihm hinab und ließ von seinem Körper ein halbes Dutzend Wasserstrahlen wie Tentakel auf seine Angreifer niederfahren und fror sie an Ort und Stelle fest, doch mehr als eine Atempause konnte er dem Inquisitor damit nicht verschaffen, bevor der Rest der Verwesten ebenfalls zum Angriff überging. Der Gestank nach Tod, der seine empfindliche Nase belästigte, war geradezu betäubend.

Sieben sprang zurück und versuchte die Lage zu erfassen. Verweste waren schnell, aber wenn er sich Mühe gab, würde er sie in einem Wettlauf sicher abhängen können. Aber es gab noch ein anderes Problem. Das Feuer im Haus der de Meijers hatte bereits damit begonnen, rasend schnell auf andere Räume überzugreifen. Schon waren Flammen im Hausgang zu sehen und auch im ersten Stock schien schon etwas zu brennen.

Jannis' Notizen! Das Foto mit Ines und dem Prinzen!

Er zögerte einen Augenblick, aber schließlich bestand für ihn kein Zweifel. Jannis vor den Verwesten zu retten hatte Priorität.

„H2O! Ignorier die Verwesten und versuch irgendwie das Feuer unter Kontrolle zu bringen! Ich kümmere mich um Jannis!"

Der Wassergeist nickte, dann verlor er seine Form und begann damit, als wabernde Wasserkugel über die Lichtung zu fliegen. Von überall her strömte Wasser, das sich von dem Gewitter am Vorabend noch in kleineren Pfützen und auf den Oberflächen von Blättern und Gräsern gesammelt hatte, zu ihm und er schwoll langsam an.

Sieben blieb keine Zeit, um seinem Partner bei der Arbeit zuzusehen. Stattdessen rannte er los, stieß sich mit aller Kraft vom Boden ab und sprang mehrere Meter durch die Luft, wobei er die meisten seiner Gegner hinter sich ließ. Noch im Flug zog er seinen Degen und rammte ihn einem der letzten Verwesten, die zwischen ihm und dem Waldrand, in dessen Schatten die Verwesten, die Jannis verschleppt hatten, gerade erst verschwunden waren, in den Bauch. Einen Augenblick lang klappte der wandelnde Tote zusammen, doch noch während Sieben in aller Hast die Klinge aus seinem Leib zog, schien er wieder zu sich zu kommen.

Die sind ja schlimmer als Antares, dachte er, doch ohne sich länger mit den Untoten aufzuhalten, begann er mit aller Kraft zu einem Spurt anzusetzen. Er erreichte den Waldrand in Windeseile, konnte jedoch die Verwestengruppe nicht mehr sehen. Kurz konzentrierte er sich auf seinen Geruchssinn, doch da es in allen Richtungen nach dem süßlichen Gestank der Fäulnis roch, half ihm das nicht weiter. Die Verwesten hinter ihm holten auf. Plötzlich ertönte vor ihm links ein Schrei.

Da lang also.

Er rannte weiter, doch nun machte es ihm das Gelände wesentlich schwieriger. Wurzeln, Äste und nasses Laub waren die reinsten Stolperfallen. Auch wenn vor ihm das Geschrei von Jannis langsam näher kam, während er den Abhang hinunterjagte, verriet ihm das Knacken und Rascheln hinter ihm, dass ihm die Verwesten, die nicht mit einer zappelnden Geisel ausgestattet waren, dicht auf den Fersen waren. Während er durch ein kleines Wäldchen junger Fichten spurtete, wo er bei weitem nicht so große Gefahr lief über irgendein Unkraut zu stolpern und die Bodensicht besser war, hatte er kurz Gelegenheit, sich zu dem Überfall Gedanken zu machen.

Verweste haben immer einen Meister, aber wo kommen die hier her? Und wer hat sie geschickt?

Ausnahmsweise war er sich sicher, dass nicht einmal Kassandra hier mit „die Liga" geantwortet hätte, denn da die meisten der ansässigen Ligisten eher magierfeindlich zu sein schienen, war es sehr unwahrscheinlich, dass sich einer in ihren Reihen befand.

Aber wer dann? Hat vielleicht dieser Antares damit zu tun? Oder ist vielleicht Sechsundzwanzig dafür verantwortlich?

Er konnte es nicht wissen. Als er behände über eine vom Sturm entwurzelte Eiche sprang, kam ihm ein anderer Gedanke.

Es hieß doch, dass, bevor Sechsundzwanzig hier aufgetaucht ist, die Leichen der Selbstmörder für eine Weile nicht mehr beim Chorena angespült worden, sondern spurlos verschwunden sind. Könnte es sein, dass es sich dabei um diese Verwesten hier handelt?

Plötzlich trat er fehl, unter seinem linken Bein war nur Luft. Er musste in irgendeinen Tierbau getreten sein, jedenfalls warf es ihn kopfüber in einen Laubhaufen. Nur leidlich elegant vollführte der Inquisitor eine Rolle und kam so einigermaßen schnell wieder auf die Beine, trotzdem hatte er wertvolle Sekunden eingebüßt und das Geräusch dutzender Füße, die hinter ihm durch das Unterholz pflügten, war lauter geworden.

Doch dann sah er vor sich etwas, das ihm Hoffnung gab. Sie waren in nur wenigen Minuten querfeldein den ganzen Weg hinunter bis in das Tal des Darineus gelaufen. An dieser Seite lag eine knapp zehn Meter hohe, enorm steile Kiesböschung zwischen dem Wald und dem Fluss, außerdem würde er die Untoten hier besser verfolgen können. Die Bäume um ihn herum wurden lichter und endlich konnte er klar vor sich die Verwesten ausmachen, die den mittlerweile wahrscheinlich ohnmächtig gewordenen Jannis erstaunlich geschickt, wenn auch wenig rücksichtsvoll mit sich zogen.

Jetzt hab ich euch!, dachte Sieben, als die Gruppe an die Klippe kam. Dann sprangen die vier Untoten, ohne auch nur eine Sekunde zu zögern, hinunter in die Tiefe.

Dem Inquisitor, der selber in vollem Tempo dahinlief, gelang es nur mit äußerster Mühe, vor dem Abgrund zu bremsen. Vor ihm fiel der Hang sicher sechs Meter gerade ab, hinunter auf Geröll und Steine, die einen noch einmal so hohen Kegel bildeten, um den sich der Darineus schlang. Die Untoten waren jedoch so schnell gelaufen und so weit gesprungen, dass sie tatsächlich den Felsen hinter sich gelassen und direkt im Fluss gelandet waren, von wo aus sie mit ihrer kostbaren Beute ans Ufer wateten.

Donnerwetter. Hoffentlich haben sie bei dem Kunststück Jannis nicht lädiert.

Allerdings würde er gleich andere Probleme haben. Hinter ihm, mit einem Wahnsinnstempo, kam eine Horde aus mindestens dreißig Verwesten aus dem Wald gestürmt. Sieben hatte gerade noch genug Zeit, um vor sich einen magischen Schild zu wirken. Er war hastig gewirkt, außerdem waren Verweste zum Teil magisch, aber immerhin hielt der Abwehrzauber dem Aufprall von sicher zwei Dutzend Körpern stand, bevor er zusammenbrach.

Doch dann rammte ihn ein Untoter in vollem Lauf. Die Wucht des Aufpralls warf ihn um und gerade noch sah er den Rand des Abhangs unter sich vorübergleiten. Sieben fiel, begleitet von gut einem Dutzend Verwesten, die während ihres Falls weder schrien noch sonst irgendein Geräusch machten. Er ruderte mit den Armen und versuchte seine Beine nach unten zu bekommen, um zumindest halbwegs gut landen zu können, doch er wusste, dass ein Sturz aus dieser Höhe ihn ziemlich übel verletzen würde, wenn er nicht wahnsinniges Glück hatte.

Dann geschah etwas Unglaubliches. Der Fluss unter ihm wand sich wie eine riesige Schlange, erhob sich in die Luft und kam Sieben auf halbem Weg entgegen. Er hatte nicht einmal die Gelegenheit, überrascht zu sein, als er auch schon in das Wasser eintauchte. Doch wie er wurden auch einige der Verwesten von der seltsamen Erscheinung aufgefangen und Sieben spürte, wie mehrere Hände nach ihm langten. Er versuchte nach seinem Degen zu greifen, doch in dem Durcheinander, in dem er nicht einmal mehr wusste, wo oben und unten war, war das gar nicht so einfach. Zwei Hände schlossen sich um seine Kehle. Sieben versuchte einen Zauber mit dem Wasser zu wirken, aber nichts passierte, irgendwie musste der Fluss seine Versuche abwehren, ihn zu bändigen. Dann gab es ein klatschendes Geräusch, irgendetwas traf ihn am Hinterkopf und alles um ihn herum wurde schwarz.

17.

Zwei Augen. Zwei ruhige, braune Augen. Still und friedlich und voller Mitgefühl. Sieben kannte diese Augen nur zu gut. Jahrelang hatte er in sie gesehen und jedes Mal alle Zweifel an seinem Handeln verloren. Und auch jetzt, lange nachdem diese Augen sich für immer geschlossen hatten, sie und der zu ihnen gehörende Mensch nicht mehr existierten, sah er sie noch oft.

Oh ja, dieses Mal wusste Sieben, dass er träumte. Dass er nicht in der wahren Realität war. Dass er irgendwann aufwachen würde ... wahrscheinlich. Aber was für ihn zählte, war das Hier und Jetzt. In dieser Welt existierten vorerst nur er und das Gesicht. Diesen Augenblick wollte er nicht vergehen lassen. Er würde hierbleiben und darauf warten, bis das Licht kam und das Gesicht auslöschte und zerstörte, nur um ihn dann im Anschluss wieder in das silberne Gefängnis zu zerren, von dem aus Ruben nun in die Welt hinaussah.

Wumm.

Ein Donnerschlag erfasste den Traum. Er erschütterte alles, das Gesicht, die Luft, das Licht, wie ein Stein, der in einen ruhenden Teich fiel und dessen Wellen alles verschwimmen ließen, erschütterte das Grollen jedes Element dieser Welt. Einen Moment lang meinte Sieben schon wieder aus der Vision gerissen zu werden. Doch die Wellen glätteten sich. Ruhe kehrte wieder ein in dieses kleine Universum. Das Gesicht wurde klarer. Und es bekam Gesellschaft. Ein zweites Augenpaar, blau und wunderschön. Nicht ruhig, nein, wild, leidenschaftlich ... emotional ... zornerfüllt.

Ein brennender, alles vernichtender Blick aus purem Hass streckte ihn nieder wie ein Hammerschlag. Sieben war hilflos, während der Blick ihn zerbrach, ihn zerschmetterte, nur um erbarmungslos weiter auf die einzelnen Teile seines Seins einzuschlagen.

Wumm.

Wieder verschwamm alles. Das stille Gesicht schlug Wellen und dieses Mal löste es sich tatsächlich auf, dafür bekam das hassende

Augenpaar nun ein Gesicht. Es war wunderschön. Aber was war Schönheit? War es Perfektion? Was perfekt war, empfand doch jeder Mensch anders, oder etwa nicht?

Sieben war sich jedoch sicher, dass für ihn dieses Gesicht Perfektion war, die beste Schöpfung, das höchstmögliche Sein. Und dieses perfekte Wesen hasste ihn, verabscheute ihn mit jeder Faser seines Seins. Konnte so ein perfektes Wesen Unrecht haben? Nein, konnte es nicht.

„Wo ist er?"

Die Stimme war jene einer Gottheit, streng, absolut und keine Rechtfertigung duldend.

„Wo ist er?"

Ruben wollte antworten, aber er wusste nicht, was. Er war weg. Er war im Licht. Und es war seine Schuld. Aber das wusste sie schon. Was immer er jetzt antworten konnte, hatte er ihr schon gesagt, mehrmals, immer wieder, hundertfach, bittend, flehend, auf Knien. Aber das änderte nichts.

WUMM!

Die Welt warf Wellen. Alles verschwamm. Das Gesicht, der hassende Blick wurden trübe, Licht und Wirklichkeit umnachteten ihn, doch die Stimme brüllte noch ein letztes Mal laut und fordernd.

„Wo ist er? Wo ist mein Sohn, Ruben?"

Wumm. Wumm. Wumm. Das Pochen seines Kopfes riss ihn gleichzeitig aus seiner Ohnmacht und drohte ihn immer wieder dorthin zurückzubefördern. Der Inquisitor spürte Gras im Nacken und weiche Erde unter seinem Kopf. Er lag am Ufer, seine Beine hingen noch im Wasser. Der Wind blies ihm sanft über die Haut und die Sonne brannte trotzig aus einem kleinen Loch in der Wolkendecke besonders hell auf sein Gesicht herab. Alle Elemente waren um ihn herum, und doch erschienen sie Sieben wesentlich unwirklicher als der alles verzehrende Blick aus seinem Traum.

Doch das Gefühl verflog. Die Realität wurde stärker, nicht zuletzt aufgrund der schmerzhaften Unterstützung durch seinen pochenden Schädel. Sieben versuchte sich aufzurichten, doch jedes Glied in seinem Körper erhob vehement Einspruch gegen diese ungeheuerliche Forderung. Unter gewaltigen Anstrengungen gelang es Sieben, den Kopf ein Stück zu heben und sich umzusehen. Er lag an derselben Stelle, an der er mit den Verwesten in die Tiefe gestürzt war und der Fluss ihn auf wundersame Weise gefangen hatte.

Aber von den Untoten war nun keine Spur zu sehen und der Darineus floss allen ihn umgebenden Schicksalen gleichgültig gegenüberstehend vor sich hin. Sieben ignorierte den langsam schwächer werdenden Schmerz, drehte sich auf den Bauch und rappelte sich auf Hände und Knie auf. Er ließ seinen Blick über die Umgebung gleiten, über Steine und Wiesen, über Wälder und Berge. Aber von Jannis de Meijer fehlte jede Spur. Sieben sank erschöpft zur Seite. Er hatte ihn verloren. Jannis war weg. *Wo ist er? Wohin haben ihn diese Verwesten verschleppt? Und wo ist er überhaupt so plötzlich hergekommen?*

So viele Fragen. Sein Blick fiel auf den Darineus vor ihm.

Ist er mir vorhin tatsächlich entgegengekommen und hat nach mir gegriffen?

Er dachte an das, was Nadine ihm über den „Alten Mann" erzählt hatte, den Grottengeist. War er ihm etwa zu Hilfe geeilt? Einen Moment lang blickte er unschlüssig auf das Flüsschen hinab.

„Danke", sagte er schließlich.

Der Darineus reagierte nicht. Der Inquisitor fragte sich, ob er sich wohl gerade dumm benahm.

Jannis war jedenfalls weg und Sieben sah keinen Anhaltspunkt, um seiner Spur zu folgen. Der Geruch der Verwesten lag zwar noch in der Luft, doch er entfernte sich in so viele verschiedene Richtungen, dass jeder Versuch, ihnen zu folgen, vermutlich ein sinnloses Ratespiel war. Vielleicht konnte ihm der „Alte Mann" behilflich sein ...

zumindest würde Sieben herausfinden, ob dieser angebliche Grottengeist für ihre weiteren Ermittlungen ein relevanter Faktor war. Aber zuvor musste er noch beim Haus der de Meijers vorbeischauen. *Die Nachrichten ... das Foto ... das Ligaabzeichen ... Das waren wichtige Beweise.* Sieben hatte keine Ahnung, ob es H2O gelungen war, den Brand zu löschen, immerhin hatte das alte Haus trotz des Regens am Vortag innerhalb kürzester Zeit gebrannt wie Zunder. Sieben erhob sich, streckte seine schmerzenden Glieder, ignorierte das Pochen in seinem Kopf und machte sich an den erneuten Aufstieg. Dieses Mal dauerte er etwas länger, denn bis sein Körper sich von seinem Sturz einigermaßen erholt hatte, dauerte es eine Weile. Aber nach knapp einer Stunde hatte er es geschafft. Schon von weitem konnte er über die Baumwipfel hinweg die Rauchschwaden sehen, aber das musste nichts heißen, immerhin würde die Brandstätte auch nach einer erfolgreichen Löschung noch eine Weile vor sich hin kokeln. Doch als er auf der Lichtung eintraf, sank sein Herz ein Stück. H2O hatte Erfolg gehabt, es brannte nirgends mehr auch nur eine Flamme. Aber offenbar hatte der Brand erheblichen Schaden angerichtet. Teile des Daches waren eingestürzt, soweit Sieben sehen konnte, auch in dem Bereich, in dem sich Jannis' Zimmer befand. Außerdem schien die gesamte Front arg in Mitleidenschaft gezogen zu worden sein. Warme Asche wirbelte durch die Luft, irgendwo knisterten noch kleinere Glutnester.

Da ist nichts mehr zu retten, stellte er fest.

Die Beweise gegen de Meijer waren vernichtet worden.

Nein, Moment! Nicht alle ... der USB-Stick mit den Namen der Ligisten ist verschwunden. Wer immer ihn hat, hat immer noch genug Beweise gegen Jannis und Santander in der Hand. Fragte sich nur, wer das war. *Womöglich dieselbe Person, die mir die Verwesten auf den Hals gehetzt hat.*

Aber sich darüber den Kopf zu zerbrechen half jetzt auch nichts. Er pfiff einmal laut. Hinter dem Haus kam eine große, rundliche Form angeschwebt.

H2O hatte erneut seine Seepferdchenform angenommen, nur ein wenig größer. Sein Bauch war geradezu grotesk angeschwollen, offenbar war er eben noch damit beschäftigt gewesen, mit großen Wasserreserven die letzten Glutnester zu löschen. Als er den Inquisitor erblickte, schlug er einen kleinen Salto in der Luft und spuckte ihm mit einem glucksenden Wiehern einen Wasserschwall vor die Füße.

„Ja, keine Sorge, an mir ist noch alles dran. Aber diese Verwesten haben leider Jannis mitgenommen."

Das Seepferdchen legte den Kopf schief und schnaubte. Sieben zuckte mit den Achseln.

„Weiß ich nicht. Aber wir müssen unbedingt weiter, ich will noch diesen Grottengeist kennenlernen, der mir unten am Fluss geholfen hat. Lösch noch schnell die letzten Feuer, dann machen wir uns auf den Weg."

H2O nickte und machte sich an die Arbeit.

Sieben sah sich unterdessen in der Brandruine um und musste feststellen, dass er mit seiner vorigen Vermutung richtig gelegen hatte. Jannis' Zimmer war vom Brand stark betroffen gewesen. Ein Teil der Decke war eingestürzt und hatte die Stelle, an der er die persönlichen Notizen und das Ligaabzeichen gefunden hatte, verschüttet. Nachdem es ihm mit einem flinken Schwung seines Zauberstabes gelungen war, die ärgsten Trümmerteile beiseitezuschaffen, fand er nichts, außer ein verbogenes und verkohltes Stück Eisen und ein wenig Asche.

Das ist alles, was übrig geblieben ist.

Er versuchte sich an alles zu erinnern, was er gelesen hatte.

Jannis hat den Kundschafter der Liga erschossen. Und Nadines Geschichte ist anscheinend wahr gewesen. Er hat sie nur ausgenutzt, um Zugang zur Krähenburg zu bekommen. Aber was immer Jannis versucht hat dort zu finden, etwas muss ihm einen ganz schönen Schrecken eingejagt haben.

Vielleicht sollte er Nadine in dieser Hinsicht noch einmal auf den Zahn fühlen. Während Sieben langsam die Überreste des Zimmers durchschritt, fiel ihm in einer Ecke ein alter Holzschrank auf. Irgendwie war er von den Flammen mehr oder weniger verschont geblieben, er war das einzige noch intakte Möbelstück in dem Raum. Während H2O immer noch mit seinen Löscharbeiten beschäftigt war, zog der Inquisitor die verschiedenen Schubladen heraus und durchsuchte sie. Er fand nichts außer Socken, unwichtigen Akten und ein paar Fotos, die verschiedene Leute im Dorf zeigten. Auf einigen von ihnen waren Yaron, Sven und andere Leute aus der Runde vom Vorabend.

Richtig, er hat sie ja beim Pokern abgezockt.

Auch Fotos von Zacharias, Sophia, Noah und Nadine waren darunter. An keinem der Fotos war an und für sich etwas Ungewöhnliches, nur jene von Nadine waren … seltsam. Es dauerte einen Augenblick, bis bei ihm der Groschen fiel.

Sie sieht viel natürlicher aus. Auf keinem der Bilder ist sie geschminkt. Wahrscheinlich hat Jannis' mieses Verhalten ihr Selbstvertrauen etwas untergraben.

Wieder musste der Inquisitor daran denken, dass zumindest an all den Dingen mit der Liga einzig und allein Jannis Schuld trug.

Ein Betrüger und Lügner … solche Menschen holt das Schicksal immer ein.

Trotzdem war es wichtig, dass Sieben ihn auftrieb, mit etwas Glück war er der Schlüssel zu den Antworten auf viele Fragen in ihren Ermittlungen. Sieben legte die Fotos zurück und ging nach draußen zu dem kleinen Krater, der die Stelle verriet, an der er die Verwesten angegriffen hatte. Rundherum lagen einzelne Teile von Leichen oder Kleidungsstücken, die weit genug vom Feuer entfernt gewesen waren, um davon unberührt zu bleiben. Sieben untersuchte sie, konnte jedoch nichts Ungewöhnliches feststellen.

Einfach nur ein paar Gliedmaßen. Vom Verwesungsstadium her etwas älter, aber bei magisch reanimierten Körpern ist ein genauer Zeitpunkt schwer festzustellen.

Ansonsten schien es keine Anhaltspunkte zu geben, doch gerade als er sich wieder aufrichten wollte, fiel ihm im Gras etwas auf. Ein paar bunte Punkte, so klein, dass er sie fast nicht gesehen hätte, lugten zwischen den Grashalmen hier heraus. Mehrere blaue, grüne und orange, ein paar rote, ein einzelner schwarzer und eine ganze Menge gelber und weißer kleiner Steine. Sieben runzelte die Stirn, dann fiel ihm plötzlich ein, was er da wahrscheinlich vor sich hatte.

Die gehören sicher zu einer dieser bunten Halsketten, die Sven herstellt. Einer der Untoten muss sie wohl dabeigehabt haben.

Wenn nicht so viele Leute so eine hätten, wäre ihm das vielleicht eine Hilfe dabei gewesen, die Opfer zu identifizieren, aber so kam er nicht weiter. Einen Augenblick lang stellte er sich vor, wie er durch Oslubo ging und die Leute befragte.

„Entschuldigung, kommt ihnen dieser abgerissene Arm bekannt vor? Wie sieht es mit diesem verbrutzelten Ohr aus? Und diesem großen Zeh?"

Er seufzte. *Hör mit diesen morbiden Gedanken auf.*

Sieben würde wohl jemanden kontaktieren müssen, um die Leichenteile hier mitzunehmen, falls nicht Füchse oder ähnliches Wild sie sich bis dahin unter den Nagel gerissen hatten. So widerlich der Gedanke war, so war die Natur nun mal.

Sieben rief nach H2O, der inzwischen fertig geworden war. Gemeinsam ließen sie das Haus der de Meijers hinter sich und marschierten zurück ins Tal des Darineus.

Von dort aus ging es noch zehn Minuten lang weiter, bevor sie sich erneut an einen Aufstieg, dieses Mal zur Grotte, machten. Hier gab es ebenfalls einen Wald, allerdings nicht ganz so dicht und offenbar etwas jünger. Schließlich kamen sie zu einer Stelle, wo der Darineus sich als Wasserfall eine kleine Felskante hinunterwarf. Der Weg nach oben war gewunden und steil, aber nicht besonders weit. Dem Inquisitor fielen die großen Felsen auf, die hier überall herumlagen und offenbar in der Vergangenheit durch den Fluss an der Oberfläche abgerundet worden waren. Nun lagen sie im Trockenen und bildeten hübsche, kleine Steinkuppeln.

Sieben kramte in seiner Tasche und zog sein Handy heraus. Trotz seines Sturzes vorhin schien es noch funktionstüchtig zu sein. Auf dem Weg vom Haus der de Meijers hierher hatte er versucht Kassandra zu erreichen, doch sie hatte nicht abgehoben. Auf ihrer Mobilbox hatte er ihr eine Nachricht hinterlassen und kurz seine Erlebnisse zusammengefasst, doch bis jetzt hatte sie sich noch nicht zurückgemeldet. Die Uhr verriet ihm, dass er noch genug Zeit hatte, bis es dunkel wurde, um nach Oslubo zurückzukehren, aber sonderlich lange sollte er sich mit dem Grottengeist nicht beschäftigen.

Hoffentlich ist er so vernünftig, wie Nadine behauptet hat. Und nicht feindselig.

Falls es ihn überhaupt gab, trotz allem hatte er daran noch ein paar Zweifel.

Vor ihm lag der Eingang zu einer Höhle. Ein kleines Bächlein plätscherte aus dem Eingang und vereinigte sich direkt vor der Felskante mit einem aus den Bergen kommenden, breiteren Bach zum Darineus.

Im Berg müssen in hohlen Gesteinskammern mehrere kleine Rinnsale zusammenführen und sich in der Höhle treffen.

Tatsächlich schien es in ihrem Inneren außergewöhnlich feucht zu sein. Unweigerlich musste er an das Bild denken, welches Yaron von dieser Höhle gemalt hatte. Eigentlich hatte er kein wirklich mulmiges Gefühl hier, vielmehr faszinierte ihn die geologische Beschaffenheit. Wasser tropfte aus den Wänden auf die Steine und zahlreiche Stalaktiten hingen von der Decke, was ein beeindruckendes

Gesamtbild abwarf. Der Innenraum war nicht sonderlich groß, tatsächlich schien es sich nur um eine einzige Kammer zu handeln, doch dann sah er, dass es weiter hinten noch einen schmalen Gang gab, der weiterführte.

H2O, der wieder an seiner Brust hing, machte große Augen, doch Sieben spürte, dass den kleinen Wassergeist irgendetwas zu beunruhigen schien. Auch Sieben spürte es nun. Dort hinten nahm er eine Art … Aura war. Sie schien leicht magisch zu sein. Nicht besonders stark, nicht einmal wirklich bedrohlich, aber ganz offensichtlich *da*. Außerdem verriet ihm seine feine Nase, dass es hier noch nach etwas anderem roch als nach abgestandenem Wasser und Moos.

Es roch nach Tod. Der Gestank war nicht frisch und auch nicht besonders stark, aber ganz offensichtlich war hier drinnen vor einiger Zeit irgendetwas gestorben.

„Inquisitor Nummer Sieben. Wie schön, dass Sie vorbeischauen."
Sieben kam nicht umhin, erschrocken zusammenzuzucken, und H2O gab ein erschrockenes Fiepen von sich. Die Stimme schien weiter aus dem Höhleninneren zu kommen, allerdings war es ihm unmöglich, festzustellen, woher genau. Unwillkürlich legte er eine Hand auf seinen Degen, doch er riss sich zusammen.

„Hallo. Ich nehme an, ich spreche mit dem Alten Mann?"
„Ganz recht. So nennen mich manche."
Die Stimme des Grottengeistes war eindeutig männlich, wirkte weder feindselig noch übermäßig freundlich, eher neutral, fast schon teilnahmslos und ein wenig erschöpft. Das Hallen an den Felswänden ließ sie vielleicht eine Spur bedrohlich wirken, doch er war sich ziemlich sicher, dass er sich das nur einbildete.

Sieben fiel ein, dass Nadine ihm geraten hatte, dem Geist zu sagen, dass sie ihn geschickt hatte.

„Ich habe mit Nadine gesprochen. Sie hat mir gesagt, ich dürfte Ihnen ein paar Fragen stellen."

Er kramte in seiner Tasche und holte das Stoffhäschen hervor, das sie ihm gegeben hatte. Plötzlich erfüllte ein Lachen die Höhle.

„Ah, der Anhänger. Den trägt die Kleine schon seit Jahren mit sich herum. Jaja, wenn Nadine meint, es wäre in Ordnung, dann fragen Sie nur, Inquisitor." Die Stimme klang mit einem Mal wesentlich einladender und freundlicher.

Sieben wusste nicht, ob er stehen bleiben oder sich irgendwo hinsetzen sollte, das ganze Gespräch mit der scheinbar körperlosen Stimme war so surreal, dass er nicht wusste, ob soziale Konventionen in diesem Fall noch angebracht waren. Aber da hier ohnehin alles nass zu sein schien, beschloss er, einfach stehen zu bleiben. H2O, der immer noch nervös wirkte, löste sich von seiner Brust, verwandelte sich in eine winzig kleine Fledermaus und ließ sich auf halbem Weg zum Ausgang von einem Stalaktit hängen, wo er seine wässrigledrigen Flügel um seinen Körper schlang und sich mit großen Augen wachsam umsah.

Der Inquisitor räusperte sich.

„Also … wer sind Sie? WAS sind Sie?"

„Ich bin genau das, was man mich nennt: ein alter Mann. Sehr alt."

„Besitzen Sie einen Körper?"

Der Grottengeist ließ sich einen Moment lang Zeit, bevor er antwortete.

„Mehr oder weniger. Ich besitze ein Gefäß für meine Materie, aber der Zahn der Zeit hat vor ihm nicht Halt gemacht. Ich brauche ihn auch, um am Leben zu bleiben. Mein alter Körper ist leider schon lange zu Staub verfallen. Vielleicht haben Sie die Geschichte schon gehört, aber während des Großen Krieges hat es einige Soldaten hierher verschlagen. Ja, auch vor so abgelegenen Orten hat dieser grässliche Konflikt nicht haltgemacht. Zu diesem Zeitpunkt hatte ich schon hunderte von Jahren gelebt, aber aus mir war nur noch ein schwacher Schatten geworden, da mein physischer Körper verloren gegangen war. Aber nach den Gefechten habe ich mir einen der Körper zu eigen gemacht und bin wieder stärker geworden. Trotzdem, selbst mit magischer Energie in jeder Vene fängt ein Körper irgendwann zu faulen an ... deswegen riecht es hier auch etwas."

Ach so ist das.

Die Tatsache beruhigte ihn, trotzdem war er noch ein wenig misstrauisch.

„Ich würde Sie trotzdem gerne sehen."

„Das wäre nicht ratsam. Ich bin nach menschlichen Maßstäben wirklich kein hübscher Anblick."

Sieben zuckte mit den Schultern. „Das verkrafte ich schon."

Die Bitte schien dem Grottengeist zuwider zu sein, denn einen Augenblick lang schien er geradezu beleidigt zu schweigen, dann säuselte ein Windhauch durch die Höhle, der wie ein müdes Seufzen klang.

Tock.

Das Aufprallen von Holz auf Stein hallte durch die Grotte.

Tock. Tock. Tock.

Es schien näher zu kommen. Plötzlich sah Sieben den Schatten einer annähernd menschlichen Gestalt in dem schmalen Gang weiter hinten. Sie schien gebückt zu gehen und etwas in der Hand zu halten, außerdem schien mit ihrem Arm etwas nicht zu stimmen. Der Geruch nach verfaultem Fleisch wurde stärker.

Was beim Licht ist das?

H_2O blubberte ein wenig ängstlich und zog den Fledermauskopf noch ein Stück ein. Doch was schließlich in den schwachen Lichtschein trat, der vom Höhleneingang auf sie fiel, übertraf noch Siebens schlimmste Erwartungen.

Es war tatsächlich eine *annähernd* menschliche Gestalt, wobei damit ausschließlich gemeint sein konnte, dass der Körper der eines Menschen war. Doch in gewisser Weise war die Tatsache, dass das Wesen, das nun vor ihm stand, als Mensch noch zu erkennen war, auch der schlimmste Aspekt des Ganzen.

Die Gestalt, oder vielmehr der wandelnde Leichnam, hatte einen Buckel von beträchtlicher Größe, der wie der ganze Rest von seinem Körper mit Lumpen und schmutzigen Bandagen eingehüllt war. Der lange Arm, der einen Holzstock hielt, auf den die Gestalt sich aufstützte, war an der Schulter gebrochen, sodass der Oberarmknochen nur durch Magie an einigen langen, gedehnten Fleischfetzen am Rest des Torsos hing. Die angefaulten Knochensplitter standen bei jeder Bewegung in eine andere Richtung ab. Die Haut an seinem Körper war nur noch stellenweise vorhanden, das Fleisch grotesk geschwollen.

Am schlimmsten jedoch war das Gesicht. Vor langer Zeit musste es von einer Kapuze verhüllt gewesen sein, doch mittlerweile war sie so zerrissen, dass die Züge des Grottengeistes gut sichtbar waren. Er grinste Sieben breit an, was aber in erster Linie daran lag, dass seine Lippen bereits vor langer Zeit der Verwesung zum Opfer gefallen waren und ein großer Teil des Gebisses nun ohne Zahnfleisch dalag. Auch die Augen waren weg, nur leere Höhlen glotzten stumpf vor sich hin. Ohren- und Nasenspitzen waren ebenfalls nicht vorhanden und ließen nur offene, eitrige Buckel zurück, die den ursprünglichen Sinnesorganen nicht im Geringsten ähnlich sahen.

Auch der Gestank war beträchtlich, das süßliche Aroma langsam faulenden Fleisches. Die Duftnote erinnerte ihn an irgendetwas, doch sein Kopf schwirrte zu sehr von dem intensiven Geruch, als dass er dazu einen klaren Gedanken hätte fassen können. Wäre er nicht so erschrocken gewesen, hätte Sieben sich ohne Zweifel übergeben, doch mit Mühe und Not beschränkte er seine Reaktion auf ein angestrengt klingendes Würgen.

„Tut mir wirklich leid", sagte der Geist, wobei sich der Kiefer des Toten nur sporadisch bewegte, während die Laute der Worte sich irgendwo anders zu formen schienen, „aber Sie haben nun einmal darauf bestanden."

Sieben atmete tief durch, dann nickte er. Ein kurzer, prüfender Blick auf den Körper des Toten bestätigte, was der Alte Mann ihm gesagt hatte. In diesem Körper wohnte eindeutig ein Geist, der dort nicht hingehörte.

Ein Energiewesen, das sich andere Körper schnappt, um zu überleben ... ein „Einsiedlergeist".

Es gab seines Wissens nach in der Bibliothek des Ordens keine klare Unterklassifizierung für Einsiedler, außerdem schien es immer unterschiedlich zu sein, ob solche Energiewesen nun gefährlich waren oder nicht, oder wie viel Menschlichkeit und Verstand sie sich bewahrten. Dieser hier schien allerdings abgesehen von seinem wirklich widerlichen Äußeren recht normal zu sein. Und eigentlich auch nicht wirklich gefährlich. Trotzdem schluckte der Inquisitor, bevor er weiterredete.

„Ist schon in Ordnung", antwortete er bemüht, „ich wollte nur sichergehen, dass ..."

„... dass der böse Dämon Sie nicht belügt?" Wieder lachte der Grottengeist, es hallte von allen Wänden wider, bis ein ganzer Chor von nirgendwo- und überallher müde kicherte. Der Alte Mann stützte sich mit seinem zweiten Arm auf seinen Stock und legte den Kopf schief. „Sagen Sie, hat der Orden Sie geschickt, um mich zu beseitigen? Ich wüsste nämlich nicht, womit ich das verdient hätte."

Sieben zuckte mit den Schultern.

„Ich bin hier, um mich um die Selbstmorde zu kümmern. Und ich suche Jannis de Meijer. Wissen Sie etwas über ihn?"

Der Alte Mann nickte. „Selbstverständlich. Nadine hat oft über ihn geredet. Armes, naives Mädchen. Und Sie hatten offensichtlich auch schon das Vergnügen mit ihm, immerhin sind Sie diesen widerlichen Untoten vorhin ganz schön hinterhergejagt."

Sieben versuchte sich seine Überraschung nicht anmerken zu lassen.

„Nadine hat mir erzählt, Sie könnten den Fluss kontrollieren. Ich darf also annehmen, dass ich meine wunderbare Rettung vorhin Ihnen zu verdanken habe?"

„Ja. Ich war mir zwar nicht sicher, was dort vor sich ging, aber wenn Menschen von diesen … Kreaturen angegriffen werden, muss ich natürlich etwas tun. Auch wenn es mich ganz schön Kraft gekostet hat, wie ich zugeben muss."

Sieben nickte langsam, war jedoch nicht völlig überzeugt.

„In diesem Fall danke ich Ihnen für die Rettung. Aber Sie verstehen bestimmt auch, wenn ich einem Untoten gegenüber misstrauisch bin, nachdem ich von einer Horde Verwester angegriffen wurde. Alles, was man braucht, um einen Verwesten sozusagen ins Leben zu rufen, ist ein Körper und etwas Energie. Danach lassen sie sich ganz einfach von ihrem Meister lenken. Ich habe schon davon gehört, dass höhere Energiewesen manchmal in der Lage sind, Verweste zu erschaffen. Und der Verdacht liegt natürlich in diesem Fall nahe, dass Sie etwas damit zu tun haben könnten."

Dem Inquisitor war völlig klar, dass seine Worte nicht nur ziemlich undankbar, sondern provokant klangen. Er hoffte auf diese Weise eine klare Antwort von dem Einsiedler zu erhalten. Aber falls der Leichnam beleidigt war, ließ er es sich nicht anmerken.

Stattdessen kicherte er wieder leise. „Aha, so ist das also. Na ja, ich kann Ihnen nicht verdenken, dass Sie zumindest einen Verdacht hegen, immerhin sind Sie ein Inquisitor. Sie müssen schon oft in ihrer Karriere Probleme mit meinesgleichen gehabt haben."

Er machte eine kurze Pause, als würde er eine Antwort von ihm erwarten, doch Sieben schwieg eisern.

Er weiß nicht, dass das meine erste Mission ist, und es gibt auch keinen Grund, ihm davon zu erzählen. Je weniger er über mich weiß, umso schwerer fällt es ihm, mich einzuschätzen.

Als der Einsiedlergeist erkannte, dass der Inquisitor offenbar nicht vorhatte, seine Behauptung zu bestätigen, schien er ein Stück in sich zusammenzusinken und er seufzte müde.

„Wie dem auch sei, alles, was ich Ihnen sagen kann, ist, dass diese …
Monster nicht unter meinem Befehl stehen. Abgesehen davon, dass
ich zu meinen Lebzeiten genug Gewalt gesehen habe, besitze ich gar
nicht mehr die Kraft dafür. Ich bin durchaus in der Lage, die
Vorgänge im und um den Darineus zu erspüren, letzte Nacht habe ich
sogar meine Fühler so weit ausgestreckt, dass ich mitbekommen habe,
wie an der Stelle, wo mein Fluss auf den Iphikles trifft, Zacharias de
Meijers Blut den Fluss verschmutzte. Aber um von meiner
verbliebenen Energie etwas an diese schlurfenden Ungetüme
abzugeben, fehlt mir einfach die Kraft … und der Wille."
Sieben horchte auf.
„Woher wissen Sie, dass es Zacharias' Blut war? Ich hatte es nicht
erwähnt."
Der Einsiedler lächelte milde, oder zumindest glaubte Sieben, dass die
Bewegung auf der verbliebenen Haut seines Gesichts ein Lächeln
darstellen sollte.
„Nadine. Sie und ich, wir haben eine gute Verbindung. Sie hat mir
davon erzählt."
„Wann war sie hier oben?"
„Gar nicht. Wenn sie mit dem Fluss redet, höre ich zu, egal wo. Seit
dieser Jannis sie weggeworfen hat wie ein Paar alter Schuhe, verbringt
sie viel Zeit in der Natur und am Fluss. Und sie redet viel mit mir."
*Sie hat gesagt, dass sie einen guten Draht zu ihm hat … aber ich
werde sie fragen müssen, ob sie tatsächlich so viel Zeit mit ihm
verbringt.* Offenbar verriet ihn sein nachdenkliches Schweigen, denn
der Alte Mann seufzte erneut.
„Ich sehe schon, Sie sind misstrauisch. Soweit ich weiß, sind Magier
doch dazu in der Lage, Energie zu erspüren, solange es sich nicht um
die Lebenskraft einer Person handelt. Fühlen Sie nach mir, dann
wissen Sie, in was für einem Zustand ich bin."
Sieben zögerte. Das konnte eine List sein, aber er wusste nicht, wie
der Grottengeist ihn in diesem Fall hätte überlisten können. Er streckte

287

seine Gedanken nach H2O aus, der immer noch als Fledermaus von der Decke hing.

Wenn er irgendwelche Tricks versucht, greif ein.

Der Wassergeist stimmte leise zu, der Inquisitor spürte jedoch, dass er sich Sorgen machte. Dann schloss er die Augen und streckte seine Fühler nach Energie aus. Es dauerte nicht lange, bis er die Kraft des Geistes vor sich sah wie das Leuchten einer Glühbirne. Oder besser gesagt das Flackern einer schwachen Kerze.

Der Einsiedlergeist starb.

Seine Energie wirkte wie die eines Greises, den eine jahrelange Krankheit jedes Gramm Kraft gekostet hatte und der nun dabei war, diesen Kampf gegen das Unvermeidliche endgültig zu verlieren.

Kein Wunder, dass es ihn so angestrengt hat, mich vor den Verwesten zu retten. Selbst wenn er sie erschaffen hätte, würde es ihm in diesem Zustand wohl kaum möglich sein, sie zu kommandieren.

Mit einem Mal fühlte Sieben sich schlecht, weil er den Geist verdächtigt hatte. Natürlich gab es noch einige Fragen, die er ihm stellen musste, allerdings hatte er fürs Erste keinen Grund, den Behauptungen des Einsiedlers keinen Glauben zu schenken.

„In Ordnung", meinte er schließlich und zog seine geistigen Fühler zurück, „aber wenn möglich würde ich gerne noch ein paar Sachen wissen. Ist Ihnen zum Beispiel bekannt, wer Jannis dann entführt haben könnte? Und wer die Verwesten erschaffen hat?"

Der Einsiedler schüttelte traurig den Kopf.

„Nein, leider. Ich vermute, dass die Liga etwas damit zu tun haben könnte, einige von ihnen haben sich auch schon in mein Tal vorgewagt. Aber meistens treiben sie sich woanders herum."

Unwahrscheinlich. Wenn die Ligisten unter Herzog Magiern gegenüber so feindlich gesinnt sind, bezweifle ich, dass einer von ihnen einer ist. Und Gewöhnliche können keine Verwesten kontrollieren.

Es bestand natürlich die Möglichkeit, dass ein anderer Ligist, der zu Santanders Zweig gehörte, Zauberei beherrschte. Aber auch diese Theorie hatte ihren Schönheitsfehler.

Der Einbrecher, der den USB-Stick gestohlen hatte, war mit ziemlicher Sicherheit dieser Kopfgeldjäger Antares oder jemand, der mit ihm zu tun hat. Wenn er in Santanders Diensten steht, warum sollten sie dann später Verweste vorbeischicken?

Aber das war eine Frage für ein anderes Mal. Jetzt blieb ihm nur noch eine letzte Auskunft, die er gerne gehabt hätte.

„Was wissen Sie über Inquisitor Nummer Sechsundzwanzig?"

Der Einsiedler hob seinen Holzstab und deutete damit auf einen flachen, relativ trockenen Stein ein Stück neben der Stelle, an der Sieben gerade stand.

„Er war sehr stark, sehr leicht reizbar und saß immer dort drüben, wenn er mit mir redete."

Sieben horchte auf. „Sechsundzwanzig war öfter bei Ihnen?"

Der Einsiedlergeist nickte stumm.

„In der Tat. Er untersuchte immerhin ebenfalls die ganzen unglücklichen Todesfälle im Tal des Iphikles. Aber er ist trotzdem immer wieder zu mir gekommen und hat mir jede Menge Fragen gestellt, weil er davon überzeugt zu sein schien, dass ich etwas damit zu tun hatte."

Der Einsiedler schenkte ihm mit seinen leeren Augenhöhlen einen Blick, der es trotzdem irgendwie schaffte, leicht spöttisch zu sein.

„Inquisitoren scheinen mir nicht sonderlich zu vertrauen. Aber nach ein paar Besuchen hier kam er seltener. Hat sich lieber um andere Dinge gekümmert. Mir war das ganz recht, seine aufbrausende Art machte mich etwas … nervös, wie ich gestehen muss. Aber wenn Sie nach ihm suchen, glaube ich, dass ich etwas Interessantes für Sie habe. Wissen Sie, weiter unten am Fluss …"

Plötzlich brach der Grottengeist ab.

Er wirkte mit einem Mal alarmiert, geradezu erschrocken.

„Was ist los?", fragte der Inquisitor.

Der Alte Mann antwortete nicht sofort. Stattdessen sah er langsam von dem kleinen Bächlein, das aus seiner Höhle nach draußen rann, zu ihm und klopfte ein, zwei Mal mit seinem Stock auf den Boden, als würde er versuchen einen Käfer zu zermatschen.

„Sie erwarten keine Gesellschaft, oder, Inquisitor?"

Sieben schüttelte den Kopf und die Unruhe des Einsiedlers steigerte sich noch einmal um eine Stufe.

„Wieso? Kommt jemand?"

Der Leichnam nickte. „Eine ganze Gruppe von Leuten, etwa ein Dutzend. Und sie sind bewaffnet. Ein paar von ihnen kenne ich … es sind Ligisten! Und ein ziemlich großer Kerl, der vor Energie geradezu zu leuchten scheint."

18.

Dem Inquisitor lief es eiskalt den Rücken herunter.

Antares! Und das mit Verstärkung!

H2O, der seinen Schrecken spürte, stieß sich von der Decke ab und landete auf seiner Schulter. Ohne ein weiteres Wort zu verlieren, fuhr der Inquisitor auf dem Absatz herum und lief nach draußen. Er sah hektisch von links nach rechts, doch hier vor der Höhle saß er in der Falle. Links von ihm auf der anderen Seite des Flusses lagen steile Felswände ohne eine Möglichkeit, sich zu verstecken, rechts führte nur der Weg nach unten, über den er gekommen war. Es war gut möglich, dass er den Ligisten auf diese Weise genau in die Arme lief, doch er hatte keine Wahl, er spurtete los.

Den steilen Weg nach unten zu laufen war angesichts des immer noch vom Regen feuchten Untergrunds nicht ganz ungefährlich und immer wieder rutschte er aus, doch alles war besser, als sich alleine noch einmal mit dem Kopfgeldjäger und einer ganzen Truppe von Ligisten herumzuschlagen.

Wenn ich es bis nach unten schaffe, kann ich versuchen mich auf der anderen Seite des Darineus querfeldein zu schlagen und so den Weg zu meiden.

Er musste nur dort ankommen, bevor die Ligisten den Aufstieg erreichten.

Beinahe hätte er es geschafft.

Er sprang gerade über den Rand eines großen, hellgrauen Findlings, um eine Kurve abzukürzen, als er plötzlich vor einer ganzen Gruppe Leute stand. An ihrer Spitze standen zwei Männer, die von seiner Anwesenheit hier ganz offensichtlich nicht wirklich überrascht waren. Der eine war von mittlerer Größe und Statur und hatte etwas Selbstsicheres, leicht Überhebliches an sich und in seinen Augen flackerte bei Siebens Anblick der Funken des Erkennens auf.

David Herzog lächelte breit und mahlte mit dem Kiefer, sodass die Ader an seinem kahlen Kopf so auffällig hervorstand wie bei seiner Ansprache in Krithon.

Der andere war Antares, die Armbrust im Anschlag und unter seinem Helm so düster dreinblickend wie eh und je.

„Das ist er!", rief Herzog triumphierend. „Da ist die Schnabelnase! Tötet ihn!"

Sieben hatte gerade noch Zeit, sich hinter einen großen Stein zu werfen, als schon ein ganzes Orchester von Schüssen losknallte. Kurz sah er aus der Deckung und machte eine peitschende Bewegung in Richtung eines knorrigen, alten Baumes, der blattlos ein Stück über ihnen am Abhang lehnte. Mit einem ächzenden Knarren brach morsches Holz und er neigte sich nach vorne, hielt einen Augenblick lang inne und entschloss sich schließlich dazu, doch umzufallen. Die Ligisten hatten genug Zeit, um ihm auszuweichen, aber Sieben erkaufte sich so wertvolle Sekunden. Hastig wirkte er ein passives Schild, um zumindest vor den normalen Feuerwaffen sicher zu sein, dann versuchte er einen Fluchtweg auszumachen. Das Gelände war hier noch sehr steil, aber ein Stück weiter links, wo der Darineus über mehrere Stromschnellen hinunterfiel, gab es ein Geröllfeld, über das jemand mit etwas Geschick durchaus hätte flüchten können, wenn er verzweifelt war. Die größte Gefahr würde sein, dass er fehltrat und in den Fluss fiel, aber zumindest würde es so schwierig sein, ihm zu folgen. Alles, was er brauchte, würde ein etwas längerer Moment der Ablenkung sein.

Sieben spürte das Wasser um sich herum, in den Pfützen und dem nassen Gras und ließ es zu sich fliegen. H2O machte sich ebenfalls bereit und sah ihn erwartungsvoll an.

„Auf mein Signal greif an, wen du kriegen kannst, aber pass auf Antares auf."

Das Seepferdchen nickte und verschwand flink zwischen den Felsen.

Dann sah Sieben erneut hinter seiner Deckung hervor. Mehrere

Schüsse prallten von seinem Schild ab und Antares zielte mit seiner Armbrust auf ihn, doch Sieben war eine Spur schneller. Etwa ein halbes Dutzend gefrorener Wasserkugeln, nicht größer als Schneebälle, aber hart und potentiell tödlich rasten auf die Ligistengruppe zu.

Zwei seiner Ziele konnten rechtzeitig ausweichen, ein Dritter erlitt nur einen Streifschuss, der ihn zwar umwarf, jedoch ansonsten nicht weiter beeinträchtigte, doch drei weitere Ligisten traf sein Angriff direkt und frontal und sie gingen zu Boden. Bei einem glaubte Sieben ein Knacken zu hören, als ihn die Eiskugel direkt am Kopf traf, und er vermutete, dass er ihm soeben das Genick gebrochen hatte.

Auch egal, dachte er grimmig, während er vor einer weiteren Kugelsalve in Deckung ging, *ich glaube, in dieser Situation wird Gessler schon verstehen, dass ich mit der Liga nicht zimperlich sein kann.*

Aber seine Lage hatte er dadurch nicht wirklich verbessert, denn nun suchten die übrigen Ligisten selber hinter Felsen und Baumstämmen Schutz, nur Antares sprang für einen Mann seiner Größe überraschend leichtfüßig auf den von Sieben gerade heruntergeworfenen Baum, um von weiter oben eine bessere Schussposition zu haben. Bis jetzt hatte er seine Armbrust noch kein einziges Mal abgeschossen und im Vergleich zu Siebens Auseinandersetzung mit ihm auf der Krähenburg schien er weit weniger aggressiv zu sein, aber das lag vermutlich daran, dass er dieses Mal eine ganze Truppe von Ligisten zur Unterstützung dabeihatte. Trotzdem kam es dem Inquisitor etwas seltsam vor.

Wahrscheinlich lauert er gerade darauf, dass ich versuche zu flüchten. Wenn ich über die Steine am Ufer weglaufe, bin ich ihm schutzlos ausgeliefert.

Der Inquisitor bezweifelte, dass der Kopfgeldjäger ihn auf so kurze Entfernung verfehlen würde.

Einen Augenblick lang sah es so aus, als würden beide Parteien einen Angriff der Gegenseite erwarten. Als dies nicht geschah, atmete Sieben einmal tief durch.

Wie viele von denen sind noch auf den Beinen? Neun? Zehn?

Jedenfalls zu viele. Sein passives Schild würde auch nicht ewig halten, wenn sie alle auf ihn schossen.

„Inquisitor Nummer Sieben", unterbrach eine barsche Stimme seine Gedanken, „werfen Sie Ihren Zauberstab und Ihren Degen weg und kommen Sie mit erhobenen Händen heraus!"

Sieben kam nicht umhin, laut aufzulachen.

„Herzlich gerne doch! Aber was dann?"

„Dann sagen Sie uns, wo Sie Jannis de Meijer versteckt haben, geben uns alles Beweismaterial, das Sie zu ihm haben, und wir lassen Sie gehen."

Das war so schlecht gelogen, dass Sieben das Angebot nicht einmal in Erwägung zog. Trotzdem musste er das Gespräch in die Länge ziehen.

„Ich dachte, Sie hätten Jannis?", rief er. „Haben nicht Ihre Verwesten mich vorhin angegriffen?"

Das war natürlich Schwachsinn, doch Herzog ließ sich darauf ein.

„Untote? Von mir? Wir sind die Liga, wir verwenden keine dunkle Hexerei wie euresgleichen, warum sollten wir uns solch abscheulicher Wesen bedienen?"

Sieben konzentrierte sich. Wassertröpfchen, fein wie Staub, wirbelten vor ihm durch die Luft, erhielten Form und Farbe und nahmen langsam die Gestalt eines Menschen an. Ein gutes Trugbild brauchte für gewöhnlich viel Zeit, aber in diesem Fall wollte er die Ligisten nur für einen Augenblick täuschen. Trotzdem würde er noch einen Moment lang brauchen.

„Das weiß ich nicht! Aber ich kann euch jedenfalls nichts zu Jannis de Meijers Verschwinden sagen. Außer, dass er vor ein paar Monaten einen eurer Männer erschossen hat. Er liegt im Tal des Iphikles am Ufer." Die Nachricht schien Herzog zu überraschen und über das leise

Rauschen des Darineus hörte er, wie mehrere Stimmen aufgeregt hin und her zischten. Plötzlich nahm Sieben aus dem Augenwinkel heraus wahr, dass zwischen einem alten, knorrigen und mit Moos geradezu überwucherten Baumstamm und einem kleinen Felshügel zwei Ligisten schnell die Deckung wechselten, um sich ein wenig nach links zu bewegen.

Herzog spielt auch auf Zeit! Wenn ich ihnen lange genug gebe, werden sie mich einkreisen!

Schon jetzt waren die beiden Ligisten nicht mehr weit davon entfernt, ihm den Weg zu seiner geplanten Fluchtroute abzuschneiden. Der Inquisitor warf einen Blick auf sein Trugbild. Es war schlampige Arbeit, aber wahrscheinlich würde es seinen Dienst erfüllen. Er musste hier weg, so schnell wie möglich.

„Ihr Ligistenabschaum habt doch nicht die geringste Ahnung, womit ihr es hier zu tun habt!", höhnte er aus seiner Deckung heraus und gewann so Herzogs Aufmerksamkeit zurück. „Was immer ihr hier für Ziele verfolgt, ich habe Beweise für Jannis' Mitgliedschaft in der Liga gefunden. Ich kenne die Identität von Ines, und sobald ich in Oslubo zurück bin, werde ich dafür sorgen, dass die Polizei sie in Gewahrsam nimmt. Ihr wärt also gut beraten, euer Liga-Gehabe an den Nagel zu hängen und schleunigst zu verschwinden, denn eure Pläne hier fallen eindeutig ins *Wasser!*"

Beim letzten Wort ließ er sein Trugbild nach vorne schnellen, es rannte los, wieder zurück den Hang hinauf mit einer ziemlichen Geschwindigkeit, als würde es versuchen, sich in Sicherheit zu bringen. Schüsse ertönten, ein Armbrustbolzen flog dem Trugbild direkt in den Hinterkopf, doch im selben Moment schrie jemand überrascht auf. Sieben sah, wie hinter der Deckung zweier Ligisten ein Chaos ausbrach, als sie plötzlich von H2O angegriffen wurden. Wie die Ligisten oder Antares auf diese beiden Ablenkungen reagierten, wusste der Inquisitor nicht, aber eine zweite Chance zur Flucht würde er nicht bekommen.

Er rannte los. Kaum war er aus der Deckung gesprungen, spürte er, wie eine Kugel von seinem passiven Schild abprallte, doch entweder war das ein unglücklicher Streuschuss gewesen, oder der Angreifer war von H2O ausgeschaltet worden, denn bis Sieben bei den Felsen am Rand des Darineus angekommen war, schien ihn niemand mehr ins Visier zu nehmen. Dann hörte er ein gefährliches Sirren und er warf sich instinktiv zu Boden. Der Armbrustbolzen wäre gut gezielt gewesen, so zischte er jedoch harmlos über seinen Kopf hinweg. Damit hatte seine Glückssträhne aber nun leider ein Ende. Der Inquisitor stürzte unglücklich und landete genau in einer kleinen Rinne, durch die Wasser vom Berg her in den Darineus abfloss. Es reichte kaum, um ihm den Mantel nass zu machen, doch leider fiel er ausgerechnet so hin, dass er mit dem Gesicht nach unten zwischen den Felsen eingeklemmt blieb und er nur noch von der Hüfte abwärts herausragte. Mittlerweile schien auch Herzog bemerkt zu haben, was hier gespielt wurde.

„Lasst den da, das ist nur ein Zaubertrick, die Schnabelnase ist da drüben! Tötet ihn!"

Kugeln prallten von den Felsen um ihn herum ab und schlugen kleine Trümmer aus dem Gestein. Siebens Schild leuchtete unter einer auf ihn gerichteten Salve auf, bevor es ihm gelang, sich aus der Rinne zu befreien und nach vorne zu werfen. Doch hier gab es keine Deckung mehr. Antares' Schuss mochte schlecht gezielt gewesen sein, doch er hatte ihn wertvolle Momente gekostet und nun bestand keine Hoffnung mehr, hier noch rechtzeitig wegzukommen.

Sieben lief im Zickzack, stärkte seinen magischen Schild und warf eine weitere Eiskugel nach seinen Angreifern. Doch ihm gingen die Optionen aus. Seine Gegner hatten teilweise automatische Waffen und schwenkten diese einfach zu seinen zackigen Bewegungen mit, sein Schild wurde mit jedem Treffer schwächer und sein Gegenangriff prallte harmlos von der Deckung eines Ligisten ab, der sich kaum die Mühe machte, auch nur erschrocken zusammenzuzucken. Ihren nahenden Sieg erkennend und von übermütigem Leichtsinn erfüllt trat Herzog vor und richtete nun seine eigene Waffe auf ihn. Der Inquisitor sah, wie H2O noch immer in den Kampf mit zwei Ligisten verwickelt war und wie Antares seine Armbrust lud. Eine Welle des Trotzes schwappte über ihn hinweg.

Wenn ich hier draufgehe, nehme ich eines dieser Schweine noch mit!
Er zog seinen Degen und wechselte die Richtung. Herzog, offensichtlich davon überrascht, dass seine Beute kehrtmachte und nun auf ihn zukam, versuchte stehen zu bleiben, rutschte jedoch auf einem am Boden liegenden Eissplitter aus und fiel dabei hin.
Plötzlich rumpelte die Erde. Die Ereignisse überschlugen sich. Die Ligisten schrien überrascht auf und zeigten mit dem Finger in Siebens Richtung. Er hatte keine Ahnung, was sie so erschreckt hatte, doch als sich plötzlich ein Schatten auf ihn legte, fuhr der Inquisitor herum. Eine riesige, leuchtende Hand hatte sich aus dem Bachbett erhoben und schwebte nun bedrohlich wie die Faust eines zornigen Gottes über ihnen.
„Was …?", rief einer, doch in diesem Moment schoss ein Wasserstrahl aus der Hand hinunter und zermalmte einen Felsen direkt neben Herzog, sodass er zersprang, als wäre er aus Glas.
Das reichte den Ligisten. Offenbar hatten sie keine Ahnung, ob H2O, die riesige Wasserhand und das Trugbild vielleicht alle Siebens Schöpfung waren, doch offenbar hatten sie nun genug. Zuerst wich einer zurück, dann rannten zwei weitere Ligisten los und im Nu zogen sich alle panisch durcheinander rufend zurück.
„Bleibt stehen!", brüllte Herzog zornig, der immer noch am Boden lag und sich bei seinem Sturz offensichtlich verletzt hatte.
„Bleibt stehen und kämpft für die Liga! Das sind alles nur faule Tricks! Kämpft, verdammt noch mal, ihr dreckigen Bastarde!"
Er fluchte und schimpfte, dann hob er seine Waffe und schoss seinen Kollegen wütend nach, wobei er einen von ihnen mit einer Kugel ins

Bein zu treffen schien, was diesen jedoch nicht daran hinderte, so schnell wie möglich weiterzuhumpeln.

Der Einzige, der nicht davongelaufen war, war der Kopfgeldjäger.

Antares funkelte Sieben wütend unter seinem Helm heraus an, dann sah er zu der riesigen Hand, die immer noch bedrohlich über ihnen schwebte.

„Pack ihn!", brüllte Herzog Antares an. „Steh nicht blöd rum, sondern mach, wofür man dich bezahlt! Worauf wartest du noch, du Riesentrottel?! Töte diesen Langnasenbastard!"

Herzog geiferte und fluchte, sein Kopf war rundherum hochrot und die Vene an seiner Schläfe schwoll so an, dass Sieben schon meinte, ihn müsste jeden Moment der Schlag treffen. Antares ignorierte ihn, maß den Inquisitor noch einmal mit einem taxierenden Blick, dann schien er fast unmerklich mit den Achseln zu zucken. Er trat an den immer noch wütend keifenden Herzog heran, packte ihn mit seinen riesigen Schaufelarmen an Kinn und Nacken und drehte ihm mit einem einzigen Ruck knarksend den Hals um. Dann hob er ihn mit Leichtigkeit hoch über den Kopf und warf ihn mit einer kräftigen Bewegung in den Fluss.

Schließlich griff Antares unter seinen Mantel und zog etwas hervor, das Sieben an eine Stielgranate erinnerte und er sofort als Amliden erkannte. Sein Wurf war gut gezielt, der Amlid flog Sieben direkt vor die Füße. Es blitzte auf, blaues Licht erfüllte die Luft und ein intensives, ohrenbetäubendes Surren ließ seine Ohren klingeln.

Sieben wusste, dass ihm nur Sekunden blieben. Magie durfte er keine anwenden, und an seinen Schutzzaubern und den Bannzaubern auf seinem Stab und Degen würde sich die Granate schnell aufladen. Sieben trat kräftig zu und kickte den Amliden wie einen Fußball.

Seine Zehen dankten ihm die raue Behandlung mit einem protestierenden Ziehen, doch die Granate flog in hohem Bogen davon durch die Luft und mehrere Meter von ihm weg. Als sie nur noch knapp einen Meter über dem Boden war, explodierte sie mit einer solchen Wucht, dass Sieben die Druckwelle noch fast umgeworfen hätte.

Als sich die Explosion verzogen hatte, war Sieben alleine. Sowohl der Kopfgeldjäger als auch die riesige Hand aus dem Fluss waren verschwunden, nur H2O und der vorhin von seiner Eiskugel getötete Ligist leisteten ihm Gesellschaft.

Der Inquisitor atmete schwer. *Schon wieder dieser Antares! Und wieder bin ich nur gerade eben mit dem Leben davongekommen!* Allerdings war dieses Treffen nicht ganz ohne Erfolg gewesen. Er trat an den Darineus. Herzogs Leiche war nirgends zu sehen, offenbar hatte der Fluss sie schon weggespült.

„Danke", sagte Sieben laut. Der Fluss antwortete zuerst nicht. Er streckte vorsichtig seine geistigen Fühler aus und spürte ein schwaches Flackern.

„Gern ... geschehen ...", kam schließlich die erschöpfte Antwort des Einsiedlers. „Aber noch einmal ... schaffe ich das Kunststück ... glaube ich, nicht."

Es folgte eine längere Pause wie die eines Greises, der sich auf seinen Gehstock gestützt nach ein paar Stufen erschöpft ausruhte.

„Es gibt noch etwas ... noch etwas, das Sie wissen sollten. Zu diesem anderen Inquisitor ... Sechsundzwanzig. Bevor er verschwunden ist ... war er noch ein letztes Mal bei mir. Er hat gemeint, er würde mit seinen Ermittlungen einfach nicht vorankommen ... hat gemeint, er würde seine Untersuchungen flussabwärts fortsetzen."

„In Oslubo?"

„Nein ... noch weiter. Am Damm. Im Flussdelta. Und dann ... ist er verschwunden." Es folgte eine weitere, längere Pause, bevor der Grottengeist fortfuhr. „Ich bin schwach, ich weiß nicht, was dort unten vor sich geht. Aber ich spüre schon seit längerem eine Präsenz. Etwas Starkes. Böses. Schon länger ... länger ..."

Sieben war überrascht. „Warum hast du niemandem davon erzählt? Weiß Nadine davon?"

„Nein ... nein ... Nadine wäre womöglich noch dorthin gegangen, um nachzusehen, sie kann ziemlich draufgängerisch sein. Es ist gefährlich. Aber ... ihr könntet es mit ein paar anderen Zauberern vielleicht schaffen."

Flussabwärts? Eine magische Präsenz? Könnten die Untoten vielleicht von dort kommen?

Sieben hatte nicht die geringste Ahnung, worum es sich dabei handeln könnte, aber wenn er so darüber nachdachte, könnte es schon ins Bild passen. Sowohl Sechsundzwanzig als auch Kassandra, Otto und er selber hatten die Ursache für all die seltsamen Vorkommnisse im Tal des Iphikles, in der Krähenburg, den Aktivitäten der Liga oder dem Grottengeist gesucht. Wenn die Lösung allerdings so weit von all diesen Dingen entfernt lag, war es kein Wunder, dass niemand sich dort umgesehen hatte. Dann erinnerte er sich an seine Besprechung mit Gessler vor dem Damm.

Habe ich da nicht irgendetwas ... gespürt? Da war doch etwas gewesen ... Irgendein ablenkendes Gefühl. War das etwa eine entfernte Spur einer magischen Aura?

Jedenfalls erinnerte er sich daran, dass das Flussdelta unter Naturschutz stand. Bei seiner Rückkehr in Oslubo würde er Noah und Nadine dazu befragen, ob dort öfters Leute vorbeikamen, doch er vermutete, nicht.

Aber für ihn stand jetzt jedenfalls fest, dass er sich so schnell wie möglich wieder mit Kassandra und Otto treffen sollte. Er hatte so viele Informationen erhalten, wie er sich nie hätte träumen lassen. Mit diesen Anhaltspunkten MUSSTEN sie der Lösung des Falles nähergekommen sein.

Sieben bedankte sich bei dem Grottengeist, durchsuchte noch schnell den toten Ligisten, wobei er ihm sein Ligaabzeichen und seinen Revolver abnahm, und machte sich auf den Weg zurück nach Oslubo.

19.

Er hatte nicht einmal die Hälfte der Strecke zurückgelegt, als ihm schon jemand entgegenkam. Es war Sven.

„Nummer Sieben! Sie sind wohlauf!“

Der Inquisitor runzelte die Stirn.

„Hat irgendjemand etwas anderes erwartet?“

Sven zuckte mit den Schultern. „Diese Kassandra hat mich losgeschickt, um nach Ihnen zu sehen. Sie hat Ihre Nachricht erhalten und versucht Sie ebenfalls zu erreichen“

Verdammt. Da muss ich wohl gerade oben in der Höhle gewesen sein. Oder es gibt hier ein Funkloch.

„Was wollte sie?“

„Sie und ihr Schüler waren auf der Krähenburg und haben dort in der Umgebung ein paar Ligisten dingfest gemacht! Außerdem haben sie herausgefunden, dass jemand bei uns in Oslubo heimlich mit ihnen zusammengearbeitet hat. Können Sie sich das vorstellen?“

Kann ich, dachte er, doch die Nachrichten überraschten ihn. *Heute geht ja alles drunter und drüber!*

„Haben Sie schon gesagt, wer?“ Sven schüttelte den Kopf. „Sie wollten noch eine Weile warten, bis Sie zurückkommen. Aber ich glaube, lange werden sie das nicht tun. Sie haben alle auf dem Dorfplatz zusammengerufen. Wenn wir dabei sein wollen, müssen wir uns beeilen!“

Das klang tatsächlich interessant.

Na dann wollen wir mal sehen, was sie heute herausgefunden haben.

Normalerweise wäre er ziemlich zuversichtlich gewesen, dass er auf dem Weg zurück nach Oslubo Sven hätte abhängen können, doch die Erlebnisse des Tages hatten auch bei ihm ihre Spuren hinterlassen. Bei jedem Schritt schien irgendein anderer Körperteil ihn an etwas zu erinnern, was weniger als vierundzwanzig Stunden zurücklag.

Seine Brust schmerzte von Antares' Angriff mit dem Elektroschockstab auf der Krähenburg, sein Rücken davon, dass der

Kopfgeldjäger ihn im selben Kampf sauber durch eine Steinsäule gerammt hatte. Seine Beine taten ihm weh, weil er sich bei dem Sturz bei dem Kampf mit der Liga vorhin die Knie aufgeschlagen hatte, sein Kopf brummte ihm wegen des Sturzes bei der Verfolgung der Verwesten. Außerdem hatte er noch eine kratzige Kehle von den Chilischoten am Vorabend, aber angesichts all der anderen Erlebnisse war das noch sein geringstes Problem.

Tja, wenn jeder Einsatz bei der Inquisition so ist wie der hier, wundert es mich nicht, dass Zeus glaubt, er würde mich auf diese Weise früher oder später schon loswerden.

Aber er hatte bis jetzt überlebt, und so wie es aussah, schien zumindest der Teil des Rätsels, der mit der Liga zusammenhing, erledigt zu sein. *Kassandra und Otto haben also tatsächlich ein paar Ligisten dingfest machen können ... fragt sich nur, welche. Wahrscheinlich die Gruppe um diese Melanie, die Santander untersteht, denn die, die mich gerade eben angegriffen haben, gehörten ja zu Herzog.*

Während er so schnell wie möglich mit Sven den Weg am Darineus entlanghumpelte, versuchte er seine Gedanken zu ordnen. Überhaupt war zurzeit einiges verwirrend.

Herzog war tot. Aller Voraussicht nach würde seine Leiche in den nächsten Tagen bei Krithon angespült werden. Antares hatte durch die Ermordung des Ligistenführers einen Teil seines Auftrags erfüllt, was eigentlich nur heißen konnte, dass er derjenige war, der das Haus der de Meijers durchsucht hatte. *Wahrscheinlich hat er oberflächlich mit Herzog zusammengearbeitet, um an Informationen zu gelangen und um mit den Ligisten unter ihm keine Probleme zu bekommen, solange er den USB-Stick noch nicht hat. Er hätte ihn nie und nimmer so einfach beseitigt, hätte er hier nicht alles erledigt, was es zu erledigen gibt. Und jetzt, wo die Ligisten damit beschäftigt waren, mit mir zu kämpfen und danach geflohen sind, hatte er die perfekte Gelegenheit, Herzog zu beseitigen, ohne dass er deswegen in Schwierigkeiten geraten ist. Das muss wohl auch der Grund dafür sein, warum er dieses Mal nicht so aggressiv war wie auf der Krähenburg!*

Das hieß dann allerdings, dass der nächste Schritt sein würde, den Kopfgeldjäger irgendwie aufzutreiben, aber dafür würde er Kassandras und Ottos Hilfe brauchen.

Zwei unvorbereitete Begegnungen mit ihm habe ich schon überlebt ... aber ich will mein Glück nicht überstrapazieren.

Bei dem Gedanken streichelte er abwesend den Seepferdchenanhänger an seiner Brust. Der Alte Mann hatte ihm geholfen, aber ohne H2O wäre er jetzt schon zwei Mal aller Wahrscheinlichkeit nach gestorben. „Was würde ich nur ohne dich machen?", murmelte er. H2O vibrierte und strahlte wohlige Wärme ab.

Sven sah sich zu ihm um. „Haben Sie etwas gesagt?"

„Nein. Aber sag einmal, wie kommt es eigentlich, dass Kassandra die Ligisten hat fangen können? Haben sie auf der Burg auf sie gewartet?"

Sven zuckte mit den Achseln. „Also ich habe nicht alles mitbekommen, aber anscheinend gab es dort oben auf der Krähenburg ein kleines Lager, das von zwei Ligisten bewacht wurde."

Ein ganzes Lager? Wahrscheinlich habe ich gestern nur drei gesehen und der Rest war woanders. Das würde zumindest erklären, wie es kommt, dass diese Melanie sich gegenüber ihren Kollegen so zurückgehalten hat bezüglich ihrer Meinung von Herzog. Die Ligisten im Auftrag von Santander waren gemeinsam mit Antares dort bei den anderen auf Herzogs Seite und haben auf den geeigneten Moment gewartet, um zuzuschlagen. Und wer immer ihr Kontakt war, muss ihnen heute einen Tipp gegeben haben, wo ich zu finden bin.

Eigentlich komisch. Wäre es nicht klüger gewesen, sie davor zu warnen, dass Kassandra und Otto auf dem Weg zur Krähenburg sind?

Aber all diese Fragen würden sich vermutlich in Kürze beantworten. Sie kamen zu der Stelle, an der der Darineus und der Iphikles aufeinandertrafen, und wenig später waren sie im Dorf. Es schien wie ausgestorben zu sein, aber wie Sven angekündigt hatte, standen auf dem Vorplatz der Herberge, wo die Straße von Krithon her endete, dutzende Menschen im Halbkreis um etwas herum, das Sieben erst nach einigen Augenblicken als den großen Standspiegel erkannte, der zuvor in Noahs Privatzimmer gestanden hatte und mit dessen Hilfe sie mit Zeus kommuniziert hatten.

Schon aus der Ferne konnte er sehen, dass erneut das beleibte Abbild des Großmeisters auf dem Glas zu sehen war, er schien ungeduldig auf etwas zu warten. Daneben stand Otto, mit einer Mischung aus offensichtlicher Zufriedenheit ob des Erfolges ihrer Mission und Nervosität, weil er im Zentrum von so viel Aufmerksamkeit stand. Doch den Mittelpunkt selber bildete Kassandra, die offenbar gerade zu den Leuten sprach. Hinter ihr saßen zwei Ligisten auf dem Boden, die Abzeichen gut sichtbar an ihrer Brust und die Arme mit Handschellen auf dem Rücken gefesselt. Einen von ihnen erkannte Sieben mit gelinder Überraschung als Melanie. Sie wirkten beide zerknirscht und wütend, unternahmen jedoch keinen Versuch davonzulaufen. Gerade ging Kassandra vor ihnen auf und ab, rückte ihre Brille zurecht und zeigte anklagend auf die beiden.

„Dann bestätigt ihr also hier vor dem Großmeister und zahlreichen Zeugen, dass ihr bei eurem Mord an Zacharias de Meijer Hilfe hattet?"

Melanie presste die Lippen zusammen und blieb trotzig, ihr männlicher Kollege senkte jedoch den Blick und murmelte leise eine Bestätigung.

„Und um wen handelte es sich dabei?" Der Mann sah auf und funkelte Kassandra wütend an, ehe sein Blick durch die Menge fuhr, bis er jemanden zu erkennen schien.

„Er! Dieser Noah! Er hat mit uns Kontakt aufgenommen und gemeint, er hätte genug von uns, und wenn wir versprechen, seine Schwester und das Dorf in Ruhe zu lassen, würde er uns zum Haus der de Meijers führen. Außerdem hat er uns vor den Zauberern gewarnt und uns darüber in Kenntnis gesetzt, wo der Inquisitor heute hinzugehen gedenkt."

Ein Raunen ging durch die Menge und irgendwo konnte Sieben Nadine laut: „Nein! Der lügt doch! Das kann nicht stimmen!", schreien hören, doch Noah, der in der ersten Reihe gestanden hatte, trat vor.

Er wirkte wie schon zuvor ein wenig mitgenommen und geknickt, doch als er aufsah und über die Menge hinweg Sieben erkannte, schien er sich zu sammeln.

„Ich leugne das nicht. Aber ich habe es nur getan, um alle anderen hier zu schützen! Seit die de Meijers ins Dorf gekommen sind, gibt es nichts als Ärger!"

Er sah von ihm zu Kassandra und sein Tonfall wirkte nun beinahe flehentlich, als er fortfuhr.

„Aber ich hätte nicht gedacht, dass die Liga euch angreift! Ich wollte doch nur, dass sie und dieser verdammte Jannis verschwinden!"

Erneut gab es Gemurmel, und viele in der Runde schienen Verständnis für ihn zu haben, doch es war Zeus' laute, autoritätsgewohnte Stimme, die sich vom Spiegel heraus Gehör verschaffte.

„Ha! Sie sagen also, Sie hätten mit den Terroristen der Liga kollaboriert, aber nicht damit gerechnet, dass diese bekannten Magierhasser den Zauberern etwas antun würden? Halten Sie uns wirklich für so dumm, dass wir Ihnen das glauben?"

Noah sah den Großmeister an und auf seinem Gesicht lag purer Abscheu.

„Was wissen Sie denn schon, Sie kennen Jannis nicht! Sie haben keine Ahnung, was er uns angetan hat! Ich wusste immer schon, dass der Kerl zwielichtig ist, und ständig ist er um meine Schwester herumgeschlichen! Außerdem hat er viele hier im Dorf belogen und betrogen, und dann hat er noch die Liga hierhergebracht! Nachdem wir endlich das Problem mit den Selbstmorden los waren und

Normalität hier hätte einziehen können, machte er alles noch schlimmer! Dann sind die Zauberer gekommen, und weil Zacharias ständig versucht hat, mit ihnen Kontakt aufzunehmen, hatte ich eine Idee. Als der Inquisitor eines Abends außer Haus war und die beiden anderen Magier im Keller trainiert haben, habe ich gesehen, wie der Alte ums Haus geschlichen ist und offenbar versuchte in das Zimmer des Inquisitors einzudringen. Ich tat so, als würde ich ihn nicht sehen, habe aufgesperrt und bin wieder gegangen. Während er dann seine Nachricht hinterlassen hat, habe ich die Liga kontaktiert und sie haben ihn auf seinem Rückweg abgefangen. Wäre Nummer Sieben nicht früher als erwartet zurückgekommen und hätte er die Nachricht nicht gelesen, wäre auch er auch nicht auf der Krähenburg in Schwierigkeiten geraten."

Er zeigte in die Runde und wirkte nun ziemlich geladen.

„Jeder von euch! Jeder ist der Meinung, dass nicht nur wir, sondern die Welt besser dran ist ohne Bastarde wie Jannis de Meijer! Habe ich erwartet, dass die Liga Zacharias ermorden würde, nachdem sie die Informationen über Jannis aus ihm heraushätte? Nein. Hätte ich es hingenommen, um Herzogs Schergen aus diesem Tal zu jagen? Ja. Und das hätte jeder von euch."

Sieben hielt es nun für angemessen, sich zu melden.

„Um David Herzog braucht sich hier niemand mehr Gedanken zu machen", erwiderte er laut und alle Köpfe drehten sich zu ihm, „er ist tot. Ermordet von einem seiner eigenen Leute."

Um Kassandra die volle Version zu erzählen, würde er später noch genug Zeit haben, das Ergebnis war alles, was diese Leute fürs Erste wissen mussten.

„Ha!", kam es aus der Menge und Sieben erkannte Yaron, der enthusiastisch die Faust in die Höhe reckte. „Dann sind wir gleich zwei Unruhestifter los!"

Man konnte es nicht so leicht sehen, doch Zeus schien vor Zorn geradezu anzuschwellen.

„Schön und gut, aber trotzdem ist dieser Noah ein Kollaborateur und hat dafür die Konsequenzen zu tragen! Kassandra! Nehmen Sie ihn fest! Er wird gemeinsam mit diesen beiden Würmern vor Gericht stehen!"

Die Magierin, die offenbar von Noahs Geständnis etwas anderes erwartet hatte, zögerte einen Moment. Schließlich rang sie sich jedoch dazu durch, ihre Pflicht zu tun.

„Jawohl, Großmeister."

Sie trat vor. Noah sah ihr trotzig, aber gefasst entgegen, doch plötzlich stand Nadine zwischen ihnen.

„Das könnt ihr doch nicht machen! Mein Bruder wollte doch niemandem Schaden zufügen!" Sie sah zu Kassandra. „Jannis ist an allem schuld! Ihn sollten Sie einsperren, nicht Noah!"

Die Menge murmelte zustimmend. Sieben bezweifelte, dass sich irgendjemand ernsthaft gegen sie stellen würde, trotzdem war er wachsam. Wieder zögerte Kassandra, doch Noah trat von hinten an seine Schwester heran und legte ihr sanft die Hand auf die Schulter.

„Ist schon in Ordnung", murmelte er leise. „Gesetz ist Gesetz. Das Einzige, was zählt, ist, dass die Sache ausgestanden ist. Jetzt sind du und alle anderen hier wieder sicher."

Solange Antares noch frei herumläuft und wir nicht wissen, zu wem diese Verwesten gehören, würde ich nicht darauf wetten, dachte Sieben, doch er wollte die Szene nicht weiter unterbrechen.

Erneut brach Gemurmel unter den Zuhörern aus, doch die Menge begann sich aufzulösen. Schließlich schüttelte Nadine fassungslos den Kopf und trat zur Seite. Nachdem die Leute sich zerstreut hatten, Kassandra Noah Handschellen angelegt hatte und dieser abgeführt worden war, trat der Inquisitor an das Spiegelbild des Großmeisters heran. Zeus jedoch beachtete ihn gar nicht, sondern starrte Noah nach, der stur zu Boden sah und dessen vernichtenden Blick im Rücken nicht zu spüren schien. Dann wandte der feiste Zauberer sich wieder Kassandra zu.

„Da muss ich Ihnen tatsächlich ein Kompliment aussprechen, Kassandra. Die Ergebnisse sprechen für sich, Ihre Arbeit hier scheint einwandfrei zu verlaufen. Nicht schlecht für Ihren ersten Einsatz. Ihr Vater wird stolz auf Sie sein."

„Ich danke Ihnen, Großmeister", erwiderte sie mit einer kleinen Verbeugung. „Gibt es inzwischen irgendwelche Neuigkeiten über seine Mission?"

Zeus schüttelte den Kopf. „Nein, aber seine Aufgabe sollte in spätestens einer Woche erledigt sein. Sie ist eher administrativer Natur, nur etwas, das erledigt werden sollte. Sie müssen aber nicht auf ihn warten, Sie können sofort zum Orden zurückkehren."

Sieben trat vor. „Unser Einsatz ist aber noch nicht beendet. Wir wissen immer noch weder, was für die Selbstmorde verantwortlich ist, noch, was mit Sechsundzwanzig passiert ist."

Zeus' Augen schienen ihn geradezu durchbohren zu wollen, als er sich zu ihm umwandte. „Nun, ich denke nicht, dass sich diese losen Enden mit einer intensiven Befragung dieses Abschaums nicht erledigen ließen. Wie ich hörte, waren Sie es, der die Leiche dieses Zacharias fand. Er ist doch der Liga zum Opfer gefallen, oder etwa nicht?"

Dem konnte der Inquisitor nicht widersprechen, doch bevor er etwas einwerfen konnte, schnitt ihm der Großmeister mit einer ungeduldigen Geste das Wort ab.

„Ich will Ihnen einmal etwas verraten, Sieben. Wenn es stimmt, was Sie sagen, und dieser Herzog tatsächlich tot ist, dann bin ich angesichts der Tatsache, dass auch Sie es waren, der das Versteck der Liga auf der Krähenburg gefunden hat, bereit, über ein paar Dinge hinwegzusehen. Dinge wie Befehlsverweigerung durch einen Inquisitor, worauf die Entlassung aus der Inquisition vorgesehen ist. Und das würde sie wiederum ganz schnell der staatlichen Gerichtsbarkeit zuführen. Ihre Todesstrafe wird noch eine ganze Weile lang aufrechterhalten werden. Ihre Maske ist das Einzige, das sie davor bewahrt."

Kassandra wirkte ein wenig unruhig und Otto schien etwas sagen zu wollen, doch schließlich wagte er es doch nicht, den Großmeister zu unterbrechen, bevor dieser fortfuhr: „Ich werde auch übersehen, dass Sie sich im Dienst betrunken haben, und das auch noch in Gesellschaft verdächtiger Individuen. Sie haben wirklich unverschämtes Glück, dass keiner Ihrer Saufkumpane zum Kreis der derzeitigen Verdächtigen gehört." Er machte eine kurze Pause und nun lag ganz offensichtlich Abscheu in seinem Blick. „Sie haben es schon immer geschafft, mich mit Ihrem Verhalten zu beschämen. Manche Dinge ändern sich wohl auch mit einer Maske nicht."

Er wollte sich schon abwenden, als ihm noch etwas einzufallen schien. „Kassandra hat mir erzählt, dass Sie heute vorhatten, das Zuhause der de Meijers zu durchsuchen. Gab es dabei irgendwelche Ereignisse? Wie ist es überhaupt zu Herzogs Tod gekommen?"

Sieben versuchte sich kurzzufassen. Er erzählt von den gefundenen Papieren, von Jannis' Auftauchen und seiner Entführung, von den Verwesten, seiner Rettung durch den Quellengeist und schließlich seiner Auseinandersetzung mit der Liga. Die ganze Zeit über folgte Zeus seiner Schilderung mit steinerner Miene, erst als es zu Herzogs Tod kam, flackerte echtes Interesse in seinen Augen.

„Und seine Leiche?", hakte er scharf nach. „Wo ist sie?"

„Dieser Kopfgeldjäger warf sie vor seiner Flucht in den Darineus. Wahrscheinlich wollte er dafür sorgen, dass die flüchtenden Ligisten nicht zu schnell erfahren, dass er sich gegen sie gewandt hat. Ich schätze, dass sie heute oder morgen an der üblichen Stelle bei Krithon angespült wird, sicher bin ich aber nicht. Es könnte sein, dass die Regenfälle die Flüsse so weit haben anschwellen lassen, dass sich ein paar Strömungen verändert haben."

In diesem Moment fiel ihm ein, dass sämtliche Toten vor der Ankunft von Sechsundzwanzig spurlos verschwunden zu sein schienen. Auch wenn das letzte Opfer, Sophie, an der üblichen Stelle gefunden worden war, konnte man nicht ausschließen, dass auch Herzogs

Leichnam eine ganze Weile wie vom Erdboden verschluckt bleiben könnte. Er hatte jedoch nicht vor, den Großmeister jetzt daran zu erinnern.

Zeus kniff die Augen zusammen, dann verzog er die Lippen zu einem dünnen Lächeln. „Wir werden sehen. Aber so wie die Dinge stehen, haben Sie in der Zwischenzeit tatsächlich einen neuen Auftrag. Finden Sie diesen Antares und nehmen Sie ihn fest."

„Und was ist mit Anais Santander?", erkundigte Otto sich neugierig.

Zeus zuckte mit den Achseln. „Wenn es nach mir ginge, würde ich sofort ein ganzes Inquisitionskommando losschicken, die Tür bei ihr eintreten und sie aus ihrem Schlupfwinkel zerren lassen. Aber neuerdings glaubt die Regierung ja, sie wüsste besser als der Orden, wie er seine Arbeit machen sollte und … nennen wir es einmal großzügig so: Sie schauen uns bei der Arbeit auf die Finger."

Er seufzte genervt. „Also brauchen wir einen Haftbefehl und dafür brauchen wir Beweise. Aber da es Nummer Sieben nicht gelungen ist, irgendetwas Handfestes sicherzustellen, sitzen wir sozusagen auf dem Trockenen."

Ausnahmsweise teilte der Inquisitor den Ärger des Großmeisters. *Wenn diese verdammten Verwesten nicht gewesen wären, hätten das Foto und das Tagebuch vielleicht dafür ausgereicht, um die Bürgermeisterin verhaften lassen zu können. Aber so stehen wir wieder fast mit gleich leeren Händen da wie zu Beginn.*

Außerdem sah es ganz so aus, als hätte Antares den USB-Stick an sich gebracht, und mit Herzogs Tod war auch der zweite Teil seines Auftrags erledigt. Somit würde es für ihn keinen Grund geben, länger als unbedingt notwendig in dem Tal zu bleiben, was bedeutete, dass sie es schwierig haben würden, ihn noch zu fassen zu kriegen.

Allerdings hatten sie Siebens Meinung nach ohnehin dringlichere Probleme. „Was ist mit dem Hinweis des Quellengeistes?", fragte er.

„Er meinte doch, dass es flussabwärts im Delta Probleme geben könnte. Die letzte Spur von Inquisitor Nummer Sechsundzwanzig führt uns dorthin." Kassandra nickte ernst.

„Dann ist dort unser nächstes Ziel. Jetzt, da die Liga uns nicht mehr konstant im Genick sitzt, sollte die Lösung dieses Falls leichter ermittelbar sein."

Zeus runzelte die Stirn und musterte sie abschätzig.

„Nun, die Ergreifung des Kopfgeldjägers erscheint mir wichtiger zu sein … aber da sie in diesem Fall bisher so gute Arbeit geleistet haben, lasse ich Ihnen freie Hand, die weiteren Ermittlungen so zu gestalten, wie Sie es für richtig halten, Kassandra. Erstatten Sie mir Bericht, sobald Sie mehr wissen."

Er sah noch einmal mit zusammengekniffenen Augen zu Sieben und fügte schnaubend hinzu: „Ich erwarte bis dahin keine weiteren Probleme, was die … Befehlskette in Ihrem Einsatzteam angeht. Gessler, Valerius, Sieben, Sie sind entlassen."

Und damit verschwamm sein Bild wieder und Sieben sah im Spiegel sein eigenes Antlitz. Er sah zu Kassandra.

„Danke."

Sie wirkte überrascht. „Wofür?"

„Dass Sie endlich nicht mehr der Liga nachjagen, sondern Sechsundzwanzigs Spur folgen. Zeus hätte von Ihnen jetzt lieber gehört, dass Sie sofort Antares verfolgen."

Einen Augenblick lang schien die Magierin sich nicht sicher zu sein, ob sie ihn empört oder amüsiert mustern sollte, schließlich schien sie sich jedoch für den für ihren Vater typischen, neutral-ernsten Gesichtsausdruck zu entscheiden.

„Der Großmeister kann die Lage hier vor Ort meiner Meinung nach nicht genau einschätzen. Ich tue nur, was ich für richtig halte."

Der Inquisitor meinte jedoch in ihrer Stimme eine Spur von Versöhnlichkeit herauszuhören.

In diesem Moment trat eine Gruppe von etwa zehn Dorfbewohnern an sie heran, an ihrer Spitze standen Yaron und Sven. Ihrem

311

Gesichtsausdruck nach zu schließen waren sie mit der Situation bei weitem nicht so glücklich.

„Was gibt es?", erkundigte sich Kassandra.

Einen Augenblick lang wirkten beide Männer so, als hofften sie, der jeweils andere würde das Wort ergreifen, dann jedoch seufzte Sven und trat vor.

„Na ja, die Sache ist die … viele hier, und ich ehrlich gesagt auch, sind der Meinung, dass euer Magierorden schon längst hätte Verstärkung schicken sollen. Ihr habt zwei Ligisten gefasst, schön und gut, aber der Inquisitor hat gemeint, es würde sich hier noch eine viel größere Truppe herumtreiben, richtig?"

Sieben wusste, worauf er hinauswollte, hielt es jedoch für falsch, ihn anzulügen. „Das ist korrekt."

„Hm. Und jetzt, da Herzog tot ist, werden sie versuchen euch in die Finger zu kriegen. Und wir alle hier könnten deswegen Ärger bekommen. Wenn ich das richtig gehört habe, wollt ihr etwas im Delta erledigen. Werdet ihr alle gehen?"

Dieses Mal war es Kassandra, die antwortete.

„Das hätte ich vorgehabt. Was immer dort haust, könnte äußerst gefährlich sein, und da wir uns nun darüber einig sind, was unser nächster Schritt ist, sollten wir uns diesem Wesen als Gruppe stellen."

Yaron zuckte mit den Achseln.

„Schön und gut. Und wer passt inzwischen auf die beiden gefangenen Ligisten und Noah auf? Kommt die Polizei?"

Zu Siebens Überraschung schüttelte Kassandra den Kopf.

„Fürs Erste nicht."

Sie hielt inne. Offensichtlich hätte sie beinahe etwas gesagt, sich aber im letzten Moment zusammengerissen. Allerdings war das auch den Dörflern nicht entgangen.

„Warum nicht?", mischte sich nun Yaron ein. „Wenn ihr uns jetzt alleine lasst und die Liga das rauskriegt, werden sie versuchen ihre Kumpane zu befreien. Es wäre doch das Klügste, sie sofort hier

wegzubringen und ein paar Polizisten in der Gegend zu postieren.“
Kassandra mahlte einen Moment lang mit dem Unterkiefer und schien
zu überlegen, dann straffte sie die Schultern und erwiderte mit kühlem
Blick.

„Weil sie nicht hierherkommen KÖNNEN. Ich habe vorhin einen
Anruf aus dem Polizeirevier in Krithon erhalten. Die Unwetter letzte
Nacht haben nicht nur ein paar Bäume umgerissen, sondern am
Taleingang einen riesigen Hangrutsch verursacht, der die Straße
verlegt hat. Die Aufräumarbeiten konnten noch nicht gestartet werden,
weil weitere Muren erwartet werden. Und sämtliche Helikopter in der
Region sind zurzeit damit beschäftigt, Leute aus gefährdeten
Regionen zu evakuieren.“

Die Nachricht schien die Gruppe eindeutig zu empören.

„Unmöglich! Wie sollen wir uns dann gegen die Liga wehren?“
Sieben wusste, dass es auf die Frage keine einfache Antwort gab, doch
er hatte eine Idee.

„Ich bin direkt von meiner kleinen Auseinandersetzung mit der Liga
hierhergekommen. Im Moment werden sie sich noch neu sammeln
und dann wahrscheinlich in ihr Hauptquartier in der Krähenburg
zurückkehren. Eigentlich sollten sie erst dann merken, dass ihre
beiden Kumpane fehlen, aber bis das passiert, wird es so spät sein,
dass sie es vor Einbruch der Dunkelheit nicht hierher schaffen. Und
wenn wir sofort losgehen und Glück haben, könnten wir bis dahin von
unserem Einsatz zurück sein.“

*Falls wir es überhaupt schaffen, dieses Wesen, was immer es ist, heute
noch zu finden und zu beseitigen.*

Irgendwie erschien ihm die Aussicht zu optimistisch, aber eine bessere
Möglichkeit, die Sorgen der Dörfler im Keim zu ersticken, sah er
nicht. Yaron blickte kritisch, doch Sven kratzte sich nachdenklich am
Kinn. „Das könnte gehen … aber wir müssen inzwischen die
Gefangenen bewachen, oder? Ihr werdet sie ja kaum mitnehmen.“
Sieben schüttelte den Kopf.

„Nein, das wird kaum gehen. Darum wären wir euch sehr verbunden, wenn ihr Noah und die beiden Ligisten irgendwo unterbringen könnt, zumindest bis wir zurück sind. Keiner von ihnen hat noch Waffen, also genügt es, sie irgendwo sicher einzusperren."

Yaron wirkte, als wollte er etwas einwenden, doch der Inquisitor wollte ihm gar keine Gelegenheit dazu geben und griff in seine kleine Trickkiste.

„Ja, ich weiß, was Sie sagen wollen. Wir wissen nicht, wem wir hier sonst noch vertrauen können, und wer immer die Bewachung übernehmen soll, muss absolut zuverlässig sein und keine Angst vor der Liga haben. Einer von Ihnen beiden wäre wohl geeignet."

Das war ganz bestimmt nicht, was Yaron im Sinn hatte, doch er und Sven wirkten angesichts des Kompliments geschmeichelt.

„Na ja, ich schätze, wir könnten schon für eine Weile auf sie aufpassen", meinte er nachdenklich, „ich trommle einfach ein paar von den Jungs zusammen, dann sehen wir weiter. Aber beeilen Sie sich." Er wollte sich gerade umwenden, doch plötzlich trat Yaron vor. Er wirkte auf Sieben wie jemand, der schwer mit sich zu kämpfen hatte, doch offenbar lag ihm etwas auf dem Herzen.

„Was ist los?", erkundigte Kassandra sich.

„Gehen Sie nicht", murmelte Yaron schließlich.

„Wieso? Worum auch immer es sich bei dem Wesen handelt, es könnte der Grund für den Nebel und all die Selbstmorde sein."

„Aber … es könnte … hm … gefährlich sein? Sollten Sie nicht besser auf Verstärkung warten?"

Sieben gewann den Eindruck, als hätte er etwas ganz anderes sagen wollen, doch dann trat Sven an ihn heran und legte ihm die Hand auf die Schulter.

„Die Zauberer wissen schon, was sie tun", sagte er fest und auch ein wenig bestimmend, „jetzt komm schon. Wir müssen uns um die Ligisten kümmern."

Er zögerte noch einen Augenblick.

„Und wir müssen noch mit Nadine reden", fügte Sven hinzu und Sieben meinte den Hauch eines Grinsens auf seinen Zügen zu sehen, „die Sache mit Noah wird sie ganz schön mitgenommen haben."
Yaron sah auf und schenkte ihnen noch einen letzten, undurchdringlichen Blick. Dann nickte er stumm und ging mit gesenktem Kopf zusammen mit Sven davon.
Das war ja komisch, dachte der Inquisitor.
Otto, dem Yarons Reaktion auf die Aussicht, zu Nadine zu kommen, aufgefallen zu sein schien, sah ihm noch halb missbilligend, halb eifersüchtig nach, dann wandte er sich wieder ihnen zu.
Kassandra, die dem letzten Teil des Austausches stumm zugehört hatte, nickte zufrieden. „Gut gemacht, Sieben. Sind Sie bereit zum Aufbruch?"
Der Inquisitor griff unter seinen Mantel, wo sein geliehener Degen und Zauberstab ihm ein Gefühl der Sicherheit gaben. H_2O flimmerte an seiner Brust und wieherte leise.
„Bin ich."

20.

Je weiter sie zu Fuß auf der Straße talauswärts gelangten, desto klarer wurde Sieben, dass er am Vorabend während des Unwetters tatsächlich noch Glück gehabt hatte. Baumkronen waren immer wieder abgeknickt und alte, morschere Exemplare waren überhaupt oft gänzlich von der Naturgewalt gefällt worden. Auf der Straße befanden sich immer wieder Hindernisse und Sieben schätzte, dass es selbst ohne den Hangrutsch noch Tage gedauert hätte, bis Hilfe eintreffen konnte.

Was für ein unglücklicher Zufall. Jetzt hätten wir Unterstützung wirklich gut gebrauchen können.

Er war ein wenig nervös. Der Flussgeist mochte nicht in der Lage dazu gewesen sein, ihm genau zu sagen, was sie erwartete, doch wenn ein Magier wie Inquisitor Nummer Sechsundzwanzig dem Wesen zum Opfer gefallen war, konnte das nur heißen, dass sie auf den Weg in einen harten Kampf waren.

Selbstverständlich war es möglich, sich bei Bedarf kampflos zurückzuziehen, immerhin schien es zumindest so zu sein, dass von dem Wesen, was immer es war, keine unmittelbare Gefahr auszugehen schien. Außer natürlich, es war neben dem unheimlichen Nebel im Tal des Iphikles auch noch die Ursache für den Angriff der Verwesten. Aber in diesem Fall konnte es auch gut sein, dass es galt, Jannis zu retten, und so wie Sieben nach ihrer kurzen Begegnung seinen gesundheitlichen Zustand eingeschätzt hatte, war es überhaupt schon beachtlich, dass er noch am Leben war.

Wer weiß, was dieses Biest sonst noch mit ihm anstellt. Aber warum hat es gerade ihn herausgepickt? Hat es vielleicht mit seinem und Nadines Ausflug zur Krähenburg zu tun? Aber warum hat sie dann nichts von einem Monster gesagt? Steckt sie vielleicht mit ihm unter einer Decke?

Er hatte das Gefühl, dass er ein paar gute Puzzleteile in der Hand hatte, aber sie beim besten Willen nicht richtig aneinanderfügen konnte. Es war frustrierend. Das Einzige, das ihn freute, war, dass er dieses Mal zumindest nicht alleine sein würde. Kassandra war, soweit er das einschätzen konnte, eine Magierin von beachtlichem Können und auch Otto war, trotz seines naiven Wesens, wahrscheinlich eine große Hilfe im Fall der Fälle.

Außerdem werden wir, falls es zum Kampf kommt, in der Nähe des Flusses sein. So weit vom „Alten Mann" entfernt werde ich das Wasser im Kampf gut verwenden können.

Großmeister Zeus mochte ihn für den schlechtesten Magier im Orden halte, aber Sieben war sich ziemlich sicher, dass sogar der Großmeister große Probleme dabei hätte, in kurzer Zeit ein halbwegs brauchbares Trugbild zu erzeugen. *„Illusionen und billiger Hokuspokus ... das sind die Tricks von Magiern, die entweder zu faul oder zu töricht sind, um sich auf echte Magie zu konzentrieren!"* Das hatte Zeus mehr als nur einmal während seiner Ausbildung gesagt. Aber da Sieben immer schon mit dem Heraufbeschwören von purer magischer Energie Probleme gehabt hatte, hatte er sich schon früh mit Elementarmagie, also Wasser, Feuer und anderen Elementen, beschäftigt und es vor allem in Ersterem zur Meisterschaft gebracht. Eine Illusion war ein Spiel aus feinen Wassertröpfchen und Licht, keine Machtdemonstration, sondern die Kontrolle über kleinste Teile, geringste Mengen und eine genaue, feine Arbeit. Wenn Sieben sonst schon bescheiden war, zumindest darin glaubte er einer der besten Magier im Orden zu sein.

Aber gegen ein Energiewesen werden mir Illusionen nicht helfen. Deswegen war er sich nicht sicher, was für eine Hilfe er im nächsten Kampf sein konnte. Nachdenklich betastete er den Zauberstab unter seinem Mantel. Den würde er jetzt wahrscheinlich gut brauchen können.

Trotz des nassen Untergrundes und der vielen Blockaden legten sie ein zügiges Tempo vor. Die Dämmerung war nicht mehr weit entfernt und ein Kampf im Dunkeln lag in niemandes Interesse.

„Was glaubt Ihr eigentlich, was das für ein Wesen ist, Meisterin?",
fragte Otto, während er versuchte seinen verheddertten Mantel aus
einem Ast zu befreien, nachdem er über einen umgefallenen Baum
geklettert war. Kassandra, von der Sieben nur den Hinterkopf sah,
drehte sich nicht um.

„Ich habe keine Ahnung. Ich frage mich überhaupt, was es hier macht.
Die ganzen Selbstmorde sind nicht hier draußen, sondern im Wald
passiert und hatten wohl mit dem Nebel zu tun. Aber warum sollte ein
Energiewesen hier draußen wohnen und seine Opfer mehrere
Kilometer entfernt mit einem magischen Nebel beeinflussen, anstatt
sie direkt hierher zu locken? Das alles kommt mir komisch vor."

Sieben musste ihr im Geiste zustimmen.

*Die Liga hat uns bis jetzt abgelenkt. Jetzt, wo Herzog, Melanie und
Noah keine Gefahr mehr darstellen, kommen wir vielleicht besser
voran.*

Otto war jedoch nicht fertig. „Meint Ihr, es könnte ein Wesen sein, das
mit Blaukrähe zu tun hat? Eine Art Dämon vielleicht, der die
Krähenburg bewachen sollte, aber im Verlauf der Zeit durch die
dortigen Zauber mutiert wurde?"

Kassandra schüttelte ungeduldig den Kopf. „Das kann ich nicht sagen,
und immer wieder darüber zu spekulieren ist sinnlos. Wir werden es
jeden Moment sehen."

Sieben kam jedoch nicht umhin, über Ottos Vermutung
nachzudenken. Seine Idee würde noch nicht erklären, wie ein solches
Monster hier hinausgekommen war. Aber zumindest im Moment fiel
ihm nichts Besseres ein. Trotzdem, der junge Zauberer hatte schon
früher während ihres Auftrags eine ähnliche Vermutung aufgestellt.

*Es wäre schon ein ziemlicher Zufall, wenn er letzten Endes Recht
behalten sollte.*

Plötzlich fiel ihm noch etwas ein. „Habt ihr eigentlich noch etwas bei
der Leiche gefunden?"

Kassandra runzelte die Stirn. „Bitte?"

„Die Leiche im Sumpfgebiet. Von dem verschwundenen Ligisten, den Jannis erschossen hat."

„Ach so. Nein, leider nicht. Wir haben sie überhaupt nicht gefunden. Das Unwetter hat den Iphikles so anschwellen lassen, dass er sie mitgenommen haben muss. Vielleicht wird sie in Krithon angespült, aber ob man dann noch irgendwelche Schlüsse aus ihr ziehen können wird, ist wohl eher unwahrscheinlich." Sieben nickte. Das hatte er befürchtet.

Fast eineinhalb Stunden marschierten sie dahin, sprangen über umgestürzte Bäume, wichen etappenweise auf Trampelpfade oder das Flussufer aus und kamen ganz gut voran. Der Himmel über ihnen wurde schon ein wenig düster und Sieben wusste, dass sie, selbst wenn sie sofort umkehrten, dazu gezwungen sein würden, einen guten Teil des Weges im Dunkeln zurückzulegen. Er fühlte sich müde und vor allem sein Kopf schmerzte noch ziemlich von seinem Sturz, doch als sie schließlich am Ziel angelangt waren, schüttelte er all diese Gefühle ab.

„Da wären wir", murmelte Kassandra.

Sie waren von der Straße weggegangen und einem kleinen Pfad gefolgt, der sie direkt zum Flussdelta gebracht hatte.

Vor ihnen lag eine erstaunlich weite Fläche voller Steine, Schotter und Schwemmmaterial, die von dutzenden kleinen Wasserläufen durchzogen zu sein schien. In der Mitte war der größte Flussarm, er war mehrere Meter breit und führte vom Unwetter schlammiges, braunes Wasser. Irgendwo zwitscherten einige Vögel. Ansonsten war es hier geradezu magisch ruhig.

Kassandra, Otto und er lugten aus dem Schatten der Bäume nach draußen, doch es war nichts zu sehen. Sieben schloss die Augen. Er konzentrierte sich. Gerüche, dutzende, hunderte Gerüche strömten auf ihn ein. Erde. Moos. Nasses Laub. Der Inquisitor roch Menschen und Tiere, manche davon sehr nahe, andere weiter weg. Er erkannte die typischen Gerüche von Kassandra und Otto und auch den von sich selber. Selbst eine schwache Note von Formaldehyd, die von dem Stoffhäschen in seiner Tasche ausging, konnte er noch erschnuppern. Doch dann roch er noch etwas anderes.

Tod. Faules Fleisch. Verweste. Und das nicht weit entfernt.

„Hier sind wir richtig", murmelte er leise.

Kassandra nickte schwach, sah sich jedoch weiter um, ohne eine unnötige Bewegung zu machen. Hinter ihnen rührte sich Otto.

„Spürt ihr das? Diese … Aura?"

Er hatte Recht. Abgesehen von dem Geruch konnte Sieben entfernt eine Quelle magischer Energie wahrnehmen. Sie fühlte sich schwach, aber auch … groß an. Als würde man die sanfte Wärme der Sonne spüren und wissen, dass in Millionen von Kilometern Entfernung ein gigantischer Feuerball war, dem man sich nicht einmal nähern durfte, ohne zu verglühen. Allerdings spürte Sieben auch, dass es sich bei der Energie des Zaubers nicht um ein lebendiges Wesen handelte.

Hier irgendwo muss es einen enorm starken Zauber geben. Aber hat er mit dem Energiewesen zu tun? Wo ist es überhaupt?

Kassandra schien sich eine ähnliche Frage zu stellen, denn sie schien zu überlegen.

„Wir sollten uns vielleicht zurückziehen, wenn hier so ein mächtiger Zauber am Werk ist", wisperte Otto von hinten.

Doch die Magierin schüttelte den Kopf. „Wir wissen noch nicht einmal, worum es sich hier handelt. Wir können uns nicht auf etwas vorbereiten, wenn wir keine Informationen darüber haben. Und außer diesem Grottengeist scheint niemand auch nur eine Ahnung zu haben, dass es existiert."

Sie hielt kurze inne, dann schien sie einen Entschluss gefasst zu haben.

„Wir gehen näher ran. Macht euch bereit zum Kampf."

Sieben wusste nicht, ob dieser Vorschlag mutig oder wahnsinnig war, aber ihm fiel auch nichts Besseres ein. H2O erschauderte an seiner Brust und auch Otto wirkte, als wäre er jetzt lieber woanders, doch sie bereiteten sich vor. Sieben griff nach seinem Zauberstab. Er spürte seine Macht unter seinen Fingern pulsieren, nur mühsam zurückgehalten von den schlampigen Bannzaubern. Der Degen an seiner Seite gab ihm zusätzlich Sicherheit. Dann traten sie aus dem Schatten hervor.

Nicht passierte. Das Wasser plätscherte, Grillen zirpten, Vögel zwitscherten. Aber von einem Energiewesen keine Spur. Einen Moment lang standen sie nur da und sahen sich in nervöser Erwartung um. Dann nickte Kassandra nach vorne.

„Gehen wir."

Das Delta war für einen relativ kleinen Fluss doch ziemlich weitläufig. Sie marschierten zehn Minuten kreuz und quer über Steine, hüpften über Seitenarme und wichen größeren Haufen von angeschwemmtem Treibgut aus.

Doch sie fanden nichts.

Es wäre natürlich schneller gegangen, hätten sie sich aufgeteilt oder Sieben hätte H_2O zur Suche losgeschickt, doch solange sie nicht wussten, womit sie es zu tun hatten, konnten sie das unmöglich riskieren. Trotzdem war die ständige Anspannung in Kombination mit der ergebnislosen Suche nervenaufreibend. Aber sie waren auch noch nicht überall gewesen. Die Quelle des Zaubers lag immer noch ein ganzes Stück vor ihnen, näher an der Dammanlage, die Sieben in einer ziemlichen Entfernung sehen konnte. Noch vor zwei Tagen war er mit Gessler auf der anderen Seite gestanden und hatte darüber geredet, wie ihr Auftrag hier aussehen würde.

Wie viel in so kurzer Zeit passieren kann.

Plötzlich hielt Kassandra an. Otto sah sich erschrocken um.

„Was ist? Seht Ihr etwas?"

Kassandra deutete stumm nach vorne. Es dauerte einen Augenblick, bis der Inquisitor sah, was sie meinte. Dort, ein Stück vor ihnen, eingebettet zwischen zwei größeren Findlingen, lag eine Leiche. Fast hätte Sieben sie nicht als solche erkannt, so verrenkt lag sie da, doch nun konnte er ebenfalls einige Details ausmachen. Sie schien schon länger an diesem Ort zu sein und gehörte zu einer erwachsenen Person. Ihre Kleidung war schwarz und im ersten Moment glaubte Sieben, etwas Längliches wie ein Messergriff würde ihr aus dem Gesicht ragen. Doch er erkannte seinen Irrtum schnell. Es war nichts, das im Gesicht des Toten drinnen steckte.

Es war der Schnabel einer Inquisitorenmaske.

„Sechsundzwanzig", flüsterte Otto hinter ihm, „er ist es, oder? Das muss er sein."

Kassandra nickte langsam. „Sieht so aus. Aber wie ist er hierhergekommen? Und was hat ihn umgebracht?"

Sieben ließ seinen Blick über die Umgebung gleiten, doch nichts erweckte seine Aufmerksamkeit. Auch der Quell des starken Zaubers wirkte noch ein Stück entfernt. Kassandra zögerte einen Moment, dann trat sie vor.

„Was tut Ihr denn?", entfuhr es Otto mit entsetztem Unterton.

„Die Leiche untersuchen", erwiderte Kassandra.

Doch sie hatte kaum zwei Schritte zurückgelegt, als etwas Unglaubliches geschah.

Der Tote erhob sich.

Kassandra blieb schlagartig stehen, Otto hüpfte vor Schreck ein Stück auf und auch Sieben selber zuckte zusammen.

An der Bewegung des Toten war nichts Menschliches oder auch nur Natürliches. Als er aufstand, stützte er sich nicht ab oder bewegte auch nur die Füße, vielmehr sah er fast aus wie eine Puppe, die jemand an ihrem Kopf hochgezogen hatte. Als sich der tote Inquisitor schließlich zur Gänze erhoben hatte, stand er stocksteif da – und wartete. Kein Zucken oder Rühren war zu sehen und Sieben war sich sicher, hätte man sein Gesicht unter der Maske sehen können, wäre auch das leblos und ruhig gewesen. Die Schnabelnase seiner Maske war an der Spitze abgebrochen, doch die roten Steine in den Augenlöchern funkelten kalt und angsteinflößend.

Sehe ich etwa auch so gruselig aus?

Aber im Gegensatz zu diesem Ungetüm hatte Siebens Haut nicht das Aussehen vergilbten Pergaments und auch sein schwarzer Inquisitorenumhang war nicht so zerrissen, dass er wie eine zerpflückte Fledermaus aussah. Eine Minute lang geschah nichts. Weder Sieben noch H2O oder seine anderen beiden Begleiter wagten sich zu rühren und der untote Inquisitor stand ihnen nur gegenüber wie eine Statue, die sich seit Jahrzehnten nicht bewegt hatte und das auch in absehbarer Zeit nicht tun würde.

Dann, ganz langsam und ohne die bizarre Gestalt aus den Augen zu lassen, drehte Kassandra den Kopf ein Stück.

„Was beim Licht ist das?", wisperte sie aus dem Mundwinkel.

Sieben dachte fieberhaft nach. Ihr Gegenüber war ganz offensichtlich tatsächlich tot. Und da sich Tote nicht von selbst zu bewegen pflegten, musste das heißen, dass ihn irgendetwas antrieb. Die Frage war nur, ob der Geist von Sechsundzwanzig irgendwie teilweise in seinem Körper festgehalten wurde oder ob ein Energiewesen ihn als Gefäß benutzte, wie es beim Quellengeist der Fall war. Im zweiten Fall war es gut möglich, dass es sich bei dem untoten Inquisitor um einen Verwesten handelte ... oder Schlimmeres. Unglücklicherweise ließ sich das jedoch nicht so leicht feststellen, denn die Intensität an Energie, die durch den nahen Zauber in der Luft lag, wirkte wie ein dunkler Schleier über Siebens Sinnen. Also blieb nur ein Weg.

„Reden Sie mit ihm."

Kassandra sah aus, als glaubte sie sich verhört zu haben.

„Wie bitte?! Wie stellen Sie sich das denn vor? Was soll ich überhaupt sagen?"

„Stellen Sie ihm irgendeine Frage oder stellen Sie sich vor", erwiderte Sieben. „So können wir erfahren, womit wir es zu tun haben. Es ist möglich, dass Sechsundzwanzig noch irgendwie in dem Körper steckt und sich unter Umständen gar nicht über den Umstand im Klaren ist, dass er gestorben ist."

„Sie meinen, er könnte eine Tagmahr sein?", flüsterte Otto von hinten. Sieben nickte. „Möglicherweise. Oder sonst etwas. In dem Fall könnte es möglich sein, die Angelegenheit ohne Blutvergießen zu regeln. Aber dafür müssen wir zuerst mit ihm kommunizieren."

Kassandra nickte. Sie schien darum zu kämpfen, zumindest einen Teil ihrer Fassung wiederzuerlangen. Sie schluckte, fuhr sich mit der Zunge zwei, drei Mal über die Unterlippe und sah dem Untoten fest ins Gesicht. „Mein Name ist Kassandra Gessler, Meisterin des Magischen Ordens von Quirilien und sonderbeauftragte Einsatzleiterin für eine Mission in Oslubo. Dürfte ich erfahren, wer Sie sind?"

Unter anderen Umständen hätte Sieben diese formelle Begrüßung gegenüber einem wandelnden Leichnam vielleicht sogar komisch gefunden, doch nun warteten sie nur alle drei angespannt auf eine Antwort von der verhüllten Gestalt.

Und … nichts. Keine Reaktion.

„Ich glaube, Sie sollten näher an ihn herantreten", murmelte der Inquisitor Kassandra zu.

„Wieso? Und warum überhaupt ich?", knurrte Kassandra zurück.

Sieben zuckte mit den Achseln. „Vielleicht beschützt er irgendetwas und reagiert nur auf Eindringlinge, wenn sie sich ihm nähern. Und Sie sind doch schließlich die Einsatzleiterin, oder?"

Kassandras Antwort war nur eine seltsame Mischung aus einem Schnauben und einem Grummeln, doch nach einigen Sekunden trat sie einen weiteren Schritt nach vorne. Ruckartig hob der tote Inquisitor den Arm und zeigte damit auf die Magierin. Sie erschrak, blieb dieses Mal jedoch erstaunlich ruhig, hielt kurz inne und hob dann langsam zum Zeichen ihrer friedlichen Absichten die Hände mit den Handflächen nach vorne in die Höhe.

„Mein Name ist Kassandra Gessler, Meisterin des Magischen Ordens von Quirilien und sonderbeauftragte Einsatzleitern für –"

„Verschwinde!", unterbrach sie der Untote.

Seine Stimme war drohend, aber ansonsten völlig emotionslos. Tief und leicht scheppernd hallte sie unter der Maske hervor und Sieben musste unwillkürlich daran denken, wie passend sie gewesen wäre, hätte sie direkt aus einem Grab heraus zu ihnen gesprochen. Seine Nackenhaare richteten sich auf und er spürte, wie das Seepferdchen an seiner Brust vor Angst zitterte.

Kassandra räusperte sich. „Wir wollen nicht stören oder irgendjemandem schaden. Wir haben nur ein paar Fragen."

Plötzlich fuhr Sieben ein weiterer kalter Schauer über den Rücken, doch er hatte nichts mit dem Toten zu tun.

„Sch-schaut nur!", piepste Otto hinter ihm.

Sieben sah es. Es war mittlerweile schon stark dämmrig geworden, doch selbst in dem trüben Licht konnte er den Nebel klar erkennen. Wie aus dem Nichts war er plötzlich in einem weiten Kreis um sie und den untoten Inquisitor herum aufgetaucht und versperrte ihnen jede Sicht. Und dem unheimlichen, dunklen Wabern in den Schwaden zufolge wahrscheinlich auch jeden Fluchtweg.

Das kann nichts Gutes heißen.

Kassandra schien ihn jedoch nicht zu bemerken, ihr Blick war nach wie vor auf ihr gespenstisches Gegenüber geheftet.

„Verschwindet!", wiederholte dieses nun, mit mehr Nachdruck.

Sieben sah aus dem Augenwinkel, wie Otto nun seinen Zauberstab zog und ihn auf den Nebel hinter sich richtete.

„Bleib ruhig", murmelte Sieben. „Provozier ihn bloß nicht."

Auf Ottos Zügen stand ein Anflug von Panik, seine Zauberstabhand zitterte leicht, doch er hatte sich noch genug im Griff, um nicht die Nerven zu verlieren. Doch auch Sieben war sich sehr wohl bewusst, dass sie in der Klemme steckten.

„Rückzug", raunte er Kassandra zu, doch die Magierin beachtete ihn nicht.

„Wir werden bald wieder gehen und Sie nicht weiter behelligen", sagte sie mit leicht zittriger, aber halbwegs entschlossener Stimme,

„aber zuerst würden wir gerne wissen, was mit Inquisitor Nummer Sechsundzwanzig passiert ist."

Sieben mochte sich das einbilden, doch der dunkle Nebelring schien näher zu kommen. Ein unwirkliches, taubes Gefühl gähnender Leere beschlich ihn, ihm war, als würde er in seinem Inneren ein Loch spüren, einen Abgrund.

Er spürte Kälte. Er spürte Finsternis. Ein Grab.

Ein lautes Zischen riss ihn plötzlich in die Realität zurück. Ein Strahl knisternder Energie war aus der Fingerspitze des toten Inquisitors direkt auf Kassandra zugeschossen, die blitzschnell mit ihren Händen einen Abwehrzauber gewirkt hatte, der den Angriff zur Gänze verschluckte. Nun jedoch hatte sie eine Hand auf ihren Zauberstab gelegt.

„Wir wollen keinen Kampf", rief die Magierin noch einmal laut, doch in diesem Moment stürzte sich Sechsundzwanzig mit unmenschlicher Geschwindigkeit nach vorne. Alles passierte gleichzeitig. H_2O löste sich blitzschnell von Siebens Brust, stieg als verschwommene Gestalt in die Höhe und ließ einen Hagel kleiner Energiebälle auf den Angreifer herabregnen. Otto hob den Zauberstab und ein seltsam roter Zauber sauste knapp unter Siebens Arm und an Kassandra vorbei auf den Untoten zu. Der Nebel setzte sich ruckartig in Bewegung und der Kreis wurde schnell enger. Kassandra warf sich zur Seite, um Sechsundzwanzig auszuweichen. Und Sieben selber wirkte mit seinem Zauberstab einen aktiven Abwehrzauber vor sich.

Die Angriffe von H_2O schienen keine sichtbaren Spuren an dem Untoten zu hinterlassen, und auch wenn Ottos Zauber wesentlich stärker war und Sechsundzwanzig mitten ins Gesicht traf, bewirkte er nichts anderes, als dass die silberne Inquisitorenmaske knackend einen diagonal über das Gesicht verlaufenden Riss bekam.

Doch der Untote wurde in seinem Sprung kaum gebremst, verfehlte Kassandra dank ihres Ausweichmanövers knapp und prallte mit voller Wucht auf Siebens Schild.

Die Luft knisterte, als die Energie des Angreifers auf jene seines Abwehrzaubers traf. Funken sprühten und Sechsundzwanzig prallte ab, nur um mit der verkümmerten, sehnigen Hand auszuholen und zum nächsten Schlag anzusetzen. Der geschwächte Schild bot keinen ausreichenden Schutz mehr und die Faust traf ihn direkt an der Brust. Die Wucht des Aufpralls war gewaltig, und hätte er nicht während ihres Marsches hierher ein paar passive Schilder vorbereitet, wäre ihm sicher mehr passiert, als dass ihm nur die Luft aus dem Leib gepresst wurde, trotzdem reichte es, um ihn mehrere Meter durch die Luft segeln zu lassen. Sieben erwartete schon einen harten Aufprall, doch stattdessen landete er in eiskaltem Wasser.

Einen Moment lang sah er nichts und ruderte um sich, um irgendetwas Festes in die Finger zu bekommen, doch offenbar war er nur glücklich in einem der kleineren Seitenarme des Darineus gelandet. Er tauchte auf – dann schwappte noch etwas viel Kälteres über ihn hinweg und verschluckte ihn ganz.

Der Nebel war überall. Es war dunkel. Kein Licht war zu sehen, kein Laut drang an seine Ohren. Selbst sein Geruchssinn schien ihm mit einem Mal keine große Hilfe mehr zu sein, es war, als würde jeder Atemzug nur noch mehr erdrückende Kälte in seine Lungen pumpen. Selbst im Wald im Tal des Iphikles war er nicht so dicht und erdrückend wie hier gewesen.

Ich muss hier raus! Aber wohin? Wo sind Kassandra und Otto? Und wo ist H2O?

Er wusste es nicht, doch er beeilte sich aus dem Wasser zu kommen. Ihm war eiskalt und er schien förmlich zu spüren, wie die Kraft aus seinem Körper strömte und von dem sonderbaren Nebel aufgesogen wurde.

Plötzlich sah er vor sich Umrisse. Ein kleiner, dunkler Schemen, der Schatten eines Kindes. Plötzlich teilten sich die Schwaden und gaben eine verletzliche, winzige Gestalt frei. Es war ein kleiner Junge, vielleicht vier oder fünf Jahre alt. Sieben stockte der Atem.

Er ist nicht echt, sagte er sich.

Doch der Junge war erstaunlich detailgetreu. Seine helles Haar war leicht lockig und seine braunen Augen schienen irgendetwas im Nebel zu suchen. Als sie den Inquisitor fanden, leuchteten sie auf. „Mama!", rief er. „Mama, Papa ist da! Hier drüben!"

Der Inquisitor wollte wegsehen, er wusste, dass es das Klügste gewesen wäre, doch er brachte es einfach nicht über sich.

Der Nebel teilte sich erneut und eine junge Frau trat an das Kind heran und nahm es bei der Hand. Sie war wunderschön, erschreckend herrlich wie ein gleißend strahlender Engel inmitten der Finsternis. Ihr Haar war noch heller als das ihres Sohnes und der liebevolle Blick ihrer blauen Augen traf auf die kalten, roten Rubinaugen von Siebens Maske.

„Da bist du ja", lachte sie, „du hast wohl gedacht, du kannst dich vor uns verstecken?"

„Kannst du nicht!", jauchzte der Junge und sprang immer noch die Hand seiner Mutter haltend übermütig auf und ab. „Kannst du nicht! Kannst du nicht! Ich finde dich, Papa!"

Sieben sank nieder auf die Knie. Dann hob er die Hand ans Gesicht. Er nahm den Ansatz der Schnabelnase zwischen Daumen und Zeigefinger, mit den Fingern der anderen Hand fuhr er seitlich unter den Rand seiner Maske.

Dann nahm er sie ab.

Es wurde heller.

Freier.

Kälter.

Die Maske fiel zu Boden.

Ruben atmete tief durch. Luft, reine, eisige Luft blähte seine Lungen, durchströmte ihn und ließ den Jungen und die Frau mit einem Mal viel klarer, viel wirklicher aussehen. Ruben lächelte und streckte die Hand aus. „Komm her!", rief er.

Der Junge sah hoch zu seiner Mutter. Sie lächelte, nickte und ließ ihn los. Doch gerade als das Kind loslaufen wollte, trat eine dritte Gestalt aus dem Nebel. Ein Mann. Er hatte braunes, eher kurzes Haar und ebenso braune Augen. Sein Gesicht war ein wenig blass, die Nase leicht geschwungen, aber ansonsten schien er nicht wirklich hervorstechende Merkmale zu haben. Er war weder hübsch noch hässlich, sondern gänzlich unauffällig. Ruben hatte dieses Gesicht schon eine ganze Weile nicht mehr gesehen. Der Mann trat an den Jungen heran und legte ihm sanft, aber bestimmt die Hand auf die Schulter.

„Bleib lieber hier. Er gehört jetzt zum Orden. Und solchen Magiern kann man nicht vertrauen."

Einen Moment lang blickte der Kleine unsicher von dem Mann zu Ruben. Dann lachte er.

„Du bist komisch, Papa."

Ruben spürte Zorn in sich aufsteigen. „Nimm die Finger von ihm!", rief er.

Der Mann sah ihn herablassend an.

„Ich nehme keine Befehle von Ordensabschaum an. Wir brauchen dich nicht. Er braucht dich nicht. Wir haben Freunde, die uns helfen. Gleichgesinnte, die nicht auf uns herabsehen. Die etwas von Gerechtigkeit verstehen."

Er fuhr mit seiner Hand von der Schulter des Jungen nach vorne und legte die Finger um seinen schlanken Hals. Dann drückte er zu. Die Frau erschrak. Sie hob den Arm, doch der Mann ließ sie mit einem Wedeln seines Armes verpuffen wie eine Rauchwolke.

Der Junge lief rot an, doch er lachte nur.

„Gerechtigkeit! Gerechtigkeit! Wir sind Gerechtigkeit!", rief er.

Seine Augen quollen hervor und Schaum trat ihm aus dem Mund, während er weiter wie irre lachte.

„Lass ihn los!", fauchte Ruben und zog seinen Degen.

Mit erhobener Waffe stürmte er los. Durch Kälte und Finsternis rannte er auf den Mann zu, um ihn niederzustrecken, zu vernichten, ihn aus dieser Welt zu tilgen.

Doch er rannte direkt durch ihn hindurch. Kein Widerstand, kein Anhalten, stattdessen stolperte Sieben vorwärts durch den Nebel. Und plötzlich war er weg. Die Schwaden teilten sich und um ein Haar hätte der Inquisitor Otto umgerannt, der mit gezückter Waffe mit dem Rücken zu ihm stand und einen Zauber nach dem anderen auf Sechsundzwanzig los jagte, der in einen heftigen Kampf mit Kassandra verwickelt zu sein schien.

Die Magierin hatte es irgendwie geschafft, einen Zauber zu wirken, der den Untoten mit einem glänzenden Strahl aus Licht wie an einer Leine zu binden schien, doch dieser wehrte sich heftig gegen seine Gefangenschaft und schoss brutzelnde Energieblitze scheinbar wahllos in alle Richtungen ab, sodass es Wahnsinn gewesen wäre, sich ihm zu nähern. Gleichzeitig warf er sich einmal hierhin, einmal dorthin, um dem Griff des Lichtstrahls zu entgehen. Kassandra, die mit erhobenem Zauberstab in einiger Entfernung stand, schien alle Mühe zu haben, den Zauber aufrechtzuerhalten. Ihr Gesicht war blutverschmiert, offenbar hatte der Untote ihr einen heftig blutenden Kratzer quer über das Gesicht zugefügt.

„Schieß ihn ab!", brüllte sie über den Lärm des Untoten hinweg. Otto versuchte es. Aber nichts, was er tat, schien bleibenden Schaden zu hinterlassen. Plötzlich kam vom Himmel her ein dicker Wasserstrahl geschossen.

H_2O musste sich aus einem der Flussarme Material verschafft haben, denn nun waberte er als riesige Wasserkugel in der Luft über ihnen, blieb kurz stehen und stieß schließlich mit voller Wucht auf den angeleinten Untoten ein.

Der brüllte, wurde von der Wassersäule jedoch zur Gänze verschlungen. Dann gefror der Strahl.

Doch schon jetzt sah Sieben, dass das den untoten Inquisitor nicht aufhalten würde. Das Eis bekam Risse.

„Aus dem Weg!", rief er und stürmte, ohne nachzudenken, mit gezücktem Degen an Otto vorbei auf den Eisblock zu.

Als er nur noch wenige Schritte davon entfernt war, gab es ein tiefes Knacken und der Block brach auf. Eissplitter flogen in alle Richtungen und etwas traf Sieben an der Stirn, doch ohne sich davon beirren zu lassen, machte er einen weiteren Satz nach vorne.

Kassandra schrie schmerzerfüllt auf, dann verschwand plötzlich der Lichtstrahl, der Sechsundzwanzig an Ort und Stelle hielt, doch dieser letzte Augenblick reichte Sieben völlig aus. Er schwang den Degen mit beiden Armen und rammte ihn dem Untoten in die Brust.

Funken. Feuer. Energie zischte, Haut und Kleidung verbrannten. Die Zauber auf dem Degen durchbohrten jede Abwehr und vernichteten das Wesen, das in dem Körper des Inquisitors gelebt hatte, mit einem Schlag. Dann gab es einen lauten Knall. Eine Explosion.

Sieben hörte noch Otto irgendetwas rufen, sah, wie H2O sich hinunterstürzte, um nach ihm zu greifen, doch er kam zu spät. Ein Schwall sengender Hitze erfasste Sieben, dann traf ihn eine Druckwelle und warf ihn nach hinten. In den letzten Momenten spürte er noch, dass nicht nur der Dämon in Sechsundzwanzigs Körper, sondern auch der Nebel und der mächtige Zauber, der auf der Umgebung lag, sich auflösten. Eine weitere Stimme schrie, dieses Mal eine, die Sieben nicht erkannte. Dann wurde es dunkel.

21.

Träume waren Dinge, die der Inquisitor zu fürchten gelernt hatte.
Träume waren Orte, an denen es keine Lügen gab. Und keine Masken.
Wo man nur ungefilterte Eindrücke erhielt, die aus den verborgensten
Winkeln seines Bewusstseins hervorgekrochen kamen und darauf
bestanden, dass er sie beachtete. Und auch dieser Traum war zuerst
nicht anders. Finsternis. Licht. Zwei urteilende Augen, die auf ihn
niederblickten und ihn Stück für Stück zu vernichten drohten.
Dieser Teil seines Traums schien eine Ewigkeit zu dauern, und doch
hatte er für ihn nun nach seiner seltsamen Begegnung im Nebel einen
Teil seines Schreckens verloren.
Und schließlich war auch er vorbei.
Dann war da noch etwas. Nichts, das er sehen konnte, nicht wirklich.
Schließlich … eine Tür. Dahinter war etwas. Etwas, das Sieben
wollte. Er hatte keine Ahnung, was es war oder warum es ihn anzog,
nur dass er es ganz dringend brauchte. Er griff nach dem Türknauf.
Doch er rührte sich nicht.
„Da bist du ja endlich."
Sieben erschrak. Wie aus dem Nichts war neben ihm eine Gestalt
erschienen. Es war eine Person, die eine Schnabelmaske trug, doch da
stimmte etwas nicht. Es handelte sich weder um sein Spiegelbild noch
um Sechsundzwanzig. Aber die Stimme erkannte er.
„Noah!"
Die Gestalt sah an sich herab und nickte milde überrascht.
„Anscheinend. Interessante Wahl."
„Was hat das zu bedeuten?"
Noah zuckte mit den Achseln. „Tja, deswegen sind wir doch hier,
oder? Das ist die Frage. Jedenfalls bist du endlich nicht mehr mit
deinen eigenen Problemen abgelenkt und kannst dich auf das
Wesentliche konzentrieren."
Er sah sich in der weiten Leere um.

„Und so wie die Dinge stehen, hast du ausnahmsweise auch einmal genügend Zeit, um nachzudenken."

Sieben sah zuerst zum maskierten Noah, dann zu der Tür.

„Was ist da drinnen?"

„Antworten", erwiderte er knapp.

Das war so kryptisch wie alles, was er bisher gesagt hatte, aber eigentlich war das in einem Traum ja nicht wirklich eine Überraschung. Sieben versuchte einen klaren Gedanken zu fassen.

„Da war dieser Nebel …", begann er.

Noah neigte interessiert den Kopf. „Genau. Und was war damit?"

„Er hatte eine … halluzinogene Wirkung. Er hat mir Dinge gezeigt, die ich sehen wollte. Und Dinge, die ich hasste. Schreckliche Dinge … wenn jemand anderes sie sehen würde und ihnen über einen längeren Zeitraum hinweg ausgesetzt wäre, könnte das einen Menschen durchaus in den Suizid treiben. Sehr leicht sogar."

Noah schnaubte abfällig.

„Möglich. Kann sein. Aber das ist nicht gerade eine Schlussfolgerung, für die du deine vollen Kapazitäten brauchst, oder? Komm schon, was gibt es noch?"

Sieben dachte nach. „Die Verwesten. Sie sind wahrscheinlich die Opfer, die unmittelbar vor Sechsundzwanzigs Ankunft spurlos verschwunden sind, von dem Zauber irgendwie wieder zum Leben erweckt."

„Ach? Ist das so?"

„Etwa nicht?"

„Sag du es mir."

Der Inquisitor dachte nach. Plötzlich veränderte sich der Boden unter seinen Füßen. Farben konnte er keine wahrnehmen, doch die Konturen und vor allem der typische Geruch ließen ihn sofort erkennen, worum es sich handelte.

„Gras?"

Noah nickte und zeigte mit dem Finger darauf. „Sieh näher hin."

Der Inquisitor gehorchte. Und tatsächlich lag da noch etwas. Kleine, runde ... Kugeln.

Perlen. Plötzlich materialisierten sich die Farben, wie die Explosion eines Regenbogens verliehen sie den kleinen Zierperlen ihre Farben. Rot, Gelb, Blau, Grün, Lila, Orange, alles war dabei. Nur eine einzige Kugel blieb schwarz. Und plötzlich begriff Sieben, wo er dieses Bild schon einmal gesehen hatte.

„Beim Haus der de Meijers! Als mich die Verwesten angriffen! Da lag eine von Svens Ketten ... aber was hat sie damit zu tun?"

Noah legte den Kopf schief, antwortete jedoch nicht. Es dauerte einen Augenblick, bis bei Sieben schließlich der Groschen fiel.

„Eine schwarze Perle. Sven hat mir auf der Feier davon erzählt. Die Kette hat also einem Einheimischen gehört. Und die einzigen Verschwundenen aus dem Dorf, die so eine hatten, sind Sophie Falk und Jannis de Meijer. Die zweite Kette haben wir bei unserem Ausflug im Tal des Iphikles gefunden. Das muss heißen ...?"

Ja, was hieß das nun? Dass Jannis selber die Kette verloren hatte? Oder dass einer der Verwesten Sophies Kette gehabt hatte? Wie konnte das wichtig sein? Noah schüttelte den Kopf.

„Versuchen wir vielleicht etwas anderes. Etwas Verständlicheres." Sieben überlegte.

„Sechsundzwanzig ... es gibt keine Anzeichen dafür, dass er noch er selbst war. Dieser mächtige Zauber. Wenn ... wenn Sechsundzwanzig ihm irgendwie zum Opfer gefallen ist, könnte er von ihm Besitz ergriffen haben ... oder seinen Geist auf magische Weise mutieren lassen."

Noah lachte auf. „Ein mutierter Geist? Sehr gut, sehr gut. Ah, aber ich glaube nicht, dass du DIESE Tür mit einem Schlüssel dieser Art öffnen kannst. Wenn deine Schlussfolgerung stimmt, woher kam dann der starke Zauber überhaupt? Wie hat er Sechsundzwanzig dorthin gebracht? Und die meisten Opfer waren doch im Tal des Iphikles, warum sollte die Quelle von allem auf einmal hier unten sein?"

Sieben zuckte ungeduldig mit den Schultern. „Gute Frage. Aber das kann ich noch nicht wissen."

„Wieso nicht?"

„Na, weil wir noch nicht die Gelegenheit gehabt haben, das Tal dort näher zu untersuchen. Obwohl wir das nach unserem ersten Ausflug eigentlich hätten tun sollen."

„Und was ist mit der Liga?"

Sieben war von dem plötzlichen Themenwechsel irgendwie verwirrt. „Was soll mit ihr sein? Herzog ist tot, der Datenspeicher verschwunden, Antares vermutlich mittlerweile über alle Berge … außerdem haben sie mit dem Ganzen hier doch nichts zu tun. Aber Kassandra hat sich zu viel von der ganzen Geschichte ablenken lassen."

Wieder lachte Noah, nun eindeutig höhnisch.

„Ach so? Die Liga war also nur eine Ablenkung? Ist das alles?"

Sieben dachte nach, aber es wollte ihm kein Grund einfallen, warum sie für die Lösung des Falles relevant sein konnte.

„Sie hatten mit Jannis zu tun. Aber der kam erst hier an, nachdem Sechsundzwanzig tot und die Selbstmordserie beendet war."

Noah nickte. „Ganz richtig. Also was hat die Liga damit zu tun?"

„Nichts?"

„Ist das eine Frage oder eine Antwort?"

Langsam wurde Sieben des Ratespiels überdrüssig. „Wenn du mir nicht helfen willst, dann lass mich gefälligst in Ruhe nachdenken."

Er hatte kaum ausgesprochen, da löste Noah sich schon in Luft auf. Sieben war alleine. Alleine mit der Tür und seinen Gedanken.

Er dachte nach über alles, was in den letzten Tagen geschehen war. An seine Konflikte mit Kassandra, an Jannis' Ränkespiel, an Noahs Verrat, an Otto, Nadine, Yaron, Sven, den Grottengeist, Großmeister Zeus und sogar den Wirt in Krithon … Eine Ewigkeit verging, eine nicht enden wollende Zeitspanne in der Finsternis.

335

Dann, plötzlich, war da etwas. Ein Geruch. Sieben schloss die Augen. Die Duftnote war süß und erfüllte ihn auf eine seltsame Weise mit tiefer Befriedigung. Er fühlte sich … richtig an. Sieben konzentrierte sich mit aller Kraft, den Geruch in sich aufzunehmen, ihn besser auf kleine Nuancen abtasten zu können, doch er war flüchtig wie eine Brise im Wind. Plötzlich biss ihn etwas schmerzhaft in die Nase. Nicht wirklich, nicht physisch. Aber ein übler Gestank von unglaublicher Intensität löschte alle anderen Eindrücke aus.

Es war eine widerliche Mischung aus verschiedenen Bestandteilen, er roch fauliges Moos, Blütenduft und noch einige andere Elemente. Doch über allem hing eine ganz dominante und intensive Note, die er überall erkannt hätte.

Formaldehyd.

Es roch stechend. Es roch erdrückend. Und im Gemisch mit all den anderen Düften vermengte es sich zu einem Tornado des Gestankes, der den feinen Duft hinwegfegte und Sieben zurückwarf, weg von der Tür, weg von der Wahrheit, weg von allem.

Und dann war da Licht.

Oder zumindest ein bisschen Helligkeit.

Das schwache, rötliche Licht einer aufgehenden Sonne, die durch das Fenster auf sein Gesicht fiel. Er war alleine und lag auf seinem Bett im Zimmer der Herberge in Oslubo. Er erwartete den stechenden Kopfschmerz seiner Beule, das Pochen in seiner Brust von den eingesteckten Schlägen oder sonstige Anzeichen für all die Blessuren, die er in den letzten Tagen angesammelt hatte. Doch zu seiner enormen Überraschung fühlte er sich fast gänzlich gesund. Lediglich ein schmerzhaftes Brennen auf seinem Bauch von einer frischen, bereits halb verheilten Brandwunde und ein ganz entferntes Drücken auf seinen Hinterkopf blieben ihm, doch sie waren mehr kleine Unannehmlichkeiten als ernsthaft störend.

Auch seine Maske trug er wieder. Er betastete mit seinen Fingern den Verband um seinen Leib und musste feststellen, dass er von der

Explosion tatsächlich einen recht großen Flecken verbrannter Haut davongetragen hatte, außerdem schienen ihm ein paar Büschel seines Haupthaares zu fehlen. Es dauerte eine Weile, bis er sich wieder in dieser Welt zurechtfand und den Traum hinter sich gelassen hatte.

Sieben dachte nach, doch irgendwie fiel es ihm nun viel schwerer, sich auf die zuvor gefassten Gedanken zu konzentrieren. Außerdem fragte er sich ständig, was passiert war.

Ist Sechsundzwanzigs Geist besiegt? Geht es Kassandra und Otto gut? Wo ist H2O? Was ist mit Antares, Noah und der Liga?

Er wollte schon aus seinem Bett aufspringen, zwang sich jedoch dazu, ruhig zu bleiben und nachzudenken. Die zweite Frage war am leichtesten zu beantworten.

Ich war der Explosion am nächsten. Wenn ich überlebt habe, muss es Kassandra und Otto auch gut gehen.

Einen Moment lang fragte er sich, wieso er überhaupt noch lebte, aber es musste wohl mit seinen passiven Schilden zusammenhängen. Vermutlich hatten sie trotz der Tatsache, dass Sechsundzwanzig sie bei seinem vorigen Angriff so stark geschwächt hatte, einen Großteil der Explosion abgefangen.

Die erste Frage war wahrscheinlich ebenfalls offensichtlich. Er hatte gespürt, wie der Zauber und der Nebel verflogen waren, und der Leichnam des Untoten war explodiert. Dafür gab es selbst für ein Energiewesen in der Regel kein Gegenmittel.

Die Sache mit der Liga hing wohl stark davon ab, wie viel Zeit inzwischen vergangen war.

Dann wollen wir das einmal herausfinden.

Er schwang seine Füße aus dem Bett und setzte sich auf. Vor ihm auf dem Boden standen seine Schuhe. Es war das Paar, das er bei seinem Ausflug auf die Krähenburg zurückgelassen hatte, offensichtlich hatte es ihm jemand zurückgebracht. Vermutlich Kassandra. Er wollte sich gerade danach bücken, als ihn etwas Nasses ins Gesicht klatschte, ihn zurückwarf und wie ein kleiner Wirbelsturm um ihn herumwirbelte.

„Ist ja gut, ist ja gut, ich bin auch froh, dass es dir gut geht!", rief er. H2O schien sich gar nicht mehr einzukriegen, er wickelte sich um ihn wie eine Schlange, löste sich von ihm, hüpfte aufgeregt im Zimmer umher, wobei er zehn Mal die Form wechselte, nur um dann wieder auf ihn zu zu fliegen, um sich als kleines Kätzchen übermütig wiehernd an ihn zu schmiegen.

Der Inquisitor lächelte. „Ich bin ja wieder da, keine Sorge. Und du? An dir auch noch alles dran?"

Der Wassergeist brauchte einen Moment, um sich zu beruhigen, dann verwandelte er sich wieder in seine Seepferdchenform, schwebte vor ihm in der Luft und nickte eifrig, wobei er den Kopf senkte und einen Augenblick lang den goldenen Ring in seinem Inneren entblößte.

„Na sehr gut. Was ist in der Zwischenzeit überhaupt passiert? Wo sind die anderen?"

In diesem Moment öffnete sich die Zimmertür und Otto kam herein. Als er Sieben auf den Beinen sah, schien er zuerst überrascht, dann eindeutig erleichtert zu sein.

„Beim Licht! Sie sind wieder wach! Wir haben uns langsam schon Sorgen gemacht. Irgendwie wusste niemand so recht, warum Sie so lange außer Gefecht waren."

„So lange? Wie lange denn?"

„Vier Tage."

Sieben meinte sich verhört zu haben. „Du willst mir wirklich erzählen, dass ich vier Tage lang geschlafen habe?"

Er konnte es kaum glauben, aber zumindest würde das erklären, warum sein Körper sich so gut regeneriert hatte. Ihm schwirrten dutzende Fragen im Kopf herum, doch er versuchte sie nach ihrer Wichtigkeit zu ordnen.

„Wo ist Meisterin Kassandra?"

Otto zuckte mit den Achseln. „Ich weiß nicht genau, sie ist früh außer Haus gegangen, sollte aber nicht lange wegbleiben."

„Was ist mit Sechsundzwanzig passiert? Und dem Nebel? Und dem Zauber?"

„Alles weg und erledigt. Nach der Explosion war es plötzlich vorbei. Es lag keine Energie mehr in der Luft, und auch als wir an den nächsten zwei Tagen dort und im Tal des Iphikles zur Sicherheit noch einmal nachgesehen haben, war dort nichts zu finden. Seltsame Vorkommnisse hat es auch keine mehr gegeben. Es ist vorbei."

Vorbei.

Das Wort fühlte sich gut an. Aber Sieben wusste, dass es noch ungeklärte Fragen gab. Trotzdem musste er zuerst andere Sachen in Erfahrung bringen.

„Was ist mit Noah? Und dem Rest der Liga hier?"

Otto nickte nach draußen, wo der Sonnenaufgang von einigen Wolken immer wieder verdunkelt wurde.

„Weg. Das Tal ist immer noch von der Außenwelt abgeschnitten und die wenigen vorhandenen Hubschrauber werden anderweitig gebraucht, aber vorgestern hat dann doch einer vorbeigeschaut."

Er hielt kurz inne und wirkte, als wäre ihm etwas unangenehm, bevor er fortfuhr.

„Meisterin Kassandra … und ich übrigens auch … haben Großmeister Zeus, der den Flug angeordnet hat, darauf hingewiesen, dass es vielleicht weiser gewesen wäre, Euch in ein Krankenhaus zur genaueren Überwachung zu bringen, da wir ja keine Ahnung hatten, was Euch außer den Brandwunden fehlte, aber er hat gemeint, wenn Sie keine gravierenden Verletzungen hätten, würden Sie das schon noch eine Weile aushalten. Die Auslieferung von Noah und den beiden Ligisten hatte für ihn Priorität. Außerdem haben wir Zacharias' Leichnam zur Untersuchung ausfliegen müssen."

Natürlich. Zeus hat darin wahrscheinlich seine letzte Chance gesehen, mich bei der Gelegenheit loszuwerden.

Sieben konnte ja nicht behaupten, dass er in seiner Lage nicht auch enttäuscht gewesen wäre, wenn es so viele Gelegenheiten für ihn gegeben hatte zu sterben, er aber jedes Mal gerade noch davongekommen war.

„Und dann?", erkundigte er sich.

„Na ja, das Wetter hat sich schnell wieder verschlechtert, es hat fast jeden Tag geregnet und ein heftiger Wind ist aus dem Tal gekommen und ein zweiter Flug war nicht möglich. Oh, und der tote Ligistenspäher wurde zwar nicht mehr gefunden, aber Herzogs Leiche wurde angespült, am üblichen Ort." Der junge Magier gestattete sich ein Grinsen. „Schön, wenn sich die Dinge so fügen."

Da war Sieben ganz seiner Meinung. Nachdem die Toten vor Sechsundzwanzigs Ankunft mehrere Monate zuvor über einen längeren Zeitraum einfach verschwunden waren, hatte er schon befürchtet, den Ligistenführer überhaupt nicht mehr zu finden. Dass nun sein Ableben auch für die Welt bewiesen und geklärt war, war eine Erleichterung.

„Sehr gut", murmelte er, dann erinnerte er sich an etwas. „Noah ist also weg. Wie wird Nadine damit fertig?"

„Gut", erwiderte Otto, vielleicht eine Spur zu schnell. Sieben warf ihm einen zweifelnden Blick zu, oder zumindest versuchte er das unter der Maske, aber Otto schien zu verstehen, was er meinte.

„Also, ähm, natürlich ist sie nicht gerade glücklich darüber, sie und Meisterin Kassandra haben sich am Morgen nach unserer Rückkehr von dem Kampf mit Sechsundzwanzig arg gestritten und seitdem reden die beiden kaum noch miteinander. Aber mir gegenüber hat sie gemeint, dass sie selber von Noahs Kooperation mit der Liga schockiert ist. Und da Meisterin Kassandra und ich oft weg waren, um verschiedene Dinge zu erledigen, hat sie sich oft um Sie gekümmert. Außerdem hat Nadine ebenfalls heftig protestiert, als Großmeister Zeus darauf bestand, zuerst die Ligisten hier rauszubringen und nicht Sie."

Wahrscheinlich wäre sie jetzt auch einfach froh, uns los zu sein, dachte er, trotzdem war er erleichtert, dass sie offenbar mit der Situation umgehen konnte.

Doch ein weiterer Schatten legte sich auf seine Gedanken. „Und … Antares?"

Nun wirkte Otto ein wenig niedergeschlagen.

„Nichts, keine Spur. Die Ligisten haben sich offenbar dafür entschieden, sich durch die Wildnis aus dem Staub zu machen, bevor die Polizei hierherkommen kann. Der Kopfgeldjäger dürfte mittlerweile über alle Berge sein, Meisterin Kassandra und ich haben auch keine weiteren Spuren gefunden."

Das war zwar weniger gut, aber vermutlich kein riesiger Verlust.

„Ich nehme an, von den beiden gefangenen Ligisten hat auch noch keiner geredet?"

Otto schüttelte den Kopf. „Man sucht fieberhaft nach einem Grund, einen Haftbefehl gegen Santander zu erwirken, aber es gibt keine handfesten Beweise. Auch auf der Speicherkarte des Handys des Ligisten, den Sie im Tal des Iphikles gefunden haben, gab es nichts, das sich gegen sie verwenden ließe."

Einen Moment lang wirkte er etwas geknickt, dann jedoch richtete er sich wieder auf. „Aber jetzt, wo Sie wieder in der Lage sind, vor Gericht auszusagen, dürfte sich das ändern!"

Na immerhin etwas.

„In der Zwischenzeit bleibt eigentlich nur noch ein loses Ende", fuhr Otto fort. „Wir haben noch immer keinen Hinweis auf Jannis' Aufenthaltsort."

Dann ist er wahrscheinlich tot. Wo immer die Verwesten ihn hin verschleppt haben, ohne den Zauber sind sie wahrscheinlich einfach in sich zusammengefallen. Wenn Jannis dann immer noch nicht zurückgekehrt ist, kann das eigentlich nur heißen, dass er nicht mehr am Leben ist.

Jedenfalls schienen alle mit Magie zusammenhängenden Probleme geklärt. Der Rest war nun Aufgabe der Polizei. Er hatte noch viele weitere Fragen, aber fürs Erste würde es wohl das Beste sein, auf Kassandra zu warten.

Er zog sich an, wobei er den Verband um seinen Bauch, der nun, da er sich bewegte, doch wesentlich mehr zwickte, als es zuvor den Anschein gehabt hatte, begutachtete und ihn für gut gemacht befand, und ging mit Otto und H2O nach unten, wo sie auf Nadine trafen. Sie war sichtlich erfreut zu sehen, dass er wieder auf den Beinen war.

„Sie sehen ausgeruht aus", bemerkte sie müde lächelnd.

Sieben nickte. „Ich habe ja einiges einstecken müssen, aber die paar Tage Rast haben mir gutgetan." Es freute ihn, dass sie sich Sorgen um ihn gemacht hatte, auch wenn sie zurzeit wegen ihres Bruders bestimmt einiges durchmachte. Er schnitt das Thema mit möglichst viel Taktgefühl an, doch sie zuckte nur mit den Schultern.

„Noah hat getan, was er für richtig hielt. Es tut mir leid, dass er Sie damit in Gefahr gebracht hat, und das, was dem armen Zacharias widerfahren ist. Ich habe mich schon nach einem Anwalt erkundigt. Er meint, so wie die Dinge stehen, kann man meinem Bruder nicht nachweisen, dass er wusste, dass die Liga Zacharias töten würde. Beihilfe zum Mord dürfte also nicht vorliegen. Damit bleibt nur noch Unterstützung terroristischer Vereinigungen, aber da man gerade überall im Land noch immer die echten Ligisten jagt, werden Fälle wie seiner wohl schnell und milde abgehandelt werden."

Sieben war sich nicht sicher, was er davon halten sollte, immerhin war er selber durch Noahs Handeln in beträchtliche Gefahr geraten.

Unterm Strich war es jedoch bestimmt richtig, dass es viele Leute gab, die aus wesentlich schlimmeren Gründen erheblich schlechtere Dinge getan hatten.

Er hat nur Angst um seine Schwester gehabt. Sie war immerhin viel mit Jannis unterwegs gewesen, vielleicht wäre sie das nächste Ziel der Liga gewesen.

Schließlich rang er sich dazu durch, seine Stimme freundlich klingen zu lassen, als er antwortete „Das freut mich. Sollte es notwendig sein, werde ich vor Gericht für seinen Fall aussagen."

Nadine lächelte dankbar. „Das ist sehr nachsichtig von Ihnen. Trotz des ganzen Durcheinanders mit der Liga haben Sie und Ihre Kollegen hier viel Gutes bewirkt. Das ganze Dorf steht in Ihrer Schuld."

Plötzlich grummelte es. Siebens Magen gab ein hörbares Wehklagen von sich und erinnerte ihn daran, wie lange er schon nichts mehr gegessen hatte. Nadine grinste breit. „Ich glaube, wir sollten alle zuerst mal ausgiebig frühstücken."

Otto verkündete sofort, dass er Nadine bei den Vorbereitungen helfen wollte, und gemeinsam verschwanden die beiden in der Küche. Der Inquisitor seufzte und setzte sich an den Frühstückstisch. Wieder grummelte sein Magen.

Wahrscheinlich könnte ich ein Frühstück für vier Leute jetzt ganz alleine wegputzen, dachte er.

H2O, der wieder an seiner Brust hing, vibrierte wohlig. Sieben rieb sich die Schläfen. Er erinnerte sich an seinen Traum und an die Tür. Ja, viel hatte sich geklärt, aber ein paar Fragen blieben dann doch noch. Wo waren Jannis und die Verwesten? Wie war der Zauber, der die Selbstmorde im Tal des Iphikles ausgelöst haben musste, hinunter bis an den Damm gelangt? Und wieso überhaupt war ihm Sechsundzwanzig zum Opfer gefallen?

Das ist alles wichtig, aber uns bleibt noch genug Zeit, um uns darum zu kümmern. Zumindest stehen wir jetzt nicht mehr unter Zeitdruck.

Jetzt musste Sieben sich zuallererst einmal erholen. Schon bald überdeckte der Duft von Brot, Speck und anderen Dingen die übrigen Gerüche im Raum und Sieben lief das Wasser im Mund zusammen. Natürlich war das Dorf nun schon seit Tagen von der Außenwelt abgeschnitten, doch da Noah erst bei ihrer Ankunft einen Großeinkauf getätigt hatte, würden sie hier schon nicht verhungern. Außerdem sollte die Talsperre in wenigen Tagen wieder aufgehoben sein und die Umstände sich normalisieren.

Etwa fünf Minuten später öffnete sich die Tür zur Herberge und Kassandra kam herein. Als sie den Inquisitor sah, lächelte sie einen Moment lang erleichtert, bevor sie wieder ihre gewohnt ernste Haltung einnahm.

„Schön, dass Sie wieder auf den Beinen sind, Nummer Sieben. Ich hatte gerade ein kurzes Gespräch mit meinem Vater. Sind Sie bereit für Ihre Abreise?"

Sieben sah sie verwirrt an. „Abreise?"

„Nun ja, Sie waren immerhin mehrere Tage lang ohne ersichtlichen Grund ohnmächtig. Sie sollten sich zumindest kurz in einem Krankenhaus durchchecken lassen, bevor Sie hier mit den Ermittlungen weitermachen. Meister Gessler hat gemeint, zurzeit bestünde keine Gefahr weiterer Hangrutsche. Die Hubschrauber werden zwar immer noch woanders dringender gebraucht, aber wenn Sie sich dazu in der Lage fühlen, zu Fuß über den Murenkegel zu gehen, bringen wir Sie schnell ins Krankenhaus."

„Ich glaube wirklich nicht, dass das –" Kassandra unterbrach ihn mit einer bestimmenden Handgeste, entschärfte die Bewegung jedoch mit einem milden Lächeln. „Sie haben wirklich gute Arbeit geleistet in den letzten Tagen. Antares und der USB-Stick mögen uns ja durch die Lappen gegangen sein, aber Sie haben uns immerhin erst auf ihre Spur gebracht. Herzog ist tot, Sechsundzwanzigs Verbleib geklärt und der mächtige Zauber, der über dem Talausgang lag, ist verschwunden, was immer er gewesen sein mochte."

Sie lehnte sich mit verschränkten Armen an die Wand und blickte nachdenklich drein. „Ich will ehrlich gesagt nicht daran denken, was passiert wäre, hätten Sie unten am Damm nicht so entschlossen gehandelt. Meiner Einschätzung nach war Sechsundzwanzig mindestens ein Dämon der Gefahrenstufe Acht. Und dann noch dieser Nebel … Was haben Sie übrigens darin gesehen?"

Sieben ließ sich einen Augenblick lang Zeit, bevor er aufsah. „Wie meinen Sie das?"

„Na ja, Sie sind doch, nachdem der Dämon Sie getroffen hat, mitten in ihn hineingeflogen. Ich erinnere mich noch gut an die … Trugbilder im Wald. Doch der Nebel bei Sechsundzwanzig war irgendwie … stärker. Ich bin nur kurz mit ihm in Berührung gekommen und habe es gemerkt. Aber wie war seine volle Wirkung?"

Einen Augenblick lang spielte der Inquisitor mit dem Gedanken, ihr überhaupt ganz die Antwort zu verweigern, dann sagte er nur knapp: „Meine Vergangenheit."

Kassandra schien zu begreifen. Sie nickte ernst. „Richtig. Das geht mich nichts an, Verzeihung."

„Kein Problem."

„Ich … habe auch niemandem gesagt, dass Sie Ihre Maske abgenommen haben."

Ihrem Tonfall hörte er an, wie unwohl ihr bei dieser Entscheidung gewesen war. Jeder, der sah, wie ein Inquisitor seine Maske abnahm, musste dies melden. Sich dieser Anordnung zu widersetzen hatte zur Wirkung, dass man sich gleich strafbar machte wie der betroffene Inquisitor selber. Es mochte angesichts der Umstände den Anschein haben, als würde es sich bei ihrer Nachsicht um eine kleine Geste handeln, doch gerade bei ihr war ihm klar, wie viel das zu bedeuten hatte.

„Danke", erwiderte Sieben schließlich.

In diesem Moment betraten Nadine und Otto den Raum, die Hände voll beladen mit Holzplatten und Körbchen, auf denen sich Brote, Wurst, Butter, verschiedene Marmeladen, Käse, Obstscheiben, Eier und viele andere Dinge nur so stapelten. Sieben musste sich schon sehr beherrschen, um nicht sofort wie ein Verhungernder über alles herzufallen, trotzdem aß er doppelt so schnell und drei Mal so viel wie alle anderen. In Anbetracht der Tatsache, dass er tagelang durchgeschlafen hatte, war dieser Umstand wohl entschuldbar.

Währenddessen verwandelte sich H2O in ein kleines Käuzchen, das sich auf seiner Schulter niederließ und mit großen, traurigen Augen zu Nadine sah.

„Keine Sorge, dich hab ich schon nicht vergessen", grinste sie und zog einen Zuckerwürfel aus der Tasche hervor.

Sie warf ihn dem kleinen Wassergeist zu, der ihn geschickt mit dem Schnabel in der Luft auffing, den Kopf zurückwarf, ihn mit einem Happs hinunterschlang und dann zufrieden wieherte.

Als sie mit dem Essen langsam fertig wurden, begann Kassandra ihr weiteres Vorgehen zu erörtern.

„Otto und ich haben in den vergangenen Tagen schon alle möglichen Orte nach Jannis abgesucht. Wir waren beim Haus der de Meijers, mehrmals in der Krähenburg und sogar tiefer im Wald im Tal des Iphikles. Aber nirgends fanden wir einen Hinweis darauf, wo er sich aufhalten könnte."

Sie sprach nicht aus, was das hieß, doch es war ohnehin offensichtlich.

„Trotzdem haben wir noch Arbeit vor uns", fuhr sie fort. „Aber zuerst möchte ich, dass Sie sich unverzüglich untersuchen lassen, Sieben. Sie haben einiges mitgemacht. Und vielleicht schafft es die Polizei oder der Orden ja in den nächsten Tagen, eine kleine Suchtruppe hier vorbeizuschicken, die uns unterstützt. Jedenfalls, wenn Sie sich dazu in der Lage fühlen, würde ich vorschlagen, dass Sie sich sofort auf den Weg machen."

Nadine lächelte ihn entschuldigend an. „Ich würde Sie ja fahren, aber ich selber habe keinen Führerschein."

„Das macht nichts", beeilte sich Sieben zu versichern, „der Weg ist ohnehin überall mit Bäumen und anderem Zeug blockiert. Ich komme zu Fuß schon zurecht, danke."

„Trotzdem wird Otto Sie begleiten", meinte Kassandra, „aber er wird sofort danach wieder zurückkommen. Mein Vater wird Sie in Krithon in Empfang nehmen. Wenn Sie so freundlich wären, ihm noch ausführlich Bericht zu erstatten, wäre das sehr hilfreich."

„Mach ich. Und was tun Sie in der Zwischenzeit?"

Kassandra zuckte mit den Achseln.

„Ich denke, ich sehe mir noch einmal das Haus der de Meijers an. Vielleicht finden sich ja noch andere Spuren in den Trümmern. Aber irgendwie glaube ich das nicht. Außerdem würde ich zuerst diesen Einsiedlerdämon auch gerne einmal kennenlernen. Wahrscheinlich könnte er mir eine ganze Menge Dinge über das Tal erzählen."

Sieben bemerkte, wie Nadine missbilligend die Stirn runzelte, und er erinnerte sich daran, dass sie und Kassandra sich offenbar heftig gestritten hatten. Wahrscheinlich war ihr die Aussicht, dass die Magierin noch eine Weile bei ihr untergebracht war, ganz und gar nicht recht, allerdings schien sie es hinzunehmen. Doch der Rest der Mahlzeit verlief in recht guter Stimmung, und als sie sich schließlich erhoben, verabschiedete Nadine sich recht herzlich von ihm.

„Ich würde mich freuen, Sie wieder hier zu sehen, Sieben", meinte sie lächelnd.

„Wahrscheinlich wird der Orden mich nach meiner Untersuchung wieder zurückschicken", antwortete er, „aber danach … werde ich hingehen, wo immer man mich hinschickt. Ein Inquisitor hat nicht wirklich viel Urlaub, habe ich mir sagen lassen."

Sie lachten. Als sie vor die Tür traten, warteten dort noch einige Leute. Offenbar hatte sich herumgesprochen, dass der Inquisitor sie verließ, denn Yaron, Sven und einige andere waren gekommen, um sich bei ihm zu bedanken und ihm eine gute Besserung zu wünschen.

„Wenn Sie wieder fit sind, kommen Sie ruhig noch mal bei uns vorbei", meinte Sven und fügte grinsend hinzu, „und irgendwann, wenn Yaron genug Zeit hatte, um zu trainieren, will er sicher eine Revanche." Yaron, der etwas still wirkte, sah zuerst zu seinem Freund, dann zu Nadine und schließlich erst zum Inquisitor. Dann lächelte er milde.

„Sie … haben mich mit den Chilischoten wirklich alt aussehen lassen." Sieben erinnerte sich noch lebhaft daran, wie ihm die Kehle nach ihrem kleinen Wettbewerb den Rest des Abends und auch noch am nächsten Tag gebrannt hatte, und hätte gut darauf verzichten können, stattdessen nickte er nur freundlich.

„Wir werden sehen. Ich sollte eigentlich nicht lange wegbleiben, aber danach kann ich nicht sagen, wann es mich wieder in die Gegend verschlägt."

Vermutlich nie wieder. Warum sollte mich Zeus noch einmal an einen Ort schicken, den ich schon einmal überlebt habe?

Als schließlich eine Menge Hände geschüttelt und dutzende Genesungswünsche ausgesprochen waren, machten Otto und er sich auf den Weg über den Vorplatz der Herberge. Kassandra begleitete sie noch bis zum Ende der Allee, wo auch sie sich von ihnen verabschiedete.

„Erholen Sie sich gut, Nummer Sieben. Wir stehen jetzt nicht mehr unter Zeitdruck, trotzdem würde ich mich darüber freuen, wenn sie recht bald wieder zu uns stoßen. Die Zusammenarbeit mit Ihnen war…"

„Problematisch?" schlug der Inquisitor vor.

Tatsächlich schlich sich nun ein schiefes Grinsen auf Kassandras Gesicht.

„Das auch. Eigentlich wollte ich aber „interessant" sagen. Und ich glaube dafür, dass es für uns alle der erste Einsatz war, haben wir uns ganz gut geschlagen."

Sieben wusste nicht, was er darauf antworten sollte, trotzdem wollte er es nicht bei diesen Worten belassen bevor sie sich trennten.

„Es tut mir Leid, dass ich Ihnen ein paar Dinge verschwiegen habe" meinte er schließlich.

Diese Entschuldigung lag ihm schon länger auf dem Herzen. Natürlich waren seine Gründe dafür, ihr Dinge wie die Ligisten am Ufer oder seinen Verdacht bezüglich Anais Santander zu verschweigen, durchaus berechtigt gewesen. Trotzdem bereute er es, Kassandras Selbstvertrauen bei ihrem ersten Einsatz mit seinen Geheimnissen untergraben zu haben. Vielleicht wäre all die Streiterei gar nicht notwendig gewesen.

Die Magierin schüttelte jedoch den Kopf und streckte ihm die Hand entgegen.

„Machen Sie sich diesbezüglich keine Gedanken, ich war Ihnen gegenüber auch einige Male etwas unfair. Aber von jetzt an sollten wir an einem Strang ziehen können."

Sieben reichte ihr die Hand und schüttelte sie zum Abschied.

„Machen Sie´s gut, Sieben. Und grüßen Sie meinen Vater von mir."

22.

Die Wolken am Himmel waren dicht und der kühle Herbstwind blies heftig, trotzdem fand Sieben den langen Spaziergang der Straße entlang recht angenehm. Auch wenn sein verbrannter Bauch, den die üppige Mahlzeit nur innerlich befriedigt hatte, immer wieder protestierte, genossen seine steifen Glieder die Bewegung.

Außerdem war Otto ein unterhaltsamer Gesprächspartner. Er erzählte dem Inquisitor weiter von ihren Untersuchungen, während er außer Gefecht gewesen war. Besonders sein Besuch auf der Krähenburg schien den jungen Magier nachhaltig beeindruckt zu haben.

„Ehrlich gesagt habe ich all die Gerüchte darüber, dass Waldemar Blaukrähe ein Kunstliebhaber und Dichter gewesen war, für ziemlichen Blödsinn gehalten", meinte er, „immerhin war der Kerl ein Folterer und Tyrann. Aber vor allem dieser … Wassergarten war wirklich malerisch. An einem schönen Tag ist der Ausblick auf das Tal von dort aus sicher atemberaubend."

„Mhm", antwortete Sieben ein wenig in Gedanken versunken.

Er dachte soeben über seinen Traum während seiner Ohnmacht nach und an all die offenen Fragen, die ihm immer noch im Kopf herumspukten. Außerdem war ihm etwas über den Raum eingefallen.

„Habt ihr eigentlich auch die Bank dort näher untersucht?"

Einen Augenblick lang wirkte Otto, als hätte er keine Ahnung, wovon er redete, dann schien er sich jedoch zu erinnern.

„Ah, Sie meinen an der Stelle, wo Zacharias' Leiche gefunden wurde? Die voller Blut? Ja, haben wir. Meisterin Kassandra war der Meinung, dass dieser Blutfleck an einem Ende vermutlich nicht zu Zacharias gehört."

Diese Überlegung hatte Sieben auch selber schon angestellt, als er dort gewesen war.

„Und, habt ihr in Erfahrung bringen können, zu wem er sonst gehören könnte?"

Otto schüttelte den Kopf. „Nein, aber Meisterin Kassandra hat die Umgebung magisch abgeriegelt und ein Spurensicherungskommando von der Polizei in Krithon angefordert. Mit dem nächsten Hubschrauber sollte es eigentlich ankommen."

Er hielt kurz inne und fuhr dann mit leicht missbilligendem Tonfall fort: „Ich wünschte nur, das alles würde etwas schneller gehen. Ich meine, wenn man uns schon sagt, Sie sollten in Ihrem Zustand das Tal zu Fuß verlassen, dann sollten die doch eigentlich auch versuchen können hier reinzukommen, oder?"

Sieben zuckte mit den Achseln.

„Schon möglich. Aber erstens sind nach wie vor die Ressourcen knapp, immerhin hat die Polizei mit der Liga überall die Hände voll zu tun, andererseits könnte ich mir durchaus vorstellen, dass Anais Santander die Aktion behindert, um ihren Leuten vielleicht mehr Zeit zu geben, Beweise zu entsorgen und von hier zu verschwinden. Sie ist doch immer noch im Amt, oder?"

„Natürlich. Von unserem Verdacht wissen bis jetzt nur der Großmeister, Konrad Gessler und eine Hand voll anderer Leute. An die Öffentlichkeit sollte noch nichts gedrungen sein."

Sieben nickte zufrieden. „Gut. Santander wird zwar sicher schon wissen, dass wir ihr auf der Spur sind, aber vielleicht gelingt es ihr in der Zwischenzeit nicht, alle Beweise über ihre Mitgliedschaft zu vernichten. Außerdem ist es immer von Vorteil, seinen Gegner im Dunkeln zu lassen."

Es war nicht die ideale Situation, aber unter den gegebenen Umständen wohl das Beste, auf das sie hoffen konnten. Sie gingen eine Steigung hinunter und stiegen über einen umgestürzten Baum. Der Geruch von nassem Laub hing angenehm in der Luft.

„Meisterin Kassandra wirkte in den letzten Tagen recht zufrieden" meinte Otto.

Sieben zuckte mit den Achseln.

„Dazu hat sie auch guten Grund. So wie die Dinge stehen scheint der Fall zum größten Teil gelöst."

Otto schüttelte den Kopf.

„Das meinte ich nicht…also nicht ganz. Natürlich hat sie, als sie ihrem Vater Bericht erstattet hat recht glücklich gewirkt. Aber wissen Sie, sie ist noch nicht lange meine Meisterin. Und irgendwie hatte ich immer das Gefühl, als würde sie versuchen…naja, Abstand zu mir zu wahren."

Stimmt. Sie hat ja selbst in ihrem Gespräch mit mir über Otto so gewirkt, als wüsste sie nicht so recht, wie sie mit ihm umgehen sollte.

„Hat sich daran etwas geändert?" erkundigte er sich.

Otto nickte.

„Jaah, schon irgendwie. Das klingt jetzt vielleicht ein wenig seltsam, aber auf mich hat sie oft den Eindruck eines Inquisitors gemacht. Sie hat so gut wie nie über ihre Vergangenheit oder eigene Erfahrungen in ihrer Ausbildung geredet, aber in den letzten Tagen wirkt sie diesbezüglich…offener."

„Das freut mich."

Mehr sagte er dazu nicht. Auch wenn er selbst nie einen offiziellen Schüler gehabt hatte war er doch froh, dass sich sein Ratschlag an Kassandra als richtig herausgestellt hatte.

Vielleicht ist die Beziehung zwischen den beiden von jetzt an etwas weniger problematisch.

Zum Thema „Beziehung" fiel ihm jedoch noch etwas ein.

„Wie stehen eigentlich die Dinge mit Nadine?", fragte er offen heraus.

Otto sah ihn mit großen Augen an. „Ähm … wie bitte?"

„Ach komm, du hast doch kaum die Augen von ihr lassen können, wenn sie im selben Raum war. Es ist ja nichts falsch daran."

Ottos Ohren liefen rot an, doch er behielt die Fassung. „Na ja", meinte er, „eigentlich nichts. Sie war immer nett zu mir, aber ich glaube nicht, dass da wirklich was ist. Ich vermute ehrlich gesagt, sie hat nur so viel Zeit mit mir verbracht, weil sie neugierig war. Wegen der

Zauberei. Und natürlich den Ermittlungen … von denen ich ihr natürlich nichts Wichtiges erzählt habe", fügte er hast hinzu, doch Sieben fiel auf, wie er „nichts Wichtiges" betont hatte.

Wahrscheinlich hat Noah so auch einiges erfahren.

Aber das war ja jetzt nicht mehr von Belang.

„Und was denkst du darüber?"

Otto überlegte kurz. „Sie ist nett … und hübsch. Aber ich glaube nicht, dass das etwas geworden wäre. So verschieden, so weit auseinander. Das sollte wohl nicht sein."

Er klang sehr ernst und Sieben fand, dass es auch eine sehr erwachsene Antwort war. Überhaupt hatte Otto ihn beeindruckt. Während ihres Aufenthalts im Tal hatte er sich meistens im Hintergrund gehalten und das eine oder andere Mal auch nicht gerade durch Kompetenz hervorgetan. Aber als sie mit dem Geist in Sechsundzwanzigs Körper gerungen hatten und vom Nebel umzingelt waren, hatte er nicht die Nerven verloren und tapfer gekämpft. Der Inquisitor war sich ziemlich sicher, dass viele andere versucht hätten das Weite zu suchen oder zumindest weit weniger umsichtig gehandelt hätten als er.

Sieben klopfte dem jungen Magier auf die Schulter.

„Was soll's. Ich glaube, du bist ohnehin nicht der Einzige, der sie mag, Yaron hat seinem Verhalten nach zu urteilen auch ein Auge auf sie geworfen. Nadine war nett, aber wahrscheinlich hätte sie jetzt ohnehin zu viel um die Ohren. Ihrem Bruder droht ein Gerichtsverfahren. Und die Sache mit Jannis hat sie auch noch nicht verwunden."

„Nach allem, was wir über ihn wissen, muss der Kerl ja ein richtiges Schwein sein", knurrte er.

Vermutlich „gewesen sein", dachte Sieben.

Aber ja. Selbst wenn er mittlerweile wahrscheinlich tot war, hatte es außer seinem Vater in diesem Fall keine unschuldigen Opfer gegeben. Auf Jannis der Meijer und David Herzog konnte die Welt wahrscheinlich gut verzichten. Während sie so dahingingen, kramte er geistesabwesend in seiner Tasche. Plötzlich spürte er etwas Weiches. Verdutzt zog er es hervor und stellte fest, dass es der rosa Häschenanhänger war, den Nadine ihm für den Grottengeist gegeben hatte.

Hm. Ich hätte ihn ihr entweder zurückgeben oder Kassandra weitergeben sollen. Immerhin ist sie gerade auf dem Weg zum Alten Mann.

Der Hauch eines ihm mittlerweile sehr bekannten, scharfen Duftes stieg ihm an die Nase.

„Eines werde ich jedenfalls nicht vermissen", murmelte er, „den Gestank von Formaldehyd in der Herberge. Eigentlich komisch, denn der Lagerraum war ja dicht. Ich habe ihn extra untersucht."

Otto nickte. „Ich habe es auch immer wieder gerochen. Ein ganz schöner Gestank. Kein Wunder, dass sie im Wagen so viele Duftbäume haben. Der Geruch muss sich ja mit der Zeit an allem festfressen. So übertünchen sie zumindest dort den Gestank."

Sieben nickte.

Dann blieb er stehen.

Duftbäume ...

Er sah hinab auf das Stofftierchen in seiner Hand.

Kann das wirklich sein?

„Was ist los?", fragte Otto. Siebens Gedanken rasten.

Das Blut ... die Grotte ... und Jannis ...

Puzzleteile fügten sich aneinander.

Und ergaben ein Bild. Er sah auf und wollte Otto etwas sagen – als ihm die Gestalt vor ihnen auf dem Weg auffiel.

Sein Herz setzte einen Moment aus und H2O erschauderte an seiner Brust.

Antares.

Der Kopfgeldjäger stand einfach da und sah ihnen entgegen, die geladene Armbrust in den Händen, an denen er wieder seine schweren

Panzerhandschuhe trug, aber nicht auf sie gerichtet. Auch Otto erkannte ihn sofort und seine Hand flog zu seinem Zauberstab.

Er hatte kaum mit den Fingern gezuckt, als Antares blitzschnell seine Waffe auf ihn richtete. Aber er drückte nicht ab. Stattdessen starrte er den jungen Magier nur einschüchternd an, bevor er seinen Blick zu Sieben weitergleiten ließ. Der Inquisitor trat einen Schritt vor.

„Warum sind Sie hier? Ihre Auftraggeberin hat, was sie wollte. Ich weiß, dass Sie den USB-Stick aus dem Haus der de Meijers mitgenommen haben."

Einen Moment lang reagierte der Hüne auf seine Frage nicht. Dann …

„Ja." Seine Stimme war tief, lauernd, aber nicht gänzlich unangenehm. Wahrscheinlich hätte sie sogar ein wenig beruhigend geklungen, wenn sie nicht aus dem Mund eines mordhungrigen Auftragsmörders mit einem schweren Eisenhelm und einer Armbrust gekommen wäre.

„Was wollen Sie dann hier?"

„Ich habe einen neuen Auftrag. Die Beseitigung eines lästigen Inquisitors und Verräters an der Liga."

Sieben kam nicht umhin, wütend die Lippen aufeinanderzupressen.

„Ein Verräter also? Und was ist mit denen, die die Organisation manipuliert und ihre Ideale verdreht haben?"

Antares zuckte nur stumm mit den Achseln. Natürlich. Ihm war das gleichgültig. Und Sieben auch.

Keine Vergangenheit, kein Gesicht, kein Name, nur das Licht.

Was die Liga von ihm dachte, war ihm egal. Der Kopfgeldjäger war nur hier, um einen Auftrag auszuführen, und Sieben ging es gleich. Er spürte, wie H2O sich an seiner Brust anspannte.

„Hau ab", raunte der Inquisitor Otto zu.

Der sah zu ihm – und zog blitzschnell seinen Zauberstab. Eines musste man ihm lassen, er war schneller als Sieben oder anscheinend selbst der Kopfgeldjäger ihm zugetraut hätten. Er schwang den Stab und ließ eine gleißende Lichtkugel auf Antares zu fliegen. Der kam zuerst gar nicht dazu, seine Waffe abzufeuern, stattdessen drehte er sich einmal flink zur Seite und drückte erst dann ab.

Der Bolzen rauschte durch die Luft, durchschlug mit einem Zischen Ottos passiven Schild und traf ihn an der Schulter. Mit einem Schrei ließ er seinen Zauberstab fallen. Unterdessen sauste H2O zur Seite und flog in einem weiten Halbkreis auf seinen Gegner zu, während Sieben sich konzentrierte und Wasser aus seiner Umgebung beschwor, was einen Augenblick dauerte. Antares ließ unterdessen die Armbrust fallen, zog mit der einen Hand einen Amliden und mit der anderen seinen magischen Schockstab. H2O verwandelte sich in eine Faust und gefror im Flug zu Eis, doch der Kopfgeldjäger holte aus und schlug mit dem Amliden direkt auf den Wassergeist ein.

Die Energie von H2Os Körper aktivierte den Mechanismus der magischen Granate, versetzte ihm einen gehörigen Schlag, sodass er sich auflöste und direkt vor den Füßen des Kopfgeldjägers als entkräftete Pfütze zu Boden fiel, und ein lautes Sirren begleitet von einem blauen Leuchten erfüllte die Luft.

Antares holte aus und warf den Amliden in Siebens Richtung, dann holte er mit der anderen Hand aus und rammte den Schockstab in den auf dem Boden liegenden Wassergeist. Ein hohes, brutzelndes Geräusch erfüllte die Luft und H2O kreischte gellend auf, während er von kleinen Energieblitzen eingehüllt wurde.

Sieben sah den Amliden auf sich zu fliegen. Er hob den Arm. Eine Wasserkugel flog auf die Granate zu und hüllte sie ein. Da das Wasser an sich nicht magisch war, konnte die Granate ihm nichts anhaben, doch der Inquisitor war noch nicht fertig. Mit einer peitschenden Bewegung ließ er die Wasserkugel ihre Richtung ändern und direkt zurück zum Absender des Amliden fliegen.

Antares hatte gerade noch Zeit, die Hand zu heben, als die Wasserkugel die gesamte obere Hälfte seines Körpers einhüllte und gefror. Einen Augenblick lang geschah nichts, dann erstrahlte das trübe Eis auf einmal von innen heraus in einem hellen Licht. Mit einer lauten Explosion, deren helles Strahlen Sieben einen Augenblick lang selbst unter seiner Maske blendete, zerschellte der Eisblock in tausend Stücke. Eis flog in alle Richtungen davon. All die verzauberten Gegenstände, die Antares bei sich getragen hatte, mussten den Amliden zusätzlich noch aufgeladen haben, denn die Wucht der Explosion war so gewaltig, dass die Druckwelle Sieben noch die Haare zu Berge stehen ließ.

Während die untere Hälfte von Antares für den Moment noch dastand, musste die obere jetzt überall um sie herum verteilt sein.

Allerdings schien ihr das niemand gesagt zu haben, denn was da inmitten der rauchenden Explosionsstelle bedrohlich aufragte, waren zwei unverletzte und immer noch fest miteinander verbundene Hälften eines sehr lebendigen und geradezu unversehrt wirkenden Kopfgeldjägers, der nun allerdings ziemlich wütend wirkte.

Woraus ist der Scheißkerl überhaupt gemacht?

Doch ihm blieb keine Zeit zum Nachdenken. Er zückte seinen Degen und sah, wie Otto trotz seiner Verletzung neben ihm dasselbe tat.

Antares verlor keine Zeit, sondern zog innerhalb eines Lidschlags von irgendwoher etwas hervor, das wie eine kleine Pistole aussah, nur mit wesentlich dickerem Lauf und in einer gefährlich wirkenden, roten Warnfarbe. Er richtete sie auf Sieben und drückte ab.

Was folgte, war ein kurzer, aber intensiver Flammenstoß, der auf ihn zu rauschte und ihn dazu zwang, mit einem flinken Sprung zur Seite auszuweichen. Otto brachte sich ebenso geschickt auf die andere Seite in Sicherheit, doch Antares zielte weiter auf den Inquisitor und drückte zwei weitere Male ab. Der ersten Feuerwalze konnte er erneut ausweichen, die zweite wehrte er mit einem hastig gewirkten magischen Schild ab. In den wenigen Sekunden, die er so gewonnen hatte, war es Otto gelungen, mit erhobenem Degen von der anderen Seite auf Antares zuzuspringen.

Der Kopfgeldjäger musste seinen Angriff auf den Inquisitor für einen Moment abbrechen, um den Degenhieb mit dem Schockstab, den er immer noch in seiner anderen Hand hielt, abzuwehren. Metall prallte auf Metall, Funken sprühten, doch Antares, der den armen Otto um mehr als einen Kopf überragte und mindestens doppelt so breit war, legte so viel Wucht in den Schlag, dass dieser keuchend ein Stück zurücktaumelte. Der Kopfgeldjäger setzte nach und traf ihn mit der verzauberten Spitze seiner Waffe an der ohnehin schon verletzten Schulter. Otto sackte zusammen, doch bevor er fallen konnte, packte Antares ihn am Degenarm, hielt ihn wie eine schlaffe Puppe in die Höhe und hieb ihm mit seiner gewaltigen, gepanzerten Faust zuerst in den Bauch, dann ins Gesicht. Blut spritzte und Sieben meinte ein paar Zähne durch die Luft fliegen zu sehen. Mit einem wütenden Schrei stürzte er sich auf Antares, der den nun bewusstlosen und schwer verletzten Otto einfach fallen ließ, seinen Degen jedoch zur Abwehr von Siebens Angriff verwendete. Sie tauschten ein paar Schläge aus, wobei Antares den Vorteil hatte, dass er zwei Waffen hatte, mit denen er seine Hiebe parieren konnte. Allerdings hielt er irgendwie mit seiner Degenhand noch seine Feuerpistole zwischen Daumen und Zeigefinger, mit der er nun überraschend einen weiteren Schuss aus nächster Nähe auf Sieben abgab.

Im letzten Moment gelang es dem Inquisitor, den Schlag abzufangen und die Energie zurückzuleiten, doch sie schien wie durch eine höhere Macht einfach zu verdampfen. Allerdings gelang es ihm nun mit einem geschickten Kniestoß, seinem Gegner die Pistole aus der Hand zu schlagen.

Doch nun ging der Kampf erst richtig los. Sieben mochte in vielen Belangen ein unterdurchschnittlicher Schüler des Magischen Ordens von Quirilien gewesen sein, doch auf seine Degenkampfkünste bildete er sich etwas ein. Er kannte sich gut genug aus, um sein Gegenüber sofort einschätzen zu können. Und schon nach den ersten Schlägen merkte er, mit was für einem gefährlichen Gegner er es zu tun hatte. Antares schwang den von Otto eroberten Degen in breiten, fegenden Hieben, um ihn auf Distanz zu halten, während er immer wieder versuchte mit seinem magischen Schockstab zuzustechen, um ihn damit zu erwischen. Sieben gelang es mehrmals nur um Haaresbreite, ihm auszuweichen, und bei zwei Gelegenheiten spürte er sogar, wie die Waffe funkenschlagend an seinen passiven Schilden entlangstreifte. Sieben schaffte es dafür im Gegenzug einmal, seinen Gegner mit dem Ellenbogen im Gesicht zu treffen, doch in Anbetracht dessen Helmes tat ihm das selber vermutlich mehr weh als Antares. Schließlich brach er nach ein paar Schlägen den Kontakt ab, sprang nach hinten und zog seinen Zauberstab. Er richtete ihn auf Antares und versuchte einen magischen Schlag auszuführen – doch nichts geschah. Für einen Augenblick hielt der Kopfgeldjäger inne und blickte ihn fast höhnisch an. Sieben knurrte und konzentrierte sich mit aller Kraft.

Komm schon!

Er wusste nicht, ob es daran lag, dass er selber mit bloßer magischer Energie kaum umgehen konnte, oder ob der alte, abgenutzte Stab daran schuld war. Aber egal wie sehr er sich auch abmühte, er konnte ihm nicht das kleinste bisschen Magie entlocken, obwohl er die angestaute Macht der auf dem Holz liegenden Zauber förmlich unter seinen Fingern pulsieren spüren konnte. Die Siegel waren so schwach, dass er schon befürchtete, der Stab würde ihm jeden Moment mit einer lauten Explosion um die Ohren fliegen, aber einen Angriff konnte er damit nicht produzieren. Er war einfach nicht stark genug.

Frustriert warf Sieben den Stab zur Seite und hob den Degen in einer aggressiven Pose vor sich ausgestreckt. Antares baute sich auf und trat vor, eine Waffe in jeder Hand. Sieben sah sich um. H2O lag als Pfütze am Boden, ein goldener Ring blitzte irgendwo im Wasser auf, doch keine Kraft schien ihn daran zu binden. Otto rührte sich ebenfalls nicht, doch Sieben konnte erkennen, dass er aus Mund und Nase blutete und nicht so aussah, als würde er so schnell wieder zu sich kommen. Sieben konnte Antares nicht mit Magie schlagen. Jede List war fehlgeschlagen, wenn er Antares' eigene Angriffe auf ihn umleitete, schien das keinen Schaden zu hinterlassen, und selbst im Degenkampf schien er ihm das Wasser reichen zu können. Antares war sowohl größer als auch stärker und höchstwahrscheinlich sogar ausdauernder, zumal er im Gegensatz zu Sieben unverletzt war und hierauf vorbereitet zu sein schien. So sehr er auch nachdachte, ihm fiel nichts ein, was er zu seinem Vorteil hätte nutzen konnte. Ihre Degen prallten wieder aufeinander und erneut verfehlte der Schockstab ihn um Haaresbreite. Noch einmal versuchte Sieben es mit einer körperlichen Attacke, dieses Mal tauchte er ab und trat seinem Gegner aus einer Drehung heraus gegen das Schienbein. Der Tritt war heftig und mit aller Kraft geführt und tatsächlich taumelte Antares einen Moment lang, doch Sieben hatte so viel Kraft in den Angriff gelegt, dass er nun mehr oder weniger selbst am Boden saß und sich erst wieder aufrappeln musste. Ein kurzer, fast schon komisch wirkender Schlagabtausch folgte, während dem beide um ihr Gleichgewicht rangen.

Am Ende war es dem Inquisitor gelungen, sich wieder aufzurappeln und seinem Gegner sogar den Degen aus der Hand zu reißen, doch sofort hatte Antares mit seiner anderen Waffe nach ihm gestoßen und ihm den Schockstab genau auf den Handrücken geschlagen, was auch ihn seines Degens beraubte und eine intensiv brennende, schmerzhafte Taubheit in seiner Hand hinterließ. Unter seinem Helm sah der Inquisitor Antares böse grinsen. Nun hatte Sieben nichts mehr um sich zu verteidigen.

Das machte ihm die Wahl leicht. Ohne auch nur einen Sekundenbruchteil damit zu verschwenden, verzweifelte Pläne zu schmieden, warf er sich zur Seite und schlug sich durch das Dickicht. Sieben fegte nasse Äste beiseite und stürzte los. Beinahe sofort wäre er um ein Haar hingefallen, denn hier neben der Straße befand sich eine mit feuchtem Laub übersäte Böschung. Sieben hörte ein Zischen und ein Messer sauste knapp an seinem Ohr vorbei. Er dachte nicht weiter nach, sondern lehnte sich mit dem Oberkörper nach vorne und nahm Geschwindigkeit auf. Er sprang über Steine und Baumstämme, hinter sich hörte er Antares lautstark durch das Unterholz brechen, doch er wagte sich nicht nach ihm umzusehen. Der Inquisitor hatte auf seiner Flucht keinen wirklichen Plan, alles, was er wollte, war, seinen Gegner von Otto und H2O weglocken und darum beten, dass er irgendwo am Weg eine Möglichkeit fand, das Blatt gegen Antares zu wenden.

Als er an einer kleinen Erhebung an einem Tümpel voll Regenwasser vorbeikam, hatte er eine erste Idee. Hastig, ohne im Lauf auch nur innezuhalten, beschwor er eine kleine Wassersphäre, mit deren Hilfe er einem morschen, ziemlich windschiefen Baum einen heftigen Stoß versetzte. Der alte Riese neigte sich gefährlich nach vorne, ächzte laut und in seinem Inneren knackte es dumpf. Dann brach der Stamm knapp über dem Boden ab. Sieben hatte gut gezielt. Antares, der gerade dabei war, mit einem weiteren Messer auszuholen, schien nicht zu bemerken, was in seiner Umgebung gerade vor sich ging, und wurde von dem umstürzenden Baum völlig überrascht. Zu Siebens Leidwesen verfehlte der Stamm den Kopfgeldjäger um Haaresbreite, doch dafür prallte er in vollem Lauf dagegen und verhedderte sich anschließend in den Ästen, sodass Sieben zumindest einen ordentlichen Vorsprung gewann.

Damit endeten jedoch die guten Nachrichten. Sieben brach durch ein weiteres Gebüsch und stand auf einmal auf einer weiten, offenen Fläche. Vor ihm lag das Bachbett des Darineus. Hier gab es keinen Platz, um Armbrustschüssen oder fliegenden Messern auszuweichen. Allerdings gab es hier auch etwas anderes.

Wasser!

Er hob die Arme. Hinter sich hörte er, wie Antares sich wieder in Bewegung setzte, doch die wenigen Augenblicke genügten ihm. Eine mächtige Handbewegung ließ einen großen Teil des Flusses in die Höhe schnellen. Wie eine riesige Schlange wand sich eine Wassersäule vor Sieben hin und her, seinen Bewegungen folgend und immer mehr Volumen aufnehmend. Dann lösten sich zwei Sphären von der Wasserschlange, die Sieben mit einem Nicken zu Blöcken in der Größe eines Kleinwagens gefrieren ließ. In diesem Moment tauchte Antares auf.

Jetzt durfte Sieben nicht zimperlich sein. Er fuhr herum und machte mit seinen Händen eine klatschende Bewegung. Die beiden Blöcke flogen von zwei Seiten auf den Kopfgeldjäger zu, um ihn wie einen Käfer zu zerquetschen. Antares hatte nur kurz Zeit, um zu reagieren, doch er hob seine inzwischen wieder geladene Armbrust und schoss damit auf den linken Block, der unter dem Aufprall des magischen Geschosses in tausende Splitter zerbarst. Doch anstatt nun dem anderen auszuweichen, senkte er nur den behelmten Kopf nach vorne und ließ sich mit aller Wucht treffen. Was immer für ein Zauber auf dem Kopfschutz lag, er musste schon ziemlich beträchtlich sein, um nach einer Amlidenexplosion auch noch so einen Aufprall abfangen zu können. Doch anscheinend gelangte auch er langsam an sein Limit. Der Eisblock zerschellte in zwei Teile, die krachend über die Steine am Ufer davonflogen, doch Antares taumelte nun.

Das war Siebens Gelegenheit. Er machte eine peitschende Handbewegung und die gewaltige Wassersäule schnellte nach vorne. Sie umschloss den Kopfgeldjäger wie eine Faust, bis nur noch der Kopf herausragte. Nun war der richtige Moment gekommen. Sieben hatte weder einen Degen noch einen Zauberstab, doch während er sich darauf konzentrierte, seinen Gegner mit der Wassersäule festzuhalten, packte er mit beiden Händen einen etwa melonengroßen Stein, hob ihn hoch über den Kopf und ließ ihn mit aller Kraft auf Antares' behelmten Schädel niedersausen. Stein prallte auf Eisen. Funken flogen. Sieben wurde zurückgeworfen. Er spürte, wie die Abwehrzauber auf dem Helm endgültig erschöpft waren, doch seine letzte Gegenwehr hatte anscheinend in einer Freisetzung der letzten Energien bestanden. Sieben verlor die Konzentration und in diesem kurzen Moment der Ablenkung gelang es Antares, sich aus der

Wasserfaust zu befreien. Der Helm auf seinem Kopf hatte eine kleine Delle, die ihn nun offenbar behinderte, denn mit einem verhaltenen Fluch riss er ihn sich vom Kopf und warf ihn achtlos beiseite. Zum ersten Mal bekam der Inquisitor einen klaren Blick auf seinen Gegner. Sein Kopf war völlig kahlgeschoren, doch er war über und über mit kleinen Narben übersät, als hätte jemand immer wieder seinen Schädel aufgeschnitten und wieder zusammengenäht. Es war ein absolut grotesker Anblick, allerdings hatte Sieben keine Zeit, ihn näher zu betrachten.

Antares holte mit seinen gepanzerten Händen aus, packte Sieben am Saum seines Mantels und hob ihn hoch. Der Inquisitor wusste, dass die Lage nun brenzlig war, denn im Nahkampf würde dieser riesige Kerl ihn einfach zerquetschen.

Hastig hob er den Arm und rammte seinem Gegner den Ellenbogen ins Gesicht. Knochen knackten, als dessen Nase unter dem Aufprall brach, und Blut bedeckte die Ärmel des Inquisitors. Er hörte Antares wütend brüllen, doch anstatt ihn loszulassen, hieb er ihm nun wiederum seine Faust in den Magen. Seine halb verheilten Brandwunden brannten höllisch, doch zum Glück war noch ein letzter Rest seiner passiven Abwehrzauber vorhanden, um dem Schlag die ärgste Wucht zu nehmen. Trotzdem wusste er, dass es gleich vorbei sein musste. In einem letzten verzweifelten Versuch freizukommen hob er beide Arme und versuchte Antares irgendwie im Gesicht zu erwischen, doch der hielt ihn nun auf Armeslänge von sich, sodass er nicht an ihn herankam.

Er konzentrierte sich so fest wie nie zuvor in seinem Leben und hoffte mit jeder Faser seines Seins in seinem Inneren ein kleines bisschen magischer Energie auftreiben zu können. Dann ließ er los.

Ein heller Lichtblitz. Ein Funkenschauer. Antares brüllte schmerzerfüllt auf und Sieben fiel zu Boden. Als er aufsah, konnte er durch das Blut im Gesicht seines Gegners nicht genau erkennen, was er angerichtet hatte, doch offenbar fehlte diesem nun ein guter Teil beider Wangen und die Haut rundherum warf Brandblasen auf. Sieben beschwor in aller Eile einen Wasserstrahl aus dem Fluss hervor und rammte mit diesem Antares frontal, der mehrere Meter zurückgeschleudert wurde, bevor er gegen einen großen Felsen prallte und auf die Knie fiel, wo er sich mit beiden Händen abstützte, um nicht umzufallen. Er war am Ende.

Sieben verformte einen langen Wasserstrahl zu einer Art Speer und ließ die Spitze gefrieren. Er holte aus. Dann zögerte er. Er wusste selbst nicht ganz warum.

Er ist kein Ligist, er hat keine wertvollen Informationen. Und er ist viel zu gefährlich, um ihn hier und jetzt am Leben zu lassen.

Es war auch nicht so, dass er das Töten scheute. Es wäre nicht das erste Mal gewesen. Trotzdem lag hier doch ein Teil der Wahrheit. Ruben hatte getötet. Sechsundzwanzig war nur ein Dämon im Körper eines Menschen gewesen und jener Ligist, dem durch eine seiner Eiskugeln das Genick gebrochen worden war, war nicht wirklich Absicht gewesen. Nummer Sieben hatte noch nie mit voller Absicht ein Leben ausgelöscht. Natürlich war er sich voll und ganz im Klaren, dass er als Inquisitor sicher nicht zimperlich sein durfte, immerhin würde er auch in Zukunft jeden Tag sein Leben aufs Spiel setzen. Und mit Sicherheit hätte er den Kopfgeldjäger auch nicht verschont.

Aber kurz, nur einen ganz kleinen Moment lang, zögerte er zumindest. Und diese winzige Atempause war schon zu viel. Antares hob den Arm. Etwas flog von ihm weg direkt auf Sieben zu, und bevor dieser reagieren konnte, krachte etwas Hartes mitten in sein Gesicht. Die Maske fing einen Großteil des Aufpralls ab, trotzdem war Sieben kurz betäubt. Im nächsten Moment schlug ihm etwas gegen den Oberkörper und ließ ihn zurücktaumeln, während eine Welle des Schmerzes durch seinen Körper fuhr. Antares erhob sich ächzend. Er blutete und wirkte, als könnte er sich nur mit großer Mühe überhaupt auf den Beinen halten, trotzdem grinste er gehässig.

„Die musste ich schon lange nicht mehr einsetzen", knurrte er.

Ein weiterer Schlag traf Sieben scheinbar aus dem Nichts und streckte ihn nieder. Er sah sich benommen um und bemerkte endlich, was passiert war.

Antares' Panzerhandschuhe hatten sich verselbstständigt.

Sie flogen in der Luft herum wie zwei eigene Lebewesen und stießen immer und immer wieder unbarmherzig auf ihn nieder. Ob es sich dabei nur um einen geschickten Zauber handelte oder ob in den Handschuhen ein ähnliches Energiewesen lebte wie H2O, konnte er nicht sagen. Aber er war so erschöpft, dass er sich gegen sie kaum noch wehren konnte. Er wirkte schwach einen Schild, um einen Faustschlag von der einen Seite abzuwehren, als ihn schon ein Hieb in den Rücken traf. Dann ging das Trommelfeuer los. Gesicht. Brust. Bauch. Wieder Gesicht. Die Maske knackte bedrohlich. Schneller und immer schneller schlugen die Fäuste auf ihn ein.

Seine Gegenwehr kam zum Erliegen, er konnte nur noch schützend die Hände vors Gesicht heben und den Hagel an Schlägen einstecken. Doch es wurde zu viel. Seine Arme wurden beiseite geschleudert, der nächste Hieb traf ihn an die Stirn und ihm drohten die Sinne zu schwinden. Dann waren die gnadenlosen Handschuhe plötzlich weg. Sein ganzer Körper schien taub zu sein von den Schlägen und irgendwo über dem Auge musste er eine Platzwunde davongetragen haben, denn plötzlich ließ etwas Rotes sein Blickfeld verschwimmen. Er sah Antares' Schatten, der über ihm aufragte und ein Messer zog. Unwillkürlich musste Sieben daran denken, wie schön es wäre, noch einmal Viktorias Augen in Wirklichkeit zu sehen, bevor er starb. Doch für weitere Gedanken blieb ihm keine Zeit. Eine Hand legte sich um seine Kehle und drückte zu, während der Kopfgeldjäger den Dolch hob.

Und dann war da Wasser. Eine gewaltige Flutwelle spülte über sie hinweg, über Sieben und Antares, riss sie beide mit und trennte sie voneinander. Der Inquisitor hatte nicht die Kraft, um sich irgendwo festzuhalten, ja nicht einmal um auch nur zu versuchen zu schwimmen. Stattdessen trieb er nur dahin, fühlte, wie er ein Stück mit dem Wasser durch die Luft gewirbelt wurde und schließlich im Fluss landete. Der Aufprall war heftig und der Schock des kalten Nasses, der ihn noch die wenigen Sekunden lang bei Bewusstsein gehalten hatte, verblasste. Das Rot in seinem Blickfeld verschwand, stattdessen sah er nun nur noch Sand und Steine und Wasser unter sich.

23.

Etwas war anders. Er spürte es, als er in der Dunkelheit stand, und er sah es, als er langsam begann Umrisse wahrzunehmen. Jedes Mal wenn er bisher in diesen Traum eingetaucht war, waren die Dinge nacheinander geschehen. Licht. Das Gesicht seines Sohnes. Und das unbarmherzige Augenpaar. Aber dieses Mal hatte sich etwas verändert. Er sah diese Dinge nach wie vor, doch irgendwie gleichzeitig. Außerdem fühlte er sich nicht mehr wie das Gravitationszentrum dieser Bilder, sondern mehr wie ein involvierter Zuschauer, der zwar schon Teil des Geschehens war, ohne den man aber auch auskommen könnte.

Und er hatte eine Wahl. Da war sie wieder, die Tür. Dieses Mal empfing ihn niemand, um ihm den Weg zu weisen oder um ihm etwas zu erklären. Doch irgendwie wusste er, dass er dieses Mal keinen Schlüssel brauchen würde, dass die Tür bereits offen war.

Er erinnerte sich daran, durch den Türspalt gelugt zu haben, kurz bevor er hierhergekommen war. Antares hatte ihn durch sein Auftauchen abgelenkt, doch er hatte einen Blick auf die Wahrheit erhascht. Alles, was er jetzt tun musste, war, diese Tür zu öffnen. Aber wenn er nicht wollte, musste er das nicht.

Er war frei.

Was die beiden Pfade letzten Endes wirklich für ihn bereithalten würden, konnte er nicht mit Sicherheit sagen. Durch die Tür zu gehen würde ihn diesem bösen Blick der beiden Augen entziehen, aber es würde ihn auch unwillkürlich von seinem Sohn wegführen. Und von dem Licht.

Hatte er es bisher oft als eine Art Bedrohung wahrgenommen, so schien es ihm mit einem Mal warm und einladend zu leuchten, vielleicht auch nicht ganz so gleißend hell, sondern eher angenehm wie eine warme Sonne, die auf sein Wesen fiel. Das Licht würde ihn ruhen lassen.

Hinter der Tür wiederum würde alles erst anfangen. Es war seltsam. Eine Wahl wäre das Ende, würde ihm aber alles wiedergeben, das er verloren hatte. Die andere würde nur ein neuer Anfang sein, aber gleichzeitig würde er alles zurücklassen müssen. Er dachte nach.

Alles zurücklassen.

Er sah zu seinem Sohn. Der Kleine schien ihn nicht zu sehen, er stand nur da und lächelte. Fröhlich, aber auch ein wenig einsam. Vielleicht wartete er nur darauf, dass Ruben ihn bei der Hand nahm und er ihn ins Licht führte.

Licht. Nur das Licht.

Aber das konnte nicht stimmen. Das Licht war nicht die Vergangenheit. Das Licht war die Gegenwart, und die war alles, was er hatte.

Und dann begriff er.

Sieben wandte sich von dem Kind und dem Licht ab und schritt auf die Tür zu. Er öffnete sie. Und trat nach draußen.

Seine Schulter pochte. Einmal, ganz kurz. Dann herrschte Stille. Sieben begann schon damit, wieder zurück in die Dunkelheit zu sinken, doch dann pochte sie erneut. Doch es war nicht so, dass der Schmerz von innen heraus kam, jemand stieß ihn unsanft mit etwas Hartem an. Er schreckte hoch.

Plötzlich schrie jemand auf und fluchte wild durcheinander. Sieben versuchte sich aufzurichten, er lag mit dem Gesicht nach oben im Wasser, umgeben von Schilfgras. Der Fluss war hier recht seicht, und als er schließlich stand, reichte ihm das Wasser bis zur Hüfte.

Einen Moment lang sah er sich verwirrt um, dann erkannte er, dass er sich an der Stelle am Ufer des Chorena befand, wo in der Vergangenheit alle Leichen angespült worden waren. Offenbar hatte ihn jemand mit einem langen Ast angestupst und durch sein plötzliches Aufzucken den Schreck seines Lebens erlebt.

Zu Siebens Überraschung erkannte er den Betroffenen, es handelte sich um den Wirt aus dem Gasthaus in Krithon, wo er Kassandra und Otto vor Beginn ihrer Mission getroffen hatte und der ihnen so viel über die Täler des Darineus und Iphikles erzählt hatte.

„Was machen Sie denn hier?", fragte Sieben überrascht.

Der Wirt starrte ihn mit einer Mischung aus Ungläubigkeit und Erleichterung an.

„Beim Licht, Herr Inquisitor, ich bin froh, dass Sie leben, aber Sie haben mich gerade wirklich zu Tode erschreckt! Fast hätte ich einen Herzinfarkt gekriegt … uff, mein Puls rast. Aber was ich hier mache, fragen Sie? Also … jaah, Herr Inquisitor, das ist so, der Herr Gessler vom Orden, der ist einen Tag nachdem Herzog hier angespült worden ist, bei mir vorbeigekommen und hat gemeint, ich soll hier zwei Mal pro Tag vorbeischauen, während er sich um andere Dinge kümmert. Und der ist ein ganz anständiger Kerl, der Herr Gessler, wenn auch ein bisschen grimmig, also mach ich das und so …"

Er quasselte munter drauflos, doch Sieben, dessen Gedanken sich langsam wieder logisch aneinanderzureihen begannen, hörte nur eine einzige wichtige Information heraus.

„Gessler … wo ist er?"

Der Wirt zuckte mit den Schultern.

„Irgendwo in Krithon, schätze ich. Ist damit beschäftigt, die Aufräumarbeiten mit zu organisieren. Er hat …"

Der Inquisitor sah auf die Uhr am Handgelenk des Wirts. Seit seinem Aufbruch aus Oslubo waren mehrere Stunden vergangen. Er durfte keine Zeit mehr verlieren.

„Hören Sie mir gut zu", unterbrach er den Redeschwall, „finden Sie Gessler so schnell wie möglich und sagen Sie ihm, dass er einen Hilferuf der höchsten Dringlichkeitsstufe an den Orden schicken soll. Jeder Meister, Inquisitor oder sonstige Magier in der Umgebung soll sofort nach Krithon kommen! In spätestens zwei Stunden sollen alle gemeinsam ins Tal vorrücken und …", er zögerte kurz, bevor er

fortfuhr, „… sie sollen einfach nach Oslubo kommen und dort nach
mir suchen. Ich weiß noch nicht genau, wo ich sein werde."
Der Wirt schien verwirrt zu sein, nickte jedoch.
„O. k., mach ich. Aber was hat das zu bedeuten? Und was ist mit
Ihnen passiert? Sie sehen aus, als wären Sie unter eine ganze Herde
Büffel …"
Wieder schnitt Sieben ihm mit einer ungeduldigen Geste das Wort ab.
„Laufen Sie los, verlieren Sie keine Sekunde Zeit, es geht um Leben
und Tod!"
Ohne auf eine Antwort des Wirts zu warten, spurtete er los, über
Sandbänke und Steine, und betete, dass er nicht zu spät war.

Es dauerte nur wenige Minuten, bis er den Taleingang erreicht hatte.
Dort befanden sich einige Arbeiter mit Baggern und Werkzeugen, die
anscheinend schon ein gutes Stück bei der Beseitigung des
Hangrutsches vorangekommen waren, außerdem noch ein paar
Einsatzkräfte, die Sieben darüber informieren wollten, dass die Straße
gesperrt war. Er ignorierte sie einfach, wiederholte noch einmal
schnell seine Warnung, die er dem Wirt gegeben hatte, und sprang in
Windeseile von Stein zu Stein über den kleinen Schwemmkegel, bis er
sicher auf der anderen Seite angelangt war. Bei der Landung vom
letzten Sprung spürte er ein schmerzhaftes Ziehen im Bauchbereich,
seine Verbrennungen und die vielen Schläge hatten ihre Spuren
hinterlassen. Aber um seinem zerschundenem Körper eine Auszeit zu
gönnen, war jetzt keine Zeit.
Bei ihrem Marsch von Oslubo talauswärts hatten Sieben und Otto
mehr als die Hälfte der Strecke zurückgelegt, trotzdem schien es eine
Ewigkeit zu dauern, bis er zu der Stelle gelangt war, an der sie auf
Antares gestoßen waren.
Doch zu seiner Überraschung war dort niemand.
Otto war allem Anschein nach genauso verschwunden wie H2O. Nur
Siebens Degen und sein Zauberstab lagen auf dem Weg. *Bin ich etwa*

zu spät?, dachte er mit einem Anflug von Panik, als er die Waffen aufhob und an seine Seite hing.

Dann roch er etwas. Er sah auf. Ein Stück weiter vorne lag Otto am Wegrand, den Kopf auf ein eingerolltes Kleidungsstück gebettet. Allem Anschein nach war der junge Zauberer immer noch ohnmächtig, doch jemand hatte offenbar seine Blutungen gestillt und ihn provisorisch verbunden. Dieser Jemand beugte sich gerade über ihn und tupfte ihm vorsichtig mit einem Taschentuch Blut von den Wangen.

„Hallo", begrüßte Nadine ihn und winkte ihm sichtlich erleichtert zu. „Ich hatte mir schon Sorgen um Sie gemacht, ich konnte Sie nirgends finden. Was ist hier passiert?"

„Der Kopfgeldjäger hat uns angegriffen."

Nadine war sichtlich überrascht. „Ich dachte, er hätte sich nur um Herzog und diesen USB-Stick kümmern sollen?"

„Anscheinend hat er nach Abschluss seines Auftrages eine neue Mission bekommen. Er sollte mich beseitigen."

Nadine fluchte leise, während sie vorsichtig Ottos gebrochene Nase abtupfte.

„Die Liga ist wirklich furchtbar. Und gerade als wir dachten, mit Herzog hier alle Probleme mit ihr los zu sein … haben Sie den Kerl erwischt?"

Sieben schüttelte den Kopf. „Ich nicht. Aber der Flussgeist, glaube ich."

Nadine sah ihn irritiert an. „Hier? So weit unten? Das kann nicht sein. Dafür ist er gar nicht stark genug. Sie haben den Armen doch gesehen, er ist so schwach … es hat ihn schon fast alle Kraft gekostet, Sie vor den Verwesten zu retten, und das war praktisch vor seiner Haustür."

„Hat er Ihnen das erzählt?"

Nadine nickte und lächelte milde. „Wie gesagt, ich habe einen guten Draht zu ihm."

„Und dass er Sie täuschen könnte, glauben Sie nicht?"

Nadines Gesichtsausdruck wurde einen Moment lang nachdenklich. „Hm … mir kam er immer ehrlich vor … aber selbst wenn er stärker ist, als ich glaube, hat er bisher doch niemandem Schaden zugefügt, oder? Ich meine, wenn das stimmt, was Sie sagen, hat er alleine Ihnen drei Mal das Leben gerettet."

Der Inquisitor nickte langsam. „Das stimmt. Er hat gut auf mich aufgepasst, ich bin sogar, während ich ohnmächtig war, unbeschadet den ganzen Fluss bis in den Chorena hinuntergetrieben … wo ist H_2O?"

Nadine kramte in ihrer Tasche und zog eine gewöhnliche Plastiktrinkflasche hervor. „Hier drinnen. Und dieser komische Ring auch. Ich hatte keine Ahnung, was ich mit ihm tun soll, also hielt ich es für das Beste, ihn aufzubewahren und ihn sonst in Ruhe zu lassen. Er ist müde, aber am Leben. Ich kann seine Energie spüren. Aber hören Sie mal …", sie nickte zum verletzten Otto, „… ich glaube, er sollte so schnell wie möglich in ein Krankenhaus. Er hat, glaube ich, schon ziemlich viel Blut verloren, darum sollte sich jemand kümmern. Bringen Sie ihn hier raus?"

Der Inquisitor schüttelte den Kopf. „Ich muss noch zu Kassandra und mit ihr etwas besprechen."

„Sie wollte doch den Alten Mann besuchen, oder? Bestimmt kommt sie bald zurück. Ich werde ihr sagen, was passiert ist."

„Hm … ich mag Ihr Parfum. Ich rieche Sandelholz, Vanille und etwas anderes. Etwas … Süßes. Was ist es?"

Nadine legte das Taschentuch beiseite und lächelte. „Es sind mehrere Blüten. Ich glaube, Rose ist dabei. Aber sollten wir uns nicht beeilen?" Sieben ignorierte sie. „Genau das dachte ich mir schon. Ich habe einen sehr guten Geruchssinn … übrigens hatte ich Recht mit Noah. Er leidet an einer Formaldehydvergiftung."

Nadine wischte sich die blutigen Finger an ihrem Tuch ab und runzelte die Stirn. „Ich dachte, diese Theorie hätten Sie mittlerweile fallengelassen? Das Formaldehyd war ihrer eigenen Aussage zufolge ordnungsgemäß aufbewahrt. Ich war bei ihrer Untersuchung dabei. Hatten Sie etwa Unrecht?"

Sieben schüttelte den Kopf.

„Nein ... nicht wirklich. Die ganze Herberge riecht danach. Aber wegen Ihres Parfums fällt Ihnen das nicht auf. Aber abgesehen von mir hatte noch jemand überraschenderweise Recht. Otto."

Nadine sah verwirrt vom Inquisitor zu dem Ohnmächtigen.

„Tatsächlich? Womit denn?"

„Er hat mehrfach spekuliert, dass ein durch alte Magie mutierter Geist für das Chaos im Tal verantwortlich sein könnte."

„Sechsundzwanzig?"

„Nein. Der war nur eine Ablenkung."

„Eine Ablenkung? Wovon denn?"

Sieben ignorierte die Frage. Er blies die Wangen nachdenklich auf und wippte auf seinen Zehenballen hin und her.

„Hm ... tut Sterben eigentlich weh?"

Nadine blinzelte.

„Wie bitte?"

„Als Jannis Sie bei Ihrem gemeinsamen Einbruch in der Krähenburg umgebracht hat ... tat es weh?"

Nadine sah ihn noch einen Augenblick lang verwirrt an, dann mischte sich ein anderer Ausdruck in ihr Gesicht.

„Erklären Sie mir bitte, wovon Sie reden, Sieben. Jannis war furchtbar zu mir, aber er hat mich doch nicht ..."

„Natürlich nicht. Zumindest nicht mit Absicht, das hat er mir in unserem kurzen Gespräch ja klargemacht. Aber lassen wir doch die Charade. Ich weiß vielleicht noch nicht alles, aber genug, um mir zusammenzureimen, was passiert ist. Das Blut auf der Bank in dem Wassergarten ist Ihres. Ich vermute, Sie hatten mit Jannis gestritten, weil er Sie nun, da Sie ihm gezeigt hatten, wie man in die verborgenen Bereiche der Burg eindringen kann, nicht mehr brauchte. Er wird Sie wohl weggeschubst haben und Sie sind unglücklich gefallen. Ich vermute, Sie sind sofort gestorben, aber die starken Zauber auf der Burg sind mit Ihrem Geist in Berührung gekommen, als er den Körper verließ. Das muss ein ziemliches Spektakel gewesen sein, denn ein kleiner Unfall wie der Ihre hätte einen kaltblütigen Mörder wie Jannis wohl nicht so verstört."

Nadine antwortete nicht, steckte jedoch mit nachdenklichem Gesichtsausdruck das Taschentuch weg.

Unterdessen fuhr Sieben fort. „Müsste ich spekulieren, würde ich sagen, dass Sie ein Vampir geworden sind, ein ziemlich mächtiges Exemplar sogar. Ihre Lebenskraft hatte sie plötzlich verlassen, gleichzeitig fühlten Sie sich betrogen. Ideale Bedingungen für die Manifestierung eines Rachegeistes. Aber da kann ich wie gesagt nur raten. Ihre Verwandlung muss sie zuerst verwirrt haben, weswegen Jannis entkommen konnte. Aber Sie haben wohl schnell begriffen, dass Sie zuerst Kraft sammeln müssen, gleichzeitig aber nicht die Aufmerksamkeit des Ordens erregen durften. Zu dem Zeitpunkt dürfte die Ligakrise noch nicht lange vorbei gewesen sein, also wäre es wohl nur eine Frage der Zeit gewesen, bis jemand vorbeigeschickt wird, immerhin ist nur wenige Monate zuvor Sechsundzwanzig verschwunden. Also mussten Sie nach außen hin ein gewisses ... Bild aufrechterhalten."

Nadine gab keine Antwort. Gleichgültig, fast schon teilnahmslos blickte sie ihn an.

Unterdessen fuhr Sieben fort. „Aber mächtiger Vampir hin oder her, Ihr Körper war nun einmal tot und begann dementsprechend auch zu verwesen, obwohl Sie noch irgendwie drinnen steckten. Einen Gegenzauber für so etwas gibt es nicht wirklich, aber ... Formaldehyd würde zumindest den Verwesungsprozess sehr verlangsamen, nicht wahr?"

Nadine antwortete noch immer nicht, doch nun kniff sie die Augen zusammen und wirkte mit einem Mal lauernd.

„Der Geruch …", erklärte Sieben unterdessen weiter, „ist natürlich sehr intensiv, selbst für Leute, die nicht so eine gute Nase haben wie ich. Deshalb das viele Parfum. Und ich nehme stark an, das ständige Make-up ist eigentlich dazu da, um zu verschleiern, dass erste Spuren des Zersetzungsprozesses mittlerweile doch zu sehen sind. Sehr gut gelöst. Wenn Noah nicht all die Anzeichen einer Formaldehydvergiftung gezeigt hätte und Sie nicht, wäre ich wahrscheinlich noch lange nicht darauf gekommen."

Endlich reagierte Nadine. Sie setzte ein ertapptes Lächeln auf.

„Tja, erwischt, würde ich sagen. Ja, es ist tatsächlich, wie sie sagen. Und ja, als Jannis mich einfach mitten in der Krähenburg hat sitzen lassen, habe ich ihn geradezu auf Knien angefleht, mir das nicht anzutun. Aber was er danach getan hat, war tatsächlich ein Unfall. Deshalb hege ich auch keine Rachegefühle gegen ihn."

Sieben schüttelte nur den Kopf. „Ich weiß nicht, ob das daran liegt, dass Sie nicht mehr wirklich ein Mensch sind, oder ob Sie zu Lebzeiten auch schon eine so erbärmliche Lügnerin waren. Für wie dumm halten Sie mich? Jannis' Entführung geht genauso auf Ihr Konto wie der Angriff durch die Verwesten."

Angesichts der letzten Anklage schüttelte sie nur den Kopf und hob den Zeigefinger.

„Ah, aber das kann doch gar nicht sein. Die Verwesten sind die verschwundenen Selbstmörder. Sie alle sind spätestens mehrere Wochen vor Jannis' Ankunft hier umgekommen. Und zu dem Zeitpunkt war ich sicherlich noch nicht in der Lage dazu, mit Energie so umzugehen, dass ich Verweste hätte erschaffen können."

Sieben nickte. „Wenn es so wäre, ja. Aber bei dem Angriff habe ich etwas bemerkt, bei dem mir nicht sofort klar wurde, was das hieß. Einer der Verwesten trug eine Halskette mit einem einzigen schwarzen Stein. Sven hat mir erzählt, dass er solche Exemplare nur an Leute im Dorf verschenkt. Und das bedeutet, dass dieser Verweste aus Oslubo stammt."

„Vielleicht ist es die von Sophie? Oder Jannis?"

„Nein. Sophie Falks Kette habe ich im Wald bei unserem kleinen Ausflug dorthin gefunden. Als Sie den Nebel heraufbeschworen haben, wollten Sie uns eigentlich nur auf eine falsche Spur führen, damit wir nicht auf die Idee kommen, das Tal des Darineus näher zu untersuchen. Ihre Schauspielerei war gar nicht schlecht. Aber zu Ihrem Pech bin ich im Nebel über Sophies letztes Lager gestolpert, wo auch ihre Kette war. Und jemand wie Jannis, der die Leute in Oslubo nur verachtet hat, ist bestimmt nicht sentimental genug, um so ein Kettchen mit sich herumzutragen. Wahrscheinlich ist sie im Haus der de Meijers verbrannt."

Er spürte ein mulmiges Gefühl angesichts dessen, was er nun gleich aussprechen würde, und legte eine Hand auf den Degen an seiner Seite, bevor er sich schließlich doch dazu überwand fortzufahren.

„Die Ligakrise hat viele Leute flüchten lassen. In Morkada ist fast ein Drittel der Bevölkerung verschwunden. Vielleicht sind hier in Oslubo ein paar Leute verschwunden. Aber gleich die Hälfte eines so abgeschiedenen Dorfes? Sicher nicht … Ein Vampir, egal wie intelligent oder mächtig, hat immer Hunger. Hunger nach Leben. Hunger nach Energie. Und mit der Kraft jedes Menschen, die sie in sich aufnehmen, steigern sich ihre Macht und ihr Hunger. Normalerweise bedeutet das, dass jeder Vampir, der nicht gestoppt werden kann, irgendwann unter dem Druck der ganzen Lebenskraft implodiert. Aber Sie sind kein gewöhnlicher Vampir, nicht wahr? Die jahrhundertealte Magie der Krähenburg hat Sie mutiert. Für viele Energiewesen ist es unmöglich, ihre Energie weiterzugeben, aber Sie können das. An Ihre Opfer zum Beispiel, um sie zu gehorsamen Verwesten werden zu lassen. Oder an andere Energiewesen. Flussgeister zum Beispiel. Wer ist dieser ‚Alte Mann' wirklich?"

Nadine schürzte die Lippen.

„Ein netter, mitfühlender Flussgeist." Sie kicherte verhalten. „Nein, wirklich! Zumindest war das bis vor einer Weile so. Er hat mit mir gespielt, als ich ein Kind war, auf Dorfbewohner und Wanderer aufgepasst ... ein angenehmer Zeitgenosse. Bis ich irgendwann vor vielen Jahren zum ersten Mal tiefer in die Krähenburg eindrang. Meine Gabe, Energie zu spüren, im Verein mit meinem detaillierten Wissen zur Burg ließ mich in bisher unberührte Bereiche vordringen. Und irgendwann stieß ich auf einen alten Bannzauber."

Sie zuckte mit den Achseln. „Ich glaube, Sie kennen den Raum nicht und auch die Ligisten und dieser Antares haben ihn nicht entdeckt, aber das ist ja auch irrelevant. Jedenfalls steht dort eine Art Becken und darin befand sich seltsames, leuchtendes Wasser. Ich habe versucht es anzufassen, aber es lag irgendein Zauber darüber. Sie wissen schon: alt, mächtig, undurchdringlich. Na ja, zumindest fast, denn er war etwas schlampig ausgeführt. Ich war damals naiv, unvorsichtig und seeehr neugierig. Ich fand nach einer Weile einen verzauberten Gegenstand, den ich mit ein bisschen Herumprobieren dazu bringen konnte, ein Loch in den magischen Schild zu brennen. Und wollen Sie wissen, was das Becken getan hat? Absolut gar nichts."

Sie grinste schief. „Na ja, zumindest nicht mit mir. Ich war ziemlich enttäuscht, aber dann erfuhr ich, dass ich einen Zauber gelöst haben musste, der auf meinem lieben Freund, dem Flussgeist, lag. Vorher hat er nämlich nie gewusst, wie er überhaupt zu der Ehre gekommen ist, für immer an den Darineus gebunden zu sein. Aber in dem Moment, in dem ich das Becken berührte, erhielt er offenbar sein Gedächtnis zurück. Und das hat ihn ziemlich verändert."

„Und? Wer war er?"

„Na niemand anderes als der große, böse Waldemar Blaukrähe höchstpersönlich."

Ihrem Satz folgte eine kurze Pause, dann begann Nadine schallend zu lachen.

„Unglaublich, oder? Ja, ich glaubte es tatsächlich nicht, nicht ein Stück. Das heißt natürlich ... damals schon. Wie gesagt, ich war naiv.

Vermutlich ist der Kerl einer von Blaukrähes Schülern oder irgendein missglücktes Experiment, immerhin scheint er sich jedenfalls mit der Burg und Magie doch ganz gut auszukennen. Aber mir gegenüber hat er so getan, als wäre er der echte Waldemar Blaukrähe. Er hat eine großspurige Rede geschmissen, gemeint, dass er nun endlich seine ganze Macht wiedererlangen würde, und so weiter, das volle Programm. Und er wollte, dass ich ihm dabei helfe. Nun, ich war zwar leichtgläubig, aber nicht dämlich. Von dem Moment an habe ich einen großen Bogen um die Krähenburg und die Grotte im Tal des Darineus gemacht. Ich dachte, wenn ich ihm nicht helfe, kann auch nichts passieren. Geredet habe ich mit niemandem darüber, immerhin war ich ja eigentlich schuld daran, dass dieser Bastard sein Gedächtnis wiedererlangt hat. Ich war zwar traurig darüber, was meinetwegen aus dem guten ‚Alten Mann' geworden war, aber ich verschloss einfach die Augen und hoffte, das Problem wäre gelöst. Aber damit begann der Alptraum erst."

Nadine wirkte nun, als wäre sie ernsthaft aufgewühlt. Sie seufzte und begann langsam vor Sieben auf und ab zu schreiten, wobei er sie keine Sekunde lang aus den Augen ließ. Sie erzählte jedoch weiter, als hätte sie von ihm nichts zu befürchten und sie wären bei einer gemütlichen Plauderei in einem Wartezimmer.

„Ein paar Tage später hat sich ein junger Mann, der bei uns in der Herberge übernachtet hatte, bei einem Spaziergang in den Wäldern im Tal des Iphikles umgebracht. Wenig später wurde seine Leiche bei Krithon vom Chorena angetrieben. Das war natürlich an und für sich nicht ungewöhnlich, wie Sie wissen, ist das Tal des Iphikles für verzweifelte Seelchen auf der Suche nach einer letzten Ruhestätte geradezu ein Geheimtipp. Aber eigentlich war mir der Kerl nicht wirklich sonderbar vorgekommen. Doch dann geschah es ein paar Wochen später wieder. Und wieder. Und wieder. Immer öfter. Die Zahl der Opfer stieg langsam, oh ja, aber sie stieg. Im Dorf wurde gemunkelt, aber da der Anstieg über Monate und Jahre geschah, wurde es mehr wie eine kleine Unannehmlichkeit behandelt, immerhin passierte es ja nie einem von uns. Der Dämon im Fluss war nicht ungeschickt, er hat sich gut kontrollieren können und seinen Einfluss nur langsam ausgeweitet. Tatsächlich hat er durch seine neu gefundene Stärke nicht nur Macht über den Darineus, sondern auch über den Iphikles gehabt. Flussabwärts reichte seine Stärke bis an den Chorena. Und um nicht aufzufallen, hat er nur Leute verschwinden lassen, die das Tal des Iphikles besucht haben. Später hat er sogar den Fluss so manipuliert, dass die Leichen der Opfer einfach wie vom Erdboden verschluckt worden sind. Aber dann ist eine Frau verschwunden, die irgendwie mit einem Inquisitor verwandt war. Tja, und dann stand Sechsundzwanzig bei uns vor der Tür. Er hat viele Leute befragt. Ich hätte ihm mehr sagen können, aber eigentlich habe ich mir nur Sorgen darum gemacht, dass herauskommen könnte, dass ich schuld an diesem mörderischen Monster war. Aber die Situation wurde brenzlig. Sechsundzwanzig war ein mächtiger Zauberer, nicht wahr?"

Sieben nickte langsam und Nadine schnaubte.

„Das dachte ich mir. Die langsame Vorgehensweise dieses Möchtegern-Waldemar-Blaukrähe mochte vielleicht dazu geführt haben, dass er bei weitem nicht so mächtig wurde, wie er hätte sein können. Aber trotzdem muss der Kampf zwischen ihm und dem Inquisitor beeindruckend gewesen sein. Sie haben den Zauber in der Nähe des Dammes gespürt?"

Sieben nickte. „Wir konnten uns keinen Reim darauf machen, worum es sich dabei genau handelte. Wir hielten ihn für den Ursprung der Probleme."

Nun musste Nadine erneut laut lachen.

„Den Ursprung? Ha! Eigentlich war er das Ende! Sechsundzwanzig und der Flussgeist haben sich dort unten fast gegenseitig umgebracht. Der Inquisitor ist gestorben, hat jedoch mit seinen letzten Atemzügen einen gewaltigen Zauber gewirkt, der verhinderte, dass der Flussgeist jemals über den Chorena würde Besitz ergreifen können, egal wie mächtig er würde. Außerdem hat er ihn so geschwächt, dass er danach nur noch das war, was Sie gesehen haben, ein Schatten seiner selbst. All die Energie, die er den Leuten entzogen hatte, einfach verpufft. Aber dafür ist es ihm gelungen, den Inquisitor zu töten. Und wie bei mir sind dann Vorgänge passiert, mit denen wohl niemand gerechnet hatte. Sechsundzwanzig wurde zu einer seltsamen Kreatur, deren einziges Ziel es war, die Gegend um seinen letzten Zauber sicher zu halten. Alles Magische, was in seine Nähe kam, wurde angegriffen. Und ich kann Ihnen sagen, gegen Magie war dieses Biest so gut wie immun."

Sieben schnaubte. „Dann tauchte Jannis auf."

Nadine nickte. „Ganz richtig. Und er hat uns nichts als Ärger gebracht. Ich habe mich natürlich Hals über Kopf in den Trottel verliebt, aber ab seiner Ankunft konnte man immer öfter Herzog und seine Schergen in der Gegend herumschleichen sehen. Dann passierte der Vorfall auf der Krähenburg. Und mit meiner neugewonnenen Macht erkannte ich, dass ich nun endlich die Gelegenheit hatte, ein paar alte Rechnungen zu begleichen."

Sie ballte die Fäuste und brachte die Luft um ihre Finger zum Flimmern. „Zuerst wollte ich mehr verstehen. Und dafür habe ich meinen guten alten Freund in seiner Grotte aufgesucht. Sie hätten ihn sehen sollen. Er hat sich richtig gefreut über mich, hat gemeint, mit meiner Hilfe könnte er wieder stark werden. Aber ich habe ihm schnell klargemacht, dass sich die Regeln geändert hatten. Irgendwie konnte ich mit ihm … verschmelzen. Ich verstehe selber nicht ganz, wie das funktioniert, aber auf jeden Fall konnte ich mir all seine Fähigkeiten zunutze machen. Und da ich nun so viel stärker war als er, konnte ich all diese Kraft auch einsetzen. Mit seinem Wissen konnte ich diesen dunklen Nebel erschaffen, mit dem er seine Opfer in den Selbstmord getrieben hat. Und Sophie Falk war mein erstes Opfer. Diese kleine Schlampe, die Jannis mir vorgezogen hat."

Auf ihren Zügen lag nun ein Ausdruck tiefer Befriedigung. „Mehrere Tage hintereinander bin ich bis nach Krithon gegangen und habe nachgesehen, ob ihr Leichnam endlich angespült wurde. Als es endlich so weit war … es war unglaublich. Ihr hübsches Gesicht bleich und tot, ihr Körper aufgedunsen von den Tagen im Wasser und ihre Arme aufgeschnitten und blutig von den Felsen … hätte ich die Möglichkeit dazu gehabt, ich hätte mir ein Foto von dem Anblick gemacht und mir an die Wand gehängt. Erinnern Sie sich noch daran, wie Sie mir zum ersten Mal begegnet sind, als Sie mit Noah ins Tal gefahren sind? Ich war auf dem Weg zu der Bucht, wo man Sophie gefunden hat. Dort kommen bei mir immer so viele schöne Erinnerungen hoch …“

Sieben, angespannt wie ein Sprungfeder, hatte seine Hand immer noch auf dem Griff seines Degens liegen und rechnete jeden Moment damit, dass Nadine ihn angreifen würde, doch offensichtlich hatte sie andere Pläne. „Aber Sophie war nur der Anfang, oder?“

„Natürlich. Ich meine, wenn man erst einmal auf den Geschmack gekommen ist, schmeckt nichts köstlicher als die süße Lebenskraft von Menschen, saftig gebraten in ihrer eigenen Verzweiflung, während der Fluss ihre schwindenden Kräfte in sich aufnimmt. Bei Sophie war ich leider noch nicht ganz so geübt darin, meine Essensreste so gut verschwinden zu lassen wie dieser falsche Waldemar Blaukrähe, ich hatte ja auch noch keine Ahnung von der Barriere, deswegen hat man ihre Leiche auch noch gefunden. Erst danach habe ich damit begonnen, meine Opfer auch nach ihrem Ableben gut einzusetzen. Jedenfalls habe ich, wie Sie schon ganz richtig bemerkt haben, ein wenig … genascht.“

„Sie meinen, Sie haben das halbe Dorf ausgelöscht.“

„Nicht auf einmal natürlich. So viel Selbstbeherrschung habe ich. Ich habe nur diejenigen, die nicht mit mir kooperiert haben, ein wenig … gefügiger gemacht. Außerdem war der Tausch nur ein ganz kleines bisschen unfair. Alle, die ich umgebracht habe, haben ein bisschen

Kraft zurückbekommen. Sogar dem Dummkopf in der Grotte, den ich mittlerweile übrigens ganz nach seinem Wunsch Waldi nenne, habe ich ein bisschen etwas abgegeben. Gerade genug, um ihn in dieser erbärmlichen Existenz festzuhalten. Fürs Erste habe ich ihn noch gebraucht. Waldi hat zum Beispiel Jannis für mich … aufbewahrt. Hinten in seiner Grotte. Er hat mir erzählt, Sie hätten Verdacht geschöpft, aber dadurch, dass Sie in seiner Schuld gestanden sind, waren Sie wohl etwas zu höflich, um den Ort genau zu untersuchen. Dass er ihm einmal entkam und es sogar kurz zu Ihnen schaffte, bevor ihn meine Verwesten zurückbringen konnten, war natürlich Pech, aber auf lange Sicht hin wohl nicht so tragisch. Außerdem hat sich die Liga dort ausnahmsweise einmal als nützlich erwiesen und Sie auf andere Gedanken gebracht. Denn, und ich glaube, das wird Sie überraschen …"

„Mit der Liga hatten Sie nicht das Geringste zu tun, ich weiß", erwiderte Sieben.

Nadine hob die Augenbrauen. „Beeindruckend."

Sieben zuckte mit den Schultern.

„Das ist nicht wirklich eine große Leistung. Immerhin hat mich der Flussgeist jetzt zwei Mal vor ihr gerettet. Ihr Ziel war am Anfang, dass wir ziellos im Tal des Iphikles und auf der Krähenburg herumlaufen und nach der Liga und vielleicht auch dem Ursprung des Nebels suchen und anschließend wieder verschwinden, nicht wahr?"

Nadine lächelte. „Da halten Sie mich ausnahmsweise einmal für ausgefuchster, als ich bin. Tatsächlich hatte ich bei Ihrer Ankunft nicht die geringste Ahnung, was ich mit Ihnen anfangen sollte. Sie haben mich wirklich auf dem falschen Fuß erwischt. Dadurch, dass ich im Gegensatz zu Waldi keine auswärtigen Leute mehr verschwinden ließ, habe ich eigentlich damit gerechnet, dass hier so schnell niemand vorbeischauen würde. Aber als Sie nun einmal da waren, wusste ich nur, dass Sie auf keinen Fall den Darineus näher untersuchen durften. Vielleicht würde dieser Trottel in der Grotte die

Nerven verlieren oder versuchen sich mit Ihnen zu verschwören. Unter meiner Fuchtel zu stehen hat ihm nämlich gar nicht gefallen. Außerdem war mir die Liga im Weg, da sie hinter Jannis her waren, sorgten sie immer wieder für Ärger. Und sollte es ihnen gelingen, Sie oder einen Ihrer Freunde zu töten, würden bald noch mehr neugierige Magier hier eintreffen. Und dafür war es noch zu früh. Aber dann hatte Noah eine interessante Idee. Die Hälfte des Dorfes, die ich noch nicht in mich aufgenommen hatte, wusste genau, was vor sich ging, und tat aus Furcht, was immer ich ihnen sagte. Aber wenn wir es so anstellen könnten, dass Sie und die Liga meine Probleme für mich lösten … Noah brachte die Liga auf die Spur von Zacharias. In der Nacht, als er sich mit Ihnen treffen wollte, haben sie ihn geschnappt. Es war natürlich Pech, dass sie während Ihres Aufenthalts hier ausgerechnet die Krähenburg als ihren Unterschlupf gewählt hatten, aber ansonsten war noch alles in Ordnung. Aber …", sie atmete tief ein und nickte in die Richtung, aus der Sieben gekommen war, „da war mir noch etwas im Weg. Sechsundzwanzigs Zauber trennte mich von der Welt. Natürlich hätte ich einfach das Tal selber verlassen können, aber leider war die Quelle meiner Macht sehr eng mit dem Fluss verbunden. Wenn ich nun also Leute beeinflussen oder den Nebel erschaffen wollte, musste ich das in der Nähe des Flusses tun. Also haben ich und der Alte Mann Sie auf die Spur von Sechsundzwanzigs modrigen Überresten gebracht. Mir waren die Hände dadurch gebunden, dass ich noch nicht stark genug war, um den Zauber mit bloßer Kraft zu brechen. Aber wenn jemand diesen Mistkerl physisch vernichten würde, wäre ich frei. Dann wäre ich endlich dazu in der Lage, meine Fühler auszustrecken und schöne, köstliche Energie überall herzubekommen. Zuerst wollte ich den Rest von Oslubo in mich aufnehmen, dann ein bisschen in Krithon naschen. Und dann wäre ich mächtig genug, um mich überallhin auszubreiten. Die Welt wäre mein Buffet und ich könnte alle zu meinen lieben guten Freunden machen, nachdem sie mir ihre Energie gegeben haben. Und wissen Sie was?" Sie schenkte ihm einen gehässigen Blick. „Sie haben mich nicht enttäuscht. Ich wollte noch warten, bis Sie und die anderen verschwunden sind, bevor ich mich an die Arbeit mache. Aber da Sie mich ja nun durchschaut haben, muss ich wohl eine kleine Planänderung vornehmen …"

Sie hob den Arm und Sieben zog blitzschnell seinen Degen, um einen magischen Angriff abzuwehren, doch anstatt anzugreifen, hielt Nadine die Plastikflasche mit H2O vor sich in die Höhe. Sie lächelte.

„Ihnen liegt viel an diesem Kerlchen, nicht wahr? Ungewöhnlich … ich habe als Kind immer geglaubt, meine Verbindung mit dem Alten Mann wäre einzigartig. Aber da habe ich mich wie in so vielen Dingen geirrt."

Sie ließ einen Moment verstreichen, in dem sie mit dem Daumen fast liebevoll über die Seite der Plastikflasche fuhr und neugierig auf den reglosen Wassergeist in ihrem Inneren sah. Dann warf sie das Behältnis Sieben locker zu, der schnell reagieren musste, um es zu fangen.

„Ich will Ihnen das als Zeichen meines guten Willens geben. Sie können Ihren Wassergeist und Otto zusammenpacken und hier verschwinden. Pfeifen Sie Ihre Magierfreunde zurück … ja, ich habe Ihr Gespräch mit dem Wirt mitbekommen. Ohne die Barriere war ich so frei, einmal meine Fühler auszustrecken, und da konnte ich nicht widerstehen, Ihr Gespräch zu belauschen. Aber wenn Sie einfach abhauen und mich in Ruhe lassen, werde ich Ihnen nicht im Weg stehen."

Sieben schnaubte. „Und was ist mit Kassandra? Ich weiß, dass sie unterwegs ist, um mit dem Flussgeist zu reden."

Nadines Lächeln wurde eine Spur breiter, es wirkte nun fast schon unheimlich.

„Ich denke, ihre Ermittlungen werden noch eine Weile dauern. Eine ganze Weile. Sagen Sie, glauben Sie eigentlich, ich wüsste nicht, was hier gespielt wird?"

Sie musterte ihn lauernd, während sie langsam begann in einem weiten Halbkreis um ihn herumzugehen.

„Sie sind nicht mit der Absicht hierhergekommen, gegen mich zu kämpfen. Was Sie wirklich wollten, ist, mich zu beschäftigen, bis Ihre Magierkollegen sich gesammelt haben. Und da Sie ja so schlau sind, können Sie sich bestimmt auch denken, warum ich mitgespielt habe." Unter seiner Maske konnte Nadine zum Glück nicht erkennen, wie sich die kalte Erkenntnis auf seinem Gesicht abzeichnete.

Kassandra ist bereits in der Grotte angekommen! Wahrscheinlich kämpft sie in diesem Moment mit dem Alten Mann!

Nadine trat zur Seite und gab den Weg frei.

„Wenn Sie wirklich glauben, mit Ihrer Anwesenheit hier irgendetwas bewirken zu können, dann nur zu. Gehen Sie nach Oslubo. Versuchen Sie, Ihre Kollegin zu retten. Aber wenn Sie diese Entscheidung treffen, dann verspreche ich Ihnen, dass Sie bald ein Teil meiner Sammlung sein werden."

Sie verzog die Miene, als würde Sie nach irgendetwas schnüffeln, und leckte sich begierig die Lippen.

„Mhh … ich glaube, Sie wären eine wirklich erlesene Vorspeise. So viel Kraft. So viel Leben. Seltsam, als Sie hier angekommen sind, hatte ich eher den Eindruck, Sie wären eine fade Mahlzeit."

Die Gedanken des Inquisitors rasten. Bis er Kassandra erreichen konnte, würde eine Ewigkeit vergehen, aber einfach umkehren konnte er nicht. Eigentlich hatte er keine Wahl. Er trat an Otto heran und schwang sich seinen leblosen Körper über die Schulter. Dann marschierte er los, den Weg weiter entlang Richtung Oslubo.

„Sie enttäuschen mich wirklich nicht", bemerkte Nadine, als er an ihr vorbeiging.

Sie sah ihnen lange nach, doch der Inquisitor wandte nicht einmal seinen Kopf. Stattdessen versuchte er sein Tempo zu beschleunigen.

24.

Sieben lief, so schnell seine Last es zuließ. Ottos schlaffer Körper drückte auf seinen Schultern, außerdem gab es kaum einen Körperteil, der ihm nicht von seinem Kampf mit Antares schmerzte, und er war von seiner Zeit im Fluss stark unterkühlt.

Doch er blendete alles aus. Noch immer schwirrte ihm der Kopf von allem, was Nadine ihm erzählt hatte. Als ihn vorhin die Erkenntnis getroffen hatte, was es mit dem Formaldehydgeruch und Nadines Parfum auf sich hatte, waren die Teile umgefallen wie Dominosteine. So viele Dinge hatten auf einmal einen Sinn ergeben. Aber was schlussendlich von dem, was Nadine ihm zum Schluss noch erzählt hatte, wirklich richtig war, konnte er unmöglich wissen. Doch er glaubte nicht, dass sie log. Als er und Otto aufgebrochen waren, hatte Kassandra sich auf den Weg in das Tal des Darineus gemacht. Mittlerweile musste sie fast dort angelangt sein, und wenn der Flussgeist über sie herfiel, solange sie ahnungslos war, konnte das durchaus bedeuten, dass er sie einfach überrumpelte. Außerdem war es gut möglich, dass Nadine ihm einen Teil ihrer Energie zur Verfügung stellte.

Ich hätte ihm gegenüber wirklich misstrauischer sein müssen! Fluchte er innerlich, doch nun blieb keine Zeit für späte Reue.

Er wusste, warum Nadine ihn nicht aufgehalten hatte. Und er wusste auch, was er zu tun hatte.

Wenn sie wirklich die Lebensenergie all der verschwundenen Leute in Oslubo in sich aufgenommen hat, dann ist sie mittlerweile bestimmt so mächtig, dass ich ihr nicht einmal Schaden zufügen kann.

Alles, was ihm blieb, war zu versuchen, so viele Menschen wie möglich in Sicherheit zu bringen, zu Kassandra zu gelangen und Nadine und den Flussgeist lange genug aufzuhalten, um Gessler zu ermöglichen, genug Magier zu sammeln, um es vielleicht, *vielleicht,* mit ihr aufnehmen zu können. Aber dass das gelingen würde, da war er sich nicht wirklich sicher.

Und wenn Nadine nicht einmal durch sie aufgehalten werden kann,
wird sie nichts mehr daran hindern, sich weiter in den Chorena
auszubreiten und über Krithon herzufallen.

Nadine mochte durch ihre Mutation die Macht haben, Energie von sich aus zu geben und so ihre unweigerliche Selbstzerstörung durch eine Magieübersättigung hinauszuzögern, doch er hatte genug über Vampire gelesen, um zu wissen, dass sie früher oder später die Kontrolle verlieren würde. Sie würde fressen, fressen, fressen und sich irgendwann einfach in einer Explosion aus Energie auflösen.

Aber bis dahin könnte sie gut und gerne ganz Krithon verschlungen
haben.

Sieben gab sich Mühe, sein Tempo noch einmal zu steigern. Die Strecke zurück nach Oslubo hatte er in Rekordzeit zurückgelegt, die letzte Anhöhe vor der zum Dorfplatz führenden Allee spurtete er richtiggehend hinauf.

Hoffentlich hat Nadine hier noch nicht alle verschlungen.

Doch zumindest diese Angst bewahrheitete sich fürs Erste nicht. Sven, der gerade vor der Herberge auf irgendjemanden zu warten schien, war sichtlich von seinem Erscheinen überrascht.

„Nummer Sieben! Was machen Sie denn hier? Meisterin Kassandra sollte eigentlich jeden Moment …"

Der Inquisitor schnitt ihm wütend das Wort ab. „Spar dir die Mühe, ich weiß alles. Nadine hält euch alle hier gefangen und hat schon das halbe Dorf umgebracht. Hör mir jetzt gut zu: Sie steht kurz davor, auch den Rest von euch zu erledigen, und wird danach über Krithon herfallen. Wenn dir also etwas an deinem Leben liegt, wäre es das Beste, jetzt die Maskerade sein zu lassen und zu kooperieren." Sven war völlig überrumpelt und Sieben konnte sehen, wie er einen Moment lang mit sich kämpfte, dann sank er in sich zusammen und verbarg sein Gesicht in den Händen.

„Es ist vorbei … dem Licht sei Dank. Ich … ich hatte Angst … Nadine … sie …"

„Ich weiß, was sie ist und was sie getan hat. Und auch, was DU getan hast. Yaron mag mich vielleicht in Nadines Auftrag an der Nase herumgeführt haben, aber im Gegensatz zu DIR hat er zumindest versucht mir ein paar Hinweise zu geben."

Durch seine Finger heraus sah Sven ihn ängstlich an. „Sie … sie hätte mich getötet! So wie alle anderen! Ich … ich hatte keine Wahl, ich …"

Sieben hatte für seine faulen Ausreden keine Geduld und schnitt ihm das Wort ab. „Deine Feigheit ist nicht mein Problem. Aber es ist jetzt wichtig, dass du dich zumindest jetzt zusammenreißt. Ruf das ganze Dorf zusammen und haut ab. Einfach raus aus dem Tal, so schnell wie möglich. Nadine wird inzwischen wahrscheinlich durch mich und die anderen Magier abgelenkt sein, aber sollten wir nicht in der Lage sein, sie aufzuhalten, wäre es das Beste, ihr flüchtet so weit wie möglich. Und Krithon sollte auch evakuiert werden."

Sven sah ihn an, als würde er versuchen den Sinn seiner Worte zu begreifen, doch schließlich nickte er.

„Ich werde es versuchen. Aber … vor etwa einer Stunde hat Nadine einigen Leuten befohlen zur Grotte zu gehen …"

Sie hat also außer Kassandra noch andere Geiseln … oder sie will sie sofort verschlingen, um sich Kraft für den Kampf gegen die Magier zu verschaffen.

„Wie viele Leute?"

„Alles in allem etwa zwanzig. Yaron … Yaron ist auch dabei. Nadine hatte genug von seiner heimlichen Arbeit gegen sie. Auch die anderen waren Störenfriede."

Das war nicht gut. Er durfte keine Zeit verlieren. Der Inquisitor schwang Otto von der Schulter und reichte ihn Sven.

„Nimm ihn mit und pass auf ihn auf."

„Was ist ihm denn passiert?"

„Der Kopfgeldjäger. Aber mach dir um den keine Sorgen. Alles, was jetzt zählt, ist, dass ihr hier wegkommt."

Sven nickte, dann zögerte er kurz, als würde er mit sich kämpfen, bevor er fortfuhr. „Ich … es tut mir leid. Ich wollte nur die Leute vor Nadine beschützen. Sie hat einfach jeden umgebracht, der ihr irgendeinen Widerstand entgegengebracht hat. Ich habe geglaubt, sie würde uns vielleicht in Ruhe lassen, wenn wir uns nicht wehren." Sieben hätte ihm jetzt gerne ein paar Dinge gesagt, aber dafür war jetzt keine Zeit. „Das war trotzdem ziemlich dumm. Aber jetzt kannst du den Fehler ausbügeln, indem du die Leute in Sicherheit bringst, verstanden?"

Sven nickte, sah noch ein letztes Mal auf den ohnmächtigen Otto in seinen Armen und rannte los. Sieben sah unterdessen noch einmal auf die Berge der vor ihm liegenden Täler und atmete tief durch. Der Sprint bisher hatte ihn erschöpft, aber um zu rasten, blieb ihm keine Zeit, denn nun stand außer Kassandra auch noch das Leben dutzender anderer Menschen auf dem Spiel. H_2O rührte sich in seiner Flasche noch immer nicht, doch zumindest glaubte Sieben nun ein leichtes Flimmern seiner Energie wahrzunehmen. Es würde dauern, bis der Wassergeist sich weit genug erholt hatte, um zu kämpfen. Fürs Erste war er alleine. Er griff nach seinem Zauberstab und besah sich seinen schartigen Degen. Nicht gerade die Waffen, mit denen er einen so mächtigen Dämon wie Nadine bezwingen konnte.

Dann hatte Sieben plötzlich eine Idee.

Das Wetter schlug um, und zwar unnatürlich schnell. Die ganze Zeit über hatte es so ausgesehen, als könnten sich die Wolken am Himmel nicht entscheiden, ob sie es nun regnen lassen sollten oder nicht, doch nun zogen sie sich zusammen und ließen einen kalten Schauer auf ihn herabfallen, der schnell stärker wurde.

Kann sie etwa das Wetter beeinflussen?

Sieben wusste, dass einige mächtige Magier dazu in der Lage waren, er selber hatte aufgrund seiner Fähigkeiten im Umgang mit Wasser schon einige kleinere Experimente durchgeführt. Aber wenn Nadine

wirklich glaubte, dass er sich von etwas schlechtem Wetter aufhalten ließ, hatte sie sich geschnitten. Seine Kleidung, die er nachdem er dem Chorena entstiegen war mit Magie getrocknet hatte, war mittlerweile wieder fast völlig durchweicht vom Regen und Siebens Haut wurde erneut nass, was ihn frösteln ließ. *Zumindest weht kein Wind.*
Schließlich kam er zu der Stelle, wo der Aufstieg zur Grotte begann. Unglücklicherweise schien es so, als wären Yaron und die anderen Dörfler ebenfalls ziemlich schnell gewesen, denn trotz seines strammen Tempos war es ihm nicht gelungen, sie einzuholen.
Er sah nach oben. In dem Moment brach ein Stück über ihm eine kleine Steinlawine los. Ein großer Fels löste sich ohne ersichtlichen Grund aus dem Hang und fiel rumpelnd und begleitet von vielen kleineren Steinen in die Tiefe. Sieben blieb gerade noch Zeit, sich zur Seite zu werfen. Irgendwo in der Ferne meinte er ein helles Lachen zu hören.
Sie gibt sich ja wirklich Mühe.
Der Regen nahm zu, der bereits übersättigte Boden nahm kein Wasser mehr auf und richtige kleine Wasserfälle ergossen sich den steilen Abhang hinab ihm entgegen. Der Darineus war angeschwollen und braunes Wasser stürzte bedrohlich gurgelnd über die Felsen. Sieben musste bei jedem Schritt kämpfen und er kam nur langsam voran, doch zu seinem Glück konnte er mit einem speziellen Abwehrzauber zumindest die ärgste Wucht abdämpfen.
Trotzdem war es eine Tortur. Drei weitere Male wurde er beinahe unter einer Schlammlawine begraben.
Als er schon einen Großteil des Weges hinter sich gelassen hatte, prallte plötzlich ein Stein so hart gegen seine Schulter, dass er nach hinten fiel. Sieben ruderte mit den Armen und vollführte im Fall eine halbe Drehung, er versuchte sich irgendwo festzuhalten, doch seine Fingernägel kratzten über den Stein und er fiel endgültig hin. Mit dem Gesicht voran krachte er gegen einen Felsen, doch die Maske fing zumindest einen Teil der Wucht ab. Mit einem knackenden Geräusch

brach der Schnabel seiner Maske knapp über der Basis ab. Sieben schmeckte Blut. Der Regen prasselte in schweren Tropfen auf seinen Rücken.

Einen Augenblick lang blieb er liegen, benommen und kraftlos. Doch aufzugeben war keine Option. Seinen Ellenbogen hatte er sich aufgeschlagen, doch ohne auf den Schmerz zu achten, stützte Sieben sich auf ihn und rappelte sich wieder auf. Er tat ein paar Schritte … und plötzlich war der Regen verschwunden.

Stattdessen kroch ein dicker Nebel über den Hang. Ein gespenstischer Schleier legte sich über alles und Sieben konnte kaum die Hand vor Augen sehen. Dann verfinsterten sich die Schwaden. Es war derselbe dunkle Nebel, den er schon bei seinem Kampf mit Sechsundzwanzig erlebt hatte. Alles wurde kalt, seine Lungen schienen ihm bei jedem Atemzug zu gefrieren und ein erdrückendes Gefühl der Verzweiflung schien ihm mit seinen mörderischen Klauen die Kehle zuzudrücken. Plötzlich sah er vor sich eine Gestalt. Aber es war nicht Nadine.

Es war auch nicht Kassandra.

Es war Zeus.

Eine Illusion, sagte Sieben sich sofort, doch ein seltsames Gefühl begann sich in ihm auszubreiten. Dieser Zeus sah wesentlich jünger aus, sein Haar war voller und braun statt weiß, außerdem war er nicht ganz so feist. Nur eines schien sich nicht geändert zu haben.

„Du bist wirklich für nichts zu gebrauchen", knurrte er Sieben entgegen, „aus dir wird nie ein Zauberer werden. Eine größere Schande als Schüler hätte ich mir gar nicht aussuchen können."

Sieben schnaubte und schüttelte den Kopf. Die Worte hätten ihn wahrscheinlich erschüttert, aber erstens hatte er sie schon zu oft vom echten Zeus gehört, zweitens war er nun, da er wusste, was es mit dem Nebel auf sich hatte, gefasster.

Da musst du dir schon etwas Besseres einfallen lassen.

Trotzdem spürte er langsam, wie sich etwas wie eine schwere, kalte Last auf seine Schultern legte. Der Nebel durchdrang jede seiner

Poren und wirkte wie ein schleichendes Gift auf seinen Geist. Der Inquisitor ging weiter, doch mit einem Mal kam ihm sein Unterfangen sinnlos und töricht vor. Seine Verletzungen pochten allesamt schmerzhaft und sein klatschnasser Umhang schien ihn nach unten zu ziehen und wie ein durchweichtes Leichentuch auf ihm zu liegen. Aber er ging weiter. Eine weitere Gestalt erschien im Nebel. Ein kleiner Junge, vielleicht vier oder fünf Jahre alt, mit lockigem, hellem Haar und braunen Augen. Er schien Sieben nicht zu sehen, sondern selber hilflos im Nebel herumzuirren. Die kleinen Hände vor sich ausgestreckt schritt er voran, doch er kam vom Weg ab und schritt auf einen Abhang zu. Der Inquisitor blieb wie angewurzelt stehen.

Er ist nicht echt. Er ist nicht real.

Aber das half ihm nur wenig. Sein Sohn stolperte und fiel. Er schrie. Sein Körper purzelte den Abhang hinab, mit einem Knacken brach sein Arm beim ersten Aufprall, dann fiel er schwer auf einen großen Stein. Der schmächtige Körper wurde zerschmettert, fiel schlaff wie eine Puppe noch ein Stück weiter und blieb dann reglos liegen. Die leeren Augen starrten anklagend in Siebens Richtung. Doch er ging weiter.

Keine Vergangenheit. Nur Licht. Keine Vergangenheit. Nur Licht.

Er erinnerte sich an das, was er in seinem Traum getan hatte. Er war durch die Tür geschritten und hatte alles hinter sich gelassen. Was er sah, gehörte nicht zu ihm, denn er war nur eine Nummer.

Der Inquisitor zog sich an einem Stein nach vorne. Er hatte keine Ahnung, wie weit es noch bis zur Grotte war, aber sonderlich weit konnte er von seinem Ziel nicht mehr entfernt sein.

Plötzlich stieß sein Fuß gegen etwas Weiches. Es war ein Körper. Keine Illusion oder sonst ein Trick, ein greifbarer, fester Leichnam. Es war ein Mann. Sieben kannte ihn nicht wirklich, doch er glaubte ihn schon einmal wo gesehen zu haben. Es war einer der Dorfbewohner aus Oslubo. Am Boden neben ihm lag ein blutiges Messer. Offenbar hatte der Mann sich die Pulsadern aufgeschnitten. Sieben sah auf. Da

vorne war noch ein Toter. Und noch einer. Und noch einer. Einige von ihnen waren aus dem Dorf, andere trugen Ligaabzeichen.
Offenbar hatte Nadine sie bei ihrer Flucht aus dem Tal erwischt und ihnen ebenfalls ihre Energie entzogen.
„Du bist zu spät.“
Die Kälte, die in der Stimme lag, ließ ihm einen Schauer über den Rücken laufen. Doch sie gehörte nicht zu einem Körper. Zwei Augen tauchten im Nebel vor ihm auf. Der Hass, der in ihnen zu sehen war, fuhr auf ihn nieder wie ein Hammerschlag. Sieben senkte den Blick und wollte die Augen ignorieren, doch bei seinem nächsten Schritt rutschte er aus und fiel hin. Er fing den Sturz mit seinen Händen ab, doch er griff in etwas Warmes, Klebriges. Es war Blut. Der Boden war voll mit dem Blut der Toten um ihn herum. Direkt neben ihm lag eine Leiche auf einem Felsen, Mund und Augen weit geöffnet, wie um vor Entsetzen zu schreien.
Es war Yaron. Sieben war zu spät. Er hatte es nicht verhindern können. Kälte rollte über ihn hinweg wie eine Welle. Die Dunkelheit wurde dichter, nur die hasserfüllten Augen schienen alles durchdringen zu können.
„Du hast sie im Stich gelassen. Sie alle.“
Die Stimme sprach mit einer keinen Einspruch duldenden Endgültigkeit wie die Anklage eines Gottes.
Keine Vergangenheit, kein Gesicht ... nur Licht. Keine Vergangenheit ...
Aber das hier war nicht seine Vergangenheit. Die Toten um ihn herum waren nicht wegen Rubens Versagen gestorben, sondern weil Inquisitor Nummer Sieben sie nicht hatte retten können. Der Inquisitor und Ruben waren in allem ein und dieselbe Person, ihre Fehler waren die gleichen. Nichts hatte sich geändert. Ein Gesicht war ein Gesicht. Man konnte es nicht einfach ablegen oder feige hinter einer Maske verstecken.

Plötzlich berührte etwas anderes seine Hand. Wasser. Es floss über seine Finger und wischte das Blut von ihnen, gleichzeitig fühlte es sich warm und beruhigend an. Es floss träge und kraftlos, doch Sieben spürte, dass sich in seinem Inneren schwach eine wohlige Kraft rührte. $H2O$ ...

Der Wassergeist gurgelte schwach. Er war erschöpft und schwer verletzt, doch seine Anwesenheit durchströmte Sieben mit neuer Kraft, zumindest ein kleines bisschen. $H2O$ schmiegte sich noch einen Moment lang müde an ihn, ehe er sich langsam an seinem Arm hinaufschlängelte und an seiner Brust zu einem trüben, leicht gekrümmten und wesentlich kleineren Seepferdchenanhänger gefror. Sieben atmete einmal tief durch, duckte sich und versuchte mit zitternden Händen weiterzukrabbeln, doch seine klammen Finger glitten über die Steine und den Boden und fanden nie richtig Halt. Aber er kam voran. Dann plötzlich wurde der Nebel dünner. Die Augen verschwanden. Vor ihm lag das Plateau. Die drückende Last der Kälte ließ ein kleines bisschen nach und Sieben konnte wieder ein paar klare Gedanken fassen. Er wollte sich gerade aufrichten, als er es sah.

Um ihn herum war Nebel, er war nur auf einer Art Lichtung. Sieben konnte nun wieder zumindest ein Stück weit sehen, doch dafür schien es jetzt so, als hätte sich eine riesige, schalldichte Glocke über den Platz gelegt, die jedes Geräusch verstummen ließ. Es war so gespenstisch still, dass er nicht einmal seine eigenen Schritte hören konnte.

Und vor ihm, direkt in der Mitte des nebelfreien Bereiches, lag ein weiterer Körper am Boden. Im Gegensatz zu den Toten vorhin war diese Person größtenteils unversehrt. Sie lag auf dem Bauch und hatte eine einzige, klaffende Wunde am Rücken, die wohl tödlich gewesen war. Die Frau wirkte, als hätte sie versucht auf etwas zuzukriechen. Der rechte Arm war unnatürlich abgewinkelt, als hätte etwas ihn mit großer Kraft gebrochen, der linke war jedoch ausgestreckt und griff nach einem am Boden liegenden Zauberstab. Doch nur mit dem Daumen und den übrigen Fingerstummeln hatte sie wohl nicht rechtzeitig nach ihm greifen können.

Nein ... NEIN!

Sieben krabbelte zu der am Boden liegenden Kassandra und tastete nach ihrem Puls, doch die Haut, die er berührte, war kalt und leblos. Sie war tot.

„Du bist zu spät."

Sieben sah sich um, um festzustellen, wo die Stimme hergekommen war, doch plötzlich öffnete Kassandra die Augen. Sie waren leer und ohne einen Funken Leben und ihre Stimme klang etwas verzerrt.

Sieben konnte nichts tun, als sie anzusehen und fassungslos den Kopf zu schütteln. „Ich bin, so schnell es ging, gekommen."

Kassandra beachtete ihn gar nicht.

„Du bist zu spät. Ich bin tot."

Grauen erfasste Sieben, dann jedoch auch ein leichtes Gefühl von Trotz. „Du ... bist nicht echt. Nur eine Verweste."

Die Augen starrten ihn an, doch die Tatsache laut auszusprechen erfüllte den Inquisitor wieder mit Kraft. Er ließ Kassandra los und erhob sich.

„Wo bist du? Zeig dich!"

Die Tote sank wieder zu Boden, der Nebel antwortete ihm allerdings nicht. Schließlich zogen die Schwaden davon und das Licht kehrte zurück. Sieben stand auf dem Plateau vor dem Höhleneingang. Dort, direkt vor der Grotte, stand Nadine. Sie hatte nun jede Illusion abgelegt, der Regen hatte ihr Make-up zerrinnen lassen und gab darunter eindeutige Spuren der Verwesung frei, sodass ihre Züge jener einer halb zerronnenen Wachspuppe ähnelten, die ihn teuflisch anlächelte.

Neben ihr stand bucklig und erschöpft wirkend der Alte Mann, der sich schwer auf seinen Gehstock stützte. Es war schwierig, in seinen verfaulten Gesichtszügen zu lesen, doch Sieben meinte einen resignierten, hoffnungslosen Ausdruck darin zu erkennen.

Und am Boden vor ihm kniete Jannis. Er war noch am Leben. Mehr oder weniger. Nadine stützte sich mit dem Fuß an seiner Schulter ab, was wohl dazu diente zu verhindern, dass er einfach umfiel. Sein Gesicht war geschwollen, offenbar hatte ihn jemand mit akribischer Sorgfalt zusammengeschlagen. Er hatte ein langes Brett hinter dem Kopf, auf das er seine Hände gelegt hatte. Bei genauerem Hinsehen stellte Sieben fest, dass jemand zwei lange, rostige Nägel durch seine Handflächen gestoßen hatte, um sie so an dem Brett zu befestigen. Dem getrockneten Blut am Holz nach zu schließen, musste das schon vor einer ganzen Weile passiert sein.

„Sososo …", begann Nadine „Sie wollen also nicht mehr Zeit schinden, ja? Soll mir recht sein."

Sie versetzte Jannis einen verächtlichen Stoß, woraufhin dieser stöhnend nach vorne fiel. Nadine sah ungnädig auf ihn hinab.

„Na ja, ich glaube, auch ich sollte aufhören so viel Zeit mit meinen beiden Freunden hier zu verbringen. Am Anfang hat es ja noch Spaß gemacht, aber mittlerweile wird selbst mir bei dem Gewimmer von dem hier langweilig. Und der große Waldemar Blaukrähe war ja anscheinend nicht einmal in der Lage, auf ihn aufzupassen, nicht wahr, Waldi?"

Der Bucklige neben ihr wagte es nicht, den Kopf zu heben, er nickte nur müde.

Nadine warf einen Blick auf den leblosen Körper Kassandras und nickte anerkennend.

„Sie hat sich gut geschlagen, wissen Sie? Ich habe Waldi eine gehörige Portion Energie gegeben, um sie zu erledigen. Trotzdem wäre es ihr fast gelungen ihn zu besiegen, nachdem er versucht hat sie zu überrumpeln. Sogar nachdem er ihren guten Arm zertrümmert hat, wollte sie noch weiterkämpfen. Ganz, wie man es sich von der Tochter des Obersten Inquisitors erwarten kann."

Nadine musterte Sieben eindringlich von oben bis unten, dann blieb ihr Blick an dem Seepferdchenanhänger an seiner Brust hängen.
„Hat der sich etwa schon wieder erholt?", fragte sie milde überrascht.
„Nein. Er rastet. Aber er ist mir gerne nahe."
Nadine schnalzte leicht verärgert mit der Zunge.
„Zu schade. Sonst hätte Ihr kleines Wassermonster gegen meines kämpfen können."
Sie nickte abfällig zum Buckligen neben sich, der immer noch nur stur zu Boden sah. „Ich wette, das wäre unterhaltsam geworden."
Sieben presste die Lippen aneinander. „H_2O ist nicht mein Sklave. Und er ist auch kein Mörder, so wie ihr ‚Freund'."
Nadine zuckte mit den Achseln. „Wenn Sie das sagen … aber ja, der Kampf wäre wohl nicht gerecht, immerhin ist Waldi selbst in seinem erbärmlichen Zustand noch stärker als diese fliegende Pfütze. Trotzdem … dem Problem können wir Abhilfe schaffen."
Sie hob den Arm. Sieben zog blitzschnell seinen Degen und hob ihn zur Abwehr bereit, doch Nadine hatte nicht versucht ihn anzugreifen. Stattdessen zog sie mit einer einzigen flinken Bewegung H_2O von seiner Brust zu sich. Der kleine Wassergeist quiekte überrascht auf und versuchte sich zu wehren, doch Nadine war viel zu mächtig.
„LASSEN SIE IHN SOFORT LOS!", brüllte Sieben.
Nadine lächelte dünn.
„Ihre Sorge um diesen kleinen Plagegeist rührt mich beinahe. Aber ich habe nicht vor, dieser erbärmlichen Kreatur etwas anzutun, immerhin ist er genauso ein Energiewesen, wie ich jetzt eines bin. Nein, eigentlich habe ich genau das Gegenteil vor …"
Sie hob H_2O, der zitternd in ihrer Handfläche lag, von sich weg in die Höhe. Ihr Arm begann schwach bläulich zu schimmern. H_2O blitzte kurz auf und gab ein überraschtes Wiehern von sich, dann begann er zu brodeln. Der Ring in seinem Inneren fing an gleißend hell zu leuchten. Im nächsten Moment schien aus mehreren Richtungen Wasser auf H_2O zuzuströmen. Er nahm es in sich auf, wurde größer

und klarer und Sieben spürte, wie Energie zwischen ihm und Nadine hin und her floss. Plötzlich schoss er in die Höhe, drehte zwei, drei Mal seine Kreise über ihnen und sauste nach unten, bis er knapp über dem Boden von Nadines Zauber festgehalten wurde. H_2O schien wieder völlig fit zu sein, trotzdem war er nicht gerade glücklich über seine Situation und wand sich empört in ihrem Griff.

„Na bitte, geht doch!", grinste Nadine erfreut. „Dann kann das Spektakel ja doch noch stattfinden. Hm … gut. Waldi? Töte ihn!"

Endlich sah der Bucklige auf und ein Funken Leben blitzte in seinen Augen auf. Dann stürzte er sich auf H_2O. Der Zauber, der den kleinen Wassergeist an Ort und Stelle hielt, löste sich, doch statt sich dem Kampf zu stellen, flitzte er im Nu zurück zu Sieben, wo er sich in dessen Mantel verkroch. Der Bucklige hielt inne.

„Tsetsetse …", machte Nadine, „so funktioniert das aber nicht. Los, schicken Sie ihn wieder in den Kampf."

Sieben hob seinen Degen und richtete die Spitze auf den Körper des Grottengeistes. Der wiederum lupfte seinen Gehstock wie eine Keule über seinem Kopf und schwang sie bedrohlich. Der Inquisitor sah ihn einen Moment lang entschlossen an. Dann schüttelte Nadine erneut den Kopf.

„Wie schade. Aber gut, wenn ihr wirklich zu zweit gegen den armen Waldi kämpfen wollt, ist es wohl nur fair, wenn ich ihm dafür eine etwas bessere Chance einräume."

Sie hob den Arm und der bucklige alte Mann begann zu leuchten. Wie schon H_2O zuvor schien er von innen heraus stärker zu werden, seine Haltung wurde gerader und sein Buckel verschwand fast völlig, als er sich nun von neuer Kraft erfüllt aufrichtete. Er überragte Sieben nun um ein ganzes Stück, sein hagerer Körper war fast spinnenhaft und sowohl seine leeren Augenhöhlen als auch die Spitze seines Stockes begannen in einem unheilvollen, purpurnen Licht zu schimmern. Sein Gesichtsausdruck veränderte sich langsam, bis er Sieben mit einem selbstbewussten Grinsen mörderisch anblitzte.

Dann stürzte er nach vorne. Der Stock raste auf Siebens Kopf zu und nur mit großer Mühe konnte er rechtzeitig seinen Degen hochreißen. Die Wucht des Aufpralls war gewaltig, doch im nächsten Moment erfasste ihn eine kleine Druckwelle wie ein fester Windstoß, als die wilde Energie im Stock des alten Mannes auf die Bannzauber des Degens traf. Einen Augenblick lang standen sie so da, sein Gegner versuchte ihn mit bloßer Gewalt niederzudrücken, während Sieben sich mit aller Kraft gegen ihn stemmte.

Dann hörte er es plötzlich hinter sich rauschen. H2O wieherte warnend und erst im letzten Moment konnte er den Feindkontakt abbrechen und sich mit ausgestreckten Armen umwenden. Eine Wassersäule, dick wie ein Baumstamm, traf mit geradezu betäubender Wucht auf Sieben und hüllte ihn ein. Er spürte, wie er in die Höhe gehoben und wild um die eigene Achse gedreht wurde, sodass er nicht nur die Sicht, sondern auch sonst gänzlich die Orientierung verlor. Fast wäre ihm sein Degen aus der Hand gerissen worden, doch er umklammerte ihn, als ginge es um sein Leben. Dann konzentrierte er sich. Wasser war sein Element. Er spürte es um sich herum und konnte darin aufgehen. Zuerst folgte er der Bewegung des Stromes, dem wilden Wirbel, der ihn umherschleuderte. Dann begann der Inquisitor ihn zu beeinflussen. Beinahe sofort stieß er auf Widerstand, offensichtlich wollte der Grottengeist verhindern, dass Sieben seine eigene Waffe gegen ihn verwendete. Doch nun, da dessen besondere Verbindung mit dem Darineus von Nadine unterbrochen worden war, war der Inquisitor stärker.

Sieben stieg höher und immer höher, bis er schließlich an der Spitze der Säule thronte und auf seinen erschrockenen Gegner hinuntersah, während Nadine im Hintergrund sich offensichtlich köstlich zu amüsieren schien. Sieben hob den Arm. Aus dem Wirbel unter ihm sprossen mehrere tentakelartige Arme, die sich mit dem Wassertornado drehten und gefährlich durch die Luft peitschten. Sieben lenkte die Wassersäule nach vorne und die Tentakel trafen mit voller Wucht auf den Körper des Grottengeistes. Dieser war von der plötzlichen Wendung noch immer überrumpelt und wurde mit voller Wucht gegen eine Felswand geschmettert. Bevor er sich aufrappeln konnte, vollführte Sieben eine greifende Bewegung und drei der Tentakel vereinten sich zu einem mächtigen Arm, der gefror und mit einer solchen Wucht gegen die Wand schlug, dass sie einbrach und Siebens Gegner unter einer Steinlawine begrub.

Dann ließ der Inquisitor die Wassersäule hinter sich und sprang hinab, den Degen hoch über seinem Kopf erhoben.

Sein Timing war perfekt, denn in diesem Moment wurde ein großer Brocken von einer purpurn leuchtenden Hand weggestoßen. Der Grottengeist sah ihn kommen und wollte einen Abwehrzauber wirken, doch er war zu langsam. Siebens Degen fuhr auf ihn herab und durchtrennte mit einem einzigen Hieb Fleisch, Knochen und Sehnen.

Ein abgetrennter Arm segelte durch die Luft, bevor er von den sich auflösenden Resten des Wassertornados erfasst und über den Rand des Plateaus nach unten außer Sicht geschleudert wurde.

Sieben sprang zurück. Die magische Entladung, die der plötzlichen Teilung des bis zum Rand mit Energie vollgepumpten Körpers folgte, war groß und warf ihn zusätzlich noch ein Stück zurück.

Der Flussgeist heulte wütend, aber auch verletzt auf. Er ließ seinen nun nutzlosen Armstumpf einmal hierhin, einmal dorthin zucken, doch ohne Ergebnis. Schließlich konnte er sich mit großer Mühe aus dem Rest des Geröllhaufens befreien, doch nun sah er mit mehr ängstlichem als wütendem Blick zu Sieben, der drohend den Degen hob.

„Na los, worauf wartest du?", knurrte Nadine ungeduldig. „Greif an!" Als er nicht sofort gehorchte, schnaubte sie erbost.

„Nutzlos! Von A bis Z einfach nur nutzlos! Aber gut, wenn du nicht spurst, dann tu ich dir den Gefallen und erlöse dich von deiner erbärmlichen Existenz!"

Wieder ein Blitzen. Dieses Mal jedoch spürte Sieben etwas wie einen Sog, ein unwiderstehliches Ziehen in Nadines Richtung, die wie ein schwarzes Loch auf einmal das gewaltige Gravitationszentrum aller Magie zu sein schien.

Der Flussgeist brüllte auf.

Das purpurne Leuchten in seinen Augen flackerte wie eine Kerze im Wind, dann erlosch es. Sein Stock fiel zu Boden, er krümmte sich scheinbar unter Schmerzen und sein ohnehin schon halb verfaulter Körper schien innerhalb von Sekunden noch einmal um Jahrzehnte zu altern.

Dann war es vorbei. Der Sog verschwand. Ein bröckliges Geripppe fiel zu Boden, der Schädel landete vor Siebens Füßen.

Nadine atmete tief ein, als würde sie versuchen einen Duft zu erfassen, dann lächelte sie.

„Alt, aber nicht ohne Reiz. Seine Energie an sich ist schon ein ziemlicher Leckerbissen, aber diese besondere, tiefe Verbindung zu dem Fluss … ah, wirklich erfrischend."

Sie drehte sich um, besah sich prüfend ihre Finger und ließ dann einen brutzelnden, roten Energiestrahl auf den Eingang der Grotte zuschießen. Der Angriff schlug mit lautem Knall ein, die Decke bröckelte, und nach einem kurzen Moment des Widerstandes gab sie nach und brach ein. Als sich die Staubwolke gelichtet hatte, war der gesamte Eingang mit Steinen verlegt und nichts wies noch darauf hin, was sich dahinter befand.

Doch als das Rumpeln der Steine verhallt war, hörte Sieben etwas anderes. Etwas Schnelles, Schlagendes schien langsam näher zu kommen. Sieben kannte das Geräusch.

Hubschrauber.

Es waren mehrere, gleich drei an der Zahl. Trotz des nicht gerade idealen Wetters schien jemand durchgesetzt zu haben, dass sie direkt hier hinaufflogen. Sie waren noch ein gutes Stück entfernt, doch es konnte nicht mehr lange dauern, bis sie hier eintrafen. Nadine sah sich überrascht nach ihnen um.

„Nanu? Die sind ja schneller, als ich gedacht hätte. Aber eigentlich kommen sie wie gerufen, nach all diesen Leuten und Waldi hier habe ich erst richtig Hunger bekommen. Aber ...", ihr Blick blieb gierig an Sieben hängen, „für einen kleinen Appetitanreger ist immer noch Platz." Sie grinste mörderisch.

Sieben verlor keine Zeit. Mit aller ihm zur Verfügung stehenden Kraft sprang er blitzschnell nach vorne und schlug mit dem Degen zu. Nadine sah seinen Angriff kommen, gab sich jedoch nicht einmal Mühe auszuweichen. Siebens Degenspitze fuhr ihr quer durchs Gesicht, zog einen tiefen Riss von ihrer linken Wange weiter über ihre Nasenspitze, die sie sauber abriss, bis hin über ihr rechtes Auge. Funken flogen.

Nadine lachte. „Entzückend. Ich bin dran."

Sie streckte ihren Zeigefinger aus und plötzlich umgab ihn ein seltsames, weißes Energiefeld. Sieben hatte keine Gelegenheit dazu, auch nur an einen Gegenzauber zu denken, bevor er, unfähig einen Muskel zu bewegen, in die Höhe gerissen wurde, nur um dann mit aller Gewalt wieder zu Boden geworfen zu werden. Dann schleuderte Nadine ihn einmal im Kreis über sich herum, als würde sie ein Lasso schwingen, wobei ihm sein Degen entglitt, und ließ ihn über das gesamte Plateau schlittern. Erde und Steine schlugen ihm ins Gesicht, er spürte, wie sie tiefe Kratzer auf seiner Haut hinterließen. Blut rann ihm über das linke Auge und behinderte seine Sicht, als die Platzwunde von seinem Kampf mit Antares erneut aufbrach, gleichzeitig riss die Reibung die Brandwunden an seinem Bauch auf. Doch dann ließ der Druck nach. Sieben erhob sich und zog seinen Zauberstab. Mächtige Zauber, die auf der Waffe lagen, pulsierten förmlich unter Sieben Fingern. Aber selber damit einen Angriff zu vollführen war sinnlos.

„Was denn jetzt?", lachte Nadine. „Mit dem können Sie doch ohnehin nichts anfangen!"

„Jetzt!", rief Sieben.

H2O flitzte los. Im Flug verwandelte er sich in ein Käuzchen, das pfeilschnell zu dem immer noch am Boden liegenden Jannis hinüberflog, ihn packte und mit für ein so kleines Vögelchen fast schon komischer Kraft hochhob. Nadine sah H2O mehr überrascht als ernstlich verärgert nach, wie er, so schnell er nur konnte, mit seiner Beute vom Plateau aus in die Tiefe stürzte, um sich in Sicherheit zu bringen.

„Flinkes Bürschchen", kommentierte sie, „aber um den kümmere ich mich später. Jetzt erst einmal ..."

Sie wurde von dem ohrenbetäubenden Lärm der Rotorblätter der Hubschrauber unterbrochen, die fast perfekt synchron über dem Rand der hinter ihnen liegenden Felswand auftauchten. Sieben erkannte, dass es sich nicht um zivile Gefährte, sondern offensichtlich um Militärhubschrauber handelte. Derjenige, der ihnen am nächsten war, wandte seine Spitze Nadine zu, die amüsiert die Lippen schürzte. Dann eröffnete er das Feuer. Um Nadine herum bestrahlte das Aufleuchten eines mächtigen magischen Schildes alles wie ein Leuchtfeuer, doch keine der Kugeln hatte auch nur die geringste Chance, ihr Schaden zuzufügen.

Sie hob lässig den Arm und feuerte einen roten Lichtstrahl von einer solchen Kraft, dass Sieben seine Intensität bis zu sich hin spürte, ab. In dem Helikopter mussten sich zumindest einige Magier befinden, denn im nächsten Moment erschien ein kräftiges, bläulich schimmerndes Schild, das den Strahl abwehren sollte.

Er fuhr durch es hindurch wie ein heißes Messer durch Butter. Falls es überhaupt eine Art Widerstand gegeben hatte, so war er für Sieben zumindest nicht spürbar. Der Hubschrauber explodierte nicht, stattdessen sah es so aus, als hätte das vordere Drittel von einem Moment auf den anderen beschlossen, einfach nicht mehr zu existieren. Einer der anderen Helikopter wurde von der Druckwelle zurückgeworfen, doch der dritte zeigte Nadine nun die Breitseite. Eine Schiebetür öffnete sich und Sieben erkannte Konrad Gessler, der irgendetwas brüllte und gemeinsam mit zwei Kollegen seinen Zauberstab auf sie richtete. Nadine lachte irre. Sie streckte beide Arme von sich und bot ihnen provokant ein gutes Ziel.

Alle drei Zauberer trafen sie gleichzeitig, hinterließen jedoch nicht die geringste Spur an ihr. Dann hob sie den Arm zum Angriff. Ihre Fingerspitzen leuchteten rot.

Sieben hechtete vor und betete zum Licht und allen Göttern, dass sein Plan funktionierte. Er sprang auf Nadine zu, die von ihren Gegnern völlig abgelenkt war und ihn erst sah, als er direkt neben ihr war und mit dem Zauberstab ausholte. Kurz grinste sie höhnisch. Dann stieß Sieben ihr das Holz bis zum Anschlag ins linke Auge. Die magische Spitze durchdrang ihr Schild wie schon sein Degen zuvor, doch wirklichen Schaden richtete er nicht an.

Dann löste Sieben den letzten Bannzauber, der auf der Waffe lag. Nadine brüllte auf. Grüne Blitze durchzuckten die Umgebung. Der Inquisitor, der sich in unmittelbarer Nähe befand, wurde von einem getroffen, der ihn hilflos durch die Luft fliegen ließ. Dann gab es einen so gewaltigen Donnerschlag, dass Sieben für mehrere Sekunden nur noch ein dumpfes Klingeln in den Ohren hatte. Eine zischende, grünlich schimmernde Kugel hüllte Nadine ein, ließ sie verschwinden in ihrem gleißenden Licht und die Erde beben, als hätte ihr die Faust eines Titanen einen Schlag versetzt. Die beiden noch in der Luft befindlichen Helikopter taumelten durch die Druckwelle wild umher, einer von ihnen sackte ein großes Stück ab und verschwand aus Siebens Blickfeld. Dann folgte eine riesige Staubwolke, die das ganze Plateau einhüllte und ihm die Sicht nahm. Und schließlich eine Energiewelle, die brutzelnd auf Sieben zuflog.

25.
Zwei Wochen später ...

Das Wasser unter ihnen war rot wie Blut. Dasselbe galt für das
Metallgeländer der Brücke. Und seine Hände, die es umklammerten.
Natürlich war das nur eine Täuschung, ausgelöst von den roten
Glassteinen, die die Sehschlitze der Maske, die er trug, bedeckten. In
Wirklichkeit war das Wasser des Chorena wahrscheinlich trüb und
grünlichbraun, wie es im späten Herbst so oft der Fall war.
Und auch sonst war eigentlich alles noch genauso wie das letzte Mal,
als Sieben an dieser Stelle gestanden hatte. Nun ja, nur dass $H2O$
dieses Mal in seiner üblichen Seepferdchenform an seiner Brust hing
und er damals auch sonst in anderer Gesellschaft gewesen war.
„Es wirkt irgendwie alles ... nicht wirklich anders, oder?", fragte
Otto. Er klang, als würde er versuchen sich selbst aufzuheitern. Wenn
er lächelte, konnte man die leicht trüben, falschen Zähne sehen,
welche jene ersetzten, die Antares ihm bei ihrem Kampf
ausgeschlagen hatte, alle anderen äußeren Verletzungen waren
inzwischen mehr oder weniger verheilt. Sieben nickte unberührt.
„Wahrscheinlich sieht niemand in Krithon irgendeine Veränderung",
erwiderte er.
Aber natürlich hatten Gerüchte die Runde gemacht. Der Orden hatte
zuerst keinen großen Wert darauf gelegt, die Öffentlichkeit darüber zu
informieren, wie knapp Krithon einer Katastrophe entgangen war.
Aber es gab Dinge, die konnte man nicht vertuschen.
Zum Beispiel die Auslöschung eines halben Dorfes. Oder das
plötzliche Auftauchen von knapp einem Dutzend Magiern, die
anscheinend in höchster Eile mit drei angeforderten
Militärhubschraubern davonfliegen. Vor allem, wenn bei ihrer
Rückkehr ein guter Teil von ihnen fehlte.

Also hatte Großmeister Zeus schließlich die Strategie geändert und war direkt an die Presse gegangen. Die Geschichte, die er erzählte, war in groben Zügen sogar richtig.

Ein böser Flussdämon war für die Selbstmorde verantwortlich gewesen, ein anderer für die Auslöschung der Dorfbewohner. Dann war eine Truppe Magier unter der Führung von Kassandra Gessler in Oslubo eingetroffen und hatte innerhalb weniger Tage den gesamten Umfang der Vorgänge aufgedeckt, wobei sie selbst jedoch im Kampf gefallen war.

So weit, so gut.

Dann hatte er angefangen über die Liga zu reden.

„Jannis de Meijer, ein hochrangiges Mitglied der Liga, hat durch sein Eindringen in der Krähenburg einen uralten Dämon aufgeschreckt. In weiterer Folge hat ein ligainterner Streit zu weiteren Toten geführt."

Am Ende hatte sich ein Bild ergeben, laut dem die Liga an allen Vorgängen schuld war, Nadines Name wurde nicht einmal erwähnt. Auch Nummer Sechsundzwanzig und Nummer Sieben suchte man vergebens in den Aufzeichnungen seines Interviews.

Der Inquisitor konnte sich natürlich denken warum. Die Schnabelnasen waren unbeliebt, also würde ihre Erwähnung die Leistung des Ordens in den Augen vieler schmälern. Wie sich durch so eine Ausblendung das Image der Inquisition jemals bessern sollte, war natürlich eine andere Frage.

Otto sah betrübt auf den Fluss hinunter. Er tat Sieben leid. Der junge Magier hatte schon seine halbe Familie und seinen ersten Meister in der Ligakrise verloren. Und jetzt war auch noch seine zweite Meisterin gestorben. Während Sieben noch im Krankenhaus gewesen war, hatte Kassandras Begräbnis stattgefunden. Gerne wäre er auch dort gewesen, doch die Ärzte hatten es verboten.

„Hat man dir schon einen neuen Meister zugeteilt?", erkundigte er sich.

Otto nickte. „Einen Freund von Großmeister Zeus. Georg …
irgendwas", sagte er ohne Begeisterung. „Aber man hat mich darüber
in Kenntnis gesetzt, dass man von mir erwartet, meine Meisterprüfung
im Laufe des nächsten Jahres abzulegen."
Sieben konnte seine Frustration nachvollziehen. Natürlich war Otto in
Hinsicht auf die Dauer seiner Ausbildung bereit. Doch zwei
Meisterwechsel und ein Bürgerkrieg hatten natürlich einen gewissen
Einfluss auf die Effektivität der Ausbildung. Was Otto gebraucht
hätte, war Stabilität. Aber auch der Orden hatte Bedürfnisse. Es gab
viele Schüler, auch durch den Tod vieler Meister während der
Ligakrise wurden Ausbildungsplätze langsam Mangelware. Otto sollte
vermutlich bald selber einen Schüler aufnehmen. Und diese Aussicht
machte ihn natürlich ebenfalls nervös.
„Ich bin sicher, du schaffst das schon", versuchte er ihn aufzubauen
und klopfte ihm auf die Schulter, „mit drei verschiedenen Meistern
hast du dann immerhin genug Lehrmethoden erlebt, die du dann selber
anwenden kannst."
Mehrere Momente lang sah Otto geradeaus und schien zu überlegen,
was er antworten sollte. Schließlich setzte er ein ziemlich bitteres
Lächeln auf. „Natürlich. Ein Meister hat sich der Liga angeschlossen,
die andere sie bekämpft. Und was ich beim nächsten in dieser Hinsicht
lernen werde, weiß ich auch noch nicht. Ich kann es gar nicht
erwarten, meinen eigenen Schülern all die schönen Dinge
beizubringen, die ich selber lernen durfte."
Seine Stimme triefte vor Verbitterung. Angesichts seiner Gemütslage
war seine Reaktion natürlich verständlich, trotzdem kam Sieben nicht
umhin, ein wenig alarmiert zu sein.
Er ist zynisch geworden ... wer weiß, ob sich das nicht noch
verschlimmert.
Es war auch gut möglich, dass er sich am Tod seiner Meisterin selber
die Schuld gab, immerhin hatte er Sieben, als dieser das Tal verlassen
wollte, begleitet, anstatt mit ihr zum Grottengeist zu gehen. Und

später war er außer Gefecht gewesen. Natürlich hätte sich am Ergebnis nur wenig geändert, wäre er bei seiner Meisterin geblieben, womöglich wäre er Nadine selber noch zum Opfer gefallen. Aber Schuldgefühle nahmen nur selten Rücksicht auf Logik.

Sie standen noch eine ganze Weile so auf der Brücke, während Leute an ihnen vorbeigingen, von denen viele Sieben einen bösen Blick zuwarfen, sie ansonsten aber in Ruhe ließen.

Der Inquisitor dachte nach. *Ob immer noch viele von ihnen mit der Liga sympathisieren?*

Zumindest war Anais Santander nicht mehr hier, um sie zu beeinflussen. Obwohl es ihr gelungen war, Jannis de Meijers USB-Stick an sich zu bringen und Herzog aus dem Weg zu räumen, war sie untergetaucht. Sie musste irgendwie davon Wind bekommen haben, dass Hinweise gegen sie vorlagen und Sieben gegen sie hätte aussagen können, das würde auch erklären, warum sie Antares schließlich direkt auf ihn angesetzt hatte. Doch da dieser Versuch, ihn aus dem Weg zu räumen, offensichtlich ein Fehlschlag gewesen war, hatte sie überstürzt das Weite suchen müssen. So hatte sich zumindest dieses Problem fürs Erste erledigt, auch wenn es noch keine Hinweise darauf gab, wohin sie verschwunden war.

Wenn die Liga an anderen Orten sich selbst so zerlegt wie hier, wird der Orden bald zumindest diesen Ballast los sein.

Wer ihm noch Kopfzerbrechen bereitete, war Noah. Er wartete noch immer auf den Prozess, allerdings war seine Mitwisserschaft über Nadines Handlungen noch in der Anklage ergänzt worden, laut der Aussage mehrerer Bewohner Oslubos war er der Einzige gewesen, der sie nicht aus Furcht, sondern freiwillig unterstützt hatte. Sieben hatte ihn schon kurz in der Haft besucht, doch Noah hatte sich geweigert, auch nur ein Wort mit ihm zu wechseln.

Ich habe dem Mörder seiner Schwester das Leben gerettet und sie dann noch einmal getötet. Kein Wunder, dass er mich hasst.

Eine weitere Person betrat die Brücke. Es war Konrad Gessler. Sieben hatte sich vor ihrem nächsten Treffen gefürchtet, seit er im Krankenhaus aufgewacht war. Äußerlich sah man ihm zunächst nichts an. Seine Schritte waren schnell und diszipliniert, sein Gesichtsausdruck so hart wie immer. Seine Haare waren gekämmt und er wirkte sogar frisch rasiert.

Doch trotzdem fielen Sieben winzige Veränderungen auf. Die leicht rötliche Schwellung unter beiden Augen. Die etwas weniger ordentliche Kleidung. Und der ganz leichte Körpergeruch eines Mannes, der sich zumindest seit zwei Tagen nicht wirklich gründlich gewaschen hatte. Aber das war nicht weiter verwunderlich. Ohne Vorwarnung hatte dieser Mann seine einzige Tochter verloren. Und wenn er daran jemandem die Schuld hätte geben können, dann ihm, Sieben.

Er hatte nachgedacht. Unter den gegebenen Umständen war ihm kein Szenario eingefallen, in dem er Kassandra hätte retten können. Außer natürlich, er hätte Nadines falsches Spiel früher durchschaut, aber auch Kassandra und Otto waren auf ihre Schauspielerei hereingefallen. Außerdem wusste der Inquisitor, dass Gessler viel zu rational war, um ihn wirklich ernsthaft verantwortlich zu machen. Aber vielleicht wäre es besser gewesen, hätte er irgendjemandem die Schuld am Tod seines Kindes geben können. Sieben wusste das.

„Meister Gessler", grüßte Otto ihn mit einer leichten Verbeugung. Er wirkte unsicher, was er tun sollte, doch Gessler nahm ihm die Entscheidung ab.

„Bitte lassen Sie mich mit Inquisitor Nummer Sieben alleine", sagte er ein wenig heiser.

„Selbstverständlich."

Nachdem Otto Sieben einen letzten, halb freundlichen, halb traurigen Blick zugeworfen hatte, verschwand er.

Nun war der Inquisitor mit Gessler alleine. Und es herrschte Stille. Sieben wartete, damit Gessler den Anfang machen konnte, doch er ließ sich lange, unendlich lange Zeit. Unter ihnen floss der Chorena dahin und trug Äste, Müll und anderes Treibgut mit sich, während irgendwo in der Ferne ein Vogel zwitscherte.

Dann brach der Oberste Inquisitor sein Schweigen. Gessler sah auf und blickte dem Inquisitor direkt in die rubinroten Augen. „Gute Arbeit, Nummer Sieben. Kehren Sie nach Morkada zurück. Großmeister Zeus hat einen weiteren Auftrag für Sie."

Dann machte er auf dem Absatz kehrt und ging in leicht gebückter Haltung davon.

Sieben dachte nach. Was er von dieser kurzen Bemerkung halten sollte, wusste er nicht so recht.

Gute Arbeit … meinte er das ernst?

Er dachte an Kassandra und Yaron, an Zacharias und all die anderen toten Dorfbewohner. Ihnen hatte er nicht helfen können. Sie waren tot, genauso wie der Flussgeist und Herzog, auch wenn denen wohl keiner nachweinen würde.

Ich frage mich, was aus Antares geworden ist.

Die Leiche des Kopfgeldjägers war nicht angespült worden, also war es sehr wahrscheinlich, dass er überlebt hatte. Sieben hoffte innigst, dass er ihn nie wiedersehen würde. Aber irgendwie bezweifelte er das. Wieder musste er an die Toten denken, die er im Nebel auf dem Weg zur Grotte gesehen hatte. Eine Gruppe Schüler betrat die Brücke. Sieben hatte keine Ahnung, wo sie hinwollten, wahrscheinlich gab es auf der anderen Seite des Chorena ein paar Häuser. Sie lachten und alberten, der Inquisitor fiel ihnen erst auf, kurz bevor sie ihn erreichten. Einer der Burschen zischte seinen Freunden erschrocken etwas zu und alle blieben stehen. Dann wechselten sie die Straßenseite, ohne ihn aus den Augen zu lassen. Unwillkürlich musste Sieben unter seiner Maske schmunzeln.

Wenn die wüssten …

Ja, viele waren Nadine und dem Flussgeist zum Opfer gefallen. Aber noch wesentlich mehr waren noch am Leben. Wegen ihm, Inquisitor

Nummer Sieben. Jannis war in erbarmungswürdigem Zustand gewesen, doch die Ärzte hatten sein Leben retten können. Die Narben, die er aus der wochenlangen Tortur davongetragen hatte, würde er noch ein Leben lang mit sich tragen, aber vielleicht lernte er daraus ja etwas.

Sven war es gelungen, mit den anderen Dorfbewohnern aus dem Tal zu fliehen, auch sie verdankten Sieben ihr Leben und ein paar von ihnen waren auch schon im Krankenhaus vorbeigekommen und hatten sich bei ihm dafür bedankt und ihm Blumen und andere kleine Aufmerksamkeiten vorbeigebracht. Alles in allem war das doch ein annehmbarer Start in ein neues Leben, oder etwa nicht? Zumindest war es besser als sein altes. Er sah auf den Fluss hinunter und summte leise.

Dann auf einmal schlugen seine Sinne Alarm.

Jemand Neues hatte die Brücke betreten. Eine Frau, in eine elegante, weiße Windjacke eingehüllt, die Haare unter einer Wollmütze hochgesteckt, sodass nur zwei einzelne Strähnen blonden Haares in ihr Gesicht fielen, schlenderte dahin. Der Degen und der Zauberstab an ihrer Seite wiesen sie klar als Magierin aus. Sie hielt ein Handy in der Hand und tippte so konzentriert auf den Tasten herum, dass sie gar nicht vor sich blickte, bis sie fast in ihn hineingelaufen wäre.

Doch als sie aufsah, geschah es.

Ihr Blick veränderte sich.

Ihre Miene verzog sich zu einer Mischung aus Schrecken und unverhohlenem Hass. Ihre Augen blitzten gefährlich und er erkannte darin denselben urteilenden Abscheu wie in seinen Träumen.

Bei jeder anderen Gelegenheit wäre er wohl erschrocken zurückgezuckt.

Doch anstatt von ihrem Blick aufgespießt zu werden, fühlte er sich mehr, als hätte er einen dumpfen Schlag abbekommen.

„Du!", knurrte Viktoria.

Was sollte er dazu sagen? Es gab nur eine Antwort, die Sinn für ihn ergab.

„Ich bin Inquisitor Nummer Sieben, kann ich Ihnen helfen?"

Einen Sekundenbruchteil funkelte ihr Blick empört.

Dann kam die Veränderung. Der heiße, alles versengende Hass verschwand, bröckelte und fiel in sich zusammen wie ein hoher Turm, der in sich zusammenbrach. Was ihm folgte, war ... anders. Kalt statt heiß, abweisend statt verzehrend, unpersönlicher, aber nicht weniger gefährlich.

Trotzdem wusste der Inquisitor, dass er gerade für sich selbst so etwas wie eine Prüfung bestanden hatte.

Er hielt ihrem Blick stand.

Die Augen waren für ihn nicht tödlich. Sie ruhten noch einige Momente auf ihm und die Frau schien zu überlegen.

Schließlich machte sie wortlos kehrt und ließ ihn alleine auf der Brücke zurück.

Mein Besonderer Dank gilt…

…Patrick, Petra, Lisa und Peter als meine treuen Leserinnen und Leser, die mich während des ganzen Projekts mit ihrem Feedback unterstützten

…Isabella, die in stundenlanger Arbeit versuchte meine Vorstellungen vom Aussehen des Inquisitors und von H_2O zu Skizzen zu verarbeiten

…dem Team von BoD, der Grafikerin des Verlages und Frau Lange für die Zusammenarbeit und Beratung

…und meinem Vater Ivo, dem Maler der „Blauen Krähe" (oder ist es doch ein Rabe?), die über meinem Schreibtisch hängt und mich offensichtlich zu bestimmten Teilen dieses Werkes inspiriert hat und mir nun als Erinnerung an ihn dient.

Für Informationen zu weiteren Projekten, Autorenkontakt oder einfach nur um sich mit anderen Fans auszutauschen, schau auf Facebook auf der Seite „Inquisitor Nummer Sieben" vorbei!